L'essentiel de l'Écosse

Sommaire 

Dans ce guide, les pictos mettent en lumière ce que nous vous recommandons tout spécialement :

Les meilleurs...
Un best of thématique – pour être sûr de ne rien manquer.

À ne pas manquer
À voir absolument – ne repartez pas sans y être allé.

Ma sélection

Vaut le détour
Des sites un peu moins connus qui méritent une visite.

Si vous aimez...
Un choix de sites ou d'activités complémentaires selon vos envies.

Ces pictos vous aident à identifier les points d'intérêt dans le texte et sur les cartes :

À voir

Où se restaurer

Où prendre un verre

Où se loger

Édition écrite et actualisée par

Neil Wilson,
Andy Symington

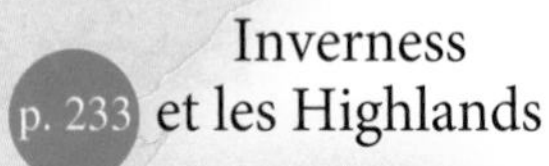

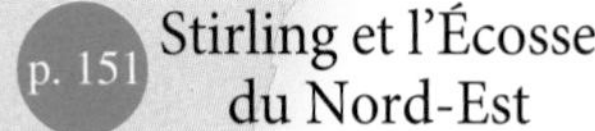

Skye, Oban,
Mull et Iona p. 195

Glasgow
et le Loch Lomond

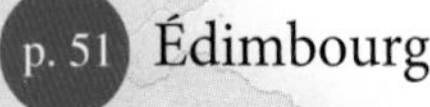

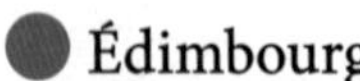

Édimbourg

- Château d'Édimbourg
- Yacht royal *Britannia*
- National Museum of Scotland
- Palace of Holyroodhouse
- Le Parlement écossais
- Rosslyn Chapel
- Arthur's Seat

Glasgow et le Loch Lomond

- Kelvingrove Art Gallery & Museum
- Loch Lomond
- Les pubs de Glasgow
- Burrell Collection
- Glasgow Cathedral
- Mackintosh House
- Culzean Castle

Stirling et l'Écosse du Nord-Est

- Stirling Castle
- Speyside Whisky Trail
- Les Trossachs
- Royal Deeside
- Scone Palace
- St Andrews
- Blair Castle

Skye, Oban, Mull et Iona

- Île de Skye
- Îles de Mull et d'Iona
- Fingal's Cave
- Observation des baleines
- Eilean Donan Castle
- Délices de la mer
- Randonnée

Inverness et les Highlands

- Le Loch Ness
- Cairngorms National Park
- Glen Coe
- Ascension du Ben Nevis
- Glen Affric
- Activités de plein air
- Observation de la faune

Sommaire

Avant le départ

Sur la route

Sommaire

Sur la route

En savoir plus

Carnet pratique

Quelques mots sur l'Écosse

Comme son whisky, l'Écosse est un délice de connaisseur, assemblage enivrant de paysages époustouflants et de sophistication urbaine, de vivifiants embruns et de sombres eaux tourbeuses, d'humour caustique et de franche hospitalité. Cette terre à l'histoire riche ne révèle ses arômes complexes qu'à ceux qui prennent le temps de la savourer.

Chaque recoin du paysage écossais semble plonger dans le passé : une ferme abandonnée sur le rivage d'une île, une lande qui fut jadis un champ de bataille, une grotte ayant servi de refuge à Bonnie Prince Charlie. L'histoire est aux aguets, tandis que vos pas résonnent dans les couloirs de nobles châteaux, de manoirs imposants et de demeures royales.

La contribution de l'Écosse à la civilisation occidentale n'est en rien proportionnelle à sa taille. La liste des scientifiques, philosophes, écrivains, explorateurs et inventeurs écossais influents remplirait un ouvrage entier. On leur doit notamment le bateau à vapeur, la télévision, le téléphone et d'autres innombrables inventions qui ont changé le monde. Le golf en fait d'ailleurs partie. Ses musées et galeries d'art vous passionneront.

Les Highlands et les îles écossaises comptent parmi les dernières zones sauvages d'Europe. Leurs sommets, leurs vallées boisées et leurs lochs profonds sont un paradis pour la faune. Les aigles planent au-dessus des montagnes, les cerfs rôdent dans les *glens*, les loutres s'ébattent sur les rivages de l'île de Skye, et l'on peut voir des baleines de Minke fendre des bancs de maquereaux au large de Mull.

Généreuse en festivals, Édimbourg ne l'est pas moins en culture. Glasgow arbore des galeries et des musées fascinants, d'excellents pubs et une scène musicale extrêmement dynamique. Inverness combine un cadre magnifique en bord de rivière et de très bonnes tables. On pourrait passer une vie entière à goûter tous les trésors de l'Écosse. Nous vous proposons une mise en bouche. À vous de composer votre menu.

« L'Écosse révèle ses arômes complexes à ceux qui prennent le temps de la savourer. »

Sonneur

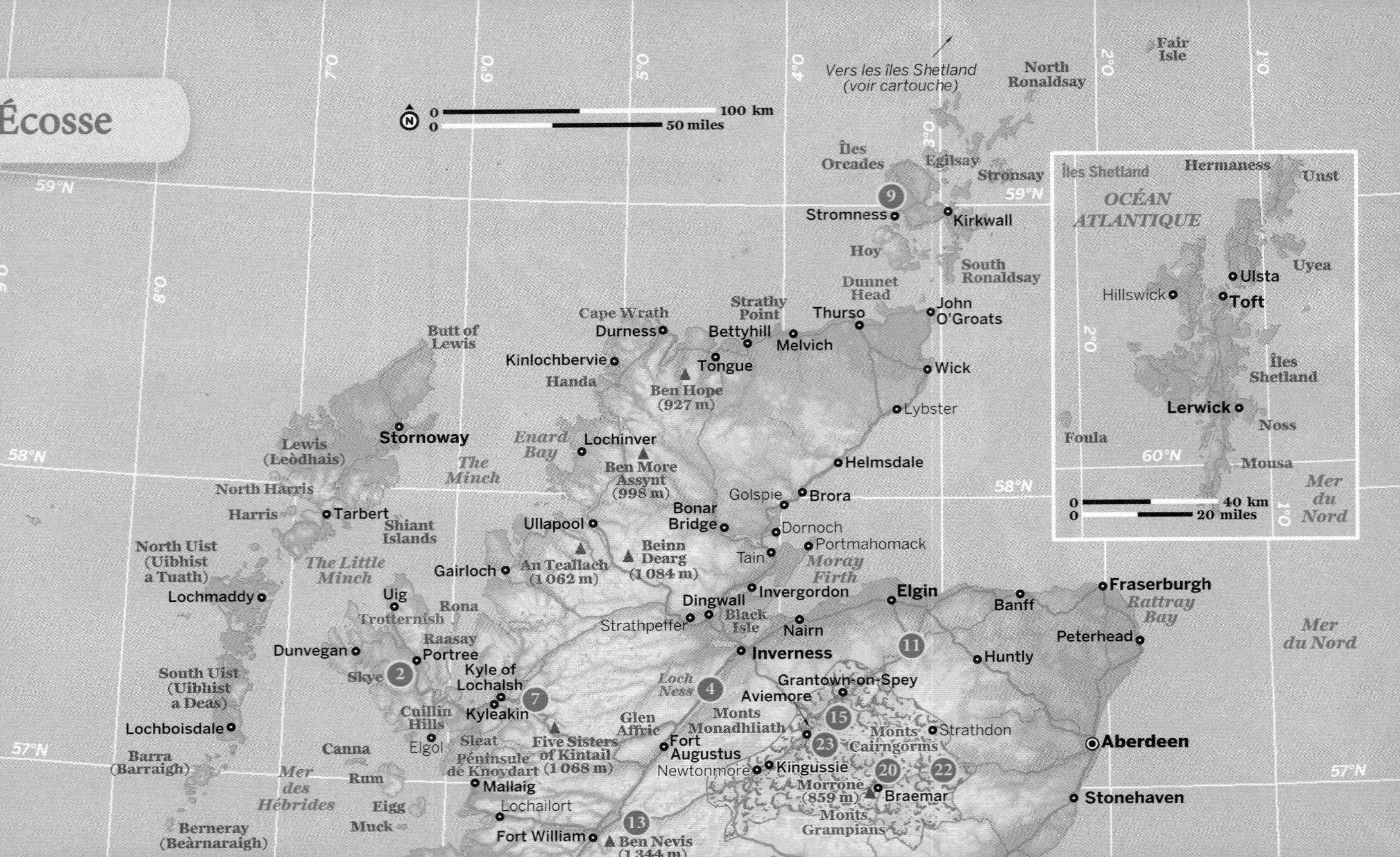
Écosse
0 100 km
0 50 miles
Vers les îles Shetland (voir cartouche)
North Ronaldsay
Fair Isle
Îles Orcades
Egilsay
Stronsay
Stromness
Kirkwall
Hoy
South Ronaldsay
Dunnet Head
John O'Groats
Thurso
Strathy Point
Cape Wrath
Durness
Bettyhill
Melvich
Wick
Butt of Lewis
Kinlochbervie
Tongue
Handa
Ben Hope (927 m)
Lybster
Stornoway
Enard Bay
Lochinver
Lewis (Leòdhais)
The Minch
Ben More Assynt (998 m)
Helmsdale
North Harris
Golspie
Brora
Harris
Tarbert
Shiant Islands
Bonar Bridge
Dornoch
Ullapool
Portmahomack
North Uist (Uibhist a Tuath)
The Little Minch
Beinn Dearg (1 084 m)
Tain
An Teallach (1 062 m)
Moray Firth
Gairloch
Invergordon
Elgin
Lochmaddy
Uig
Rona
Dingwall
Black Isle
Banff
Fraserburgh
Rattray Bay
Trotternish
Strathpeffer
Nairn
Raasay
Peterhead
Dunvegan
Portree
Inverness
Huntly
Mer du Nord
South Uist (Uibhist a Deas)
Skye
Kyle of Lochalsh
Loch Ness
Grantown-on-Spey
Aviemore
Kyleakin
Cuillin Hills
Glen Affric
Monts Monadhliath
Monts Cairngorms
Strathdon
Lochboisdale
Elgol
Sleat
Five Sisters of Kintail (1 068 m)
Fort Augustus
Aberdeen
Canna
Barra (Barraigh)
Péninsule de Knoydart
Newtonmore
Kingussie
Mer des Hébrides
Rum
Mallaig
Morrone (859 m)
Braemar
Stonehaven
Eigg
Lochailort
Monts Grampians
Berneray (Beàrnaraigh)
Muck
Fort William
Ben Nevis (1 344 m)
Îles Shetland
Hermaness
Unst
OCÉAN ATLANTIQUE
Uyea
Ulsta
Hillswick
Toft
Îles Shetland
Lerwick
Noss
Foula
Mousa
Mer du Nord
0 40 km
0 20 miles
59°N
58°N
57°N
60°N
9°O
8°O
7°O
6°O
5°O
4°O
3°O
2°O
1°O

25
expériences incontournables
1 Édimbourg
2 Île de Skye
3 Glasgow
4 Loch Ness
5 Randonnée
6 Golf
7 Châteaux
8 Perthshire
9 Sites préhistoriques
10 Rosslyn Chapel
11 Whisky
12 Glen Coe
13 Ascension du Ben Nevis
14 D'île en île
15 Faune sauvage
16 Loch Lomond
17 Stirling Castle
18 Île d'Iona
19 Les Trossachs
20 Highland Games
21 Edinburgh Military Tattoo
22 Royal Deeside
23 Forêt calédonienne
24 Poisson et fruits de mer
25 Fingal's Cave
ALTITUDE
1000 m
700 m
500 m
300 m
200 m
100 m
0
OCÉAN ATLANTIQUE
IRLANDE
IRLANDE DU NORD
ANGLETERRE
56°N
55°N
8°O
7°O
6°O
2°O
1°O
Tiree
Salen
Craignure
Mull
Oban
Taynuilt
Glen Lyon Lawers (1 214 m)
Loch Lomond & the Trossachs National Park
Dunkeld
Crieff
Perth
Dundee
Arbroath
Firth of Tay
St Andrews
Falkland
Kinross
Kirkcaldy
Firth of Forth
Colonsay
Oronsay
Kilmartin
Crinan
Lochgilphead
Inveraray
Arrochar
Argyll Forest Park
Loch Lomond
Stirling
Dunfermline
Falkirk
Dunbar
Haddington
Cockburnspath
Édimbourg
Jura
Islay
Kyles of Bute
Greenock
Dumbarton
Glasgow
Bute
Lammermuir Hills
Berwick-upon-Tweed
Gigha
Sound of Jura
Kintyre
Arran
Brodick
Ardrossan
Kilmarnock
Lanark
Peebles
Galashiels
Melrose
Coldstream
Selkirk
Jedburgh
Campbeltown
Ayr
Firth of Clyde
Hawick
Mull of Kintyre
Ailsa Craig
Gare Loch
Girvan
Galloway Forest Park
St John's Town of Dalry
Merrick (843 m)
Moffat
Newcastleton
North Channel
Dumfries
Newton Stewart
Stranraer
Portpatrick
Péninsule des Machars
Kirkcudbright
Castle Douglas
Solway Firth
Carlisle
Newcastle-upon-Tyne

25 expériences incontournables

Édimbourg

La capitale de l'Écosse (p. 51) est réputée pour ses festivals, mais elle a mille autres choses à offrir. Édimbourg est en effet une ville à l'atmosphère changeante : au printemps, la silhouette de l'Old Town (la vieille ville), environnée du halo jaune des jonquilles, se découpe sur un ciel d'un bleu limpide ; par une froide matinée de décembre, des langues de brouillard s'accrochent aux flèches du Royal Mile, la pluie fait luire les pavés, et la lumière qui brille à travers les fenêtres des pubs invite à entrer se réchauffer au coin du feu. Royal Mile

1

JOHNFSCOTT/ISTOCK ©

2

Île de Skye

Parmi les merveilles d'une région peu avare en paysages fascinants, l'île de Skye (p. 195) pourrait remporter la palme. Des pics escarpés des Cuillins (p. 214) au relief tourmenté de l'Old Man of Storr (p. 218) ou du Quiraing (p. 218) et aux spectaculaires falaises maritimes de Neist Point, chaque virage est un révélateur. Les randonneurs y cheminent en croisant cerfs et aigles royaux avant de reprendre des forces dans d'excellents restaurants de fruits de mer. Sligachan, île de Skye

Glasgow

La plus grande ville d'Écosse (p. 111), si elle n'affiche pas la beauté classique d'Édimbourg, peut s'enorgueillir d'une offre d'activités pléthorique, d'une ambiance chaleureuse et d'une vitalité qui marquent à coup sûr les visiteurs. Fébrile et moderne, Glasgow est aussi riche en musées. Et, en dépit de quelques excentricités culinaires, c'est le haut lieu de la gastronomie en Écosse. Sachant, de plus, que les sorties au pub sont ancrées dans le quotidien des Glaswegiens et que c'est l'une des meilleures villes au monde pour la musique live, il n'y a vraiment qu'une chose à faire : en profiter ! Merchant City, Glasgow (p. 122)

3

Les meilleures… Destinations gastronomiques

GLASGOW
Des spécialités du monde entier dans la capitale écossaise de la gastronomie. (p. 135)

ÉDIMBOURG
Restaurants à l'atmosphère sophistiquée, certains étoilés au Michelin. (p. 89)

INVERNESS
A développé une excellente scène culinaire ces dernières années, dont quelques tables remarquables. (p. 249)

OBAN
Sans doute la plus grande concentration de restaurants de fruits de mer de grande qualité en Écosse. (p. 221)

ÎLE DE SKYE
Cafés originaux, restaurants de poisson ou souper fin au Three Chimneys. (p. 217)

Les meilleures… Randonnées

GLEN COE
Berceau écossais de la randonnée sérieuse en montagne. Avec quelques marches plus faciles également. (p. 264)

ÎLE DE SKYE
Un défi pour les randonneurs ambitieux, avec des itinéraires longs et techniques. (p. 208)

LES CAIRNGORMS
Grand choix d'itinéraires, des balades tranquilles le long du Loch Morlich aux ascensions exténuantes des hauts sommets. (p. 257)

ROYAL DEESIDE
Promenades sans difficulté dans un cadre bucolique, le long des rivières et dans des forêts endémiques. (p. 188)

BEN NEVIS
La plus haute montagne du Royaume-Uni ; un incontournable pour les amateurs de sommets. (p. 272)

VISITBRITAIN/BRITAIN ON VIEW/GETTY IMAGES ©

4 Loch Ness

Sur une terre riche en légendes, peu rivalisent avec celle du monstre du Loch Ness, désormais connue partout dans le monde. Si elle attire près du Loch Ness (p. 253) de nombreux visiteurs, tous découvrent une fois sur place la beauté envoûtante de ce lieu aux nombreux sites historiques, tels Urquhart Castle (p. 254) et Fort Augustus (p. 255), et proche d'un des plus somptueux paysages d'Écosse, le Glen Affric (p. 263).

Urquhart Castle

CLEARVIEW/ALAMY ©

5 Randonnée

Rien de mieux que la marche pour apprécier les paysages écossais. Malgré le vent, les *midges* et le crachin, la randonnée est un plaisir : les sentiers, de collines en montagnes, n'attendent que d'être arpentés. De nombreux randonneurs rêvent de parcourir les 153 km du West Highland Way (p. 145), entre Milngavie (près de Glasgow) et Fort William. Ce trajet d'une semaine passe par quelques-uns des plus beaux paysages de la région et s'achève au pied de son plus haut sommet, le Ben Nevis.

Sur le West Highland Way

Golf

L'Écosse est le berceau du golf. Ici, on pratique ce sport couramment, et les terrains sont souvent des étendues vallonnées près des côtes, où le rough se compose de bruyère et de *machair*, et où le vent, qui peut anéantir un parcours prometteur, est le principal ennemi. St Andrews (p. 177), ville universitaire du Fife et grand centre du golf en Écosse, est aussi une cité charmante qui enchantera les amateurs de ce sport.

L'Old Course, St Andrews (p. 180)

6

7

Châteaux

Forteresses de pierre dressant leur silhouette massive au-dessus de la brume (comme ici Eilean Donan ; p. 211), châteaux majestueux dominant des bourgs historiques, luxueux palais érigés sur de vastes domaines par des propriétaires (lairds) plus soucieux de confort que de préoccupations guerrières : l'Écosse compte de multiples édifices (p. 25) reflétant son histoire tumultueuse et ses relations tendues avec l'Angleterre voisine. Quantité d'histoires de complots, d'intrigues, d'emprisonnements et de trahisons sont attachées à la plupart d'entre eux, sans parler des fantômes qui hantent leurs couloirs... Eilean Donan Castle

Perthshire

L'eau gris-bleu des lochs qui reflète l'humeur changeante du temps, les majestueuses forêts couvrant les flancs des collines, les *glens* s'insinuant aux confins d'une nature sauvage, les saumons qui remontent les rivières... Voici le Perthshire (p. 186), une terre de bourgades pittoresques et fleuries, comme Pitlochry, de distilleries d'où s'échappent de délicieux effluves maltés, et de prairies d'un vert éclatant où paissent les moutons. Nulle part ailleurs en Écosse, la nature ne semble si prodigue.

8

Les meilleurs... Musées

NATIONAL MUSEUM OF SCOTLAND
Parmi ses trésors historiques se trouve notamment le jeu d'échecs de Lewis. (p. 79)

KELVINGROVE ART GALLERY & MUSEUM
Sa collection, vaste et variée, inclut aussi bien un avion Spitfire qu'un sarcophage égyptien. (p. 132)

HIGHLAND FOLK MUSEUM
Écomusée conçu autour de bâtiments ruraux traditionnels. (p. 263)

SKYE MUSEUM OF ISLAND LIFE
Des cottages au toit couvert de tourbe recréent la vie des petits fermiers du XIXe siècle. (p. 218)

ROYAL YACHT *BRITANNIA*
Musée flottant sur l'ancien yacht de vacances de la famille royale. (p. 87)

Sites préhistoriques

Il est parfois difficile, lors de la visite de sites très anciens, de sentir le lien avec ceux qui les ont édifiés. Les superbes vestiges préhistoriques d'Écosse, eux, ont un impact immédiat On a rarement un si bel aperçu de la vie à l'âge de pierre qu'à Skara Brae (p. 260), dans les Orcades. Les incroyables cairns et chambres funéraires qui parsèment les îles sont tout aussi impressionnants. Les mystérieuses pierres dressées, les solide tours et les pierres pictes riches de symboles assurent la présence constante de ce lointain passé. Skara Brae

Les meilleurs... Musées d'art

KELVINGROVE ART GALLERY & MUSEUM
Le temple de la culture de Glasgow abrite notamment le célèbre *Christ de saint Jean de la Croix*, de Dali. (p. 132)

SCOTTISH NATIONAL GALLERY
La collection nationale comprend entre autres *Les Trois Grâces*, d'Antonio Canova. (p. 78)

BURRELL COLLECTION
Époustouflante collection privée léguée à la ville de Glasgow. (p. 136)

SCOTTISH NATIONAL PORTRAIT GALLERY
Un aperçu intrigant de l'histoire écossaise par le biais du portrait. (p. 65)

10 Rosslyn Chapel

Rendue célèbre par le *Da Vinci Code*, film adapté du roman de Dan Brown, Rosslyn Chapel (p. 91 et p. 92-93) est une des églises les plus belles et les plus énigmatiques d'Écosse. Son intérieur richement orné de sculptures, loin des canons architecturaux de l'époque, est un monument à la gloire de la franc-maçonnerie, riche en images symboliques. Outre les fleurs, pampres, anges et autres figures bibliques, on retrouve sur les piliers de nombreuses représentations du Green Man, antique symbole païen de la fertilité. Pilier de l'Apprenti

11 Whisky

La boisson nationale écossaise, du gaélique *uisge beatha* signifiant "eau de vie", est distillée depuis cinq siècles. Il existe plus de cent distilleries encore en activité, qui produisent des centaines de variétés de *single malt*. Apprendre à distinguer la saveur fumée et tourbée des whiskies d'Islay de celle, fleurie et aux accents de xérès, des whiskies du Speyside est devenu un hobby immensément populaire. Nombre de distilleries proposent des visites guidées s'achevant sur une dégustation. Goûter les whiskies les uns après les autres est un excellent moyen de découvrir les régions où ils sont fabriqués. Tonnelier de Speyside Cooperage (p. 193)

MAR PHOTOGRAPHICS/ALAMY ©

Glen Coe

12

Ce célèbre *glen* d'Écosse (p. 264) marie deux qualités essentielles à un paysage des Highlands : un cadre majestueux et une riche histoire. La beauté de la vallée ferait presque oublier que, au XVIIe siècle, elle fut le théâtre d'un massacre impitoyable, au cours duquel les membres du clan MacDonald furent assassinés par les soldats du clan Campbell. Certaines des plus belles balades du *glen*, comme celle qui conduit à la Lost Valley, suivent les chemins empruntés par les membres du clan fuyant leurs assaillants ; nombre d'entre eux périrent dans la neige. Buachaille Etive Mor

EOIN CLARKE/GETTY IMAGES ©

13

Ascension du Ben Nevis

Le point culminant des îles Britanniques (p. 272) a un succès fou : chaque année, 100 000 personnes entament son ascension. Le plus haut des *munros* (sommets dépassant 900 m) est accessible à toute personne en bonne condition physique. En haut, si le temps le permet, vous serez récompensé par la magnificence du panorama. Les plus mordus pourront s'échauffer en commençant par les 153 km du West Highland Way (p. 145).

D'île en île

Une bonne partie du caractère unique de l'Écosse de l'Ouest et du Nord vient des îles – plus de 700 – qui ponctuent sa côte, et dont près de 100 sont habitées. Un réseau de ferries les relie au continent et les unes aux autres. Le billet Island Rover (p. 309) – qui permet un nombre illimité de trajets en ferry durant 15 jours – est le meilleur moyen pour les explorer. La ville d'Oban (p. 219), "porte des îles", propose des services de ferry vers 7 îles différentes. Oban

14

Les meilleurs... Trajets routiers

A939 DE COCKBRIDGE À TOMINTOUL
Succession de montées et de descentes à travers les monts Grampian. (p. 163)

DE FORT WILLIAM À MALLAIG
La Road to the Isles offre de beaux points de vue sur Glenfinnan et les îles, au loin. (p. 272)

PÉNINSULE DE TROTTERNISH (ÎLE DE SKYE)
De spectaculaires panoramas côtiers englobent îles, montagnes et curieuses formations rocheuses. (p. 218)

A82 DE GLASGOW À FORT WILLIAM
Elle longe le Loch Lomond, traverse le Glen Coe et, entre les deux, les étendues désolées du Rannoch Moor. (p. 39)

Les meilleurs… Sites pour la faune

ÎLE DE MULL
Des aigles survolent les eaux où nagent baleines et marsouins. (p. 225)

LOCH GARTEN
Observez de près des balbuzards dans leur nid. (p. 263)

ÎLE DE SKYE
Très fréquentée par les loutres. (p. 195)

MORAY FIRTH
Accueille la seule population de grands dauphins d'Écosse. (p. 265)

LES CAIRNGORMS
Vous pourrez sans doute y observer le cerf élaphe. (p. 257)

HIGHLAND WILDLIFE PARK
Des espèces rares, comme le chat sauvage d'Écosse. (p. 262)

15

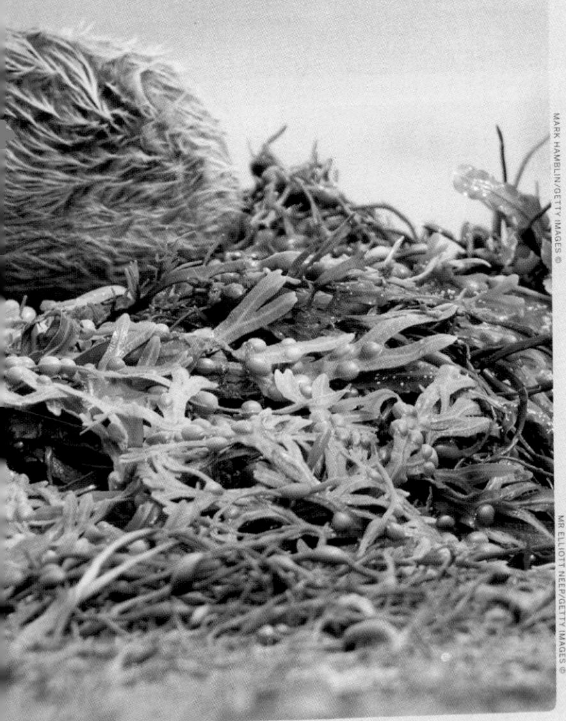

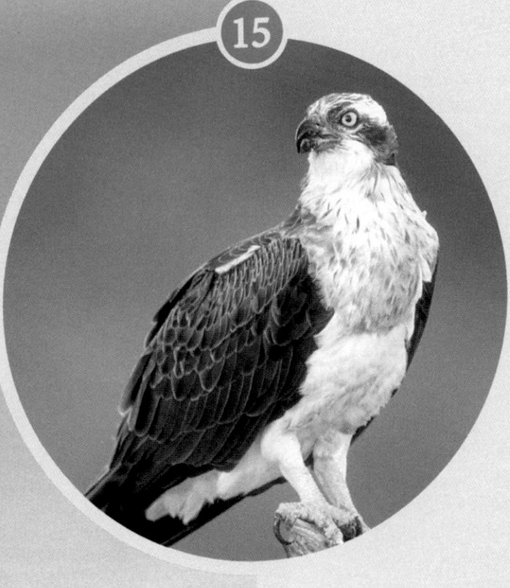

MARK HAMBLIN/GETTY IMAGES ©

MR ELLIOTT NEEP/GETTY IMAGES ©

Faune sauvage

Sa population éparse et ses vastes étendues sauvages font de l'Écosse un paradis pour les animaux, sur terre, dans l'air ou dans l'eau (voir p. 298). Partout, le spectacle qu'offrent les oiseaux est splendide, en particulier celui des balbuzards du Loch Garten et des pygargues à queue blanche des îles de Skye et de Mull. Parmi les espèces à plumes se distinguent aussi le grand tétras, le râle des genêts, l'aigle royal et le milan royal. Sur terre, le cerf élaphe arpente les hauteurs couvertes de bruyères, tandis que la martre et le chat sauvage rôdent en forêt. Dauphins, baleines, loutres et orques s'ébattent pour leur part dans les eaux septentrionales. À gauche : loutres d'Europe, île de Mull. Ci-dessus : balbuzard.

Loch Lomond

16

À moins de 1 heure de route de l'agitation de Glasgow, les jolies rives du Loch Lomond (p. 145) et les collines qui l'entourent – immortalisées dans une célèbre chanson écossaise – constituent l'un des cadres les plus pittoresques du pays. Le loch est situé au cœur du premier parc national d'Écosse. Au printemps, les jacinthes forment un tapis bleu dans les bois qui bordent les rives de sa partie méridionale, large et semée d'îles. Au nord, le loch prend des airs de fjord en s'enfonçant dans une gorge, entre des montagnes hautes de 900 m.

WILFRIED KRECICHWOST/CORBIS ©

Stirling Castle

17

Longtemps, ce château s'est dressé en travers de la route des envahisseurs anglais. Perché sur un éperon rocheux, il contrôlait la traversée de la Forth à hauteur du Stirling Bridge – site d'une célèbre victoire de William Wallace en 1297 – et était l'une des résidences favorites des rois Jacques IV et Jacques V. Après la visite de Stirling Castle (p. 154), n'oubliez pas les sites historiques voisins : le champ de bataille de Bannockburn et le National Wallace Monument (p. 169).

Île d'Iona

La légende raconte que lorsque saint Colomba quitta l'Irlande, en 563, à la recherche d'un point d'où lancer sa mission d'évangélisation, il navigua jusqu'à trouver un lieu d'où il ne pourrait plus voir sa patrie d'origine à l'horizon. Ce lieu fut la précieuse petite île d'Iona (p. 228) – la plus sacrée d'Écosse et l'une des plus belles, aux riches pâturages bordés de rochers de granit rose, aux plages de sable blanc et aux eaux turquoise peu profondes. Sa communauté fait vivre la vocation spirituelle de l'île depuis une abbaye bâtie sur le site de la première chapelle de Colomba. Iona Abbey (p. 229)

18

Les meilleurs... Châteaux

STIRLING CASTLE
Forteresse historique, à voir pour son Great Hall et son grandiose Royal Palace. (p. 154)

URQUHART CASTLE
Des ruines envoûtantes offrant une vue splendide sur le Loch Ness. (p. 254)

CHÂTEAU D'ÉDIMBOURG
Le plus vaste et le plus impressionnant de tous, qui abrite la pierre du Destin et les joyaux de la Couronne écossaise. (p. 54)

EILEAN DONAN CASTLE
Une maison forte extrêmement photogénique, posée sur un îlot au bord d'un loch. (p. 211)

BALMORAL CASTLE
Une profusion de tourelles dans le style Scottish Baronial pour ce haut lieu de la royauté. (p. 190)

Les meilleurs... Paysages

GLEN AFFRIC
Un cadre typique des Highlands, avec lochs, bruyères, hauts sommets et forêts de pins. (p. 263)

LES TROSSACHS
Un petit joyau, mélange de forêts, de cours d'eau et de lochs. (p. 173)

ÎLE DE SKYE
Des pics déchiquetés, des cascades jaillissantes et des points de vue panoramiques sur la mer. (p. 198)

GLEN COE
Falaises escarpées et montagnes austères ceignent ce *glen* à la beauté époustouflante. (p. 264)

ARISAIG
De vastes panoramas ouverts sur la mer et la montagne, et de superbes couchers de soleil sur les îles d'Eigg et de Rum. (p. 274)

Les Trossachs

19

La région des Trossachs (p. 173) est aussi célèbre pour sa présence dans la littérature que pour ses décors de carte postale. C'est ici que sir Walter Scott planta le cadre de son poème *La Dame du lac*, inspiré par le Loch Katrine, et celui de son roman historique *Rob Roy*. Si le Loch Lomond est superbe au printemps et au début de l'été, quand les jacinthes des bois et les rhododendrons fleurissent et colorent le paysage, c'est en automne que les Trossachs resplendissent. Des teintes rouge et or enflamment alors les forêts de chênes, de bouleaux et de frênes. Loch Katrine

ADINA TOVY/ROBERT HARDING WORLD IMAGERY/CORBIS ©

20 Highland Games

Événement phare de l'été en Écosse, les Highland Games – dont le Braemar Gathering (p. 191) – trouvent leur origine dans les épreuves de force entre membres de clans et dans les danses destinées à fêter la victoire après une bataille. De nos jours, les jeux traditionnels (lancer de pierre, de marteau et de tronc) sont complétés par des concours de cornemuse et de danses traditionnelles, et par des épreuves plus modernes, comme le 100 m, ou des courses en montagne. L'ambiance reste néanmoins celle d'une fête de village, très appréciée des Écossais, et offre plein de choses à voir et à faire.

Edinburgh Military Tattoo

21

Des festivités qu'accueille Édimbourg, peu suscitent une ferveur aussi constante que le Military Tattoo (p. 101). C'est un déploiement de fanfares, de danseurs, de motards, d'acrobates et de défilés militaires, réalisés par les effectifs du Royaume-Uni, du Commonwealth et d'autres forces armées du monde entier. Depuis 1950, il se tient tous les ans devant le château et affiche vite complet, avec plus de 200 000 visiteurs par an.

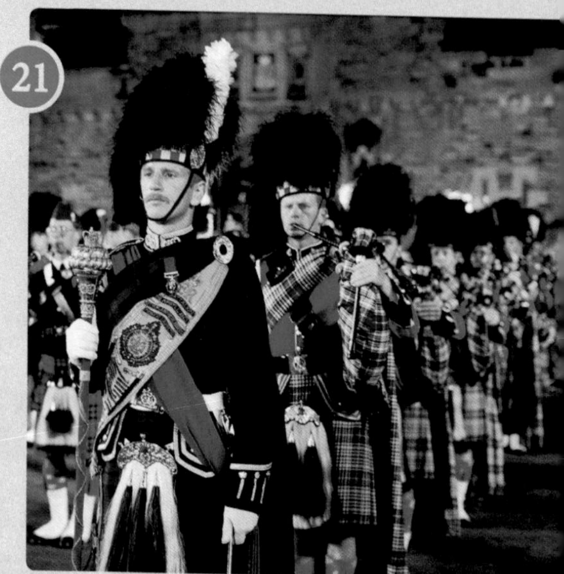

22

Royal Deeside

La vallée de la Dee s'étend du massif des Cairngorms jusqu'à Aberdeen. Sa partie haute, très pittoresque, cernée par des sommets rocheux et ponctuée de forêts, s'est vue surnommée Royal Deeside depuis que la reine Victoria est tombée amoureuse du Balmoral Castle (p. 190), devenu résidence d'été de la famille royale depuis le milieu du XIXe siècle. Tout près, le village de Ballater multiplie les commerces portant les armoiries royales et le statut de "fournisseur de Sa Majesté". Balmoral Castle

Forêt calédonienne

Après la dernière ère glaciaire, il y a près de 10 000 ans, la majeure partie de l'Écosse actuelle était couverte de vastes forêts de pins sylvestres, de bouleaux, de chênes et de sorbiers. Désignée sous le nom de forêt calédonienne, elle a été presque entièrement détruite par des milliers d'années d'exploitation humaine, coupée pour fournir du bois de chauffage et de construction. Seul 1% environ de la forêt originelle subsiste aujourd'hui. La plus vaste parcelle, à Rothiemurchus (p. 259), dans les Cairngorms, abrite une faune rare, dont le grand tétras, le bec-croisé et le chat sauvage. Cerf élaphe

23

Les meilleurs... Hébergements

WITCHERY BY THE CASTLE
Une somptueuse décadence avec un soupçon de gothique. (p. 85)

MONACHYLE MHOR
Retraite luxueuse et paisible du Perthshire, excellente table. (p. 176)

ROCPOOL RESERVE
Luxe contemporain à Inverness. (p. 247)

AULD KIRK
Hébergement original dans une église reconvertie à Ballater. (p. 189)

TORAVAIG HOUSE HOTEL
Manoir de campagne sur l'île de Skye, l'essence même de l'hospitalité écossaise. (p. 212)

LIME TREE
Presque une galerie d'art dotée de chambres. (p. 268)

Les meilleurs... Fruits de mer

CAFÉ FISH
Coquillages tout juste débarqués du bateau et vue sur le port de Tobermory. (p. 226)

WATERFRONT FISHOUSE RESTAURANT
Sa devise : "Du quai à la casserole, le plus vite possible !" (p. 221)

LOCH BAY SEAFOOD RESTAURANT
Restaurant chaleureux, aux allures de cuisine de ferme, qui donne sur un bras de mer, dans l'île de Skye. (p. 217)

FISHERS BISTRO
L'un des meilleurs et des plus anciens restaurants de fruits de mer d'Édimbourg. (p. 95)

SEAFOOD RESTAURANT
Cuisine impeccable et vue panoramique sur la plage des West Sands. (p. 182)

Fruits de mer

Pas de séjour en Écosse sans profiter des largesses de la mer. Les eaux froides et claires qui bordent les côtes écossaises sont riches en poissons et fruits de mer, très prisés partout en Europe, et beaucoup passent directement du quai aux tables des restaurants. Sur place, les lieux où déguster ces trésors sont nombreux, et Oban (p. 219) remporte la palme de la ville au plus grand nombre de restaurants de fruits de mer.

Assiette de fruits de mer au restaurant Tower. (p. 90)

24

25

Fingal's Cave

Le fracas des vagues et leur écho résonnant dans les sombres profondeurs de Fingal's Cave (p. 230), sur l'île de Staffa, inspirèrent au compositeur Felix Mendehlsson son ouverture *Les Hébrides.* Depuis, des milliers de visiteurs ont sauté d'une embarcation mouvante sur le débarcadère glissant de Staffa et escaladé tant bien que mal les colonnes de basalte qui dessinent cette grotte où s'engouffre la mer pour découvrir, eux aussi, la magie de ce lieu.

Les meilleurs itinéraires d'Écosse

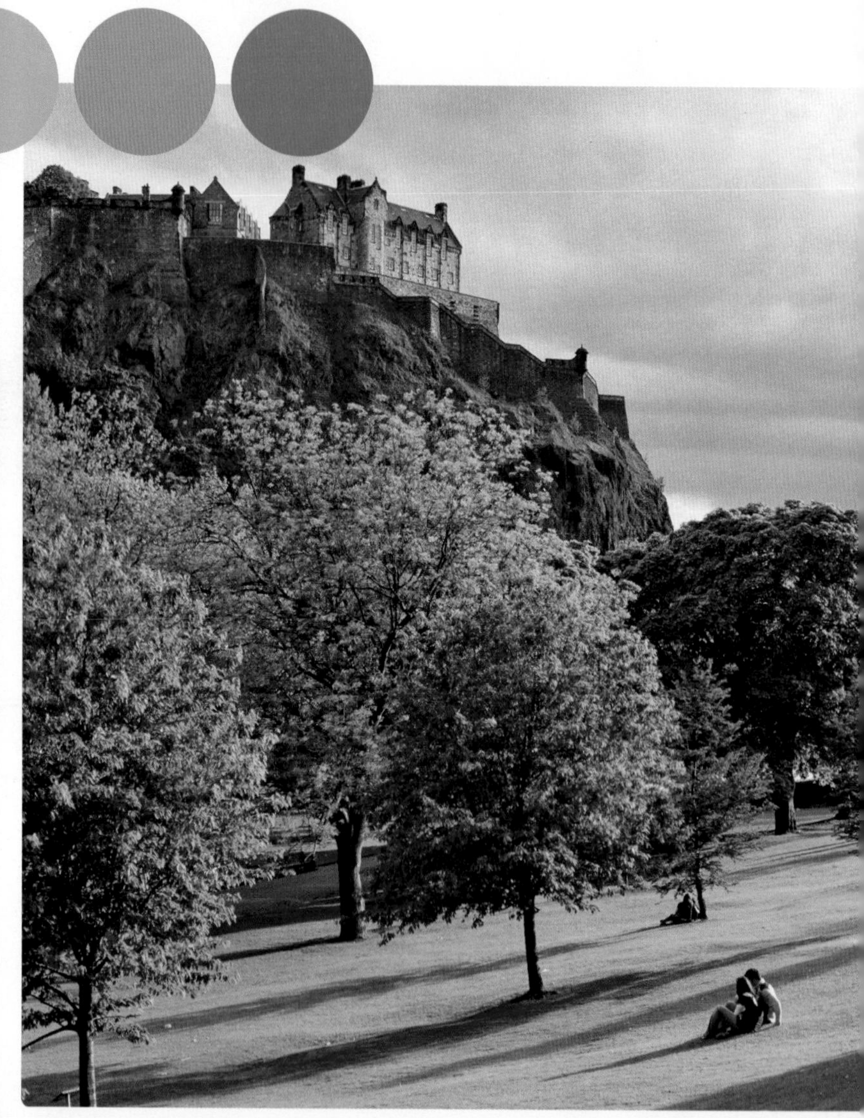

D'Édimbourg à Glasgow
Trois cités historiques

Si vous n'avez que peu de temps, ce parcours vous fait découvrir les trois plus intéressantes villes d'Écosse, chargées d'histoire, en vous permettant de visiter les principaux sites de chacune d'elles. Il s'effectue très facilement en transports en commun.

 Édimbourg (p. 51)

Deux jours sont nécessaires pour faire honneur à la capitale écossaise. Commencez par le **château d'Édimbourg**, descendez le **Royal Mile**, arpentez les couloirs du **Palace of Holyroodhouse** et poussez jusqu'à Leith pour embarquer sur le **yacht royal Britannia**. Gardez une après-midi pour visiter la belle et intrigante **Rosslyn Chapel**, rendue célèbre par le film *Da Vinci Code*. D'excellentes boutiques s'alignent sur Princes St et George St, la ville compte quelques-uns des meilleurs restaurants d'Écosse.

ÉDIMBOURG ➔ STIRLING

45 minutes Sur la M9. **1 heure** Trains directs au départ des gares de Waverley ou de Haymarket, à Édimbourg.

 Stirling (p. 164)

Une journée suffit à la visite de **Stirling Castle** – un château que certains jugent plus intéressant et plus évocateur que celui d'Édimbourg – et de **Bannockburn**, le champ de bataille où Robert Bruce mena les Écossais à la victoire contre les Anglais en 1314. On y verra aussi le **Wallace Monument**, édifié en mémoire du combattant de la liberté immortalisé dans le film *Braveheart*. Inutile de passer la nuit sur place, partez pour Glasgow en fin de journée.

STIRLING ➔ GLASGOW

45 minutes Via la M80. **40 minutes** Trains fréquents entre Stirling et la gare de Queen St, à Glasgow.

 Glasgow (p. 124)

Deux jours ne seront pas de trop aux férus de culture pour profiter de tout ce que la plus grande ville d'Écosse a à offrir – le **Kelvingrove Art Gallery & Museum** et la **Burrell Collection** sont des musées de premier ordre et vous occuperont une journée entière. Vous pourrez ensuite découvrir la **Hunterian Gallery** et la **Mackintosh House**, ainsi que les musées des rives de la Clyde. Si vous ne souhaitez pas consacrer plus d'une journée à l'art, vous pouvez alors passer le dernier jour sur les belles rives du **Loch Lomond**, situé à moins de 1 heure de route ou de train.

Les Princes Street Gardens, au pied du château d'Édimbourg (p. 65)

D'Édimbourg à Inverness
Du Tayside au Speyside

Autre itinéraire assez court, qui part cette fois vers le nord, à travers le cœur des Highlands, passe par Blair Castle, dans la vallée de la Tay, et Aviemore, sur les berges de la Spey, avant d'atteindre Inverness, capitale des Highlands.

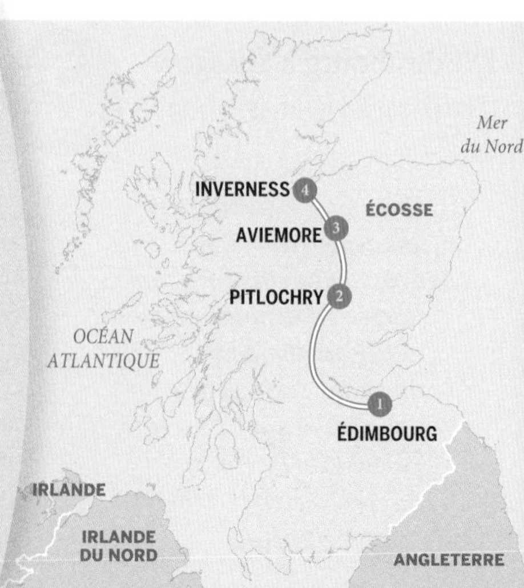

❶ **Édimbourg** (p. 51)

Tout comme pour le premier itinéraire, prévoyez deux jours pour profiter pleinement d'Édimbourg et de la **Rosslyn Chapel**.

ÉDIMBOURG ➔ PITLOCHRY

1 heure 45 Prenez le Forth Road Bridge, la M90 et l'A9 via le Scone Palace. **1 heure 50** Trains directs depuis les gares de Waverley ou de Haymarket, à Édimbourg.

❷ **Pitlochry** (p. 186)

Si vous êtes en voiture, vous pouvez vous arrêter au **Scone Palace** afin de visiter l'ancien lieu de couronnement des rois écossais et voir l'endroit où la **pierre du Destin** (exposée au château d'Édimbourg) fut volée en 1297 par le roi d'Angleterre Édouard Ier. Prévoyez de passer la nuit à Pitlochry afin d'avoir le temps de découvrir les sites des environs, comme **Blair Castle**, fief du duc d'Atholl et de l'unique armée privée de Grande-Bretagne, et **Killiecrankie**, site d'une importante bataille durant les rébellions jacobites du XVIIIe siècle, dont le nom est célébré par de nombreuses chansons traditionnelles de l'époque.

PITLOCHRY ➔ AVIEMORE

1 heure 20 En suivant l'A9 via Newtonmore. **1 heure** Trains directs toutes les 2 heures environ.

❸ **Aviemore** (p. 258)

Consacrez le quatrième jour à Aviemore et à l'exploration du **Cairngorms National Park**. Vous n'aurez le temps que pour deux ou trois sites – commencez par une courte randonnée au **Loch Morlich**, suivie par la visite du **Cairngorm Reindeer Centre** et (si le ciel est dégagé) par un voyage à bord du **Cairngorm Mountain Railway**, qui vous conduira jusqu'au plateau situé à 1 000 m d'altitude. Si vous êtes en voiture, vous pouvez visiter le **Highland Folk Museum** de Newtonmore en arrivant de Pitlochry.

AVIEMORE ➔ INVERNESS

40 minutes En suivant l'A9. **40 minutes** Trains directs toutes les 2 heures.

❹ **Inverness** (p. 246)

Le trajet n'est pas long entre Aviemore et la belle capitale des Highlands, Inverness. On trouve sur place d'excellents **restaurants** où vous pourrez fêter la fin de votre parcours. Mais, avant d'aller dîner, ne ratez surtout pas l'occasion d'une croisière sur le **Loch Ness** pour tenter d'apercevoir le monstre.

Rennes dans le Cairngorms National Park

10
JOURS

D'Édimbourg à l'île de Skye

À travers les Highlands jusqu'à Skye

Ce voyage à un rythme plus tranquille vous conduira jusqu'à la splendide île de Skye en passant par St Andrews (berceau du golf), le Royal Deeside, les distilleries de whisky du Speyside et le Loch Ness.

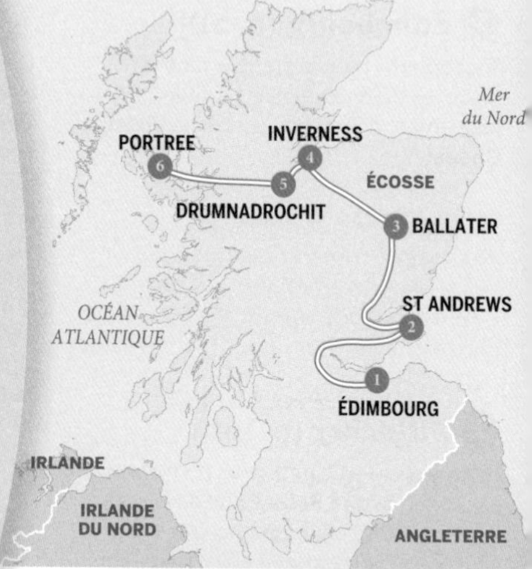

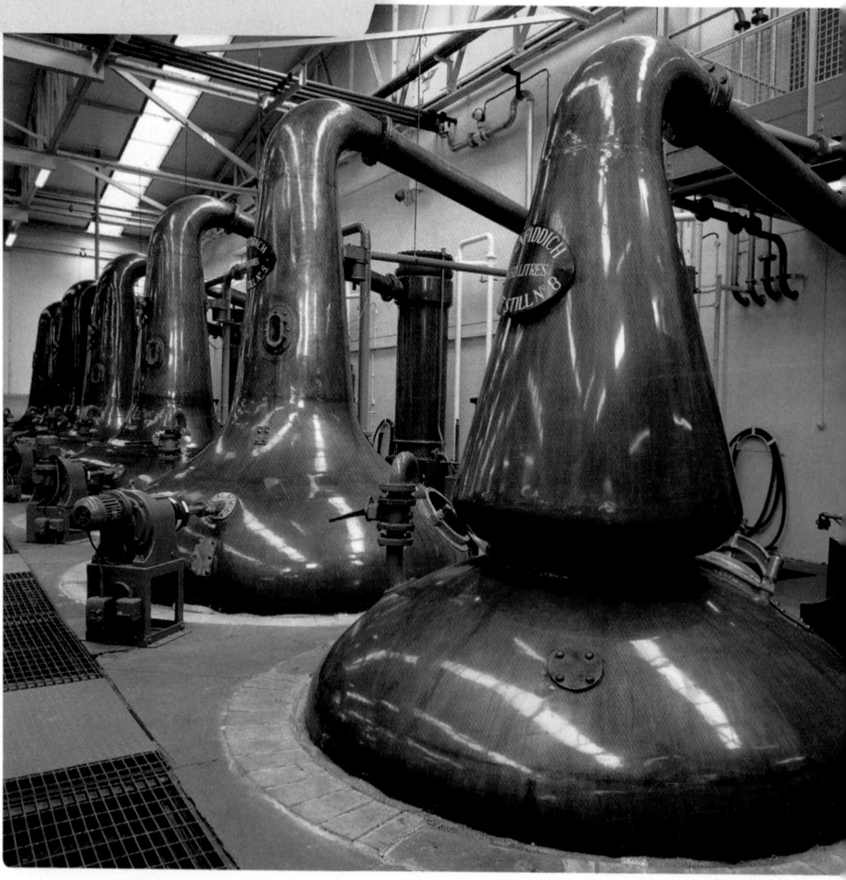

1 Édimbourg (p. 51)

Comptez deux jours pour profiter au mieux d'Édimbourg et de la **Rosslyn Chapel**.

ÉDIMBOURG ➔ ST ANDREWS

1 heure 30 Via le Forth Road Bridge et l'A92. **1 heure** Trains directs d'Édimbourg à Leuchars toutes les 30 min ; de là, navette gratuite pour St Andrews.

2 St Andrews (p. 177)

Les amateurs d'histoire pourront visiter le **St Andrews Castle** et les ruines de la **St Andrews Cathedral**. Les mordus de golf ne manqueront pas l'occasion d'un parcours sur l'**Old Course**. La visite du **British Golf Museum** est une autre option. Régalez-vous d'un dîner à l'élégant **Seafood Restaurant**.

ST ANDREWS ➔ BALLATER

2 heures 30 Empruntez le Tay Bridge pour rejoindre Dundee, puis l'A90 et l'A928 pour Glamis ; l'A94 et l'A93 pour Braemar et Ballater. **4 à 5 heures** Prenez le train de Leuchars à Aberdeen, puis le bus d'Aberdeen à Ballater ; tous deux circulent toutes les heures.

3 Ballater (p. 188)

Ceux qui disposent de leur propre véhicule seront avantagés pour les deux étapes suivantes et pourront voyager au cœur des montagnes ; l'utilisation des transports en commun implique un détour par Aberdeen. Allez à **Glamis Castle**, mais gardez également du temps pour la visite de **Balmoral Castle** avant de passer la nuit dans le joli petit village de **Ballater**, dans le Royal Deeside.

BALLATER ➔ INVERNESS

3 heures A939 et routes secondaires jusqu'à Dufftown, puis A941 et A96 via Elgin jusqu'à Inverness. **4 heures 30** Prenez le bus de Ballater à Aberdeen, puis le train d'Aberdeen à Inverness.

4 Inverness (p. 246)

L'A939, de Cockbridge à Tomintoul, est l'une des plus belles routes de Grande-Bretagne et mène aux **distilleries de whisky** du Speyside. Visitez l'une d'entre elles avant de poursuivre jusqu'à Inverness pour un remarquable dîner chez **Contrast**.

INVERNESS ➔ DRUMNADROCHIT

20 minutes sur l'A82 ; 2 heures aller-retour pour un détour jusqu'au Glen Affric. **30 minutes** Environ 6 bus par jour.

5 Drumnadrochit (p. 253)

La matinée est idéale pour une promenade jusqu'aux **Ness Islands** d'Inverness, avant d'effectuer le court trajet jusqu'à Drumnadrochit pour visiter le **Loch Ness Centre & Exhibition** et **Urquhart Castle**, et faire une croisière sur le loch.

DRUMNADROCHIT ➔ PORTREE

3 heures En passant par l'A82, l'A887 et l'A87 ; ajoutez 3 ou 4 heures pour un détour jusqu'au Glen Affric. **3 heures** 2 bus directs par jour.

6 Portree (p. 213)

Consacrez une journée entière à la belle route qui mène du Loch Ness à l'île de Skye, en commençant par un détour par le magnifique **Glen Affric**. Il vous restera ensuite 2 jours complets pour explorer les merveilles de l'**île de Skye**.

Distillerie Glenfiddich, Dufftown, Speyside (p. 193)

10 JOURS

De Glasgow à Inverness
Vers les Highlands en passant par les îles

Traversant les extraordinaires paysages du Loch Lomond, de l'île de Mull et de Glenfinnan pour rejoindre les splendides Cairngorms, dans les Highlands, cet itinéraire combine une expédition insulaire à un voyage parmi les plus hauts sommets d'Écosse.

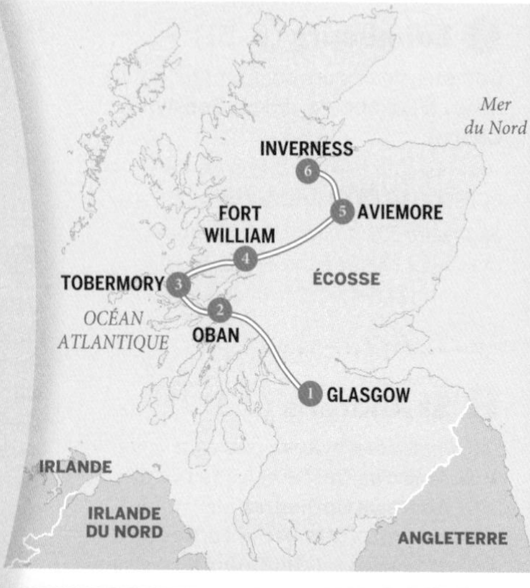

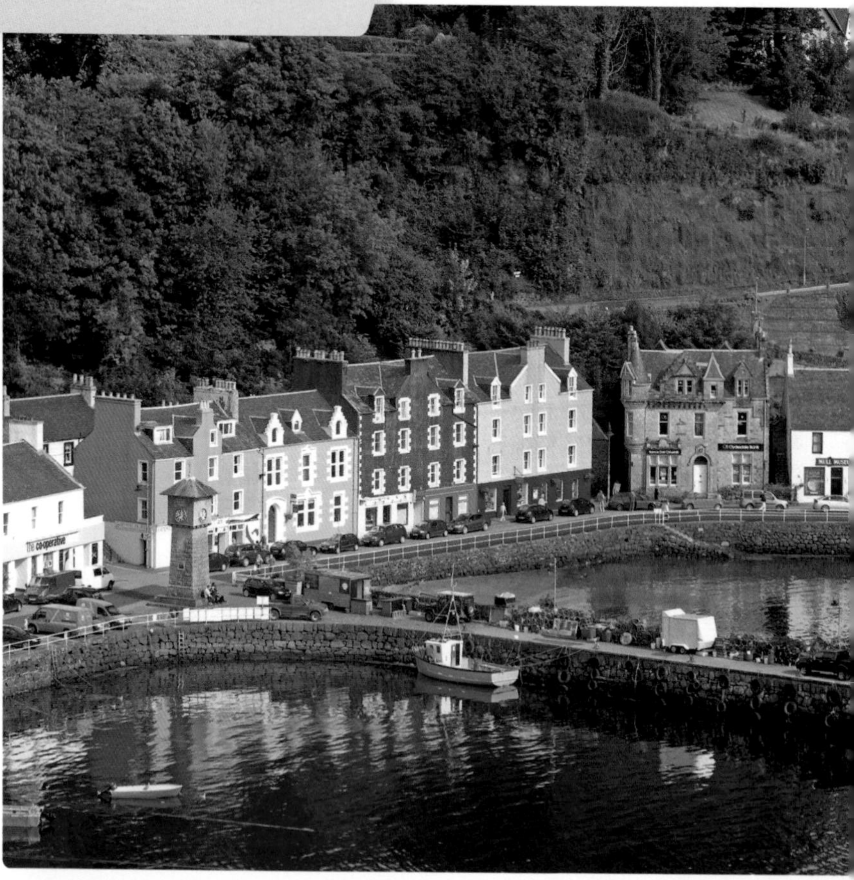

1 Glasgow (p. 124)

Passez une journée à Glasgow pour visiter le **Kelvingrove Art Gallery & Museum** et la **Burrell Collection**.

GLASGOW ➲ OBAN

2 heures 30 A82 via le Loch Lomond et A85.
3 heures 3 bus directs quotidiens.

2 Oban (p. 219)

La route vers le nord longe le **Loch Lomond**, et vous aurez le temps de faire une pause à **Loch Lomond Shores** ou à **Luss**. Oban, la "porte des îles" vous attend, avec ses nombreux **restaurants de fruits de mer** de grande qualité.

OBAN ➲ TOBERMORY

2 heures Ferry d'Oban à Craignure, puis A849/848 ; le détour jusqu'à Iona prend au moins 4 heures. **2 heures** Ferry pour Craignure puis correspondance de bus ; il est possible de visiter Iona grâce à un circuit organisé depuis Oban.

3 Tobermory (p. 224)

Levez-vous assez tôt pour prendre le premier ferry pour l'île de Mull et dirigez-vous vers l'ouest jusqu'à Fionnphort pour un voyage jusqu'à l'envoûtante **île d'Iona**. Prévoyez de passer deux nuits à Tobermory pour pouvoir explorer le reste de Mull, dont le **Duart Castle** et la plage de **Calgary**.

TOBERMORY ➲ FORT WILLIAM

3 heures Ferry jusqu'à Kilchoan, puis A861 et A830 via Glenfinnan ; le détour jusqu'à Ardnamurchan Point rajoute 1 heure.
Impossible par les transports en commun.

4 Fort William (p. 267)

Prenez le ferry de Tobermory à Kilchoan et faites un détour par l'ouest jusqu'à **Ardnamurchan Point**, le point le plus à l'ouest du continent britannique. De là, une magnifique route panoramique vous ramène à l'est, en passant par **Glenfinnan**, jusqu'à Fort William. Profitez de votre présence sur place pour vous rendre au ravissant **Glen Nevis** et réservez le jour suivant à l'ascension du **Ben Nevis**.

FORT WILLIAM ➲ AVIEMORE

1 heure 30 Par l'A86 et l'A9. Impossible par les transports en commun.

5 Aviemore (p. 258)

Vous serez fourbu après votre ascension, prévoyez donc de partir en milieu de journée et restez deux nuits à Aviemore et dans le **Cairngorms National Park**. Outre le **Loch Morlich** et le **Cairngorm Mountain Railway**, visitez le **Highland Wildlife Park** de Kincraig, tout proche, et la réserve de balbuzards du **Loch Garten**.

AVIEMORE ➲ INVERNESS

40 minutes En suivant l'A9. **40 minutes** 2 directs toutes les 2 heures.

6 Inverness (p. 246)

Le trajet entre Aviemore et Inverness est assez court, ce qui vous laissera du temps pour une visite de **Culloden** et/ou une croisière sur le **Loch Ness** pour essayer de voir le monstre.

Tobermory

D'Édimbourg à Glasgow
Le grand tour des Highlands

Cet itinéraire de 2 semaines intègre un maximum de sites écossais incontournables, à un rythme tranquille. Il est possible de le réaliser par les transports en commun, mais cela demanderait un peu plus de temps – une voiture est indispensable pour profiter au mieux du voyage.

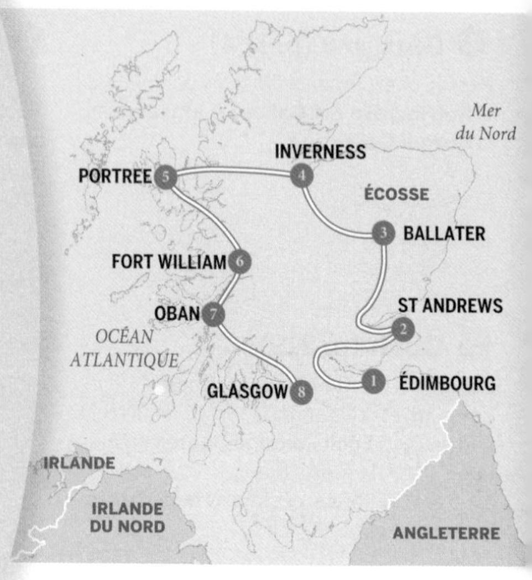

❶ Édimbourg (p. 51)

Comptez deux jours pour profiter au mieux d'Édimbourg et de la **Rosslyn Chapel**.

ÉDIMBOURG ➔ ST ANDREWS

1 heure 30 En passant par le Forth Road Bridge et l'A92. **1 heure** Trains directs d'Édimbourg à Leuchars toutes les 30 minutes ; navettes gratuites pour St Andrews.

❷ St Andrews (p. 177)

Visitez le **St Andrews Castle** et les ruines de la **St Andrews Cathedral** ou faites un parcours de golf sur l'**Old Course** ; vous pouvez aussi visiter le **British Golf Museum**. Régalez-vous d'un dîner à l'élégant **Seafood Restaurant**.

ST ANDREWS ➔ BALLATER

2 heures 30 Empruntez le Tay Bridge pour rejoindre Dundee, puis l'A90 et l'A928 pour Glamis, l'A94 et l'A93 pour Braemar et Ballater. **4 à 5 heures** Prenez le train de Leuchars à Aberdeen, puis le bus d'Aberdeen à Ballater ; tous deux circulent toutes les heures.

❸ Ballater (p. 188)

Cette étape passe en plein cœur des montagnes. Allez à **Glamis Castle**, mais gardez également du temps pour la visite de **Balmoral Castle** avant de passer la nuit dans le joli petit village de **Ballater**.

BALLATER ➔ INVERNESS

3 heures A939 et routes secondaires jusqu'à Dufftown, puis A941 et A96 via Elgin jusqu'à Inverness. **4 heures 30** Prenez le bus de Ballater à Aberdeen, puis le train d'Aberdeen à Inverness.

❹ Inverness (p. 246)

L'A939, de Cockbridge à Tomintoul, est l'une des plus belles routes de Grande-Bretagne et mène aux **distilleries de whisky** du Speyside. Visitez l'une d'entre elles avant de poursuivre jusqu'à Inverness pour un remarquable dîner dans un de ses excellent **restaurants**.

INVERNESS ➔ PORTREE

3 heures 30 En passant par l'A82, l'A887 et l'A87 via Drumnadrochit. **4 heures** 2 bus directs par jour

Loch Lomond (p. 145)
PHOTOGRAPHER: DAN TUCKER/ALAMY ©

6 Fort William (p. 267)

En partant vers le sud depuis Portree, tournez à droite après Bradford pour emprunter la route jusqu'à **Armadale**, où vous prendrez le ferry pour **Mallaig** ; de là, le trajet jusqu'à Fort William se fait par la belle **Road to the Isles**. Passez deux nuits à **Fort William**, en prenant le temps de découvrir le ravissant **Glen Nevis**, et peut-être même de faire l'ascension du **Ben Nevis**.

FORT WILLIAM ➲ OBAN

1 heure 30 Par l'A82 et l'A85 ; compter 1 heure de plus pour un détour jusqu'au Glen Coe. **1 heure 30** Bus direct deux fois par jour.

7 Oban (p. 219)

Prévoyez une excursion à la journée depuis Oban pour l'île d'**Iona** – vous pouvez embarquer sur le ferry avec votre voiture (il n'y a que 56 km entre Craignure et Fionnphort, mais comptez 1 heure 30 de trajet dans chaque sens) ou suivre un circuit organisé.

OBAN ➲ GLASGOW

2 heures 30 A85 et A82 via le Loch Lomond. **3 heures** 3 bus directs par jour.

8 Glasgow (p. 124)

La route vers le sud longe le **Loch Lomond**, et vous aurez le temps de faire une pause à **Loch Lomond Shores** ou à **Luss**. Il vous reste ensuite deux jours pour profiter des diverses curiosités de Glasgow.

5 Portree (p. 213)

Consacrez une journée entière à la belle route panoramique qui relie Inverness à l'île de Skye, et faites halte à Drumnadrochit pour visiter le **Loch Ness Centre & Exhibition**. Passez deux nuits à Portree afin de visiter **Dunvegan Castle** et les **Cuillin Hills**.

PORTREE ➲ FORT WILLIAM

4 heures Voiture jusqu'à Armadale, ferry pour Mallaig, voiture jusqu'à Fort William via Glenfinnan. **4 heures** Bus pour Armadale, ferry pour Mallaig, train jusqu'à Fort William ; correspondances deux fois par jour.

L'Écosse mois par mois

Les grands rendez-vous

Festival Fringe d'Édimbourg, août

T in the Park, juillet

West End Festival, juin

Celtic Connections, janvier

Braemar Gathering, septembre

Janvier

Le pays tourne la page sur Hogmanay et se remet au travail, du moins jusqu'à la Burns Night. Il fait encore froid et sombre, mais l'on peut passer de bons moments sur les pistes de ski.

Burns Night

Le 25 janvier, on festoie dans tout le pays (et le monde entier) pour fêter l'anniversaire du poète Robert Burns. Au menu : *haggis*, whisky et lectures de poèmes à profusion.

Celtic Connections

Glasgow accueille le plus grand festival musical d'hiver, une célébration de la musique, de la danse et de la culture celtes, avec des participants venus du monde entier. Deuxième quinzaine de janvier ; voir www.celticconnections.com.

Up Helly Aa

La moitié des îliens des Shetland arborent casques à cornes et haches de guerre lors de cette spectaculaire reconstitution d'une fête du feu viking, avec procession aux flambeaux s'achevant sur l'incendie d'un drakkar grandeur nature. À Lerwick, le dernier mardi de janvier ; voir www.uphellyaa.org.

Février

Le mois le plus froid de l'année est généralement le plus propice à la randonnée, à l'escalade glaciaire et au ski. Les jours rallongent, et les perce-neige font leur apparition.

Tournoi de rugby des Six Nations

Tournoi prestigieux opposant l'Écosse, l'Angleterre, le pays de Galles, l'Irlande, la France et l'Italie, de février à mars. Les matchs à domicile ont lieu au stade Murrayfield, à Édimbourg. Voir www.rbs6nations.com.

Juin West End Festival, Glasgow

 **Fort William Mountain Festival**
La capitale britannique des sports de plein air célèbre le cœur de la saison hivernale avec des ateliers d'apprentissage de ski et de snowboard, des conférences d'alpinistes renommés, des manifestations pour les enfants et un festival de documentaires sur l'alpinisme. Voir www.mountainfilmfestival.co.uk.

Avril

Les jacinthes fleurissent dans les bois des berges du Loch Lomond, et les balbuzards rejoignent leurs nids du Loch Garten. Le temps se fait plus clément, mais les fortes averses sont encore courantes.

 **Rugby Sevens**
Tournoi de rugby à 7 se déroulant sur plusieurs week-ends dans diverses villes des Borders en avril et mai, et qui commence à Melrose au début avril. Au programme, donc : des matchs très mouvementés (le rugby à 7 a été inventé ici), des pubs bondés et du *craic* (conversations animées). Voir www.melrose7s.com.

Mai

Fleurs sauvages couvrant le machair *des Hébrides, haies d'aubépines et cerisiers dans les parcs des villes – le climat écossais est au plus beau en mai.*

 **Burns an' a' That**
Les villes de l'Ayrshire accueillent lectures de poèmes, concerts, spectacles pour enfants, expositions d'art et nombre d'autres manifestations culturelles en l'honneur de Robert Burns. Voir www.burnsfestival.com.

 **Spirit of Speyside**
Avec pour base Dufftown dans le Moray, cette fête du whisky est l'occasion, cinq jours durant, de goûter à l'"eau de vie", de gastronomie, de concerts, de visites de distilleries, de cuisine, d'art et d'activités de plein air ; de fin avril à début mai dans le Moray et le Speyside. Voir www.spiritofspeyside.com.

Juin

L'Argyll resplendit du rose des rhododendrons, et les soirées d'été se prolongent jusque vers 23h. Les villes des Borders se parent de guirlandes pour marquer les jours de fête et les Common Ridings (chevauchées des Marches).

 **Common Ridings**
En mémoire des conflits d'antan avec l'Angleterre, cavaliers et cavalières parcourent à cheval les anciennes limites des terrains communaux. Défilés, fanfares et fêtes de rue ponctuent aussi les festivités qui se déroulent dans plusieurs villes des Borders ; mention spéciale pour la fête de Jedburgh (www.jethartcallantsfestival.com).

 **Festivals de Glasgow**
En juin, Glasgow propose sa version du célèbre festival aoûtien d'Édimbourg. La ville accueille alors trois grands événements : le West End Festival (www.westendfestival.co.uk), où musique et art sont à l'honneur, le Glasgow International Jazz Festival (www.jazzfest.co.uk) et la Glasgow Mela (www.glasgowmela.com), fête organisée par la communauté asiatique.

Juillet

Avec le début des grandes vacances commence la haute saison du tourisme. C'est aussi la période privilégiée pour observer les oiseaux dans les Shetland.

 **T in the Park**
Organisé tous les ans depuis 1994, ce grand festival de musique, dans le sillage

de celui de Glastonbury, a déjà reçu de grands noms tels The Who, REM, Eminem et Kasabian ; il se déroule sur un week-end à la mi-juillet à Balado, près de Kinross. Voir www.tinthepark.com.

Août

C'est le mois des festivals à Édimbourg, et les touristes affluent en nombre. Sur la côte ouest, la période est idéale pour observer les baleines de Minke et les requins pèlerins.

Ci-dessous Up Helly Aa (janvier) **À droite** T in the Park (juillet)

(CI-DESSOUS) VISITBRITAIN/JOHN COUTTS/GETTY IMAGES ©
(À DROITE) FRASER BAND / ALAMY ©

Festivals d'Édimbourg

Quel que soit le domaine – livres, art, théâtre, musique, comédie, danse –, Édimbourg semble pouvoir offrir le festival adéquat, sans compter le célèbre Military Tattoo (www.edintattoo.co.uk). L'International Festival et le Fringe animent ensemble la ville de la première semaine d'août à la première semaine de septembre. Voir www.edinburghfestivals.co.uk.

Septembre

C'est la fin des grandes vacances, les midges *disparaissent, les mûres sont prêtes à être cueillies, et le climat est souvent sec et doux – l'époque idéale pour les activités de plein air.*

Braemar Gathering

Le plus important et le plus célèbre des Highland Games de l'agenda écossais, auquel assistent traditionnellement des membres de la famille royale : danses folkloriques, cornemuses et lancer de tronc au début septembre à Braemar, dans le Royal Deeside. Voir www.braemargathering.org.

Décembre

La nuit tombe au milieu de l'après-midi, et le jour le plus court de l'année approche. Le temps est souvent froid et humide, mais les fêtes de Noël et du Nouvel An réchauffent l'atmosphère.

Hogmanay

À Édimbourg, les fêtes de Noël (www.edinburghschristmas.com) se terminent en apothéose avec une immense fête de rue pour Hogmanay (31 décembre). La ville de Stonehaven perpétue une tradition préchrétienne avec un défilé jusqu'au port, pendant lequel les habitants font tournoyer des boules de feu qu'ils jettent ensuite dans la mer (www.stonehavenfireballs.co.uk).

Quoi de neuf ?

Pour cette première édition du guide L'essentiel de l'Écosse, *nos auteurs se sont appliqués à rechercher tout ce que le pays propose de neuf, de frais et de couru. Voici la liste de ce qui nous a le plus enchantés.*

1 RIVERSIDE MUSEUM

Les berges de la Clyde, à Glasgow, ont été dotées d'un magnifique édifice qui abrite désormais les collections de l'ancien musée des Transports. Son toit métallique sinueux, évoquant les vagues, rappelle la relation historique de la ville avec la construction navale. (p. 128)

2 NATIONAL MUSEUM OF SCOTLAND

Fermé pendant deux ans, le principal musée d'Édimbourg a rouvert ses portes en 2011, après d'importantes rénovations qui lui ont permis d'agrandir sa surface d'exposition et qui ont redonné à la Grand Gallery sa splendeur victorienne d'origine. (p. 79)

3 ROBERT BURNS BIRTHPLACE MUSEUM

Situé à Alloway, le village natal de Robert Burns, ce nouveau musée présente une impressionnante collection de manuscrits et d'effets personnels du poète, comme les pistolets qu'il utilisait dans son métier de percepteur des impôts. (p. 147)

4 CASTLE TERRACE

Fort du succès rencontré par le Leith, son premier restaurant, Tom Kitchin, grand chef et star de la télévision, a ouvert le Castle Terrace, à l'ombre du château d'Édimbourg. Un an après son ouverture, en 2010, il a déjà gagné sa première étoile au guide Michelin. (p. 90)

5 SOUTH LOCH NESS TRAIL

Dernier-né des sentiers de randonnée balisés d'Écosse, ce chemin sinue sur 45 km le long de la rive sud du Loch Ness, permettant aux randonneurs et aux cyclistes d'explorer ce coin peu visité du pays. Pour plus de détails, voir www.visitlochness.com/south-loch-ness-trail.

6 RED ROOF CAFÉ

L'établissement le plus récent (et le plus reculé) de l'île de Skye a remporté un vif succès en servant le midi des assiettes de produits locaux frais (certains cultivés dans un champ voisin) et en accueillant des concerts. (p. 218)

7 ROYAL PALACE, STIRLING CASTLE

La récente restauration (12 millions de livres) du Royal Palace a rendu à ses 6 somptueux appartements l'apparence qui était la leur au milieu du XVIe siècle, quand ils abritaient l'enfance de Marie Stuart. (p. 154 et p. 164)

8 COMMONWEALTH GAMES 2014

Fin juillet et début août 2014, Glasgow accueillera les XXes Jeux du Commonwealth (www.glasgow2014.com), rassemblant des athlètes venus de près de 70 pays. L'événement devrait entraîner l'amélioration du réseau de transports en commun ; attendez-vous, en revanche, à quelques perturbations dans les services d'ici là.

En avant-goût

Livres

- **Waverley** (1814 ; sir Walter Scott). Roman historique du grand auteur écossais.
- **Sunset Song** (1932 ; Lewis Grassic Gibbon). Peinture de la vie rurale dans le nord-est de l'Écosse et beau personnage féminin.
- **Les Belles Années de mademoiselle Brodie** (1961 ; Muriel Spark). Habile portrait de l'Édimbourg des années 1930.
- **Exit Music** (2007 ; Ian Rankin). Roman policier qui explore la face sombre de l'Édimbourg d'aujourd'hui.

Films

- **Les 39 Marches** (1935 ; Alfred Hitchcock). Thriller à l'ancienne.
- **Whisky à gogo** (1949 ; Alexander Mackendrick). Charmante comédie.
- **Une fille pour Gregory** (1981 ; Bill Forsyth). Romance d'adolescents.
- **Rob Roy** (1995 ; Michael Caton-Jones). Fiction historique.
- **Trainspotting** (1996 ; Danny Boyle). D'un réalisme cru.

Musique

- **The Crossing** (1983). Seul le groupe Big Country pouvait donner aux guitares une sonorité de cornemuses.
- **This Is the Story** (1987). Premier album pop des Proclaimers, mêlant harmonies à deux voix et influences folk.
- **The Cutter and the Clan** (1987). Mélange de rock et de folk celtique, par le groupe Runrig, originaire de l'île de Skye.
- **Franz Ferdinand** (2004). Guitares rock par un groupe de Glasgow.
- **This Is the Life** (2007). Album pop, numéro 1 des ventes au Royaume-Uni, de la jeune chanteuse Amy Macdonald.
- **Our Version of Events** (2012). Puissant album soul et R&B de l'auteur-compositeur Emeli Sandé, de l'Aberdeenshire.

Sites Internet

- **VisitScotland** (www.visitscotland.fr). Site officiel de l'office du tourisme écossais, réservation d'hébergement en ligne.
- **Lonely Planet** (www.lonelyplanet.fr). Présentation de l'Écosse, forums, infos pratiques.
- **Undiscovered Scotland** (www.undiscoveredscotland.co.uk). Pour tout connaître du pays. En anglais.

Sur le départ ?

Si vous deviez n'en choisir qu'un…

Un livre *Le Dernier Voyage* (1994), de George Mackay Brown, un roman historique aux airs de saga, des Orcades au Vinland, au XIe siècle.

Un film *Local Hero* (1983), de Bill Forsyth. Un décor splendide, une ironie mordante et une touche sentimentale.

Un disque *Sings the songs of Robert Burns* (2009), d'Eddi Reader. Les poèmes de Burns chantés par l'une des plus belles voix d'Écosse.

Un site The Internet Guide to Scotland (www.scotland-info.co.uk) est le meilleur guide touristique en ligne sur l'Écosse. En anglais.

Sonneur au Braemar Gathering (p. 191).

PHOTOGRAPHER: HANS-PETER MERTEN/GETTY IMAGES ©

Ce qu'il faut savoir

Monnaie
Livre sterling (£)

Langues
Anglais, gaélique et *scots*

DAB
Moins disponibles dans les zones reculées et les îles.

Cartes bancaires
Acceptées partout.

Visa
Pas nécessaire pour les séjours inférieurs à 6 mois. L'Écosse n'appartient pas à l'espace Schengen.

Téléphone mobile
Réseau GSM 900/1800. Cartes SIM locales fonctionnant avec les téléphones européens.

Wi-Fi
Points d'accès en ville, ainsi que dans la plupart des hôtels et de nombreux B&B.

Accès Internet
Cybercafés en ville.

Conduite
Conduite à gauche ; volant sur le côté droit du véhicule !

Pourboires
10-15% au restaurant (sauf si le service est inclus dans la note) ; environ 10% pour les chauffeurs de taxi en ville. Pas de pourboire dans les pubs.

Quand partir

Haute saison (juil-août)

- Hébergement plus cher de 10 à 20% ; à réserver pour Édimbourg et les lieux prisés
- Époque la plus chaude, mais souvent humide
- *Midges* virulents dans les Highlands et sur les îles
- Haute saison aussi fin décembre à Édimbourg

Saison intermédiaire (mai-juin, sept)

- Fleurs des champs en pleine éclosion en mai-juin
- Les meilleures chances d'avoir un temps sec, pas de *midges*
- En juin, il fait jour jusque vers 23h

Basse saison (oct-avril)

- Sites et B&B ruraux fermés
- Neige en hauteur de novembre à mars
- En décembre, la nuit tombe à 16h
- Froid et humide de novembre à mars

À prévoir

- **6 mois avant.** Réservez votre hébergement à Édimbourg pour les festivals (août) ; réservez une table au Witchery at the Castle.
- **2 mois avant.** Réservez votre hôtel ou votre B&B ; réservez une table dans les restaurants réputés ; réservez votre véhicule.
- **1 mois avant.** Réservez vos billets de train, vos circuits et vos croisières d'observation de la faune si le temps vous est compté.
- **2 semaines avant** Vérifiez les horaires d'ouverture des sites touristiques.

Budget quotidien

Petit budget moins de 30 £

- Dortoirs : 10-20 £
- Camping sauvage gratuit
- Supermarchés pour faire ses courses
- Beaucoup de musées gratuits

Catégorie moyenne de 30 à 100 £

- Chambre double en B&B de catégorie moyenne : 50-90 £
- B&B souvent meilleur marché que les hôtels de catégorie moyenne
- Déjeuner dans un bar : 10 £ ; dîner dans un restaurant de catégorie moyenne : 25 £
- Location de voiture : 30 £ par jour
- Carburant : environ 12 p le mile (1,6 km)

Catégorie supérieure plus de 100 £

- Chambre double en hôtel de catégorie supérieure : 120-250 £
- Dîner dans un restaurant de catégorie supérieure : 40-60 £
- Avion vers les îles : 60-120 £ le vol

À emporter

- **Documents d'assurance voyage** Au cas où.
- **Antimoustiques** En été – tenez-vous prêt à affronter la virulence des *midges*.
- **Veste imperméable** Toute l'année – vous pouvez passer par les 4 saisons en une seule journée.
- **Chaussures de marche** Pour pouvoir quitter la route et arpenter les pentes humides des collines.
- **Jumelles** Pour observer loutres, aigles royaux, cerfs élaphes ou baleines de Minke.
- **Petit sac à dos** Imperméable, jumelles, antimoustiques, etc., à portée de main.

À l'arrivée

- **Aéroport d'Édimbourg**

Bus Vers le centre d'Édimbourg, toutes les 10-15 min de 4h30 à 24h (3,50 £).

Bus de nuit Toutes les 30 min de 0h30 à 4h (3,50 £).

Taxi 15-20 £ ; environ 20 min jusqu'au centre-ville.

- **Aéroport de Glasgow**

Bus Vers le centre de Glasgow, toutes les 10-15 min de 6h à 23h (5 £).

Bus de nuit Toutes les heures de 23h à 4h, toutes les 30 min de 4h à 6h (5 £).

Taxi 20-25 £ ; environ 30 min jusqu'au centre-ville.

Comment circuler

- **Avion** Pour réduire significativement les temps de trajet entre Glasgow ou Édimbourg et Inverness, ou vers les îles lointaines (sauf Skye – l'aéroport le plus proche étant Inverness).
- **Bus** Les bus Scottish Citylink assurent des liaisons fréquentes entre les principales villes touristiques.
- **Train** Rapide et confortable pour voyager d'une ville à l'autre, beaux parcours pour rejoindre Oban, Mallaig et Kyle of Lochalsh.
- **Voiture** Le moyen le plus rapide et le plus souple de voyager.

Se loger

- **Auberges de jeunesse** L'option petits budgets par excellence ; bon réseau dans tous les sites stratégiques.
- **B&B et guesthouses** En général, le meilleur rapport qualité/prix : chaleureux, bien équipés et délicieux petits-déjeuners
- **Hôtels** Quelques très bonnes adresses en ville, plutôt moyens en zone rurale ; les vieux hôtels des Highlands sont souvent pleins de caractère.

Mises en garde

- **Vacances scolaires** Routes, hébergements et sites touristiques sont tous plus fréquentés à Pâques, en été et durant les vacances de Noël.
- **Embouteillages** Peuvent être un vrai problème au centre et à proximité des grandes villes aux heures de pointe.
- ***Midges*** Ces minuscules moucherons piqueurs peuvent être vraiment insupportables en été si vous n'êtes pas équipé.

Taux de change

Canada	1 $C	0,64 £
Suisse	1 FS	0,70 £
Zone euro	1 €	0,85 £

Pour vérifier les taux, voir www.xe.com/fr/

Édimbourg

Édimbourg (Edinburgh) est une séduisante cité qui excite la curiosité. Des voûtes et venelles de la vieille ville (Old Town) à l'élégance georgienne de la ville nouvelle (New Town), elle ne manque pas d'endroits insolites qui invitent à pousser plus loin l'exploration. Et, au détour de rue, c'est une perspective inattendue qui vous saisit : vertes collines ensoleillées, rochers rouges escarpés ou carré de mer bleue au loin.

Mais ses charmes ne s'arrêtent pas là, car la ville est ponctuée de jolies boutiques et de tout un choix de restaurants et de bars épatants – de quoi faire la tournée des pubs, avec concert impromptu à la clé, ou faire la fête toute la nuit dans un club et rentrer au petit matin en arpentant les rues pavées.

Cette profusion de richesses culmine en août, lors de la saison des festivals, quand la moitié de la planète semble s'y donner rendez-vous pour une immense fête. Si vous pouvez en être, ne ratez surtout pas l'occasion !

Le château d'Édimbourg et la vieille ville depuis Arthur's Seat

National Museum of Scotland (p. 79)
MICHAEL DOOLITTLE/ALAMY ©

Édimbourg

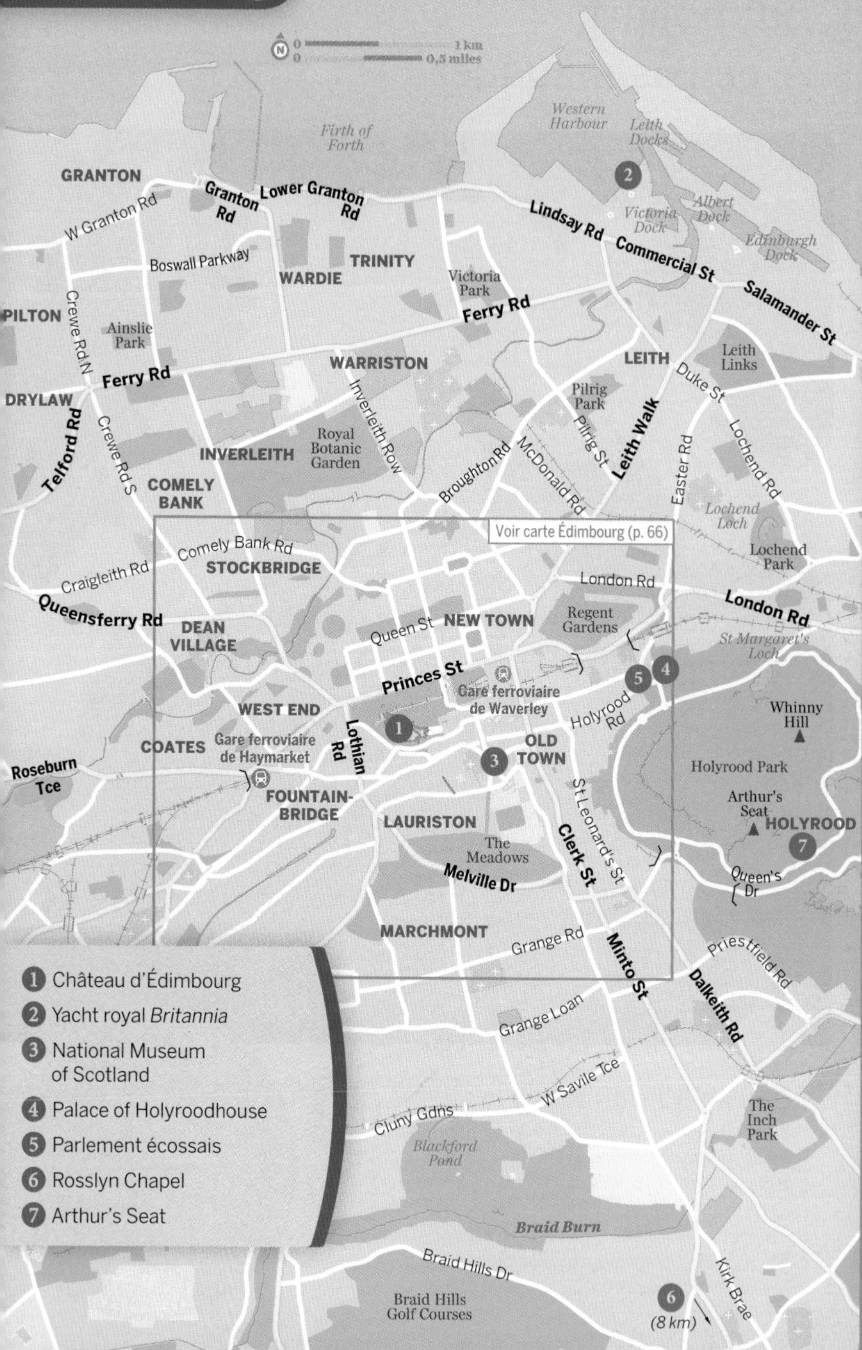

1 Château d'Édimbourg
2 Yacht royal *Britannia*
3 National Museum of Scotland
4 Palace of Holyroodhouse
5 Parlement écossais
6 Rosslyn Chapel
7 Arthur's Seat

Édimbourg
À ne pas manquer

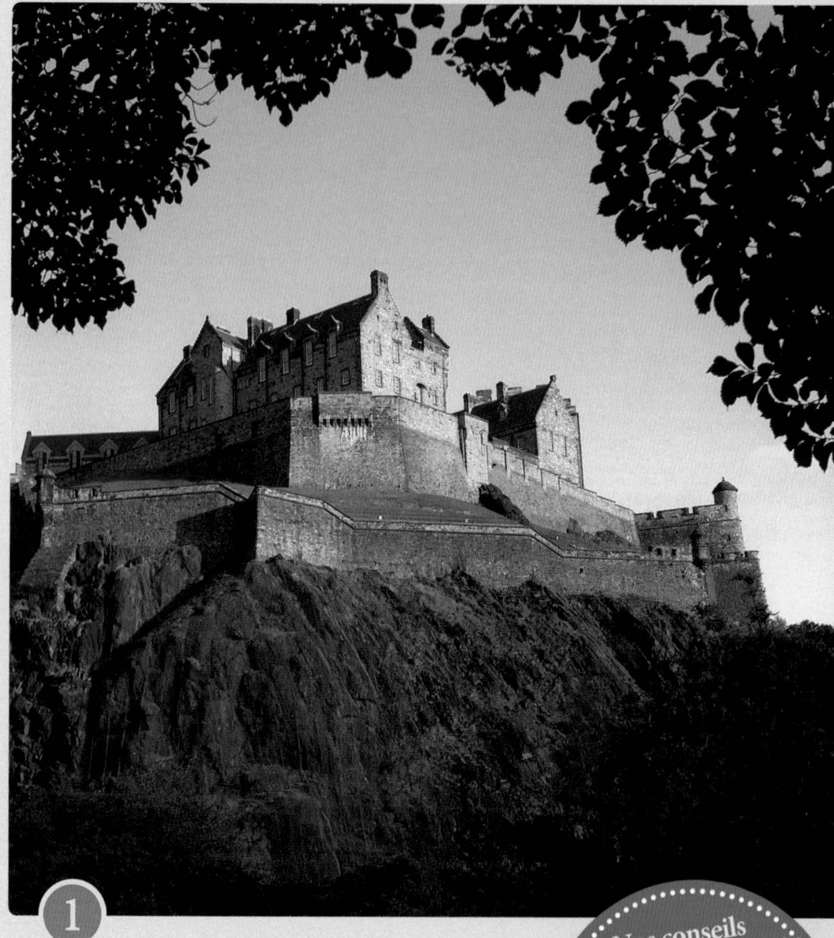

1

Château d'Édimbourg

Les rochers noirs et escarpés de Castle Rock sont à l'origine même d'Édimbourg. Ce sommet était le point le plus facile à défendre sur la route des invasions venues de l'Angleterre. Couronnant l'éperon rocheux d'une multitude de remparts, le château d'Édimbourg est désormais un des lieux touristiques (payants) les plus visités d'Écosse.

En haut à droite : le Mons Meg ; en bas à droite : les Honours of Scotland

Nos conseils

QUAND Y ALLER Pour le coup de canon de 13h ou 2 heures avant la fermeture. **ASTUCE** Acheter ses billets en ligne. **LIEU SECRET** Le cimetière pour chiens des officiers. **Plus d'infos p. 65.**

Ma sélection

Le château d'Édimbourg

PAR PETER YEOMAN, RESPONSABLE DES RESSOURCES CULTURELLES DE HISTORIC SCOTLAND

1 HONOURS OF SCOTLAND

La couronne, le sceptre et l'épée d'apparat symbolisent avec éclat notre identité nationale. Ils furent utilisés pour la première fois en 1543, lors du couronnement de Marie Stuart, alors âgée de 9 mois – le cardinal Beaton dut lui-même tenir la couronne sur la petite tête. Ces joyaux de la Couronne sont exposés au palais royal.

2 ST MARGARET'S CHAPEL

Ce bâtiment, le plus vieux du château, est charmant. Il faisait peut-être partie d'une tour fortifiée bâtie au début du XIIe siècle en mémoire de la sainte reine d'Écosse, Marguerite, morte ici en 1093. L'intérieur est un bel exemple d'architecture romane. Si le lieu est calme, on se sent lié aux rois qui venaient y accomplir leurs dévotions privées.

3 MONS MEG

Sortez de la chapelle pour faire face au Mons Meg, un énorme canon offert à Jacques II en 1457. C'est un poste d'observation privilégié pour assister au tir quotidien (sauf le dimanche) du One O'Clock Gun (13h), qui fait sursauter plus d'un visiteur ! De là, on découvre une vue splendide sur la nouvelle ville georgienne et l'estuaire de la Forth.

4 DAVID'S TOWER

Profondément enfouie sous la Half Moon Battery, cette tour fut édifiée en 1371 comme résidence d'agrément pour David II. Très endommagée durant le siège de 1573 puis cachée par les fondations de la nouvelle batterie, elle ne fut redécouverte qu'en 1912. Les Honours of Scotland y furent dissimulés, au fond de latrines médiévales, durant une partie de la Seconde Guerre mondiale.

5 CASTLE VAULTS

En 1720, 21 pirates capturés en Argyll furent jetés dans les cachots du château. Tous avaient navigué aux côtés d'un célèbre pirate des Caraïbes, "Black Bart" Roberts (le Baronnet noir). Durant les décennies suivantes, cette geôle d'État fut constamment remplie de prisonniers issus des guerres contre l'Amérique et la France. Les cellules reconstituées donnent une idée de leurs conditions de vie sordides.

Yacht royal *Britannia*

Le *Britannia* servit de résidence flottante à la famille royale durant ses voyages à l'étranger, jusqu'à sa mise hors service en 1997. Désormais amarré en permanence à hauteur d'Ocean Terminal, à Leith, le navire propose une découverte insolite des goûts personnels de la reine. Ci-dessous : le salon

Nos conseils

BILLET Le "Royal Edinburgh" : *Britannia* + château d'Édimbourg + Holyroodhouse + circuits en bus. **SITE** À 25 min en bus du centre. **REPAS** Fishers Bistro (p. 95). **Plus d'infos p. 87.**

2

Ma sélection

Le yacht royal *Britannia*

PAR FIONA MAXWELL, GUIDE TOURISTIQUE AGRÉÉE BLUE BADGE

1 APPARTEMENTS ROYAUX

Ne vous attendez pas à une somptueuse résidence : on se croirait ici dans une maison de campagne confortable, au mobilier simple et au charme désuet. Même les appartements privés de la reine et du duc sont sans ostentation, avec des lits de 90 cm. Le seul lit double se trouve dans la suite nuptiale, occupée par Bill et Hillary Clinton lors d'une visite officielle.

2 PIÈCES DE RÉCEPTION

La discrétion reste de mise dans les pièces de réception, à peine plus luxueuses. Le **salon** est meublé de fauteuils recouverts de chintz et d'un imposant piano (solidement fixé au sol), sur lequel joua Noël Coward pour divertir la famille royale. La **salle à manger** est ornée de cadeaux offerts à la reine lors de ses voyages. Admirez la table : plus de 3 heures étaient nécessaires pour la dresser en vue d'un banquet officiel, l'espace entre chaque couvert étant mesuré à la règle !

3 QUARTIER DE L'ÉQUIPAGE

On est saisi par l'exiguïté des espaces réservés aux marins de second rang, et même à certains officiers, qui dormaient dans d'étroites couchettes superposées sur 3 niveaux. Aucune intimité possible ; le seul officier à profiter d'un cabinet de toilette privé était l'amiral.

4 LE WOMBAT

On retrouve le témoignage de quelques traditions à bord du navire, comme celle du wombat, encore visible dans le vestibule du carré des officiers. L'animal empaillé a reçu plus d'un coup de batte lors des parties organisées après le dîner. Cherchez les pièces placées au pied de chacun des trois mâts, destinées à payer les anges afin qu'ils guident le vaisseau en eaux sûres.

5 ROYAL DECK TEAROOM

Lors de votre visite, vous pourrez déguster, dans ce salon de thé, de délicieuses pâtisseries et du thé, servis dans de la porcelaine, en admirant le célèbre yacht *Bloodhound* du prince Philip, désormais amarré à côté du *Britannia*. Par temps clair, on a une belle vue sur le Firth of Forth, jusqu'aux collines du Fife.

National Museum of Scotland

Le Musée national d'Écosse (p. 79) retrace l'histoire du pays, des premiers temps géologiques jusqu'à nos jours. Les pièces les plus admirées sont le reliquaire de Monymusk, petit coffret en argent datant de 750, que Robert Bruce aurait emporté avec lui à la bataille de Bannockburn en 1314, et le jeu d'échecs de Lewis, du XIIe siècle, en ivoire de morse.

4 Palace of Holyroodhouse

Marie Stuart vécut à Holyroodhouse (p. 77) six années agitées (1561-1567). Cette maison forte du XVIe siècle, agrandie au XVIIe siècle pour devenir un palais royal, est désormais la résidence écossaise officielle de la reine Élisabeth II. Outre la chambre de Marie Stuart, le palais regorge de superbes antiquités et œuvres d'art. Il est ensuite possible de se balader dans Holyrood Park ou de grimper sur Arthur's Seat.

KARL BLACKWELL/GETTY IMAGES ©

5 Le Parlement écossais

L'édifice le plus spectaculaire et le plus controversé d'Édimbourg, officiellement inauguré en 2004, abrite le Parlement écossais (p. 75). À l'extérieur, la moindre forme est symbolique, des curieuses fenêtres du mur ouest au plan d'ensemble qui représente la "fleur de la démocratie enracinée dans le sol écossais" – à admirer du haut des Salisbury Crags.

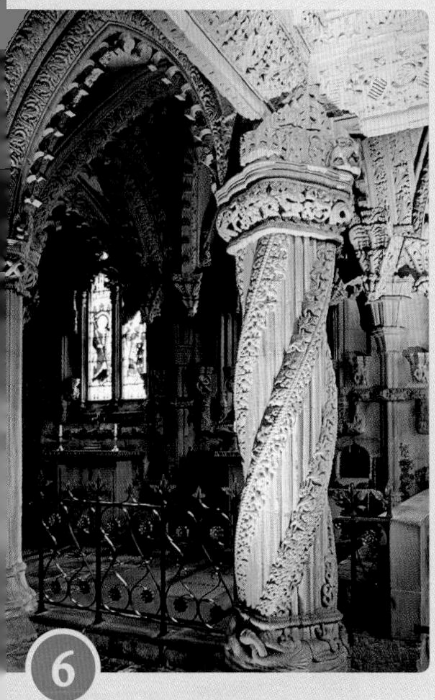

PHIL SEALE/ALAMY ©

6 Rosslyn Chapel

Le succès du roman de Dan Brown *Da Vinci Code* et celui du film qu'en a tiré Hollywood ont provoqué un afflux de visiteurs dans la plus belle et la plus intrigante des chapelles d'Écosse (p. 91 et p. 92-93). Bâtie au XVe siècle, ornée de gravures complexes et énigmatiques, elle est depuis longtemps au centre des théories sur les Templiers et le Saint-Graal.

7 Arthur's Seat

L'escalade jusqu'au sommet de ce volcan depuis longtemps éteint (p. 76) est un rituel incontournable pour qui découvre Édimbourg. On y est récompensé par une vue magnifique, qui s'étend du Firth of Forth jusqu'aux Pentland Hills, et le sommet rocheux est un endroit idéal pour un pique-nique, par une belle (et rare) journée ensoleillée.

Édimbourg : le best of

Dîner

- **Tower** (p. 90). Steaks et fruits de mer dans un cadre chic, avec vue sur le château.
- **Castle Terrace** (p. 90). Excellente cuisine écossaise moderne par un chef étoilé.
- **Ondine** (p. 89). Salle pleine de style, poisson et fruits de mer impeccables.
- **The Dogs** (p. 94). Cuisine de bistrot dans un des restaurants les plus sympas de la ville.
- **Café Royal Oyster Bar** (p. 95). Plats de fruits de mer classiques dans un magnifique décor du XIXe siècle, tout en cuivre poli, marbre et acajou.

Points de vue

- **Château d'Édimbourg** (p. 65). Vue splendide depuis la Mills Mount Battery.
- **Camera Obscura** (p. 69). La tour est l'occasion de belles photos des toits du Royal Mile.
- **Scott Monument** (p. 78). Ce perchoir offre une vue époustouflante sur les jardins et la silhouette de la vieille ville.
- **Nelson Monument** (p. 82). Des images de carte postale de Princes St, du Parlement et des Salisbury Crags.
- **Arthur's Seat** (p. 76). Panorama complet sur la ville, depuis le Firth of Forth jusqu'aux Pentland Hills.

Frissons

- **Real Mary King's Close** (p. 76). Remarquable rue du XVIIe siècle, conservée sous des bâtiments du XVIIIe siècle.
- **Greyfriars Kirkyard** (p. 76). Le cimetière le plus effrayant d'Édimbourg, à découvrir lors d'une visite nocturne spéciale fantômes.
- **Voûtes de South Bridge** (p. 85). Voûtes de pierre hantées sous les rues de la vieille ville.
- **Surgeons' Hall Museums** (p. 76). L'exposition macabre autour de Burke et Hare contient notamment un carnet relié avec de la peau humaine.

Sites historiques

- **Palace of Holyroodhouse** (p. 77). La chambre de Marie Stuart, où fut assassiné son secrétaire (et amant ?).
- **Château d'Édimbourg** (p. 65). Abrite les joyaux de la couronne d'Écosse et la pierre du Destin.
- **Greyfriars Kirk** (p. 76). Église où fut signé le National Covenant.
- **Grassmarket** (p. 76). Ancien lieu d'exécutions publiques.
- **Heart of Midlothian** (p. 73). Indique l'emplacement de l'ancienne prison d'Old Tolbooth, rendue célèbre par sir Walter Scott.

À gauche Nelson Monument (p. 82)
Ci-dessus Le restaurant Tower (p. 90)

Ce qu'il faut savoir

À PRÉVOIR

- **6 mois avant** Réservez votre hébergement si vous comptez venir durant la saison des festivals (août) ou pour Hogmanay (Nouvel An) ; réservez vos billets pour le Military Tattoo.
- **1 mois avant** Réservez votre hébergement pour toutes les autres périodes ; réservez une table au Tower ou chez Ondine.
- **2 semaines avant** Réservez une table dans n'importe quel autre bon restaurant.
- **1 semaine avant** Réservez votre visite au Real Mary King's Close.

ADRESSES UTILES

- **Edinburgh & Lothians Tourist Board** (www.edinburgh.org). Site officiel de l'office du tourisme, avec listes d'hébergements, de sites, d'activités et de manifestations.
- **Edinburgh Museums & Galleries** (www.edinburghmuseums.org.uk). Renseignements sur les galeries d'art et musées publics de la ville.
- **Edinburgh Festivals** (www.edinburghfestivals.co.uk). Informations détaillées sur tous les festivals officiels de la ville.
- **Edinburgh Bus Tours** (www.edinburghtour.com). Divers circuits dans toute la ville ; le billet **Royal Edinburgh** (adulte/enfant 40/20 £) comprend un accès illimité aux bus touristiques et l'entrée au château d'Édimbourg, au Palace of Holyroodhouse et au yacht royal *Britannia*.

COMMENT CIRCULER

- **Depuis l'aéroport** Le bus Airlink part toutes les 10 minutes en journée, au moins 1 fois par heure en soirée ; 30 minutes jusqu'au centre-ville.
- **À pied** La vieille ville est compacte et s'explore facilement à pied. Attention néanmoins aux montées raides et aux escaliers.
- **En bus** Bon réseau urbain ; suivi en temps réel sur une application iPhone gratuite (EdinBus).
- **En train** Trains fréquents pour Glasgow (toutes les 15 minutes) et Londres (toutes les 30 minutes).
- **En voiture** Il est difficile de se garer en centre-ville ; mieux vaut utiliser les transports en commun.

Promenade dans Édimbourg

Le dédale d'étroites ruelles qui constitue l'Old Town d'Édimbourg fait tout son charme. Cette promenade permet de découvrir quelques-uns des très nombreux points d'intérêt autour de la partie haute du Royal Mile.

INFORMATIONS

- **Départ** Castle Esplanade
- **Arrivée** High St, Royal Mile
- **Distance** 1,2 km
- **Durée** 1 à 2 heures

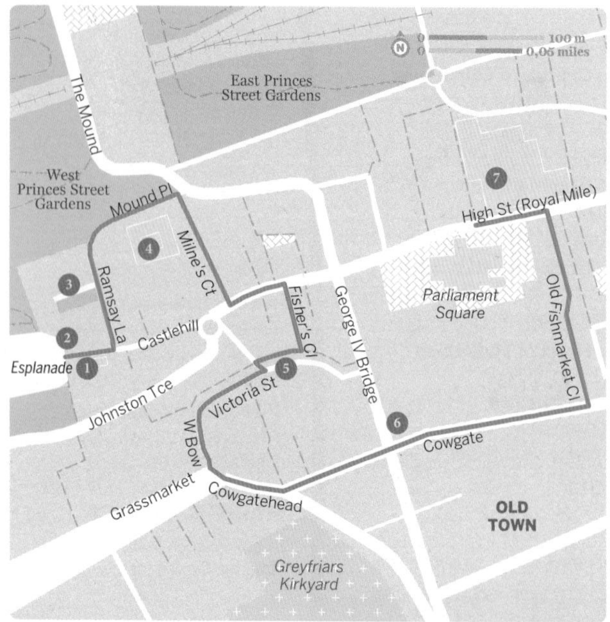

1 Cannonball House

De Castle Esplanade, descendez vers le Royal Mile. Sur la droite, la maison du XVIIe siècle, au sommet des marches de North Castle Wynd, est connue sous le nom de **Cannonball House**, à cause du boulet de canon en fer encastré dans le mur (dans le pignon faisant face au château, entre les deux plus grandes fenêtres, légèrement à droite). N'y voyez pas la trace d'une bataille, il marque simplement la hauteur que l'eau du premier système de canalisations pouvait atteindre naturellement.

2 Witches Well

Le bâtiment bas, rectangulaire, de l'autre côté de la rue, est l'ancien réservoir d'eau de la vieille ville. Sur son mur ouest, une fontaine en bronze, le **Witches Well** (puits des Sorcières), honore les quelque 4 000 victimes (des femmes, pour la plupart) brûlées ou étranglées pour sorcellerie à Édimbourg, entre 1479 et 1722.

3 Ramsay Garden

Une fois passé le réservoir, tournez à gauche pour descendre Ramsay Lane et jeter un œil au **Ramsay Garden** – l'une des adresses les plus enviées de la ville, où des appartements furent construits à la fin du XIXe siècle autour du noyau octogonal du Ramsay Lodge, autrefois résidence du poète Allan Ramsay.

4 New College

La rue pavée s'incurve ensuite sur la droite, en contrebas de résidences universitaires, en direction des tours du **New College**, section de théologie de l'université d'Édimbourg. Faufilez-vous dans la cour pour voir la **statue de John Knox**.

5 Victoria Terrace

Prenez à droite l'escalier de Milne's Court, résidence étudiante. Ressortez dans Lawnmarket ; traversez la rue vers la gauche puis tournez à droite pour descendre Fisher's Close, qui mène à l'adorable **Victoria Terrace**, en surplomb de la courbe pavée de Victoria St. Cheminez vers la droite pour profiter de la vue. Descendez ensuite les marches au pied d'Upper Bow et continuez à descendre jusqu'au Grassmarket.

6 George IV Bridge

Prenez à gauche et suivez la lugubre enfilade de Cowgate. Le premier pont sous lequel on passe est le **George IV Bridge** (édifié entre 1829 et 1834). Bien qu'une seule arche soit ici visible, il en compte 9 au total. On peut en voir une seconde, une rue plus au sud, dans Merchant St ; toutes les autres sont désormais cachées par les bâtiments environnants, tout comme les **caveaux hantés de South Bridge**, plus à l'ouest sur Cowgate.

7 Real Mary King's Close

Une fois passé le pont, prenez la première à gauche et grimpez le long d'Old Fishmarket Close pour revenir sur le Royal Mile. De l'autre côté de la rue, sur la gauche, se trouve le **Real Mary King's Close**. La visite guidée de cet édifice historique offre un aperçu fascinant de la ville aux XVIe et XVIIe siècles.

Édimbourg en...

2 JOURS

Visitez le **château d'Édimbourg** puis suivez notre itinéraire de promenade dans la vieille ville. Après le déjeuner, poursuivez par une balade le long du **Royal Mile** jusqu'au **Parlement écossais** et au **Palace of Holyroodhouse**. Vous pourrez vous mettre en appétit en grimpant jusqu'au sommet d'**Arthur's Seat**, avant de dîner au **Tower** tout en admirant le coucher de soleil derrière le château. Le jour suivant, passez la matinée au **Real Mary King's Close** ou au **Royal Museum of Scotland**, puis prenez le bus jusqu'à **Leith** pour visiter le **yacht royal *Britannia***. Le soir, profitez de l'un des excellents restaurants de Leith ou faites-vous peur lors d'une **visite guidée "fantômes"**.

4 JOURS

Avec deux jours de plus, vous aurez le temps de faire une balade matinale dans le **Royal Botanic Garden**, et d'effectuer une excursion jusqu'à la belle et énigmatique **Rosslyn Chapel**. Dînez au **Café Royal Oyster Bar**, avant ou après une petite escapade sur **Calton Hill**, au coucher du soleil. Le quatrième jour, quittez la ville pour une excursion à la journée jusqu'à **Abbotsford**.

Café Royal Oyster Bar (p. 95)

Découvrir Édimbourg

Les incontournables

- **Old Town** (p. 64) Labyrinthe de ruelles courant entre de hautes habitations médiévales.
- **New Town** (p. 78) Damier classique d'élégantes maisons de ville georgiennes.
- **Leith** (p. 82) Quartier des docks rénové, qui réveille l'attrait pour le front de mer.

La Scottish National Portrait Gallery
EYE UBIQUITOUS/ALAMY ©

À voir

Les principaux centres d'intérêt d'Édimbourg sont concentrés dans le centre-ville – le long du Royal Mile entre le château et Holyrood, ainsi que dans la nouvelle ville. Quelques-uns font exception à la règle, comme le yacht royal *Britannia*, qui se trouve dans le quartier rénové des docks de Leith, à 3 km au nord-est du centre.

Si vous êtes las des monuments, vous pourrez faire d'agréables promenades dans les faubourgs chics de Stockbridge et de Morningside, le joli village de Cramond, au bord de la rivière, et sur les sentiers tortueux de Calton Hill et d'Arthur's Seat.

Old Town

La vieille ville d'Édimbourg s'étend le long d'une crête à l'est du château, et dévale la pente de Victoria St vers la place de Grassmarket. C'est un dédale irrégulier et confus de constructions sillonné de *closes* (allées) et de *wynds* (venelles), d'escaliers et de voûtes, et fendu, sur son épine dorsale, d'un ravin pavé, le Royal Mile.

Jusqu'à l'édification de la nouvelle ville au XVIIIe siècle, Édimbourg était une fourmilière surpeuplée et insalubre coincée au nord entre les terres marécageuses de Nor' Loch (North Loch, aujourd'hui asséchées et occupées par les Princes Street Gardens) et l'enceinte fermant la ville au sud et à l'est. La cité ne pouvait s'étendre qu'en hauteur, d'où les immeubles de cinq ou six étages érigés le long du Royal Mile aux XVIe et XVIIe siècles, véritables gratte-ciel pour l'époque, et qui firent l'admiration de nombreux écrivains de passage, comme

Daniel Defoe. Toutes les classes de la société, du mendiant au notable, vivaient côte à côte. Les riches occupaient les étages intermédiaires, assez hauts pour échapper au bruit et à la puanteur de la rue, mais pas trop non plus pour ne pas se fatiguer à monter les étages. Les pauvres s'entassaient dans les greniers, les sous-sols et les caves, au milieu des rats, des détritus et des eaux usées.

Old Town, rénové, est aujourd'hui un quartier prospère, et ses rues sont bordées de cafés, de restaurants, de bars, d'auberges de jeunesse et des inévitables boutiques de souvenirs. Peu de visiteurs s'aventurent hors de l'artère principale du Royal Mile, alors que son voisinage immédiat vaut la peine d'être exploré pour ses innombrables ruelles, ses cours paisibles et ses vues inattendues sur la ville, la mer et les collines alentour (voir notre *Promenade*, p. 62).

Si vous aimez… Les musées d'art

Si la National Gallery a éveillé votre fibre artistique, la ville offre plusieurs autres galeries de très grande qualité.

1 SCOTTISH NATIONAL PORTRAIT GALLERY
(carte p. 80 ; www.nationalgalleries.org ; 1 Queen St ; 10h-17h ven-mer, 10h-19h jeu). Illustre l'histoire écossaise à travers des portraits, des photographies et des sculptures de personnages célèbres, de Robert Burns, Marie Stuart ou Bonnie Prince Charlie à Sean Connery, Billy Connolly et le poète Jackie Kay.

2 FRUITMARKET GALLERY
(carte p. 72 ; www.fruitmarket.co.uk ; 45 Market St ; 11h-18h lun-sam, 12h-17h dim). Met à l'honneur des artistes écossais et étrangers contemporains et se double d'une excellente librairie d'art et d'un café.

3 CITY ART CENTRE
(carte p. 72 ; 2 Market St ; www.edinburghmuseums.org.uk ; entrée payante durant les expos temporaires ; 10h-17h lun-sam, 12h-17h dim). Six étages de salles d'exposition sur des thèmes variés, dont une importante collection d'art écossais.

4 SCOTTISH NATIONAL GALLERY OF MODERN ART
(carte p. 66 ; www.nationalgalleries.org ; 75 Belford Rd ; entrée libre, expos spéciales payantes ; 10h-17h). La galerie principale, connue sous le nom de **Modern One**, rassemble des œuvres du XXe siècle d'artistes aussi divers que Matisse, Picasso, Kirchner, Magritte, Miró, Mondrian et Giacometti. Juste en face, l'annexe du musée, **Modern Two**, est dévolue à une vaste collection de sculptures et d'œuvres graphiques de sir Eduardo Paolozzi, natif d'Édimbourg.

ROYAL MILE

Cette rue longue de 1 mile (1,6 km) est devenue "royale" au XVIe siècle, lorsque le roi commença à l'emprunter pour se rendre du château au palais de Holyroodhouse. Elle comprend 5 tronçons – Castle Esplanade, Castlehill, Lawnmarket, High St et Canongate – dont les noms reflètent leurs origines historiques. Comptez une demi-journée pour parcourir le Mile en prenant le temps de visiter les sites.

CHÂTEAU D'ÉDIMBOURG Château
(Edinburgh Castle ; carte p. 72 ; 0131 225 9846 ; www.edinburghcastle.gov.uk ; Castlehill ; adulte/enfant avec Audioguide 16/9,20 £ ; 9h30-18h avr-sept, 9h30-17h oct-mars, dernière entrée 45 min avant la fermeture). Les rochers noirs et menaçants de Castle Rock, qui dominent l'extrémité ouest de Princes St, sont à l'origine de l'existence d'Édimbourg. Cet éperon rocheux était le point culminant le plus facile à défendre sur la route des invasions venant d'Angleterre, qu'empruntèrent toutes les armées, des légions romaines des Ier et IIe siècles aux troupes jacobites de Bonnie Prince Charlie en 1745.

Ce château a joué un rôle central dans l'histoire écossaise, à la fois en qualité de résidence royale – depuis le règne de Malcolm III Canmore (1058-1093) et de la reine Marguerite – et de forteresse militaire. Il vécut sa dernière bataille en 1745. Ensuite, et jusque dans les années 1920, il servit de base principale à l'armée britannique en Écosse. Aujourd'hui, il est l'une des curiosités touristiques les

Édimbourg

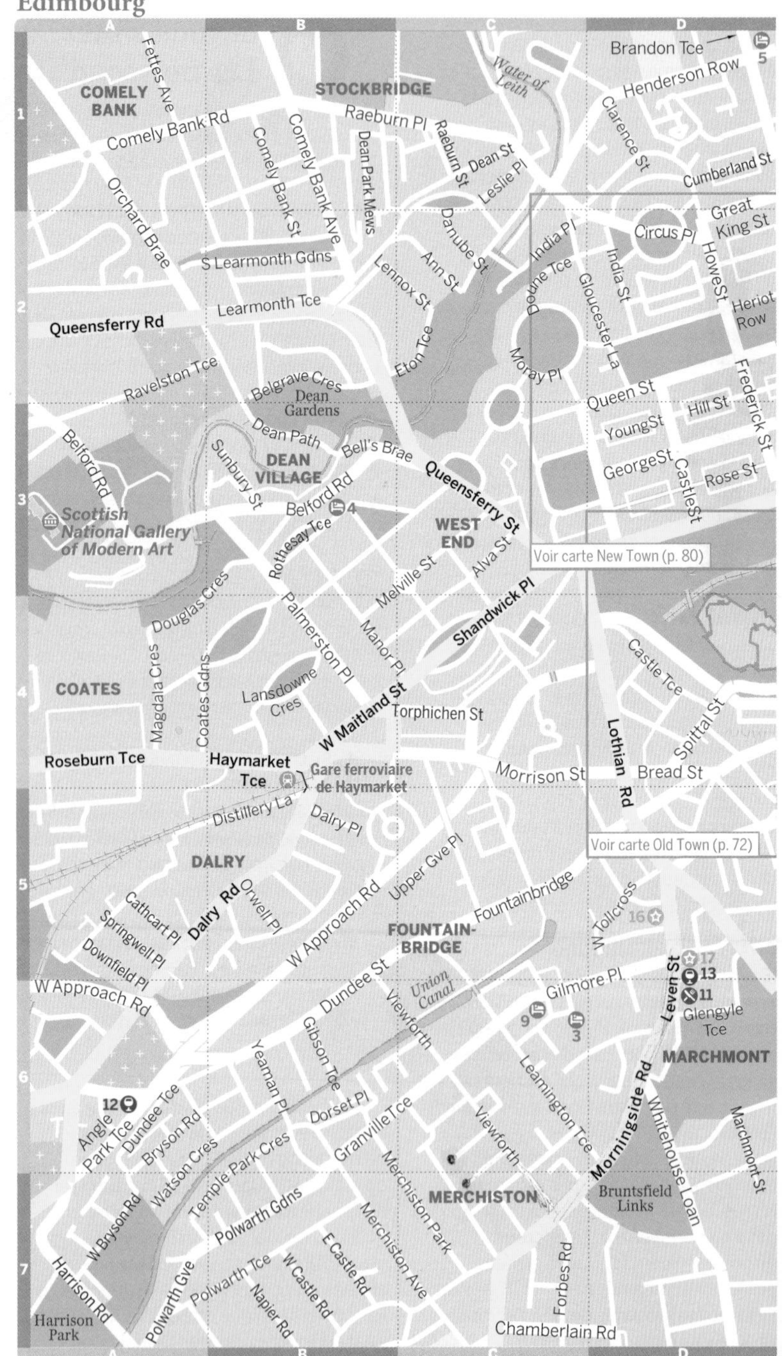

DÉCOUVRIR ÉDIMBOURG À VOIR

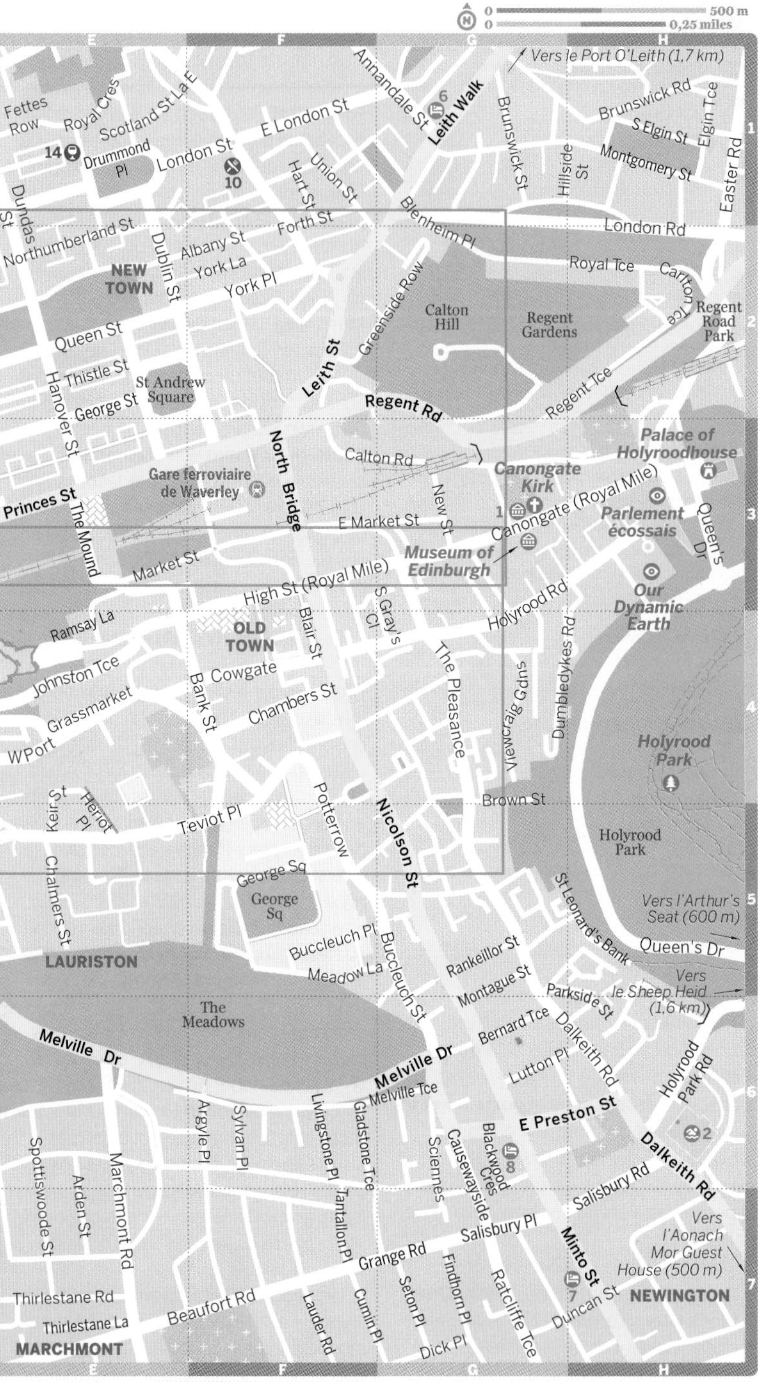
0 500 m
0 0,25 miles
Vers le Port O'Leith (1,7 km)
Fettes Row
Royal Cres
Scotland St
La E
Annandale St
Leith Walk
Brunswick St
Brunswick Rd
S Elgin St
Elgin Tce
Easter Rd
Montgomery St
Hillside St
Drummond Pl
London St
E London St
Union St
Hart St
Dundas St
Northumberland St
Dublin St
Albany St
Forth St
Blenheim Pl
London Rd
Royal Tce
Carlton Tce
NEW TOWN
York La
York Pl
Greenside Row
Calton Hill
Regent Gardens
Regent Road Park
Queen St
Thistle St
St Andrew Square
George St
Hanover St
Leith St
Regent Rd
Regent Tce
Palace of Holyroodhouse
Calton Rd
Gare ferroviaire de Waverley
North Bridge
Canongate Kirk
Princes St
The Mound
New St
E Market St
Canongate (Royal Mile)
Parlement écossais
Queen's Dr
Market St
Museum of Edinburgh
High St (Royal Mile)
Our Dynamic Earth
S Gray's Cl
Holyrood Rd
Ramsay La
OLD TOWN
Blair St
Dumbiedykes Rd
Johnston Tce
Cowgate
The Pleasance
Viewcraig Gdns
Grassmarket
Bank St
Chambers St
W Port
Holyrood Park
Keir St
Heriot Pl
Potterrow
Brown St
Teviot Pl
Nicolson St
Holyrood Park
Chalmers St
George Sq
St Leonard's Bank
Vers l'Arthur's Seat (600 m)
Buccleuch Pl
Rankeillor St
Queen's Dr
LAURISTON
Meadow La
Buccleuch St
Montague St
Parkside St
Vers le Sheep Heid (1,6 km)
The Meadows
Bernard Tce
Dalkeith Rd
Melville Dr
Melville Dr
Lutton Pl
Holyrood Park Rd
Melville Tce
E Preston St
Spottiswoode St
Arden St
Marchmont Rd
Argyle Pl
Sylvan Pl
Livingstone Pl
Gladstone Tce
Sciennes
Causewayside
Blackwood Cres
Salisbury Rd
Dalkeith Rd
Tantallon Pl
Salisbury Pl
Vers l'Aonach Mor Guest House (500 m)
Grange Rd
Minto St
Thirlestane Rd
Thirlestane La
Beaufort Rd
Lauder Rd
Cumin Pl
Seton Pl
Findhorn Pl
Ratcliffe Tce
Duncan St
NEWINGTON
MARCHMONT
Dick Pl

Édimbourg

Les incontournables

	Canongate Kirk	G3
	Holyrood Park	H4
	Museum of Edinburgh	G3
	Our Dynamic Earth	H3
	Palace of Holyroodhouse	H3
	Scottish National Gallery of Modern Art	A3
	Scottish Parliament Building	H3

À voir

1	People's Story	G3

Activités

2	Royal Commonwealth Pool	H6

Où se loger

3	Amaryllis Guest House	C6
4	B+B Edinburgh	B3
5	Dene Guest House	D1
6	Edinburgh Central Youth Hostel	G1
7	Sherwood Guest House	H7
8	Southside Guest House	G6
9	Town House	C6

Où se restaurer

10	L'Escargot Bleu	F1
11	Leven's	D6

Où prendre un verre

12	Athletic Arms	A6
13	Bennet's Bar	D5
14	Cumberland Bar	E1

Où sortir

16	Cameo	D5
17	King's Theatre	D5

plus pittoresques, les plus visitées – et les plus chères – d'Écosse.

Flanquée des statues de Robert Bruce et de William Wallace, la **porte d'entrée** s'ouvre sur une allée pavée qui monte en passant sous la **porte à herse**, du XVIe siècle, en direction du canon rangé le long des batteries d'Argyle et Mills Mount. Depuis les créneaux, une superbe vue s'étend sur New Town et le Firth of Forth.

Tout au bout de Mills Mount Battery, la foule se presse autour du célèbre **One O'Clock Gun** ("l'arme de 13h"), un canon étincelant datant de la Seconde Guerre mondiale qui tire un obus de 25 livres à 13h pile, tous les jours, sauf le dimanche, le jour de Noël et le Vendredi saint.

Au sud de Mills Mount, la route monte en s'incurvant vers la gauche et traverse **Foog's Gate** en direction de la partie la plus haute de Castle Rock, couronnée par une petite chapelle romane, **St Margaret's Chapel**, plus vieil édifice d'Édimbourg. Elle fut sans doute construite par David Ier ou Alexandre Ier, en mémoire de leur mère, la reine Margaret, vers 1130 (canonisée en 1250). À côté de la chapelle se tient le **Mons Meg**, canon de siège géant fabriqué à Mons (en Belgique actuelle), en 1449.

Au sommet de Castle Rock, le principal ensemble de bâtiments, organisés autour de Crown Square, est dominé par le **Scottish National War Memorial**. En face se dresse le **Great Hall**, que Jacques IV (1488-1513) fit bâtir pour ses cérémonies officielles, et où le Parlement écossais tint ses réunions jusqu'en 1639. Son trait le plus marquant est la charpente à blochets de son toit, du XVIe siècle.

Les **caves voûtées du château** (Castle Vaults), sous le Great Hall (accès depuis Crown Sq par les Prisons of War) ont rempli divers usages : entrepôts, boulangerie et prison. Elles ont été refaites de manière à ressembler à une **prison** du XVIIIe ou du début du XIXe siècle. Sur les vieilles portes en bois, on aperçoit des graffitis tracés par des prisonniers français et américains.

Sur le côté est de la place, le **palais royal** fut construit aux XVe et XVIe siècles. Une série de tableaux historiques conduit au trésor du château, une chambre forte abritant les **Honours of Scotland** (joyaux de la Couronne écossaise), les plus anciens de ce type conservés en Europe. Rangés dans un coffre après l'Acte d'union de 1707, la couronne (fabriquée en 1540 avec l'or de la couronne de Robert Bruce, du XIVe siècle), l'épée et le sceptre restèrent enfermés jusqu'à ce qu'ils soient remis à l'honneur, en 1818, à l'instigation du romancier sir Walter Scott. En exposition également, on pourra voir la **pierre du Destin** (Stone of Destiny ; voir encadré p. 83).

Les **appartements royaux** abritent la chambre à coucher où Marie Stuart mit au monde le futur Jacques VI, qui réunit les Couronnes d'Écosse et d'Angleterre en 1603.

NATIONAL WAR MUSEUM OF SCOTLAND Musée

(carte p. 72 ; ☎0300 123 6789 ; www.nms.ac.uk ; entrée incluse dans le billet du château ; 9h45-17h45 avr-oct, 9h45-16h45 nov-mars). Dans la partie ouest du château, à gauche du restaurant, une route descend vers ce musée, qui ressuscite l'histoire militaire de l'Écosse. Les objets exposés ont été personnalisés par des récits racontant l'histoire de ceux qui les ont possédés, ce qui permet une approche plus vivante et plus empathique des expériences militaires qu'un banal étalage d'armes poussiéreuses.

SCOTCH WHISKY EXPERIENCE Musée

(carte p. 72 ; www.scotchwhiskyexperience.co.uk ; 354 Castlehill ; adulte/enfant avec visite et dégustation 12,50/6,50 £ ; 10h-18h30 juin-août, 10h-18h sept-mai ; wifi). Une ancienne école accueille ce centre multimédia qui retrace la fabrication du whisky, de l'orge à la bouteille, grâce à une muséographie sollicitant la vue, l'ouïe et l'odorat. Vous y découvrirez aussi la plus grande collection au monde de whiskies de malt. Un restaurant sert des plats écossais, certains parfumés au whisky. À courte distance en contrebas de l'esplanade du château.

CAMERA OBSCURA Chambre noire

(carte p. 72 ; www.camera-obscura.co.uk ; Castlehill; adulte/enfant 10,95/7,95 £ ; 9h30-21h juil-août, 9h30-19h avr-juin et sept-oct, 10h-18h nov-mars). La "chambre noire" d'Édimbourg est un curieux dispositif, en usage depuis 1853, utilisant un jeu de lentilles et de miroirs qui projette une image de la ville réelle sur un grand écran horizontal. Le commentaire qui l'accompagne est distrayant, et l'endroit ne manque pas de charme, d'autant qu'il comporte aussi une étonnante exposition consacrée aux illusions en tout genre. Un escalier agrémenté d'expositions sur l'optique conduit à la **tour**, d'où l'on profite d'un joli panorama sur la ville.

GLADSTONE'S LAND Bâtiment historique

(carte p. 72 ; NTS ; www.nts.org.uk ; 477 Lawnmarket ; adulte/enfant 6/5 £ ; 10h-18h30 juil-août, 10h-17h avr-juin et sept-oct). Au XVIIe siècle, l'un des commerçants les plus influents d'Édimbourg était Thomas Gledstanes, qui acheta en 1617 le bâtiment, baptisé par la suite Gladstone's Land. On y admirera de remarquables plafonds, murs et poutres peints, à côté d'un magnifique mobilier des XVIIe et

Le Royal Mile

ANDY STOTHERT/GETTY IMAGES ©

Royal Mile

Une journée princière

Déterminez au préalable vos priorités, car il est impossible de tout voir en une seule journée. N'oubliez pas de prévoir du temps pour la pause-déjeuner, pour flâner dans quelques-unes des innombrables ruelles qui se déploient autour du Mile et, en période de festival, pour profiter des spectacles de rue qui auront immanquablement lieu dans High St.

Le moyen le plus agréable de rejoindre l'esplanade du Château au début du Royal Mile consiste à gravir le sentier en zigzag qui part de la passerelle située derrière le Ross Bandstand, dans les Princes Street Gardens (au printemps, on marche parmi les jonquilles). En commençant par le **château** 1, le reste de la balade s'effectue en descente. Pour profiter d'une vue superbe sur l'ensemble du Royal Mile, montez en haut de la **tour panoramique** 2 (Outlook Tower) de la **Camera Obscura** 3, puis visitez **Gladstone's Land** et la **cathédrale St Giles** 4.

Les amateurs d'histoire ne manqueront pas de faire un détour par le **Real Mary King's**

Château d'Édimbourg

Si vous êtes pressé par le temps, voyez en priorité le Great Hall, les joyaux de la Couronne et les Prisons of War. Rejoignez la Half-Moon Battery afin de prendre une photo embrassant toute la longueur du Royal Mile.

Quelques royales visites

1561 : Marie Stuart arrive de France et tient audience en présence de John Knox.
1745 : Bonnie Prince Charlie échoue à s'emparer du château d'Édimbourg et installe sa cour à Holyroodhouse.
2004 : La reine Élisabeth II inaugure officiellement le nouveau Parlement écossais.

Royal Scottish Academy

Scott Monument

Heart of Midlothian

City Chambers

NORTH BRIDGE

Scottish National Gallery

Princes Street Gardens

THE MOUND

HIGH ST

CASTLEHILL

GEORGE IV BRIDGE

Scotch Whisky Experience

Gladstone's Land

Le 1er étage renferme une reconstitution fidèle de la vie des riches marchands d'Édimbourg au XVIIe siècle. Ne manquez pas la Painted Bedchamber, chambre à coucher aux murs ornementés et au superbe plafond en bois.

Pause-déjeuner

Une *pie* et une pinte à la **Royal Mile Tavern** ; une salade et un sandwich au **Villager** ; ou un plat fin chez **Porto & Fi**.

Close (5), la **John Knox House** (6) et le **Museum of Edinburgh** (7).

Au pied du Mile se dressent les sièges du pouvoir dans leurs versions ancienne et moderne : d'un côté, le **Parlement écossais** (8) (Scottish Parliament), de l'autre, le **Palace of Holyroodhouse** (9) (palais de Holyroodhouse). Terminez la journée par l'ascension d'Arthur's Seat en soirée, ou celle, légèrement moins ardue, de Calton Hill. Tous deux offrent de somptueux panoramas au soleil couchant.

LE BON TEMPO

Minimum requis pour chaque étape :

Château d'Édimbourg : 2 heures

Gladstone's Land : 45 min

St Giles Cathedral : 30 min

Real Mary King's Close : 1 heure (visite guidée)

Parlement écossais : 1 heure (visite guidée)

Palace of Holyroodhouse : 1 heure

Real Mary King's Close

La visite guidée insiste trop sur les histoires de fantômes, mais permet de voir une pièce du XVIIe siècle dont le plâtre qui se désagrège laisse apparaître des touffes de crin de cheval, et de humer l'odeur de la pierre et de la poussière, tout en s'imprégnant de l'histoire du lieu.

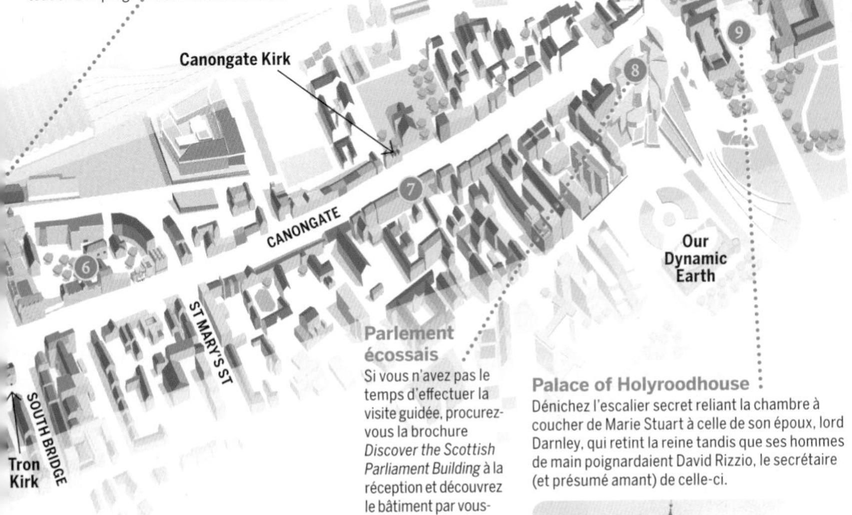

Canongate Kirk
CANONGATE
ST MARY'S ST
SOUTH BRIDGE
Tron Kirk
Our Dynamic Earth
6
7
8
9

Parlement écossais

Si vous n'avez pas le temps d'effectuer la visite guidée, procurez-vous la brochure *Discover the Scottish Parliament Building* à la réception et découvrez le bâtiment par vous-même en en faisant le tour par l'extérieur, puis en gravissant les Salisbury Crags afin de profiter d'une vue d'ensemble sur l'édifice.

Palace of Holyroodhouse

Dénichez l'escalier secret reliant la chambre à coucher de Marie Stuart à celle de son époux, lord Darnley, qui retint la reine tandis que ses hommes de main poignardaient David Rizzio, le secrétaire (et présumé amant) de celle-ci.

JEAN-CHRISTOPHE GODET/ALAMY ©

St Giles Cathedral

Ne manquez pas le vitrail de Burne-Jones (1873) à l'extrémité ouest, qui représente la traversée du Jourdain, et le bronze rendant hommage à Robert Louis Stevenson dans la Moray Aisle.

EUROPHOTOS/ALAMY ©

COLIN PALMER PHOTOGRAPHY/ALAMY ©

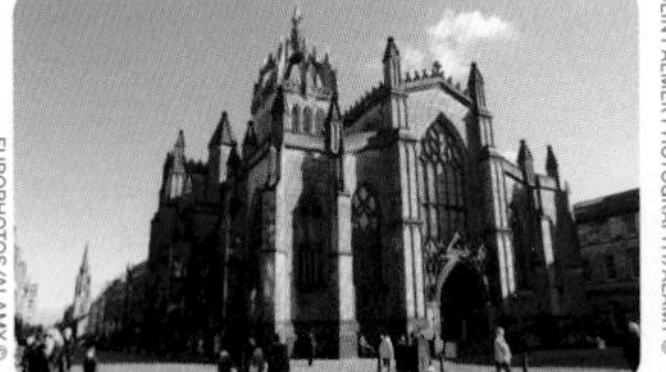

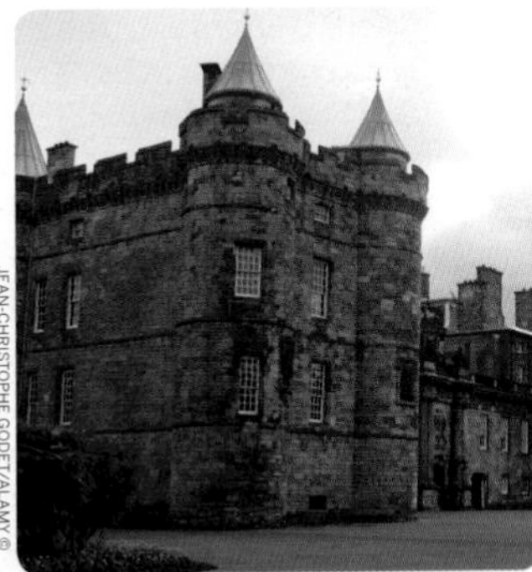

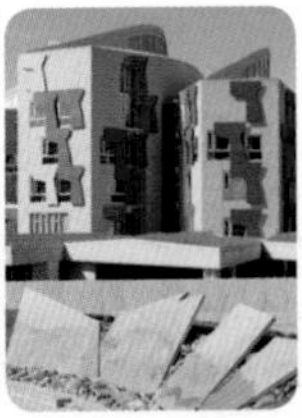

Old Town

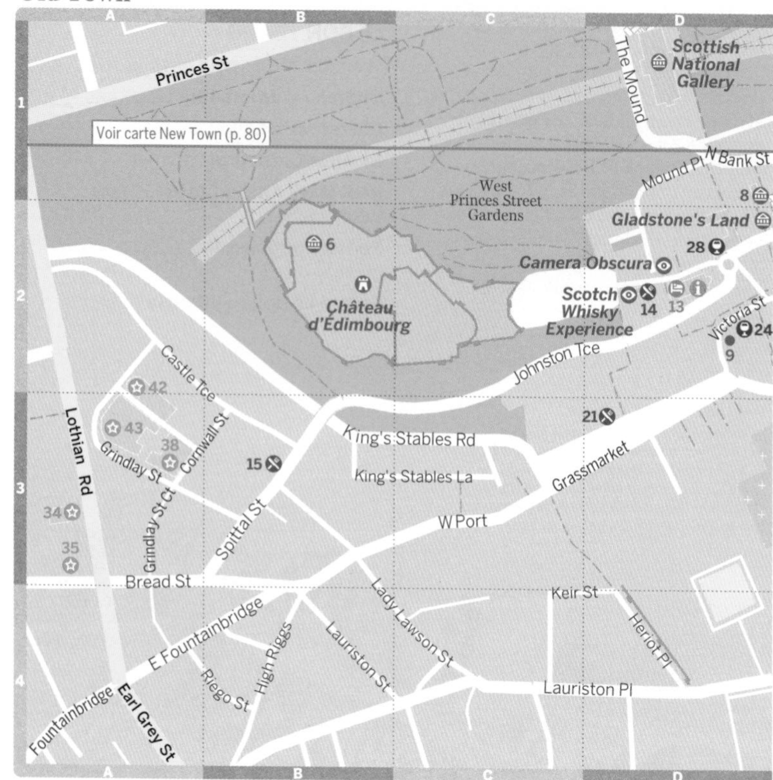

XVIIIe siècles. Outre l'histoire détaillée des lieux, des guides bénévoles ont de nombreuses anecdotes à raconter.

GRATUIT WRITERS' MUSEUM — Musée

(carte p. 72 ; www.edinburghmuseums.org.uk ; Lady Stair's Close, Lawnmarket ; 10h-17h lun-sam toute l'année, 14h-17h dim août). Au fond d'une ruelle, juste à l'est de Gladstone's Land, vous découvrirez la Lady Stair's House (1622), qui accueille ce musée littéraire où sont conservés des manuscrits et des souvenirs personnels de trois des écrivains écossais les plus célèbres : Robert Burns, sir Walter Scott et Robert Louis Stevenson.

ST GILES CATHEDRAL — Église

(carte p. 72 ; www.stgilescathedral.org.uk ; High St ; don bienvenu 3 £ ; 9h-19h lun-ven, 9h-17h sam et 13h-17h dim mai-sept, 9h-17h lun-sam et 13h-17h dim oct-avr). Cette imposante masse grise domine High St. Plus justement dénommée *High Kirk* (elle ne fut cathédrale, c'est-à-dire siège d'un évêché, que de 1633 à 1638 et de 1661 à 1689), St Giles porte le nom du saint patron des invalides et des mendiants. Une église de style normand fut construite en 1126 et détruite par les Anglais en 1385. Les seuls vestiges de cette époque sont les piliers centraux soutenant la tour.

L'église actuelle date pour l'essentiel du XVe siècle. La magnifique **flèche en couronne** fut achevée en 1495, et en grande partie restaurée au XIXe siècle. L'intérieur manque de majesté, mais il est riche en histoire : St Giles fut au cœur de la Réforme écossaise, et John Knox y fut pasteur de 1559 à 1572. L'un des lieux les plus remarquables est la **Thistle Chapel**

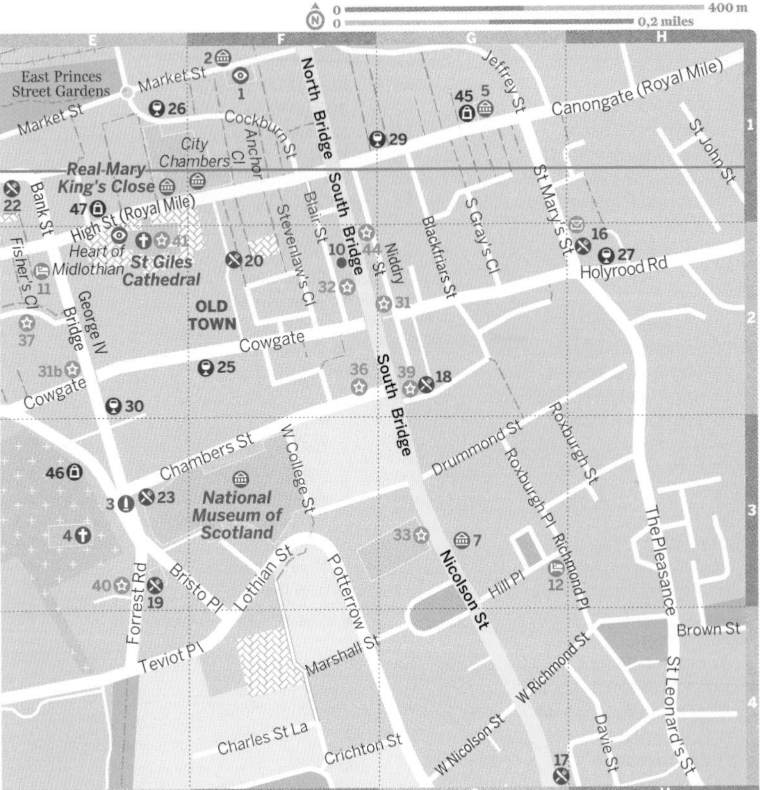

(chapelle du Chardon), construite en 1911 pour les chevaliers du très ancien et très noble ordre du Chardon. Les stalles ouvragées de style gothique sont coiffées de baldaquins surmontés des casques et d'armoiries des 16 chevaliers. Sur la voûte, vous noterez le petit ange joueur de cornemuse.

Sur le côté de la rue, à l'extérieur de la porte ouest de St Giles, le **Heart of Midlothian** (cœur du Midlothian), mosaïque en forme de cœur insérée dans le pavement de la chaussée, marque l'emplacement de la barrière de péage (*Tolbooth*). Construit au XVe siècle et démoli au début du XIXe, le péage servit de lieu de réunion du Parlement, du conseil municipal et de l'Assemblée générale de l'Église réformée, avant de devenir un tribunal et de finir comme prison et lieu d'exécution. Il est d'usage de cracher sur le cœur pour avoir de la chance.

De l'autre côté de St Giles, la **Mercat Cross** est une copie du XIXe siècle d'un original de 1365. Les marchands s'y donnaient rendez-vous pour faire leurs affaires, et les proclamations royales y étaient lues.

REAL MARY KING'S CLOSE Bâtiment historique

(carte p. 72 ; ✆0845 070 6244 ; www.realmarykingsclose.com ; 2 Warriston's Close, Writers Ct, High St ; adulte/enfant 12,95/7,45 £ ; ⏲10h-21h avr-oct, 10h-23h août, 10h-17h dim-jeu et 10h-21h ven-sam nov-mars). Sises en face de St Giles, les City Chambers furent construites à l'origine par John Adam (frère de Robert) entre 1753 et 1761 pour être le Royal Exchange (la Bourse) – un lieu de réunion couvert pour les marchands de la ville.

Old Town

Les incontournables

	Camera Obscura	D2
	Château d'Édimbourg	B2
	Gladstone's Land	D2
	Real Mary King's Close	E1
	Scotch Whisky Experience	D2
	Scottish National Gallery	D1
	St Giles Cathedral	E2
	Writers' Museum	D1

À voir

1	City Art Centre	F1
2	Fruitmarket Gallery	F1
3	Greyfriars Bobby	E3
4	Greyfriars Kirk et Greyfriars Kirkyard	E3
5	John Knox House	G1
6	National Museum of Scotland	E3
7	National War Museum of Scotland	B2
8	Surgeons' Hall Museums	G3

Circuits organisés

9	Cadies & Witchery Tours	D2
10	Mercat Tours	F2

Où se loger

11	Hotel Missoni	E2
12	Ten Hill Place	G3
13	Witchery by the Castle	D2

Où se restaurer

14	Amber	D2
15	Castle Terrace	B3
16	David Bann	H2
17	Kalpna	G4
18	Mother India	G2
19	Mums	E3
	Ondine	(voir 11)
20	Passepartout	F2
21	Petit Paris	D3
22	Porto & Fi	E1
23	Tower	E3

Où prendre un verre

24	Bow Bar	D2
25	BrewDog	F2
26	Ecco Vino	E1
27	Holyrood 9A	H2
28	Jolly Judge	D2
29	Royal Mile Tavern	G1
30	Villager	E2

Où sortir

31	Bannerman's	G2
31b	Bongo Club	E2
32	Cabaret Voltaire	F2
33	Edinburgh Festival Theatre	G3
34	Filmhouse	A3
35	Henry's Cellar	A3
36	Jazz Bar	F2
37	Liquid Room	E2
38	Royal Lyceum Theatre	A3
39	Royal Oak	G2
40	Sandy Bell's	E3
41	St Giles Cathedral	E2
42	Traverse Theatre	A2
43	Usher Hall	A3
44	Whistle Binkie's	F2

Achats

45	Geoffrey (Tailor) Inc	G1
46	Joyce Forsyth Designer Knitwear	E3
47	Kinross Cashmere	E1

Cependant, ceux-ci préférant se rencontrer dans la rue, l'édifice accueillit les bureaux de la municipalité à partir de 1811.

Le Royal Exchange recouvre une vieille ruelle condamnée, Mary King's Close. Les parties basses des maisons de cette ruelle médiévale ont survécu presque intactes dans les fondations des City Chambers pendant 250 ans. Aujourd'hui ouvert au public, le Real Mary King's Close est un dédale souterrain qui donne la chair de poule, mais qui fournit un aperçu intéressant sur la vie quotidienne aux XVIe et XVIIe siècles. Des guides en costumes d'époque font visiter (sur réservation) un hôtel particulier du XVe siècle et la maison ravagée par la peste d'un fossoyeur du XVIIe siècle. Il est recommandé de réserver bien à l'avance.

JOHN KNOX HOUSE Bâtiment historique
(carte p. 72 ; www.scottishstorytellingcentre.co.uk ; 43-45 High St ; adulte/enfant 4,25/1 £ ; 10h-18h lun-sam tte l'année, plus 12h-18h dim juil-août). Le Royal Mile se resserre en bas de High St, près de la façade saillante de cette demeure. Bâtie vers 1490, c'est la plus vieille maison d'Édimbourg. John Knox, le guide de la Réforme protestante en Écosse, y aurait vécu de 1561 à 1572. Dans l'intérieur labyrinthique, décoré de quelques beaux plafonds peints, on peut

voir une intéressante présentation de la vie et de l'œuvre de Knox.

GRATUIT **PEOPLE'S STORY** Musée

(carte p. 66 ; www.edinburghmuseums.org.uk ; 163 Canongate ; 10h-17h lun-sam toute l'année, plus 14h-17h dim août). Au nombre des symboles de l'indépendance passée de Canongate, le **Canongate Tolbooth**, de 1591, a tour à tour servi de poste de péage, de salle de conseil, de salle d'audience et de prison. Avec ses tourelles pittoresques et son horloge saillante, c'est un exemple intéressant d'architecture du XVIe siècle. Il accueille aujourd'hui un étonnant musée d'Histoire populaire retraçant la vie, le travail et les loisirs des habitants d'Édimbourg, du XVIIIe siècle à nos jours.

GRATUIT **MUSEUM OF EDINBURGH** Musée

(carte p. 66 ; 0131-529 4143 ; www.edinburghmuseums.org.uk ; 142 Canongate ; 10h-17h lun-sam toute l'année, plus 14h-17h dim août). Face à l'horloge du Canongate Tolbooth, vous ne pourrez manquer la Huntly House, dont la façade a été récemment repeinte en rouge et ocre jaune. Construite en 1570, cette demeure abrite un musée qui aborde l'histoire d'Édimbourg, de la préhistoire à nos jours. Si l'on peut y découvrir quelques objets ayant une importance historique, comme la copie originale du National Covenant de 1638, la foule est davantage attirée par le collier et l'écuelle qui appartinrent jadis à **Greyfriars Bobby**, le citoyen canin le plus célèbre de la ville.

CANONGATE KIRK Église

(carte p. 66). En contrebas de la Huntly House, on aperçoit l'élégant pignon incurvé de la Canongate Kirk, édifiée en 1688. Dans son cimetière reposent plusieurs personnages célèbres, comme l'économiste **Adam Smith** (1723-1790), auteur de *La Richesse des nations*, Agnes MacLehose (la Clarinda des poèmes amoureux de Robert Burns) et le poète **Robert Fergusson** (1750-1774), très admiré de Robert Burns, qui paya sa pierre tombale et rédigea son épitaphe – notez l'inscription à l'arrière. (Une plaque juste

Le Parlement écossais

Le **Parlement écossais** (carte p. 66 ; 0131-348 5200 ; www.scottish.parliament.uk ; entrée libre ; en session 9h-18h30 mar-jeu, 10h-17h30 lun et ven, hors session 10h-18h lun-ven avr-oct, 10h-16h lun-ven nov-mars ;), un édifice construit à l'emplacement d'une ancienne brasserie, près du palais de Holyroodhouse, fut inauguré officiellement par la reine en octobre 2004.

Les espaces publics – le hall d'entrée, où est présentée une exposition, le café-boutique et la **galerie publique** de la chambre des Débats – sont ouverts aux visiteurs (des billets sont nécessaires pour la galerie publique – voir le site Internet pour plus de détails). Vous pouvez aussi participer à une **visite guidée** gratuite de 1 heure (il est conseillé de réserver bien à l'avance), dont le parcours comprend la chambre des Débats, une salle de commission, le jardin intérieur, voire le bureau d'un parlementaire (Member of the Scottish Parliament, MSP). Pour voir **siéger le Parlement**, renseignez-vous sur les horaires – les séances ont généralement lieu du mardi au jeudi, toute l'année.

Le **Grand Hall**, accessible par l'entrée du public, possède un plafond bas à trois voûtes en béton poli, qui évoque une grotte ou la cave d'un château. Assez sombre, il est le point de départ du voyage métaphorique de cette relative obscurité jusqu'à la **chambre des Débats** (au-dessus du Grand Hall), qui, par contraste, s'impose comme un palais de la lumière – lumière de la démocratie. Formant le centre du Parlement, cette salle grandiose est conçue non pour glorifier les hommes politiques qui y siègent mais, au contraire, pour les rendre plus humbles.

après la porte indique les tombes célèbres et leurs emplacements). On peut aussi voir une statue de Fergusson dans la rue, devant l'église.

OUR DYNAMIC EARTH Exposition

(carte p. 66 ; www.dynamicearth.co.uk ; Holyrood Rd ; adulte/enfant 11,50/7,50 £ ; ⏲10h-18h juil-août, 10h-17h30 avr-juin et sept-oct, 10h-17h mer-dim nov-mars, dernière entrée 90 min avant la fermeture ; 👪). En pénétrant dans cette structure blanche plantée au pied des Salisbury Crags, attendez-vous à un voyage multimédia interactif à travers l'histoire de la Terre, du big bang à nos jours. Très apprécié des enfants, c'est un ensemble clinquant d'effets spéciaux dernier cri et de films en 3D, conçus pour exciter la curiosité des jeunes pour tout ce qui touche à la géologie et à l'environnement. Son véritable objectif, naturellement, est de vous faire passer par la boutique pour acheter des dinosaures ou des T-shirts.

HOLYROOD PARK Parc

(carte p. 66). Ancien terrain de chasse des monarques, ce parc est un havre de nature sauvage au cœur de la ville présentant, sur 263 ha, une grande variété de paysages (rochers abrupts, lande et loch). Culminant à 251 m, **Arthur's Seat** (p. 59) est un vestige passablement érodé d'un volcan depuis longtemps éteint. On peut faire le tour du parc en voiture ou à vélo, le long de Queen's Dr (interdite aux voitures le dimanche). À pied, il faut 45 minutes pour atteindre le sommet depuis Holyrood.

SUD DU ROYAL MILE

GRATUIT **GREYFRIARS KIRK ET GREYFRIARS KIRKYARD** Église et cimetière

(carte p. 72 ; www.greyfriarskirk.com ; Candlemaker Row ; ⏲10h30-16h30 lun-ven et 11h-14h sam avr-oct, 13h30-15h30 jeu seulement nov-mars). L'une des plus célèbres églises d'Édimbourg, Greyfriars Kirk, fut édifiée sur l'emplacement d'un ancien monastère franciscain, et ouverte au culte le jour de Noël 1620. En 1638, c'est ici que fut signé le **National Covenant** rejetant la tentative de Charles Ier d'imposer l'épiscopalisme et un nouveau livre de prières anglais aux Écossais, et revendiquant l'indépendance de l'Église écossaise. De nombreux signataires furent plus tard exécutés sur Grassmarket et, en 1679, 1 200 Covenanters furent incarcérés dans des conditions épouvantables dans l'angle sud-ouest du cimetière. Une petite exposition à l'intérieur de l'église rappelle ces faits historiques.

Ceint de hauts murs et dominé par la silhouette menaçante du château, **Greyfriars Kirkyard** est l'un des cimetières les plus évocateurs d'Édimbourg – une oasis de verdure parsemée de monuments élégants. Nombre de célébrités locales y sont enterrées, comme le poète Allan Ramsay (1686-1758), l'architecte William Adam (1689-1748) et William Smellie (1740-1795), l'éditeur de la première édition de l'*Encyclopædia Britannica*.

Si vous souhaitez découvrir la facette la plus effrayante du lieu – un caveau voûté, la nuit –, suivez une visite guidée des Black Hart Storytellers (p. 82).

GREYFRIARS BOBBY Statue

(carte p. 72). Les monuments du Greyfriars Kirkyard sont intéressants, mais celui qui attire le plus de monde se situe avant la porte du cimetière, en face du pub. Il s'agit de la minuscule statue de Greyfriars Bobby, un skye-terrier qui, de 1858 à 1872, veilla la tombe de son maître, un officier de police d'Édimbourg. L'histoire fut immortalisée dans un roman d'Eleanor Atkinson, de 1912, qui, en 1963, fit l'objet d'un film de Walt Disney. La tombe de Bobby est marquée d'une petite pierre en granit rose. Son collier et son écuelle sont conservés au **Museum of Edinburgh** (p. 75).

SURGEONS' HALL MUSEUMS Musée

(carte p. 72 ; www.museum.rcsed.ac.uk ; Nicolson St ; adulte/enfant 5/3 £ ; ⏲12h-16h lun-ven, plus sam-dim avr-oct). Ce musée donne un excellent aperçu de la chirurgie écossaise, du XVe siècle – les barbiers arrondissaient alors leurs fins de mois en pratiquant saignées, amputations et autres actes du même ordre – à nos jours. Le clou en est l'exposition consacrée aux célèbres assassins du XVIIIe siècle **Burke et Hare**, qui comprend notamment le masque mortuaire de Burke et un livre dont la reliure fut taillée dans la peau du malfrat.

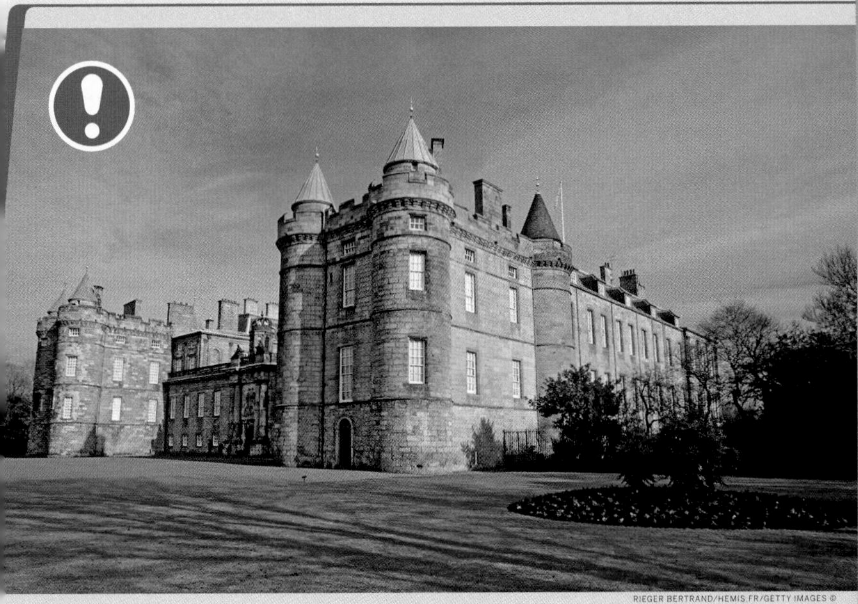

RIEGER BERTRAND/HEMIS.FR/GETTY IMAGES ©

À ne pas manquer Palace of Holyroodhouse

Résidence officielle de la famille royale en Écosse, ce palais tient surtout sa renommée d'avoir été la résidence de la malheureuse Marie Stuart. Le palais est fermé au public quand la famille royale est de passage et lors de réceptions officielles (habituellement à la mi-mai, et de mi-juin à début juillet ; consultez le site Internet pour connaître les dates exactes).

La visite audioguidée permet de parcourir les appartements royaux et se termine par la **grande galerie**. Les 89 portraits de rois commandés par Charles II sont censés illustrer sa lignée, ininterrompue, selon la légende, depuis Scota, fille du pharaon d'Égypte qui découvrit l'enfant Moïse dans un panier d'osier sur les bords du Nil.

Mais le clou de la visite est sans conteste la **chambre à coucher de Marie Stuart**, occupée par la reine de 1561 à 1567, et reliée par un escalier secret à la chambre de son mari. C'est ici que son premier mari, le jaloux lord Darnley, retint son épouse alors enceinte pendant que ses hommes de main assassinaient son secrétaire – et favori – David Rizzio. Une plaque, dans la pièce voisine, signale l'endroit où l'infortuné perdit la vie. La sortie du palais mène aux ruines de l'abbaye de Holyrood. En été, elles font l'objet d'une visite guidée (incluse dans le billet d'entrée) ; le reste de l'année, il est possible de les découvrir librement. L'abbaye de Holyrood fut fondée par David Ier, à l'ombre des Salisbury Crags, en 1128. Son nom vient probablement d'un fragment de la Vraie Croix (*rood* en ancien écossais signifie “croix”), qu'aurait rapporté sa mère, sainte Marguerite. Les ruines actuelles datent des XIIe et XIIIe siècles.

INFOS PRATIQUES

Carte p. 66 ; www.royalcollection.org.uk ; adulte/enfant 10,75/6,50 £ ; 9h30-18h avr-oct, 9h30-16h30 nov-mars.

New Town

La nouvelle ville d'Édimbourg s'étend au nord d'Old Town, sur une crête parallèle au Royal Mile et séparée d'elle par les Princes Street Gardens. Son plan en damier et ses rangées de belles maisons georgiennes sont à l'opposé de l'écheveau chaotique d'immeubles et de ruelles de la vieille ville.

Entre la fin du XIVe et le début du XVIIIe siècle, la population d'Édimbourg, confinée à l'intérieur des murs d'Old Town, passa de 2 000 à 50 000 habitants. Les bâtisses chancelantes n'étaient pas sûres et s'effondraient parfois, le feu représentait une menace permanente, et la surpopulation et la saleté devenaient intolérables.

Lorsque l'Acte d'union de 1707 permit de croire à une stabilité durable, les classes aisées aspirèrent à s'établir dans de nouveaux lieux plus salubres et plus spacieux. En 1766, le maire d'Édimbourg annonça qu'un concours était ouvert pour la conception d'une extension de la ville. Il fut remporté par James Craig, jeune architecte autodidacte de 23 ans, dont le projet simple et élégant avait pour axe central George St, fermée aux deux extrémités par des places majestueuses. Il limitait aussi les constructions à un seul côté de Princes St et de Queen St, afin de préserver la vue sur le Firth of Forth, au nord, et le château et la vieille ville, au sud.

Au cours des XVIIIe et XIXe siècles, la nouvelle ville continua de s'étendre, de places en *circuses*, de parcs en *terraces*, quelques-uns des plus beaux éléments de son architecture néoclassique étant réalisés par Robert Adam. Aujourd'hui, New Town est l'exemple le plus complet et le mieux préservé d'architecture et d'urbanisme georgiens. Avec Old Town, elle a été inscrite au patrimoine mondial de l'Unesco en 1995.

PRINCES STREET

Voici l'une des rues commerçantes les plus séduisantes. Construite uniquement du côté nord, elle est baignée de soleil en été, et offre une vue étendue sur les Princes Street Gardens et, au-delà, sur le château et la vieille ville.

Les **Princes Street Gardens** s'étendent dans une vallée autrefois occupée par le Nor' Loch, dépression marécageuse asséchée au début du XIXe siècle. Les jardins sont coupés en deux par le **Mound**, une butte formée par l'entassement de 2 millions de charretées de terre provenant du creusement des fondations de New Town, afin de construire une route à travers la vallée pour relier Old Town. La route fut achevée en 1830.

SCOTT MONUMENT — Monument

(carte p. 80 ; www.edinburghmuseums.org.uk ; East Princes Street Gardens ; 3 £ ; 10h-19h lun-sam avr-sept ; 9h-16h lun-sam oct-mars, 10h-16h dim toute l'année). La moitié est des jardins est dominée par la flèche gothique massive de ce monument, édifié sur souscription publique à la mémoire de sir Walter Scott, mort en 1832. L'extérieur est orné de sculptures représentant des personnages de ses livres, et l'intérieur donne à voir une exposition retraçant sa vie. En haut de ses 287 marches, vue superbe sur la ville.

GRATUIT SCOTTISH NATIONAL GALLERY — Musée

(carte p. 72 ; www.nationalgalleries.org ; The Mound ; entrée libre, expos spéciales payantes ; 10h-17h ven-mer, 10h-19h jeu ;). William Playfair réalisa cet imposant édifice de style classique à portiques ioniques dans les années 1850. Ses salles octogonales éclairées de lucarnes ont retrouvé leur lustre victorien d'origine, avec moquette vert foncé et murs rouge sombre.

Le musée possède une riche collection d'**œuvres européennes** allant de la Renaissance au postimpressionnisme, signées Verrocchio (le maître de Léonard de Vinci), le Tintoret, Titien, Holbein, Rubens, Van Dyck, Vermeer, le Greco, Poussin, Rembrandt, Gainsborough, Turner, Constable, Monet, Pissarro, Gauguin et Cézanne. Chaque année, en janvier, le musée dévoile sa collection d'**aquarelles de Turner**, léguée par Henry Vaughan en 1900. La salle X est l'écrin des **Trois Grâces**, groupe sculpté en marbre blanc d'Antonio Canova que ce musée possède conjointement avec le Victoria and Albert Museum de Londres.

RIEGER BERTRAND/GETTY IMAGES ©

À ne pas manquer National Museum of Scotland

L'élégante et large Chambers St est dominée par la longue façade de ce musée, dont les collections sont réparties dans deux édifices : l'un moderne, l'autre victorien. Le musée a rouvert ses portes en juillet 2011, après plus de deux ans d'importantes rénovations et restructurations.

Avec sa pierre dorée et son architecture moderne, le nouveau bâtiment du musée, inauguré en 1998, est l'un des sites les plus étonnants de la ville. Ses cinq étages retracent l'histoire de l'Écosse, des débuts géologiques jusqu'aux années 1990, en recourant à une muséographie inventive et stimulante. Des Audioguides sont disponibles en plusieurs langues.

Les pièces les plus admirées sont le reliquaire de Monymusk, petit coffret en argent datant de 750, que Robert Bruce aurait emporté avec lui à la bataille de Bannockburn en 1314, et le jeu d'échecs de Lewis, du XIIe siècle, en ivoire de morse.

Ce nouveau bâtiment communique avec le musée victorien originel (ancien Royal Museum), datant de 1861, dont l'extérieur gris et froid cache un imposant hall, éclairé par une verrière. Ici, une collection éclectique aborde l'histoire naturelle, l'archéologie, les technologies scientifique et industrielle, et les arts décoratifs de l'Égypte ancienne, de l'Islam, de la Chine, du Japon, de la Corée et de l'Occident.

INFOS PRATIQUES

Carte p. 72 ; ☎ 0300 123 6789 ; www.nms.ac.uk ; Chambers St ; entrée libre, expos spéciales payantes ; 🕑 10h-17h.

Les salles de l'étage renferment des portraits de sir Joshua Reynolds et de sir Henry Raeburn, et un ensemble d'**œuvres impressionnistes**, parmi lesquelles de lumineuses *Meules* de Monet, les *Oliviers* tourmentés de Van Gogh et l'hallucinatoire *Vision après le sermon* de Gauguin. Mais la peinture qui attire le plus le regard est le somptueux portrait de *Lady Agnew of Lochnaw* de John Singer Sargent.

New Town

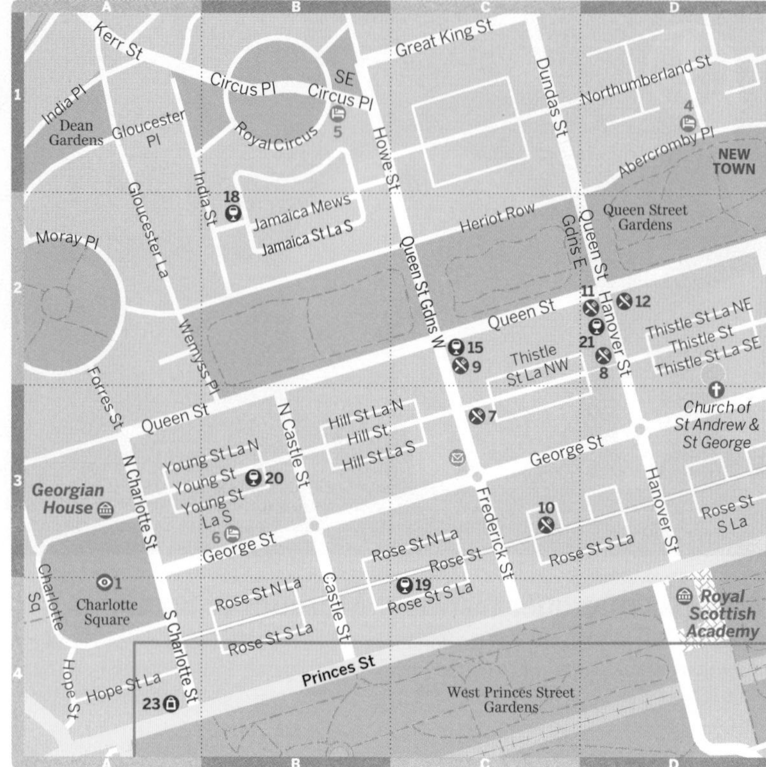

Les salles du sous-sol sont consacrées à l'**art écossais**. On y verra des portraits flatteurs d'Allan Ramsay et de sir Henry Raeburn, des scènes rurales de sir David Wilkie et des paysages impressionnistes de William MacTaggart. On ne manquera pas le *Reverend Robert Walker Skating on Duddingston Loch* (Le Révérend Robert Walker patinant sur le loch Duddingston) de Raeburn, et le très amusant *A Schule Skailin* (La Fin de la classe) de sir George Harvey. Les enfants adoreront les fantaisies de sir Joseph Noel Paton, dans la salle B5, fourmillant de fées, d'elfes et de lutins.

GRATUIT **ROYAL SCOTTISH ACADEMY** Musée
(RSA ; carte p. 80 ; www.royalscottishacademy.org ; The Mound ; entrée libre, expos spéciales payantes ; 10h-17h lun-sam, 14h-17h dim ;).
Le fronton nord de ce majestueux temple grec de style dorique, à l'angle du Mound et de Princes St, est couronné par une reine Victoria assise. Bâti entre 1823 et 1836 sous la direction de l'architecte William Playfair, il a d'abord porté le nom de Royal Institution, avant de devenir RSA en 1910. Il renferme des œuvres de membres de l'Académie postérieures à 1831 (peintures, sculptures et dessins d'architecture). Expositions temporaires toute l'année.

La Royal Scottish Academy et la Scottish National Gallery sont reliées par une galerie souterraine, **Weston Link**, comprenant des vestiaires, une salle de conférences et un restaurant.

GEORGE STREET ET CHARLOTTE SQUARE

Avant les années 1990, George St – artère principale de New Town – était le centre

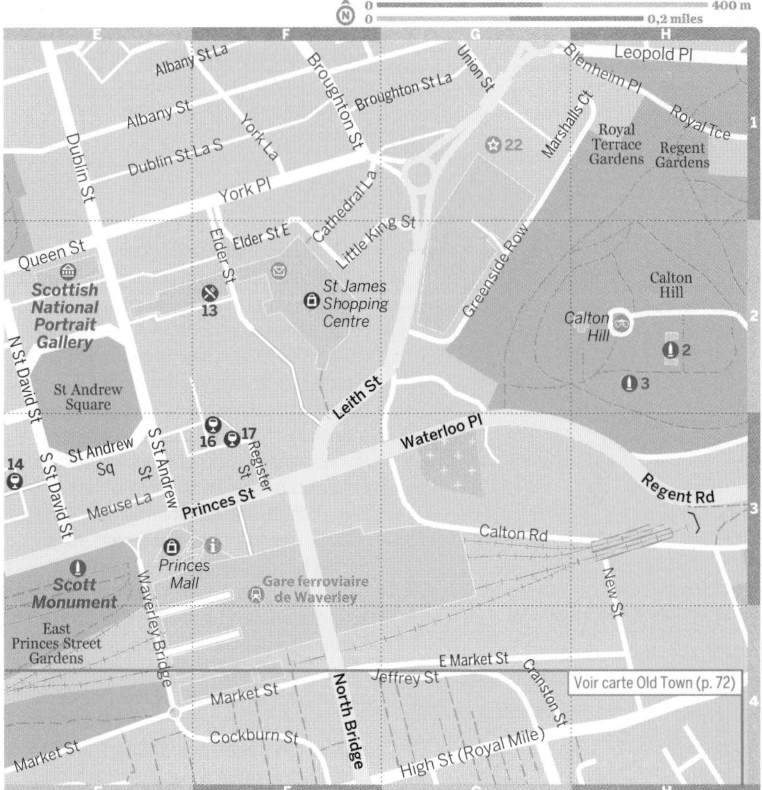

financier d'Édimbourg, l'équivalent écossais de Wall St. La plupart des grandes sociétés financières ont migré vers le quartier de la Bourse, à l'ouest de Lothian Rd, et ont été remplacées par des boutiques, des pubs et des restaurants haut de gamme.

À l'extrémité ouest de George St, **Charlotte Square** (**carte p. 80 ; tous les bus pour Princes St**), est le joyau architectural de la nouvelle ville, conçu par Robert Adam peu avant sa mort, en 1791. Le côté nord est le chef-d'œuvre du maître et l'un des plus beaux exemples d'architecture georgienne que l'on puisse voir. **Bute House**, au n°6, est la résidence officielle du Premier ministre écossais.

GEORGIAN HOUSE Bâtiment historique **(NTS ; carte p. 80 ; 7 Charlotte Sq ; adulte/enfant 6/5 £; 10h-18h juil-août, 10h-17h avr-juin, sept-oct, 11h-16h mars, 11h-15h nov).** La Georgian House, qui est gérée par le National Trust for Scotland (NTS), a été magnifiquement restaurée et meublée dans le style de la fin du XVIIIe siècle. Les murs sont ornés de peintures d'Allan Ramsay, Henry Raeburn et Joshua Reynolds.

CALTON HILL

À l'est de Princes St s'élève Calton Hill (100 m), "l'Acropole" d'Édimbourg. Elle est coiffée de beaux monuments, datant pour la plupart de la première moitié du XIXe siècle. C'est aussi l'un des meilleurs points de vue de la ville, d'où contempler le château, Holyrood, Arthur's Seat, le Firth of Forth, New Town et Princes St sur toute sa longueur.

On atteint le sommet de Calton Hill par la route qui longe la Royal High School ou

New Town

Les incontournables

Georgian House A3
Royal Scottish Academy D4
Scott Monument E3
Scottish National Portrait Gallery E2

À voir

1 Charlotte Square A4
2 National Monument H2
3 Nelson Monument H2

Où se loger

4 Gerald's Place D1
5 One Royal Circus B1
6 Tigerlily B3

Où se restaurer

7 Café Marlayne C3
Café Royal Oyster Bar .... (voir 16)
8 Henderson's D2
9 La P'tite Folie C2
10 Mussel Inn C3
11 The Dogs D2
12 Urban Angel D2
13 Valvona & Crolla VinCaffè F2

Où prendre un verre

14 Abbotsford E3
15 Bramble C2
16 Café Royal Circle Bar F3
17 Guildford Arms F3
18 Kay's Bar B2
19 Kenilworth C4
20 Oxford Bar B3
21 Underdogs D2

Où sortir

22 Edinburgh Playhouse G1
Lulu .... (voir 6)

Achats

23 Edinburgh Woollen Mill A4

par l'escalier partant de l'extrémité est de Waterloo Place. En haut, la plus grande construction, le **National Monument (carte p. 80)**, tentative ambitieuse d'imiter le Parthénon d'Athènes, est censée honorer les victimes écossaises des guerres napoléoniennes. Le chantier, financé par souscription publique, s'ouvrit en 1822, mais les dons se tarirent alors que 12 colonnes seulement avaient été achevées.

Sorte de "télescope" renversé – la similitude est intentionnelle –, le **Nelson Monument (carte p. 80 ; 3 £ ; 10h-19h lun-sam et 12h-17h dim avr-sept, 10h-15h lun-sam oct-mars ; tous les bus pour Leith St)**, élevé pour commémorer la victoire du célèbre amiral à Trafalgar, en 1805, offre une vue encore plus belle.

Leith

À 3 km au nord-est du centre-ville, Leith est le port maritime d'Édimbourg depuis le XIVe siècle. Il a gardé son indépendance, avec son propre conseil municipal, jusqu'à son rattachement à la ville, dans les années 1920. Comme beaucoup de quartiers portuaires britanniques, il a connu un déclin après la Seconde Guerre mondiale, et une renaissance depuis la fin des années 1980. Les vieux entrepôts ont été convertis en appartements de luxe, et toute une panoplie de bars et de restaurants à la mode ont ouvert leurs portes le long des quais. Le quartier a reçu un coup de pouce supplémentaire à la fin des années 1990, quand le Scottish Executive (un ministère du gouvernement écossais) est venu s'installer dans des locaux flambant neufs, à Leith Docks.

La municipalité a alors élaboré un vaste plan de rénovation pour tout le front de mer d'Édimbourg, de Leith à Granton. La première tranche, **Ocean Terminal (555 8888 ; www.oceanterminal.com ; Ocean Dr ; 10h-20h lun-ven, 10h-19h sam, 11h-18h dim ; 1, 11, 22, 34, 35 ou 36)**, est un complexe commercial et de loisirs comprenant l'ancien yacht royal *Britannia* et un poste d'amarrage pour les bateaux de croisière de passage. Certaines zones de Leith sont encore un peu délaissées, mais c'est un quartier singulier de la ville qui mérite amplement la visite.

Circuits organisés

À pied

BLACK HART STORYTELLERS Fantômes (**0131-225 9044 ; www.blackhart.uk.com ; tarif plein/réduit 10/5 £**). La visite "City of the Dead" du cimetière de Greyfriars est sans doute la meilleure visite "fantômes" à Édimbourg. Beaucoup ont rapporté avoir rencontré "McKenzie Poltergeist", le fantôme du juge qui persécuta les Covenanters au XVIIe siècle et hante maintenant leur ancienne prison, à un angle du cimetière. Non recommandé aux jeunes enfants.

CADIES & WITCHERY TOURS Fantômes

(carte p. 72 ; ☎0131-225 6745 ; www.witcherytours.com ; adulte/enfant 8,50/6 £). Emmitouflé dans un manteau, le défunt Adam Lyal, au teint terreux, conduit une visite "Meurtre et mystère" des coins sombres de la vieille ville. Visites célèbres pour leurs *jumper-ooters* – des acteurs costumés qui bondissent sur vous à l'improviste.

EDINBURGH LITERARY PUB TOUR Littérature

(☎0800 169 7410 ; www.edinburghliterarypubtour.co.uk ; adulte/étudiant 10/8 £). Une balade instructive à travers l'histoire littéraire d'Édimbourg et les pubs qui lui sont associés, dans la distrayante compagnie de MM. Clart et McBrain. Une des meilleures promenades de la ville.

MERCAT TOURS Histoire

(carte p. 72 ; ☎0131 225 5445 ; www.mercattours.com ; adulte/enfant 10/5 £). Grand choix de visites passionnantes, dont des promenades historiques dans la vieille ville et à Leith, des visites "Fantômes et goules" et des visites des souterrains hantés.

En bus

Les billets pour les circuits suivants sont valables pendant 24 heures.

CITY SIGHTSEEING En bus

(www.edinburghtours.com ; adulte/enfant 12/5 £). Ces bus à impériale rouge vif partent toutes les 20 minutes de Waverley Bridge.

MAJESTIC TOUR En bus

(www.edinburghtours.com ; adulte/enfant 12/5 £). Départs toutes les 30 minutes (ttes les 20 min juil-août) de Waverley Bridge à destination du yacht royal *Britannia* à Leith, en passant par New Town, le Royal Botanic Garden et Newhaven, et en revenant par Leith Walk, Holyrood et le Royal Mile.

La pierre du Destin

En 1996, le jour de la fête de saint André (Andrew), un bloc de grès de 68 x 43 x 28 cm, garni de part et d'autre d'anneaux en fer rouillés, fut installé en grande pompe au château d'Édimbourg. Pendant sept siècles, il était resté sous le trône du couronnement dans l'abbaye de Westminster, à Londres. Presque tous les monarques, d'abord anglais puis britanniques, d'Édouard II, en 1307, à Élisabeth II, en 1953, ont posé leur royal séant au-dessus de cette pierre au cours de la cérémonie du couronnement.

La légendaire pierre du Destin (Stone of Destiny), qui proviendrait de Terre sainte et aurait servi d'oreiller au prophète Jacob, fut volée en 1296 à l'abbaye de Scone, près de Perth en écosse, par Édouard Ier d'Angleterre (elle est aussi connue sous le nom de pierre de Scone). Elle fut emportée à Londres où elle demeura 700 ans, symbole immortel de la soumission de l'Écosse à l'Angleterre – hormis un bref séjour à Gloucester pendant les bombardements de la Seconde Guerre mondiale, et un autre de trois mois en Écosse elle-même, après qu'elle eut été volée par des étudiants nationalistes, à Noël 1950.

La pierre revint sur le devant de la scène politique en 1996, lorsque le secrétaire aux Affaires écossaises et député conservateur, Michael Forsyth, organisa son retour en Écosse. Cette tentative manifeste pour redorer le blason du parti conservateur en Écosse échoua : les Écossais le remercièrent pour le retour de la pierre, mais, aux élections générales de mai 1997, ils évincèrent tous les députés écossais conservateurs.

Où se loger

Le boom de la construction hôtelière depuis 2000 a eu pour effet d'augmenter considérablement le nombre de chambres disponibles à Édimbourg. Cela dit, tous les hôtels affichent complet pendant les festivals (août) et Hogmanay (Nouvel An) et, pour ces périodes, il faut réserver très longtemps à l'avance – un an si possible. Il est également préférable de réserver quelques mois à l'avance pour les périodes de Pâques et de mi-mai à mi-septembre.

Hôtels et auberges de jeunesse sont répartis dans New Town et Old Town. Les pensions et *bed and breakfast* (B&B) de catégorie moyenne sont plutôt excentrés, dans les banlieues de Tollcross, Bruntsfield, Newington et Pilrig.

Si vous êtes motorisé, ne comptez pas loger dans le centre-ville, à moins que votre hôtel ne dispose de son propre parking, car le stationnement est un cauchemar. Mieux vaut séjourner dans une banlieue comme Newington, où on peut se garer gratuitement dans la rue. Sinon, vous pouvez trouver un hôtel hors la ville et y venir en bus ou en train.

Agences d'hébergement

Si vous arrivez à Édimbourg sans avoir réservé, le service de réservation de l'Edinburgh Information Centre (p. 106) essaiera de satisfaire vos désirs, moyennant 5 £ de commission en cas de succès. Si vous avez le temps, prenez la brochure *Hébergement* de l'office et appelez vous-même les hôtels.

Vous pouvez aussi avoir recours à la **Booking Hotline** (☎0845 859 1006) de VisitScotland (3 £ de commission) ou consulter le site Internet du Edinburgh & Lothians Tourist Board (www.edinburgh.org/accom ; p. 106).

Old Town

Dans la vieille ville, la plupart des hébergements intéressants appartiennent aux catégories petits budgets et supérieure. Pour les options de catégorie moyenne, vous devrez vous contenter des chaînes hôtelières – consultez les sites Internet de Travelodge, Ibis, etc.

HOTEL MISSONI Hôtel de charme £££
(carte p. 72 ; ☎0131-220 6666 ; www.hotelmissoni.com ; 1 George IV Bridge ; ch 90-225 £ ; 📶). La marque de mode italienne a créé un havre stylé au cœur de la ville médiévale : architecture moderniste, décoration en noir et blanc avec des touches de couleurs habilement distillées, service irréprochable et chambres et salles de bains très confortables, avec une foule de détails appréciables, du lait frais dans le minibar aux peignoirs moelleux.

La chambre des Débats du Parlement écossais (p. 75)

Dans les souterrains d'Édimbourg

Avec l'expansion de la ville à la fin du XVIIIe et au début du XIXe siècle, nombre de vieux immeubles d'Édimbourg furent démolis et de nouveaux ponts construits pour relier la vieille ville aux nouveaux quartiers du nord et du sud. South Bridge (1785-1788) et George IV Bridge (1829-1834) permirent ainsi d'accéder au sud depuis le Royal Mile en traversant la profonde vallée de Cowgate, mais un si grand nombre d'édifices ont été construits tout autour qu'il est difficile d'y voir encore des ponts. George IV Bridge comprend neuf arches, dont deux seulement sont visibles ; South Bridge en compte dix-huit, toutes dissimulées.

Ces **voûtes souterraines** ont d'abord servi d'entrepôts, d'ateliers et de tavernes. Mais, avec l'afflux des pauvres highlanders évincés de leurs terres et des réfugiés irlandais chassés par la famine, ces salles sombres et humides servirent de logements et furent livrées à la pauvreté, à la saleté et au crime.

Finalement, les voûtes, nettoyées à la fin du XIXe siècle, restèrent oubliées jusqu'en 1994, date à laquelle celles de **South Bridge** furent ouvertes à des visites guidées (voir *Circuits organisés* p. 82). Certaines passent pour être hantées, et l'une d'elles, en particulier, a fait l'objet, en 2001, de recherches sur des phénomènes paranormaux.

WITCHERY BY THE CASTLE B&B £££
(carte p. 72 ; ☎ 0131-225 5613 ; www.thewitchery.com ; Castlehill, Royal Mile ; ste 325-350 £). À l'ombre du château, dans une demeure du XVIe siècle de la vieille ville, ses 8 suites luxueuses, très gothiques et richement meublées, mêlent antiquités, panneaux en chêne, tapisseries, foyers ouverts, lits à baldaquin et baignoires cylindriques. En prime, on vous offrira des fleurs, du chocolat et du champagne. Le lieu est incroyablement prisé ; réserver plusieurs mois à l'avance.

TEN HILL PLACE Hôtel ££
(carte p. 72 ; ☎ 0131-662 2080 ; www.tenhillplace.com ; 10 Hill Pl ; ch à partir de 110 £ ; wifi). Un attrayant hôtel contemporain, proche du centre-ville, qui affiche un bon rapport qualité-prix. Les chambres standards, aux jolies salles de bains modernes, sont confortables et stylées, jouant avec sobriété et raffinement sur une riche gamme de bruns, de violets et de verts. Pour un week-end mémorable, demandez une des 4 chambres "skyline" au dernier étage, et vous profiterez d'un lit *king-size* et d'une vue panoramique sur les Salisbury Crags.

New Town et alentour

SHERIDAN GUEST HOUSE B&B ££
(☎ 0131-554 4107 ; www.sheridanedinburgh.co.uk ; 1 Bonnington Tce, Newhaven Rd ; s/d à partir de 55/70 £ ; wifi). Des pots joliment fleuris paradent sur les marches de ce petit paradis secret, au nord de New Town. En parfaite harmonie avec le sobre style georgien de la maison, les 8 chambres (toutes avec salle de bains) allient couleurs lumineuses, mobilier contemporain, éclairage recherché et tableaux colorés. Omelettes, pancakes au sirop d'érable et œufs brouillés au saumon fumé complètent l'offre habituelle du petit-déjeuner. Prendre le bus n°11 depuis le centre-ville.

ONE ROYAL CIRCUS B&B £££
(carte p. 80 ; ☎ 0131-625 6669 ; www.oneroyalcircus.com ; 1 Royal Circus ; ch 180-260 £ ; wifi, enfants). Offrez-vous du rêve dans cette demeure georgienne au chic indéniable, où les parquets et les meubles anciens font agréablement pendant aux salles de bains en ardoise et aux meubles signés Philippe Starck. L'équipement des chambres ne laisse rien au hasard, avec des stations

d'accueil pour iPod, des draps de lit en coton égyptien et des produits de toilette Arran. Baby-foot et billards dans le salon.

GERALD'S PLACE B&B ££

(carte p. 80 ; ✆0131-558 7017 ; www.geraldsplace.com ; 21b Abercromby Pl ; d 119-149 £ ; @ wifi). Gerald est un hôte charmant et serviable, et son agréable appartement georgien (2 chambres seulement), doublé d'un jardin, est très bien situé, en face d'un jardin tranquille, à deux pas du centre-ville.

TIGERLILY Hôtel de charme £££

(carte p. 80 ; ✆0131-225 5005 ; www.tigerlilyedinburgh.co.uk ; 125 George St ; ch à partir de 175 £ ; wifi). Un splendide hôtel de charme de style georgien (pourvu de sa propre discothèque), décoré de mosaïques de miroirs, de rideaux ourlés de perles, de somptueuses étoffes et tentures Timorous Beasties et d'éclairages roses bien étudiés. Pour un séjour romantique mémorable, réservez la Georgian Suite (à partir de 310 £).

B+B EDINBURGH Hôtel ££

(carte p. 66 ; ✆0131-225 5084 ; www.bb-edinburgh.com ; 3 Rothesay Tce ; s/d 99/140 £ ; wifi). Cette extravagante demeure victorienne (1883) fut celle du propriétaire du journal *Scotsman*. En 2011, un décorateur a revisité l'intérieur – tout en chêne sculpté, parquets massifs, vitraux et cheminées ouvragées – pour le métamorphoser en un magnifique hôtel contemporain. Les chambres du 2e étage sont les plus spacieuses, tandis que celles du dernier, plus petites, jouissent des plus jolies vues (à l'avant, sur le château, à l'arrière sur la promenade du Water of Leith jusqu'au Firth of Forth).

DENE GUEST HOUSE B&B ££

(carte p. 66 ; ✆0131-556 2700 ; www.deneguesthouse.com ; 7 Eyre Pl ; 25-50 £/pers ; familles). Une adresse plaisante et sans prétention, installée dans une adorable maison georgienne. Chambres spacieuses et accueil chaleureux. Les simples, bon marché, sont idéales pour les personnes seules. Les enfants de moins de 10 ans qui dorment dans la chambre de leurs parents paient moitié prix.

Sud d'Édimbourg

Il existe quantité d'hébergements, dont beaucoup de B&B, dans la banlieue sud, notamment à Tollcross, Morningside, Marchmont et Newington, en particulier dans Minto St et Mayfield Gardens (prolongement de North Bridge et Nicolson St) et leurs environs, à Newington. Ce grand axe routier vers le sud est desservi par de nombreux bus ralliant le centre-ville.

SOUTHSIDE GUEST HOUSE B&B ££

(carte p. 66 ; ✆0131-668 4422 ; www.southsideguesthouse.co.uk ; 8 Newington Rd ; s/d 70/90 £ ; wifi). Bien que situé dans une demeure victorienne typique, le Southside tient plus d'un petit hôtel moderne que de la maison d'hôtes traditionnelle. Avec ses 8 chambres décorées dans un style design, à grand renfort de couleurs vives et de meubles contemporains, il se démarque nettement des autres B&B de Newington.

PRESTONFIELD HOUSE HOTEL Hôtel de charme £££

(✆0131-668 3346 ; www.prestonfield.com ; Priestfield Rd ; ch 275 £, ch/ste à partir de 221/274 £ ; P wifi). Au diable le bois blond, le cuir brun et l'acier brossé des hôtels contemporains : vous séjournerez ici, au cœur d'un parc de 10 ha (avec paons et vaches des Highlands), dans une demeure du XVIIe siècle tendue de soie damassée, remplie d'antiquités et décorée de rouge, de noir et de doré. Parmi les détails exquis, citons les tapisseries d'origine, les panneaux de cuir estampés du XVIIe siècle, ainsi que le papier peint à la main. Chambres du même acabit, bénéficiant de tout le confort moderne (chaîne hi-fi, lecteur DVD, TV à écran plat). Au sud-est du centre-ville, à l'est de Dalkeith Rd.

45 GILMOUR RD B&B ££

(✆0131-667 3536 ; www.edinburghbedbreakfast.com ; 45 Gilmour Rd ; s/d 70/140 £). Le cadre paisible, le grand jardin et les sympathiques propriétaires contribuent au charme de cette maison victorienne, qui surplombe le terrain de boules du quartier. La décoration témoigne d'influences des XIXe et XXe siècles, avec des rouges vifs de style victorien, du parquet en pin et

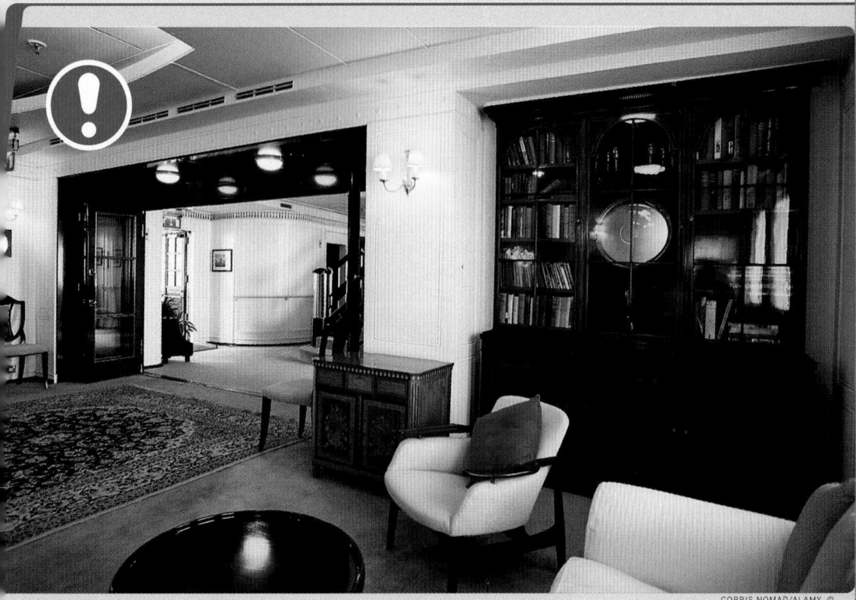

CORBIS NOMAD/ALAMY ©

À ne pas manquer Yacht royal *Britannia*

Ce navire est l'une des grandes curiosités touristiques de l'Écosse. Bateau de croisière de la famille royale, de l'année de son lancement, en 1953, à son désarmement, en 1997, il est désormais amarré en permanence en face d'Ocean Terminal.

La visite, que l'on suit à son propre rythme avec un Audioguide (disponible en français), donne un aperçu des goûts personnels de la reine. Le *Britannia* était l'un des rares endroits où la famille royale pouvait se retrouver dans une véritable intimité. Décor et technologie sont typiques des années 1950 (y compris le salon, photo ci-dessus), et le logement royal atteste de la préférence de Sa Majesté pour la simplicité ; on notera son petit lit, sans aucun luxe inutile.

Pas de simplicité, en revanche, dans la gestion du navire. Quand la reine était en voyage, 45 membres de la maison royale l'accompagnaient, sans compter 5 tonnes de bagages et une Rolls-Royce soigneusement rangée dans un garage construit spécialement à cet effet sur le pont. L'équipage comptait un amiral, 20 officiers et 220 marins. Les ponts (en teck birman) étaient nettoyés tous les jours, mais le travail aux abords du logement royal s'effectuait dans un silence total et devait être terminé à 8h. Une fois arrivé au port, un marin était spécialement chargé de vérifier que l'inclinaison de la passerelle de débarquement n'excédait pas 12 degrés. Le pare-vent en acajou ajouté au pont devant de la passerelle fut installé pour empêcher qu'une brise inopportune ne soulève les jupes des dames.

INFOS PRATIQUES

www.royalyachtbritannia.co.uk ; Ocean Terminal ; adulte/enfant 11,75/7,50 £ ; 9h30-16h30 juil-sept, 9h-16h avr-juin et oct, 10h-15h30 nov-mars, dernière entrée 90 minutes avant la fermeture ; .

des cheminées d'époque dans le salon, un cheval à bascule et une lampe Art nouveau dans le couloir et une atmosphère années 1930 dans les 3 chambres, spacieuses. À 1,6 km au sud-est du centre.

AONACH MOR GUEST HOUSE B&B ££
(☎0131-667 8694 ; www.aonachmor.com ; 14 Kilmaurs Tce ; ch 33-70 £/pers ; @ 📶). Une belle maison victorienne, au jardin clos, dans une petite rue tranquille. Les 7 chambres, joliment décorées, conservent nombre d'éléments d'origine. Notre préférée : celle pourvue d'un lit à baldaquin, d'un mobilier en acajou et d'une cheminée d'époque. À 1,6 km au sud-est du centre-ville.

SHERWOOD GUEST HOUSE B&B ££
(carte p. 66 ; ☎0131-667 1200 ; www.sherwood-edinburgh.com ; 42 Minto St ; s 65-85 £, d 75-100 £ ; P 📶). L'un des plus attrayants B&B de Minto St, le Sherwood est une maison georgienne rénovée, dont le jardin déborde de paniers et d'arbustes. Ses 6 chambres mêlent le papier peint Regency aux étoffes modernes et aux meubles en pin.

TOWN HOUSE B&B ££
(carte p. 66 ; ☎0131-229 1985 ; www.thetownhouse.com ; 65 Gilmore Pl ; 45-60 £/pers ; P 📶). Qualité et confort dignes d'un hôtel plus grand et plus onéreux caractérisent cette élégante demeure victorienne aux fenêtres en encorbellement. Elle n'a que 5 chambres, spacieuses (toutes avec salle de bains). Au petit-déjeuner, vous pourrez choisir du *fishcake* au saumon et du hareng fumé (kipper), en plus des mets classiques.

AMARYLLIS GUEST HOUSE B&B ££
(carte p. 66 ; ☎0131-229 3293 ; www.amaryllisguesthouse.com ; 21 Upper Gilmore Pl ;

Édimbourg avec des enfants

Édimbourg est une ville très riche en attractions pour les enfants, et la plupart des choses à voir ou à faire leur plairont. Les moins de 5 ans voyagent gratuitement dans les bus ; de 5 à 15 ans, ils payent un tarif unique de 70 p.

L'Edinburgh Information Centre (p. 106) pourra vous fournir tous les renseignements concernant les manifestations dédiées aux enfants, et vous trouverez le guide **Edinburgh for Under Fives** (www.edinburghforunderfives.co.uk) dans la plupart des librairies. Le magazine *The List* (p. 107) comprend une rubrique spéciale donnant la liste des activités et des spectacles pour enfants, dans et autour d'Édimbourg. Chaque année pendant une semaine, fin mai ou début juin, l'**Imaginate Festival** (www.imaginate.org.uk) accueille des spectacles de théâtre, danse et marionnettes pour enfants.

Parmi les idées d'activités de plein air, citons l'exploration du **Royal Botanic Garden** (www.rbge.org.uk ; 20a Inverleith Row ; serres 4,50 £ ; ⏲10h-18h mars-sept, 10h-17h fév et oct, 10h-16h nov-fév), une visite au zoo (p. 89) et à la statue de Greyfriars Bobby (p. 76), ainsi qu'à **Cramond**, pour donner à manger aux cygnes et jouer sur la plage. Pendant le Festival d'Édimbourg et le Fringe, de nombreux **spectacles de rue** sont destinés aux enfants, surtout dans High St et au pied du Mound. En décembre, les Princes Street Gardens accueillent une patinoire et des manèges.

S'il pleut, vous pouvez visiter le Discovery Centre, une aire de découvertes à manipuler, au niveau 3 du National Museum of Scotland (p. 79), emmener les enfants glisser sur les toboggans de la **Royal Commonwealth Pool** (carte p. 66 ; ☎0131 667 7211 ; www.thecommiepool.co.uk ; 21 Dalkeith Rd ; adulte/enfant 5,50/2,80 £ ; ⏲5h30h-21h30 lun-ven, 5h30h-17h sam, 7h30-17h dim), tester le simulateur de tremblements de terre d'**Our Dynamic Earth** (p. 76) ou aller rendre visite aux fantômes du **Real Mary King's Close** (p. 73).

s/d 60/80 £ ; wifi). L'Amaryllis est une adorable petite maison georgienne dans une petite rue calme. Parmi ses 5 chambres, la grande familiale peut loger 2 adultes et jusqu'à 4 enfants. Princes St est à 10 minutes à pied.

Leith Walk et Pilrig Street

Au nord-est de la ville moderne, le quartier autour de Leith Walk et de Pilrig St compte de nombreux B&B, tous situés à environ 1,6 km du centre. Pour s'y rendre, il faut prendre le bus n°11 dans Princes St.

MILLERS 64 B&B ££
(**0131-454 3666 ; www.millers64.com ; 64 Pilrig St ; s à partir de 80 £, d 90-150 £ ;** wifi). Étoffes luxueuses, coussins colorés, salles de bains élégantes et fleurs fraîches concourent à la convivialité de cette maison victorienne chaudement recommandée. Il n'y a que 2 chambres (et il faut séjourner 3 nuitées au minimum en période de festivals), aussi convient-il de réserver longtemps à l'avance.

ARDMOR HOUSE B&B ££
(**0131-554 4944 ; www.ardmorhouse.com ; 74 Pilrig St ; s 60-85 £, d 85-170 £ ;** wifi). "Propriétaire gay, hétérosexuels bienvenus" : telle est la devise ici, dans cette maison victorienne magnifiquement rénovée et décorée, composée de 5 chambres avec salles de bains, toutes personnalisées. Élégante salle à manger agrémentée d'une cheminée, et attention portée aux détails, des serviettes épaisses aux draps en lin immaculés et aux journaux gratuits au petit-déjeuner

EDINBURGH CENTRAL YOUTH HOSTEL Auberge de jeunesse £
(**SYHA ; carte p. 66 ; 0131-524 2090 ; www.edinburghcentral.org ; 9 Haddington Pl, Leith Walk ; dort/s/lits jum 25/49/74 £ ;** @ wifi famille). Une immense auberge de jeunesse (300 lits) cinq-étoiles, moderne et clinquante, située à environ 800 m au nord de la gare ferroviaire de Waverley. Confortables dortoirs de 8 lits et chambres privées, équipements modernes (cartes d'entrée magnétiques, TV à écran plat), café-bistrot et cuisine commune.

Vaut le détour
Edinburgh Zoo

Ouvert en 1913, le **zoo d'Édimbourg** (**0131 334 9171 ; www.edinburghzoo.org.uk ; 134 Corstorphine Rd ; adulte/enfant 15,50/11 £ ; 9h-18h avr-sept, 9h-17h oct et mars, 9h-16h30 nov-fév**) est l'un des plus importants du monde en matière conservatoire. Son programme d'élevage en captivité a aidé à sauver maintes espèces menacées d'extinction, comme le tigre de Sibérie, l'hippopotame nain et le panda roux. Les principales attractions sont la parade des manchots (tlj à 14h15), la séance d'entraînement des otaries (tlj à 11h15), et les deux pandas géants, Tian Tian et Yang Guang, arrivés en décembre 2011.

Le zoo se trouve à 4 km à l'ouest du centre-ville ; bus Lothian n°s 12, 26 ou 31, bus First n°s 16, 18, 80 ou 86, bus Airlink n°100 vers l'ouest depuis Princes St.

Où se restaurer

Le nombre de restaurants à Édimbourg a tout d'impressionnant et sortir dîner en ville n'est plus réservé aux grandes occasions. Le choix d'établissements va du bistrot stylé et bon marché au restaurant gastronomique étoilé au Michelin.

Old Town et alentour

ONDINE Fruits de mer £££
(**carte p. 72 ; 0131-226 1888 ; www.ondinerestaurant.co.uk ; 2 George IV Bridge ; plats 15-25 £**). L'un des meilleurs restaurants de fruits de mer d'Édimbourg, dont la carte est dédiée aux produits issus de la pêche durable. Installez-vous au Crustacean Bar sur un tabouret évoquant une pieuvre, et régalez-vous d'huîtres de Kilpatrick, d'un homard thermidor, d'un plateau de

coquillages grillés ou tout simplement de haddock-frites (avec une purée aux pois parfumée à la menthe, pour le côté chic). Le menu 2 plats du déjeuner (12h-14h30) ou d'avant-spectacle (17h-18h30) coûte 17 £.

TOWER Écossais £££

(carte p. 72 ; ✆0131-225 3003 ; www.tower-restaurant.com ; National Museum of Scotland, Chambers St ; plats 16-30 £ ; 12h-23h). Une table au cadre chic et épuré, perchée dans une tourelle du National Museum of Scotland offrant une belle vue sur le château. Nombre de célébrités défilent ici pour déguster des plats écossais de haute qualité, préparés en toute simplicité – optez pour une demi-douzaine d'huîtres, suivie d'une perdrix rôtie farcie aux marrons. Menu 2/3 plats d'avant-spectacle (16/22 £) servi de 17h à 18h30, et *afternoon tea* (16 £) entre 15h et 17h.

PORTO & FI Café £

(carte p. 72 ; www.portofi.com ; 9 North Bank St ; plats 4-8 £ ; 10h-23h lun-sam, 10h-21h dim). Décor branché, emplacement de choix sur le Mound, carte étonnamment sophistiquée autour de produits écossais de qualité : voici un café qui n'a pas son pareil pour un petit-déjeuner (servi jusqu'à 12h, et toute la journée le dimanche) avec des œufs Bénédicte ou du boudin noir de Stornoway. Au déjeuner, cannellonis au saumon fumé ou salade de figues rôties et asperges.

CASTLE TERRACE Écossais moderne £££

(carte p. 72 ; ✆0131-229 1222 ; www.castleterracerestaurant.com ; 33-35 Castle Tce ; plats 25-28 £, déj 3 plats 24 £ ; déj et dîner mar-sam). En 2010, un an à peine après son ouverture, le second restaurant édimbourgeois du chef Tom Kitchin était gratifié d'une étoile au Michelin. Le menu de saison met à l'honneur les meilleurs produits de la région, préparés avec dextérité par Dominic Jack, son alter ego : porc de l'Ayrshire, agneau de l'Aberdeenshire ou crabe de Newhaven. Même le fromage des sauces est écossais.

LEVEN'S Fusion ££

(carte p. 66 ; ✆0131-229 8988 ; 30-32 Leven St ; plats 12-19 £ ; déj et dîner dim-jeu, 12h-22h30 ven et sam). Lustres spectaculaires, lumière violacée diffusée en douceur sur la palette de couleurs très design et la vaisselle Villeroy & Boch… tout dans ce restaurant s'avère du meilleur goût. La cuisine est à la hauteur du cadre, avec des combinaisons de saveurs, de couleurs et de textures inattendues, dans des plats comme l'aloyau de bœuf au curry de Panang aux arachides et feuilles de tilleul.

MUMS Café £

(carte p. 72 ; www.monstermashcafe.co.uk ; 4a Forrest Rd ; plats 6-9 £ ; 9h-22h lun-sam, 10h-22h dim). Ce café empreint de nostalgie met à l'honneur une cuisine british classique des années 1950 – œufs au bacon, *bangers and mash* (saucisses-purée), *shepherd's pie* (sorte de hachis parmentier) et *fish and chips*. Le plus : la qualité des produits de la région, telles les saucisses de Crombie. Il y a même une carte des vins, mais nous préférons ce que produit l'Écosse : les bières et le cidre.

PASSEPARTOUT International £

(carte p. 72 ; ✆0131-629 0252 ; 7 Old Fishmarket Close ; plateau pour deux 12-13 £). Un bistrot tenu par un Français, niché en bas d'une ruelle pavée abrupte qui part du Royal Mile, avec 3 salles (dont une "de cinéma" où l'on projette de vieux films) et un adorable coin terrasse au soleil. Le menu, éclectique, est inspiré par l'Inde : homard aux moules, curry de pois chiches, kebabs… servis sur un plateau, pour deux. On peut manger avec les doigts, c'est amusant, et copieux.

MOTHER INDIA Indien ££

(carte p. 72 ; ✆0131-524 9801 ; www.motherindiaglasgow.co.uk ; 3-5 Infirmary St ; tapas 4-5 £ ; déj et dîner lun-jeu, 12h-22h ven-dim). Un concept simple, lancé à Glasgow, a conquis à Édimbourg les cœurs et les esprits, ainsi que les estomacs : des mets indiens servis en portions tapas, permettant de goûter un peu de tout sans s'alourdir. L'idée a séduit – réservez pour éviter une déconvenue.

AMBER Écossais ££

(carte p. 72 ; ✆0131-477 8477 ; www.amber-restaurant.co.uk ; 354 Castlehill ; plats 10-25 £ ; déj tlj, dîner mar-sam). On ne peut qu'apprécier un endroit où le serveur

À ne pas manquer Rosslyn Chapel

Le succès du roman de Dan Brown *Da Vinci Code* et celui du film qu'en a tiré Hollywood ont provoqué un afflux de visiteurs dans la plus belle et la plus intrigante chapelle d'Écosse, **Rosslyn Chapel**. Elle fut bâtie au milieu du XVe siècle pour William St Clair, troisième comte d'Orkney. L'intérieur, somptueusement décoré – en contradiction avec la mode de l'époque –, est un monument à la gloire de la franc-maçonnerie, riche en images symboliques. À côté des fleurs, pampres, anges et figures bibliques, on remarque de nombreux exemples du Green Man païen (représentation d'un visage ou d'un corps fait de feuillage ou de branchages) et d'autres figures associées à la franc-maçonnerie et aux Templiers. Bizarrement, on trouve aussi des plantes des Amériques, qui précèdent donc le voyage de Christophe Colomb. Certains en ont déduit que Rosslyn serait une sorte de dépôt secret des Templiers, et l'on a prétendu que des caves scellées sous la chapelle renfermeraient un peu de tout, du Saint-Graal à la tête de Jean-Baptiste et au corps du Christ en personne. Le lieu est la propriété de l'Église épiscopalienne d'Écosse, et des services y sont célébrés le dimanche matin.

La chapelle se situe à l'est du village de Roslin, à 11 km au sud d'Édimbourg. Le bus Lothian n°15 (mais pas le 15A) relie l'extrémité ouest de Princes St, à Édimbourg, à Roslin (1,20 £, 30 min, ttes les 30 min).

INFOS PRATIQUES

Collegiate Church of St Matthew ; www.rosslynchapel.org.uk ; Roslin ; adulte/enfant 9 £/gratuit ; 9h30-18h lun-sam, 12h-16h45 dim

vous accueille ainsi : "Je m'appelle Craig et je serai ce soir votre sommelier pour le whisky." Installé dans le Scotch Whisky Experience (p. 69), ce restaurant parvient à éviter les clichés touristiques et propose des saveurs authentiques et intéressantes, comme les moules à la crème avec fondue de poireaux et sauce au whisky d'Islay, ou l'aloyau de bœuf, pommes de terre rôties au thym et beurre de whisky.

Rosslyn Chapel

Décrypter Rosslyn

Rosslyn Chapel est un petit édifice dont l'intérieur est si richement ornementé que le visiteur peut s'en trouver dérouté. Cela vaut la peine d'acheter au préalable le guide officiel du comte de Rosslyn (en anglais) ; feuilletez-le sur un banc dans les jardins avant d'entrer dans la chapelle. Le guide comporte des indications pour une visite en indépendant de la chapelle, et explique la légende du maître maçon et de l'apprenti. On entre par la **porte nord ❶.** Habituez-vous à la pénombre, puis levez les yeux sur le plafond voûté, orné de roses, de lys et d'astres sculptés (saurez-vous repérer le soleil et la lune ?). Prenez à gauche pour longer le bas-côté nord et rejoindre la chapelle de la Vierge (Lady Chapel), séparée du reste de l'église par le **pilier du Maçon** ❷ et le **pilier de l'Apprenti** ❸. Là, vous pourrez admirer les sculptures de **Lucifer** ❹, l'ange déchu, et du **Green Man** ❺. Non loin, d'autres sculptures ❻ évoqueraient des épis de maïs amérindien. Pour finir, allez à l'extrémité ouest et levez les yeux : dans l'angle gauche du mur, on voit la tête de l'**Apprenti** ❼ ; et à droite, celle (assez abîmée) du **Maître Maçon** ❽.

ROSSLYN CHAPEL ET LE *DA VINCI CODE*

En plantant le décor du dénouement de son livre à Rosslyn Chapel, Dan Brown faisait allusion aux liens supposés du site avec les templiers et les francs-maçons (à cause des symboles inhabituels découverts parmi les sculptures et du fait que l'un des descendants de son fondateur, William St Clair, était Grand Maître d'une loge maçonnique). Rosslyn est en effet un travail codé, gravé dans la pierre, dont le sens dépend du point de vue que l'on adopte. Dans *Rosslyn. Splendeurs, mythes, réalités* (Éditions de La Hutte, 2011), l'historien et franc-maçon Robert L. D. Cooper propose sa propre interprétation du symbolisme de la chapelle.

SANDRO VANNINI/CORBIS ©

Lucifer, l'ange déchu
À hauteur d'homme, à gauche de la deuxième fenêtre en partant de la gauche, on voit un ange représenté tête en bas et ligoté, symbole souvent associé à la franc-maçonnerie. Au-dessus, l'arche est décorée d'une Danse macabre.

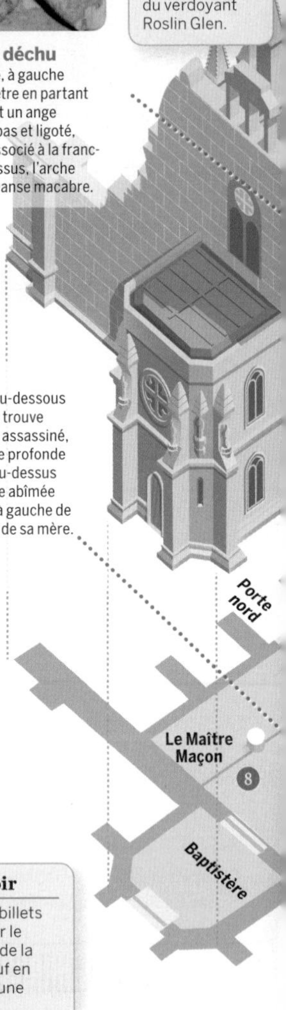

L'Apprenti
Haut dans l'angle, au-dessous d'une niche vide, se trouve la tête de l'Apprenti assassiné, représenté avec une profonde blessure au front, au-dessus de l'œil droit. La tête abîmée sur le mur de côté, à gauche de l'Apprenti, est celle de sa mère.

Porte nord

Le Maître Maçon ❽

Baptistère

Prolongez la visite

Après avoir découvert la chapelle, descendez la colline afin d'admirer le site spectaculaire des ruines du Roslin Castle, puis promenez-vous le long du verdoyant Roslin Glen.

Bon à savoir

Achetez vos billets à l'avance sur le site Internet de la chapelle (sauf en août, où aucune réservation n'est possible). Il est interdit de prendre des photos à l'intérieur de la chapelle.

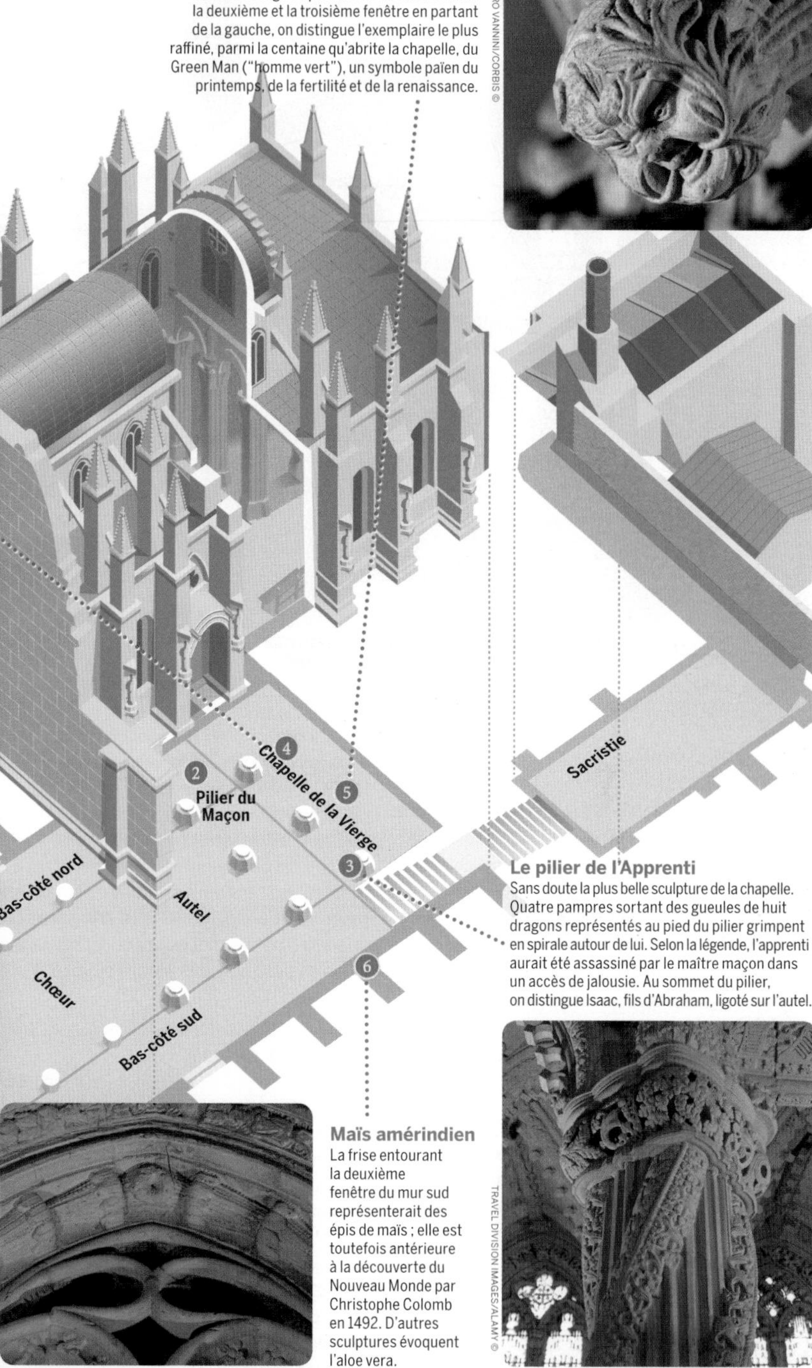

Green Man
Sur un bossage au pied de l'arche située entre la deuxième et la troisième fenêtre en partant de la gauche, on distingue l'exemplaire le plus raffiné, parmi la centaine qu'abrite la chapelle, du Green Man ("homme vert"), un symbole païen du printemps, de la fertilité et de la renaissance.

Le pilier de l'Apprenti
Sans doute la plus belle sculpture de la chapelle. Quatre pampres sortant des gueules de huit dragons représentés au pied du pilier grimpent en spirale autour de lui. Selon la légende, l'apprenti aurait été assassiné par le maître maçon dans un accès de jalousie. Au sommet du pilier, on distingue Isaac, fils d'Abraham, ligoté sur l'autel.

Maïs amérindien
La frise entourant la deuxième fenêtre du mur sud représenterait des épis de maïs ; elle est toutefois antérieure à la découverte du Nouveau Monde par Christophe Colomb en 1492. D'autres sculptures évoquent l'aloe vera.

Ci-dessous Un pub d'Édimbourg **À droite** Le Valvona & Crolla Vincaffè
(CI-DESSOUS) IZZET KERIBAR/GETTY IMAGES © (À DROITE) LONELY PLANET/GETTY IMAGES ©

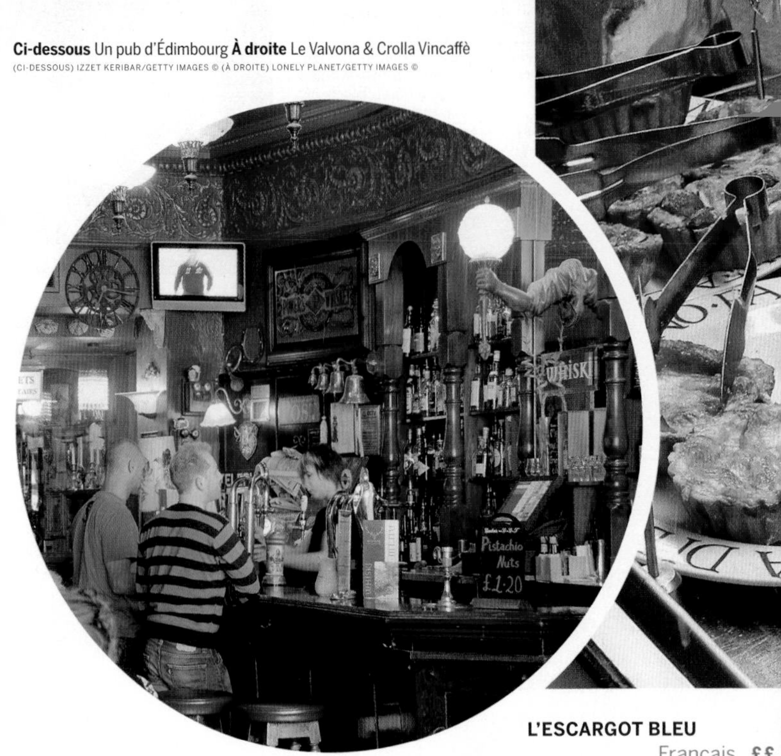

New Town

THE DOGS Britannique ££

(carte p. 80 ; ☎0131-220 1208 ; www.thedogsonline.co.uk ; 110 Hanover St ; plats 9-13 £ ; 🕑12h-16h et 17h-22h). L'une des tables les plus plaisantes de la ville qui, dans la tradition bistrot, utilise des viandes moins nobles et des poissons de la pêche durable plus ordinaires, pour concocter des plats revigorants et sans chichis. Essayez les ris d'agneau sur toast, le colin rôti au *skirlie* (flocons d'avoine frits aux oignons) ou le foie sauté à la diable, avec bacon et oignons.

CAFÉ MARLAYNE Français ££

(carte p. 80 ; ☎0131-226 2230 ; www.cafemarlayne.com ; 76 Thistle St ; plats 12-15 £ ; 🕑12h-22h). Tout en bois patiné et tables éclairées à la bougie, ce petit établissement sert une cuisine campagnarde française à prix doux – brandade de morue, carré d'agneau, boudin noir aux saint-jacques et pommes de terre sautées. Réservez.

L'ESCARGOT BLEU Français ££

(carte p. 66 ; ☎0131-556 1600 ; www.lescargotbleu.co.uk ; 56 Broughton St ; plats 13-18 £ ; 🕑déj et dîner lun-sam). Frère de L'Escargot Blanc de Queensferry St, un adorable petit bistrot on ne peut plus français (le personnel parle français)... qui mise sur les meilleurs produits écossais. Au menu : authentique tartiflette savoyarde, quenelles de brochet en sauce au homard, joues de porc braisées au vin rouge et légumes d'hiver rôtis.

VALVONA & CROLLA VINCAFFÈ Italien ££

(carte p. 80 ; ☎0131-557 0088 ; www.valvonacrolla.co.uk ; 11 Multrees Walk, St Andrew Sq ; plats 9-17 £ ; 🕑8h-23h lun-sam, 12h-17h dim ; 📶). Les couleurs illustrent le thème de la cuisine dans ce délicieux bistrot italien – piliers et banquettes vert bouteille, murs crème et chocolat, tables noir café. Le décor sied aux superbes antipasti (17,50 £/2 pers), à accompagner de pinot *grigio* rosé.

MUSSEL INN Fruits de mer ££

(carte p. 80 ; www.mussel-inn.com ; 61-65 Rose St ; plats 9-23 £ ; 12h-22h ;). Tenu par des éleveurs de coquillages de la côte ouest, ce restaurant animé, à l'intérieur de hêtre clair, se prolonge d'une terrasse en été. Marmite de moules de 1 kg à 12,20 £ – assaisonnement au choix ; essayez les sauces à base de poireau, moutarde de Dijon et crème.

CAFÉ ROYAL OYSTER BAR Fruits de mer £££

(carte p. 80 ; 0131-556 4124 ; www.caferoyal.org.uk ; 17a West Register St ; plats 11-28 £). Passé la porte à tambour, à l'angle de West Register St, vous plongez dans l'époque victorienne de ce palace tout en acajou, cuivres polis, marbre, vitraux, carreaux de la fabrique Doulton, corniches dorées et linge amidonné. La carte privilégie les fruits de mer (huîtres sur glace, coquilles Saint-Jacques au chorizo et homard à la sauce Café Royal), mais le bœuf et l'agneau ne sont pas oubliés.

Leith

FISHERS BISTRO Fruits de mer ££

(0131-554 5666 ; www.fishersbistros.co.uk ; 1 The Shore ; plats 10-23 £ ; 12h-22h30 lun-sam, 12h30-22h dim). Un confortable petit "bistro", niché sous un sémaphore du XVIIe siècle, et l'un des meilleurs établissements de fruits de mer de la ville. Le menu offre une gamme de prix très étendue, des plats les moins chers, comme les croquettes de poisson avec mayonnaise au citron et échalotes, aux délices plus onéreux, telle la langouste de North Berwick sauce thermidor.

PLUMED HORSE Écossais contemporain £££

(0131-554 5556 ; www.plumedhorse.co.uk ; 50-54 Henderson St ; dîner 3 plats 49 £ ; déj et dîner mar-sam). Le personnel, en tenue irréprochable, vous installe dans une salle à l'élégance discrète, où les verts et les bleus apaisants, les chaises de cuir crème et le linge amidonné mettent en valeur une cuisine exquise, superbement présentée.

Les meilleurs restaurants végétariens

Quantité de restaurants d'Édimbourg offrent un choix de plats végétariens, certains savoureux, d'autres un peu moins. Ceux que nous avons retenus ici sont tous 100% végétariens et fameux !

David Bann (carte p. 72 ; 0131-556 5888 ; www.davidbann.com ; 56-58 St Mary's St ; plats 9-13 £ ; 12h-22h lun-ven, 11h-22h sam-dim ;). En matière de cuisine végétarienne inventive, rien ne vaut cet élégant restaurant, où vous vous régalerez de plats comme le pudding à la betterave, à la pomme et au fromage bleu de Dunsyre, ou les beignets thaïlandais épicés aux brocolis et tofu fumé.

Kalpna (carte p. 72 ; 0131-667 9890 ; www.kalpnarestaurant.com ; 2-3 St Patrick Sq ; plats 6-11 £ ; déj et dîner lun-sam toute l'année, plus dîner dim mai-sept ;). Une vénérable institution édimbourgeoise, et l'un des meilleurs restaurants indiens du pays. Les spécialités du Gujarat y sont à l'honneur, avec aussi quelques plats d'autres régions du sous-continent. Buffet à volonté au déjeuner (8 £), d'un excellent rapport qualité-prix.

Henderson's (carte p. 80 ; 0131-225 2131 ; www.hendersonsofedinburgh.co.uk ; 94 Hanover St ; plats 6-8 £ ; 8h-22h lun-sam tte l'année, 11h-16h dim août et déc ;). Établi en 1962, l'Henderson's est l'aïeul des restaurants végétariens d'Édimbourg. La cuisine est en grande partie bio, garantie sans OGM, et les régimes particuliers sont pris en compte. Le décor est un agréable rappel des années 1970, et les salades et plats chauds du jour sont toujours aussi appréciés. Déjeuner de 2 plats à 8,95 £.

Le menu dégustation de 8 plats coûte 65 £, auxquels il faut ajouter 45 £ pour les vins.

DINER 7 Café **££**

(www.diner7.co.uk ; 7 Commercial St ; plats 7-12 £ ; 16h-23h lun-sam, 11h-23h dim). Un coquet restaurant de quartier avec des box et des banquettes en cuir couleur rouille, des tables noir et cuivre et des œuvres d'artistes locaux aux murs. La carte affiche de délicieux steaks de bœuf Angus d'Aberdeen et des hamburgers maison, mais aussi des plats plus originaux comme les kebabs de poulet et chorizo, ou le haddock au boudin noir et pommes de terre.

Où prendre un verre

Édimbourg s'enorgueillit de plus de 700 bars, aussi éclectiques que la population. On y trouve tous les styles, du palace victorien à la gargote, du *howff* (pub) rempli de barbus sirotant de la bière tirée d'un fût, au bar à cocktails branché.

Old Town

Les pubs de Grassmarket sont dotés de terrasses où il fait bon s'installer par un après-midi ensoleillé, mais sachez qu'en soirée, ils deviennent des lieux de drague pour fêtards enivrés. Cowgate – le prolongement de Grassmarket à l'est – est le territoire des clubs d'Édimbourg.

BOW BAR Pub

(carte p. 72 ; 80 West Bow). L'un des meilleurs pubs traditionnels de la ville (pas aussi ancien qu'il n'en a l'air), réputé pour ses bières en fût et son large choix de whiskies pur malt. Le vendredi et le samedi soir, il est souvent difficile de trouver à s'asseoir.

JOLLY JUDGE Pub

(carte p. 72 ; www.jollyjudge.co.uk ; 7a James Ct ;). Un petit pub confortable, niché dans une impasse, à la chaude atmosphère du XVIIe siècle (plafonds bas aux poutres peintes) et doté d'une cheminée pour oublier le froid. Ici, ni musique ni jeux : juste le murmure des conversations.

BREWDOG Bar

(carte p. 72 ; www.brewdog.com ; 143 Cowgate ; 📶). Un nouveau bar dans le style baptisé en Écosse "*punk brewery*", qui sort du lot des établissements au sol collant de Cowgate, grâce à son côté industriel chic et à son choix de bières issues de sa propre brasserie, en plus de 4 ales authentiques "invitées".

ECCO VINO Bar à vins

(carte p. 72 ; www.eccovinoedinburgh.com ; 19 Cockburn St ; 📶). Des tables en terrasse pour les après-midi et des bougies pour les soirées intimes, dans un bar délicieusement exigu aux faux airs de Toscane. Belle sélection de vins italiens, mais tous ne sont pas proposés au verre – mieux vaut partager une bouteille.

VILLAGER Bar

(carte p. 72 ; www.villagerbar.com ; 49-50 George IV Bridge ; 📶). Croisement entre le pub traditionnel et le bar, le Villager tire avantage d'une ambiance plaisante et décontractée. Le soir, il n'est pas toujours possible de s'asseoir au bar principal (les cocktails sont excellents) ; dans la salle à côté, les canapés en cuir brun sont parfaits pour passer un dimanche après-midi à lire parmi les plantes tropicales.

ROYAL MILE TAVERN Pub

(carte p. 72 ; www.royalmiletavern.com ; 127 High St). Ce bar traditionnel stylé sert, dans un décor de bois patiné, de miroirs et de cuivre, de la bière en fût (Deuchars IPA et Caledonian 80/-), de bons vins et une cuisine de qualité – *fish and chips*, steak et tourte à la Guinness, saucisses-purée, etc.

HOLYROOD 9A Pub

(carte p. 72 ; www.fullerthomson.com ; 9a Holyrood Rd ; 📶). Les bougies qui font scintiller l'interminable comptoir en bois poli donnent le ton de ce superbe et authentique bar à bières, qui sert pas moins de 20 bières artisanales à la pression, de tout le pays. Pour une petite faim, savoureux hamburgers gourmets.

New Town

Rose St (entre Princes St et George St) était jadis célèbre pour ses pubs : des générations d'étudiants, de marins et de supporters de rugby ont tenté d'avaler une

Leith (p. 82)

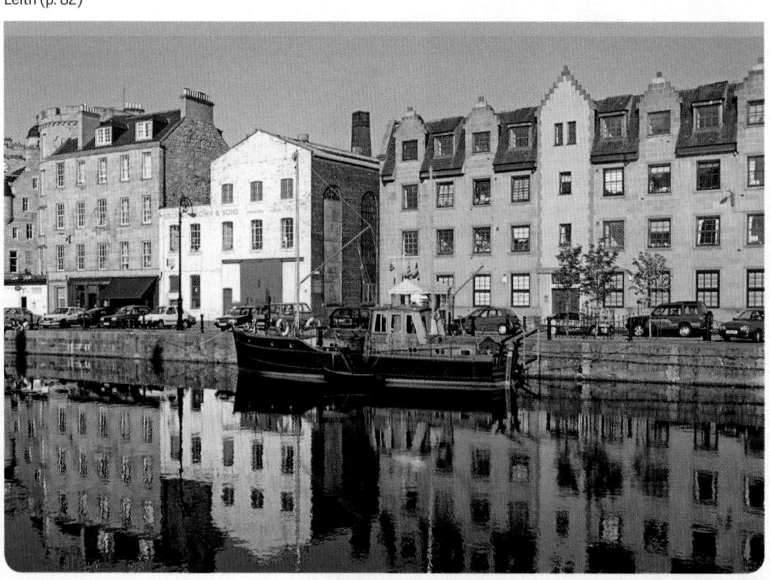

PAUL HARRIS/GETTY IMAGES ©

pinte dans chaque bar de la rue (qui en compte environ 17).

OXFORD BAR Pub

(carte p. 80 ; www.oxfordbar.co.uk ; 8 Young St). Une denrée rare aujourd'hui : un vrai pub traditionnel, sans thème, sans musique, sans artifices et sans prétention. "The Ox" a été immortalisé par Ian Rankin, auteur des romans mettant en scène l'inspecteur Rebus. L'écrivain est un habitué des lieux, à l'instar de son personnage fétiche.

CUMBERLAND BAR Pub

(carte p. 66 ; www.cumberlandbar.co.uk ; 1-3 Cumberland St ;). Présenté comme le pub stéréotype de New Town dans un roman d'Alexander McCall-Smith adapté en série (*44 Scotland Street*), le Cumberland, bien qu'assez récent, affiche le sempiternel décor de boiseries, cuivres et miroirs. On y sert des bières en fût, qui font l'objet de soins attentifs, et toutes sortes de whiskies de malt. Ravissant *beer garden*.

GUILDFORD ARMS Pub

(carte p. 80 ; www.guildfordarms.com ; 1 West Register St). À deux pas du Café Royal Circle Bar, voici un autre pub victorien classique, avec acajou ciré, cuivre et corniches à motifs. Le choix de bières en fût y est excellent – installez-vous à l'étage, dans la curieuse galerie qui domine la salle du bas.

BRAMBLE Bar à cocktails

(carte p. 80 ; www.bramblebar.co.uk ; 16a Queen St). Le Bramble est un secret bien gardé, une cave anonyme où un dédale de niches de pierre et de briques cache, sans conteste, le meilleur bar à cocktails de la ville. Ici, pas de robinets à bière, pas de tapage, mais des cocktails mixés par des spécialistes.

KENILWORTH Pub

(carte p. 80 ; 152-154 Rose St). Somptueux palais de la bière édouardien, aux aménagements d'origine – sol carrelé, bar et portique circulaires en acajou, miroirs ornementés et lampes à gaz. Premier bar gay d'Édimbourg dans les années 1970, le Kenilworth est aujourd'hui fréquenté par une clientèle mixte, de tous âges. Bon choix de bières artisanales et de whiskies pur malt.

UNDERDOGS Bar à cocktails

(carte p. 80 ; 104 Hanover St;). Une cave dallée, des canapés dépareillés rappelant les puces : voici un drôle de décor pour l'un des meilleurs bars à cocktails d'Édimbourg, certainement le plus décontracté et convivial. Excellents cocktails et bières en bouteilles inhabituelles, mais pas de bière pression.

KAY'S BAR Pub

(carte p. 80 ; www.kaysbar.co.uk ; 39 Jamaica St). Dans les anciens locaux d'un marchand de vins, ce havre douillet, chauffé au charbon, ravira les amateurs de bières

Le Bow Bar (p. 96)

Les meilleurs bistrots

Urban Angel (carte p. 80 ; ☎ 0131-225 6215 ; www.urban-angel.co.uk ; 121 Hanover St ; plats 8-14 £ ; ⏰ 9h-22h lun-sam, 10h-17h dim ; 🍴 👪). Une excellente épicerie fine, qui fait la part belle aux ingrédients bio, produits localement et de façon équitable. Elle se double d'un café-bistrot agréablement décontracté où l'on sert toute la journée un brunch (porridge au miel, pain de mie grillé, œufs Bénédicte), des tapas et un grand choix de repas légers.

La P'tite Folie (carte p. 80 ; ⏰ 0131-225 7983 ; www.laptitefolie.co.uk ; 61 Frederick St ; plats 16-25 £). Charmant petit restaurant au patron breton, dédié aux classiques de la cuisine française : soupe à l'oignon, moules marinière, steaks, fruits de mer et divers plats du jour. Le déjeuner de 2 plats est une affaire, à 9,95 £.

Petit Paris (carte p. 72 ; ☎ 0131-226 2442 ; www.petitparis-restaurant.co.uk ; 38-40 Grassmarket ; plats 14-18 £ ; ⏰ 12h-15h et 17h30-23h, fermé lun oct-mars). Comme le nom l'indique, c'est un petit coin de Paris en terre d'Écosse, avec ses nappes à carreaux, ses serveurs sympathiques et sa cuisine à prix doux. Moules-frites délectables. Menu déjeuner ou d'avant-spectacle (12h-15h et 17h30-19h) avec plat du jour et café pour 7,90 £, ou 11,90 £ avec une entrée.

artisanales. Au déjeuner, restauration de qualité dans la salle du fond. Mieux vaut réserver.

Leith

ROSELEAF Café-bar

(www.roseleaf.co.uk ; 23-24 Sandport Pl ; ⏰ 10h-1h ; 📶). Tapissé de papier fleuri, meublé ancien, avec de la porcelaine ornée de vieilles roses (les cocktails sont servis dans des théières), l'adorable Roseleaf est unique en son genre à Leith. On peut y commander des ales authentiques, des bières en bouteilles, et des spécialités de thé, de café et de boissons aux fruits (dont une limonade à la rose). Sa cuisine de pub (servie de 10h à 22h) sort également de l'ordinaire.

TEUCHTER'S LANDING Pub

(www.aroomin.co.uk ; 1 Dock Pl ; 📶). Un labyrinthe de petites salles douillettes habillées de boiseries, dans un bâtiment en briques rouges d'un étage (jadis une salle d'attente pour les ferries qui traversaient le Firth of Forth). Ce bar spécialisé dans les bières en fût et le whisky de malt dispose également d'une terrasse flottante amarrée au quai.

PORT O'LEITH Pub

(www.portoleithpub.com ; 58 Constitution St). Voilà une bonne taverne locale à l'ancienne mode, fort sympathique, décorée d'une multitude de drapeaux et de rubans de bachis laissés par les marins de passage (les docks de Leith sont au bout de la rue). Venu pour une pinte, il est probable que vous y restiez jusqu'à la fermeture.

Où sortir

Édimbourg possède un certain nombre de beaux théâtres et de salles de concerts, ainsi que des cinémas d'art et d'essai, en plus du lot habituel de cinémas commerciaux. Beaucoup de pubs organisent des soirées musicales diverses – de la musique traditionnelle écossaise à la pop, au rock et au jazz, sans compter les soirées jeux et karaoké. Quant aux nombreux bars à la mode, ils offrent une ambiance house, dance et hip-hop, prélude à une sortie en discothèque.

La liste complète des spectacles et sorties possibles figure dans le magazine *The List* (www.list.co.uk), qui couvre

Les cinq meilleurs pubs traditionnels

Édimbourg se targue de posséder un grand nombre de pubs traditionnels du XIXe et du début du XXe siècle ayant conservé leur décor victorien d'origine, et servant des bières artisanales en fût et une gamme impressionnante de whiskies de malt.

Athletic Arms (Diggers ; carte p. 66 ; 1-3 Angle Park Tce). Datant des années 1890, ce pub doit son surnom au cimetière qui se trouve de l'autre côté de la rue – les fossoyeurs (*diggers*) avaient l'habitude d'y casser la croûte après leur dure journée de travail. Résolument traditionnel – le cadre n'a pratiquement pas changé depuis un siècle –, il tente depuis peu de se refaire une réputation de temple des amateurs de bière artisanale (*real ales*), avec la Diggers' 80/-, produite localement. Troisième mi-temps des supporters de foot et de rugby.

Abbotsford (carte p. 80 ; www.theabbotsford.com ; 3 Rose St). Un des rares pubs de Rose St à avoir conservé sa splendeur édouardienne (il date de 1902) et depuis longtemps le rendez-vous des écrivains, acteurs, journalistes et gens des médias. La pièce maîtresse de ce pub, qui porte le nom du manoir de Walter Scott, est un splendide bar central en acajou. Bonne sélection de bières artisanales écossaises et anglaises.

Bennet's Bar (carte p. 66 ; 8 Leven St). Situé à côté du King's Theatre, le Bennet's a réussi à conserver son style victorien : les vitraux, les miroirs ornementés, le portique en bois et les robinets d'eau en cuivre du bar (pour votre whisky – choix entre plus d'une centaine de malts).

Café Royal Circle Bar (carte p. 80 ; www.caferoyal.org.uk ; 17 West Register St). Les principaux titres de gloire de cet établissement édimbourgeois classique sont le magnifique bar ovale et les portraits d'inventeurs célèbres de l'époque victorienne en carreaux de la fabrique Doulton. Regardez bien derrière le comptoir : les serveurs alignent les bouteilles de manière à créer un effet de miroir, et plus d'un consomateur a été surpris en train de loucher dans leur direction en s'étonnant de ne pas y voir son reflet.

Sheep Heid (www.sheepheid.co.uk ; 43-45 The Causeway). Sans doute la plus vieille taverne d'Édimbourg, dotée d'une licence qui remonte à 1360. Tient davantage du pub de campagne que du bar de ville. Tapi dans le voisinage quasi rural d'Arthur's Seat, il est réputé pour sa piste de jeu de quilles du XIXe siècle et son charmant petit *beer garden*.

Édimbourg et Glasgow et paraît un jeudi sur deux. On le trouve chez les marchands de journaux.

Musique live

Pour connaître les programmes et les adresses des salles, consultez *The List* et *The Gig Guide* (www.gigguide.co.uk), une lettre d'information envoyée gratuitement par e-mail et un site Internet avec des adresses.

Jazz, blues et rock

BANNERMAN'S Musique live

(carte p. 72 ; www.bannermanslive.co.uk ; 212 Cowgate). Depuis une quarantaine d'années, les étudiants d'Édimbourg ont presque tous passé la moitié de leur jeunesse ici, dans ce réseau de salles voûtées sous le South Bridge. L'endroit draine toujours une foule d'étudiants, de gens du coin et de routards, attirés par ses concerts de rock, de punk et d'indé.

HENRY'S CELLAR Musique live

(carte p. 72 ; www.musicglue.com/theraft ; 8a Morrison St). Pas un soir de la semaine sans qu'il se passe quelque chose au Henry's, l'une des salles les plus éclectiques d'Édimbourg : rock, indé, folk des Balkans, funk, hip-hop, hardcore, etc., avec des groupes écossais et étrangers. Ouvert jusqu'à 3h le week-end.

WHISTLE BINKIE'S Musique live

(carte p. 72 ; www.whistlebinkies.com ; 4-6 South Bridge). Dans cette cave bondée, située à deux pas du Royal Mile, il y a des concerts tous les soirs jusqu'à 3h – du rock au blues en passant par le folk et le jazz. Scène ouverte le lundi et nouveaux groupes le mardi sont l'occasion de découvrir les artistes de demain.

JAZZ BAR Jazz

(carte p. 72 ; www.thejazzbar.co.uk ; 1a Chambers St ; 🛜). Une pittoresque petite cave, avec parquet ciré, murs en pierres apparentes, bougies sur les tables et chaises en acier, tenue par des musiciens de jazz. Musique live tous les soirs de 21h à 3h (dès 15h le samedi).

LIQUID ROOM Club, musique live

(carte p. 72 ; www.liquidroom.com ; 9c Victoria St). Dans les tréfonds d'une cave voûtée sous Victoria St, le Liquid Room est un lieu mémorable, à la sono cataclysmique. Soirées en semaine (mer-sam) et concerts.

Musique traditionnelle

La capitale est l'endroit idéal pour écouter de la musique traditionnelle écossaise (et irlandaise), aussi bien dans des lieux dédiés qu'improvisés.

SANDY BELL'S Musique traditionnelle

(carte p. 72 ; 25 Forrest Rd). Ce bar sans prétention règne sur la scène traditionnelle depuis une vingtaine d'années (l'épouse du fondateur chantait avec The Corries). Musique quasiment tous les soirs à 21h, et à partir de 15h le samedi et le dimanche, plus de nombreuses séances impromptues.

ROYAL OAK Musique traditionnelle

(carte p. 72 ; www.royal-oak-folk.com ; 1 Infirmary St). Ce minuscule pub traditionnel est fort apprécié : arrivez tôt (à partir de 21h en semaine, de 14h30 le samedi) pour avoir une place. Le dimanche, de 16h à 19h, tout monde peut participer – apportez votre instrument (ou donnez de la voix).

Clubs

La scène nocturne compte quelques DJ de talent ; consultez les adresses dans *The List*. La plupart des lieux de sortie sont concentrés aux alentours de Cowgate et de Calton Rd.

BONGO CLUB Centre artistique

(carte p. 72 ; www.thebongoclub.co.uk ; 66 Cowgate). Un club merveilleux et des plus singuliers qui jouit d'une longue histoire, accueillant toutes sortes d'événements, des soirées endiablées aux performances artistiques, en passant par le théâtre pour enfants. En journée, le club devient un café et une salle d'exposition. Le 66 Cowgate est

Edinburgh Military Tattoo

Le coup d'envoi des festivals du mois d'août est donné avec l'**Edinburgh Military Tattoo** (**☎0131-225 1188 ; www.edintattoo.co.uk ; bureaux au 32 Market St**), déploiement tout à fait spectaculaire de fanfares militaires, de tambours et de cornemuses, d'acrobates et de formations motocyclistes, qui défilent tous sur la magnifique toile de fond du château illuminé. Chaque manifestation se termine traditionnellement par le concert poignant d'un joueur de cornemuse en solitaire sur les remparts. Le Tattoo se tient les trois premières semaines d'août (d'un vendredi à un samedi). Il y a un spectacle du lundi au vendredi, à 21h, et deux autres, à 19h30 et 22h30, le samedi, mais rien le dimanche.

Ci-dessous L'Edinburgh Festival Theatre
À droite Des musiciens au Sandy Bell's (p. 101)

son nouvel ancrage, au pied du George IV Bridge, sous la Central Library ; il était en cours d'aménagement au moment de nos recherches.

CABARET VOLTAIRE Club, musique live
(carte p. 72 ; www.thecabaretvoltaire.com ; 36 Blair St). Le club le plus alternatif d'Édimbourg occupe un dédale de caves voûtées. Ici, ni vaste piste de danse ni culte du DJ star, mais un "creuset créatif", mélange de DJ, concerts, comédie, théâtre, arts visuels et *spoken word* (théâtre musical parlé). Mérite le détour.

LULU Club
(carte p. 80 ; www.luluedinburgh.co.uk ; 125 George St). Luxueux canapés en cuir, coussins en satin rouge, rideau en maille de fer de style fétichiste et lumière tamisée rouge contribuent à l'atmosphère décadente de ce superbe club au sous-sol de l'hôtel Tigerlily. Les DJ en résidence ou de passage savent se montrer inventifs.

Cinémas

Les cinéphiles ont de quoi s'occuper dans les salles d'art et d'essai, tandis que les amateurs de têtes d'affiche choisiront entre les divers multiplexes.

FILMHOUSE Cinéma
(carte p. 72 ; www.filmhousecinema.com ; 88 Lothian Rd ; 📶). Très actif au moment du Festival international du film. Programmation variée : art et essai, classiques, films étrangers et reprises, avec moult festivals thématiques, rétrospectives et projections 70 mm. Accès aux fauteuils roulants dans les 3 salles.

CAMEO Cinéma
(carte p. 66 ; www.picturehouses.co.uk ; 38 Home St). Bon cinéma indépendant de 3 salles, à l'ancienne, qui propose un mélange de films commerciaux et d'art et d'essai. À surveiller : les films passant à minuit et les matinées du dimanche. Les sièges de la salle Screen One sont immenses.

Musique classique, opéra et ballet

EDINBURGH FESTIVAL THEATRE Ballet, opéra

(carte p. 72 ; www.edtheatres.com/festival ; 13-29 Nicolson St ; billetterie 10h-18h lun-sam, 10h-20h les soirs de spectacle, 16h jusqu'à l'heure du spectacle dim). Théâtre de style Art déco admirablement restauré et doté d'une façade moderne, le Festival est la première salle de la ville pour l'opéra et la danse. Elle programme aussi des comédies musicales, des concerts, du théâtre et des spectacles pour enfants.

USHER HALL Musique classique

(carte p. 72 ; www.usherhall.co.uk ; Lothian Rd ; billetterie 10h30-17h30, 10h30-20h les soirs de spectacle). Une architecture impressionnante pour les prestations du Royal Scottish National Orchestra et des concerts de musique populaire.

ST GILES CATHEDRAL Musique classique

(carte p. 72 ; www.stgilescathedral.org.uk ; High St). La grande *kirk* du Royal Mile sert régulièrement de salle de concerts pour un programme varié de musique classique, dont des concerts à l'heure du déjeuner et des récitals d'orgue. Le chœur de la cathédrale chante aux messes de 10h et 11h30 du dimanche matin.

Théâtre, comédies musicales et café-théâtre

ROYAL LYCEUM THEATRE Théâtre, comédie musicale

(carte p. 72 ; www.lyceum.org.uk ; 30b Grindlay St ; billetterie 10h-18h lun-sam, 10h-20h les soirs de spectacle ;). Théâtre victorien grandiose, voisin de l'Usher Hall, accueillant pièces de théâtre, concerts, comédies musicales et ballets.

TRAVERSE THEATRE Théâtre, danse

(carte p. 72 ; www.traverse.co.uk ; 10 Cambridge St ; billetterie 10h-18h lun-sam, jusqu'à 20h les soirs de spectacle). La scène privilégiée des dramaturges écossais contemporains, avec une audacieuse programmation de théâtre et de danse. La billetterie n'est ouverte le dimanche

Une ville de festivals

Le mois d'août à Édimbourg voit fleurir les festivals, et une demi-douzaine de manifestations de rang mondial se déroulent en même temps.

EDINBURGH INTERNATIONAL FESTIVAL

Inauguré en 1947 pour marquer le retour à la paix, l'**Edinburgh International Festival** (0131-473 2099 ; www.eif.co.uk) collectionne les superlatifs : le plus ancien, le plus grand, le plus réputé, le meilleur du monde. Les premières années furent plutôt modestes, mais, aujourd'hui, des centaines de musiciens et d'acteurs de réputation mondiale affluent à Édimbourg pour trois semaines de musique, d'opéra, de théâtre et de danse.

Ce festival a lieu pendant trois semaines et s'achève le premier samedi de septembre ; le programme est habituellement disponible dès le mois d'avril. Les billets pour les manifestations les plus populaires – notamment les concerts et l'opéra – se vendent rapidement, donc il est prudent de réserver le plus tôt possible. Vous pouvez acheter vos billets en personne au **Hub** (01131-473 2000 ; www.thehub-edinburgh.com ; Castlehill ; entrée libre ; billeterie 10h-17h lun-sam), ou les réserver par téléphone ou Internet.

EDINBURGH FESTIVAL FRINGE

Lors de la première tenue du Festival d'Édimbourg en 1947, huit compagnies théâtrales avaient été écartées du programme. Sans se laisser décourager, elles se regroupèrent et tinrent leur propre petit festival, en marge (*fringe*). Une nouvelle institution d'Édimbourg venait de naître. Actuellement, l'**Edinburgh Festival Fringe** (0131-226 0026 ; www.edfringe.com ; bureaux au 180 High St) est *le* plus grand festival d'arts de la scène du monde.

Le Fringe se tient sur trois semaines et demie, les deux dernières chevauchant les deux premières du Festival international d'Édimbourg.

(à partir de 16h) que lorsqu'il y a une représentation.

KING'S THEATRE Théâtre, comédie musicale

(carte p. 66 ; www.edtheatres.com/kings ; 2 Leven St ; billetterie ouverte 1h avant le spectacle). Salle classique programmant des comédies musicales, du théâtre et de l'humour, ainsi qu'une célèbre pantomime de Noël.

EDINBURGH PLAYHOUSE Comédie musicale

(carte p. 80 ; www.edinburgh-playhouse.co.uk ; 18-22 Greenside Pl ; billetterie 10h-18h lun-sam, 10h-20h les soirs de spectacle). Théâtre restauré, en haut de Leith Walk. À l'affiche : comédies musicales de Broadway, danse, opéra et musique populaire.

Achats

Princes St est la grande artère commerçante d'Édimbourg, où sont installés toutes les grandes enseignes. Des commerces plus petits bordent la rue piétonne, Rose St, et des boutiques de mode plus onéreuses sont regroupées dans George St. On trouve également deux grandes galeries marchandes dans New Town – le **Princes Mall**, à l'extrémité est de Princes St, et, non loin de là, le **St James Centre**, en haut de Leith St, ainsi que le **Multrees Walk**, galerie branchée avec un magasin Harvey Nichols, sur le côté est de St Andrew Sq. La plus grande galerie marchande de la ville est cependant l'immense **Ocean Terminal**, à Leith.

Pour faire des achats plus spécifiques - mode, musique, artisanat, souvenirs et ›ijoux –, flânez au gré des ruelles pavées le Cockburn St, Victoria St et St Mary's St, .outes à proximité du Royal Mile dans la /ieille ville, ainsi que dans William St, dans a partie ouest de la nouvelle ville, et le juartier de Stockbridge, tout de suite au ıord de New Town.

Laine et cachemire

.es tissus et pulls en laine sont un des ›roduits classiques d'exportation écossais. .e cachemire écossais – une laine fine ≿t souple provenant de jeunes chèvres ≿t d'agneaux – sert à fabriquer des pulls 'oluptueux, mais plutôt chers !

:INROSS CASHMERE Mode
:arte p. 72 ; 2 St Giles St). Large gamme de nodèles traditionnels ou modernes.

IOYCE FORSYTH DESIGNER :NITWEAR Mode
:arte p. 72 ; www.joyceforsyth.co.uk ; ·2 Candlemaker Row ; ⏲mar-sam). Des motifs :olorés qui répondent à la mode du :XIe siècle.

EDINBURGH WOOLLEN MILL Mode
(carte p. 80 ; www.ewm.co.uk ; 139 Princes St). Une enseigne phare pour les touristes, offrant un bon choix de jerseys, cardigans, écharpes, châles et plaids traditionnels.

Tartans et tenues traditionnelles des Highlands

Des dizaines de boutiques du Royal Mile et de Princes St vendent des kilts et des vêtements en tartan.

KINLOCH ANDERSON Mode
(www.kinlochanderson.com ; 4 Dock St, Leith). L'une des meilleures boutiques, ouverte en 1868 et toujours dirigée en famille. Fournisseur de la famille royale en kilts et tartans.

GEOFFREY (TAILOR) INC Mode
(carte p. 72 ; www.geoffreykilts.co.uk ; 57-59 High St). Cette enseigne peut vous habiller de pied en cap à la mode des Highlands, ou vous confectionner rapidement un kilt au tartan de votre clan. Sa succursale, 21st Century Kilts, propose des kilts modernes en tissus divers.

e Princes Mall

JOEFOX/ALAMY ©

Renseignements

Office du tourisme

Edinburgh Information Centre (**0131-473 3868 ; www.edinburgh.org ; Princes Mall, 3 Princes St ; 9h-21h lun-sam, 10h-20h dim juil-août, 9h-19h lun-sam, 10h-19h dim mai, juin et sept, 9h-17h lun-mer, 9h-18h jeu-sam oct-avr**). Service de réservation d'hébergement, bureau de change, boutique de souvenirs et librairie, accès Internet, vente de billets pour des circuits en bus dans la ville et de billets de bus de la Scottish Citylink.

Services médicaux

Pour un avis médical en urgence, vous pouvez contacter la **NHS 24 Helpline** (**08454 24 24 24 ; www.nhs24.com**). Les pharmaciens (*chemists*) vous conseilleront en cas de problèmes mineurs. La pharmacie de permanence est affichée sur la vitrine des autres pharmacies.

Pour les urgences dentaires, en semaine, rendez-vous au **Chalmers Dental Centre** (**3 Chalmers St ; 9h-16h45 lun-jeu, 9h-16h15 ven**). Le soir et le week-end, appelez la **Lothian Dental Advice Line** (**0131-536 4800**) pour prendre conseil.

Royal Hospital for Sick Children (**0131-536 0000 ; www.nhslothian.scots.nhs.uk ; 9 Sciennes Rd**). Service d'urgences pour enfants de moins de 13 ans ; situé à Marchmont.

Royal Infirmary of Edinburgh (**0131-536 1000 ; www.nhslothian.scots.nhs.uk ; 51 Little France Cres, Old Dalkeith Rd**). Hôpital général principal d'Édimbourg ; urgences ouvertes 24h/24.

Western General Hospital (**0131-537 1330 ; www.nhslothian.scots.nhs.uk ; Crewe Rd South ; 9h-21h**). Pour les accidents et maladies sans gravité, on peut s'adresser à la Minor Injuries Unit sans prendre rendez-vous.

Sites Internet

Edinburgh & Lothians Tourist Board (**www.edinburgh.org**). Site officiel de l'office du tourisme avec listes d'hébergements, de sites, d'activités et de manifestations.

Edinburgh Architecture (**www.edinburgharchitecture.co.uk**). Site bien documenté consacré à l'architecture moderne de la ville.

Edinburgh Festival Guide (**www.edinburghfestivals.co.uk**). Tout ce qu'il faut savoir sur les nombreux festivals d'Édimbourg.

Abbotsford, ancienne résidence de sir Walter Scott

WOJTEK BUSS/GETTY IMAGES

Events Edinburgh (www.eventsedinburgh.org.uk). Le site officiel de la municipalité, avec le programme des manifestations.

The List (www.list.co.uk). Listes de restaurants, pubs, clubs et événements nocturnes.

Depuis/vers Édimbourg

Avion

L'aéroport d'Édimbourg (☎0131-333 1000 ; www.edinburghairport.com), à 13 km à l'ouest de la ville, est le point de départ de nombreux vols vers d'autres villes d'Écosse, d'Angleterre, d'Irlande et d'Europe continentale. Pour les vols à destination d'Édimbourg, voir détails p. 308. FlyBe/Loganair (☎0871 700 2000 ; www.loganair.co.uk) dessert quotidiennement Inverness, Wick, les Orcades (Orkney), les Shetland et Stornoway.

Bus

La gare routière d'Édimbourg se trouve dans l'angle nord-est de St Andrew Square, avec accès pour les piétons depuis la place et Elder St. Pour tout renseignement sur les horaires, appeler la Traveline (☎0871 200 22 33 ; www.travelinescotland.com).

Les bus Scottish Citylink (☎0871 266 3333 ; www.citylink.co.uk) relient Édimbourg à toutes les grandes villes écossaises. Quelques exemples de prix aller simple depuis Édimbourg.

DESTINATION	TARIF
Aberdeen	28 £
Dundee	15 £
Fort William	33 £
Glasgow	6,80 £
Inverness	28 £
Portree	47 £
Stirling	7,50 £

Se renseigner auprès de Megabus (☎0900 160 0900 ; www.megabus.com) sur les tarifs bon marché (à partir de 5 £) entre Édimbourg et Aberdeen, Dundee, Glasgow, Inverness et Perth.

Nombre de bus desservent Édimbourg au départ de Londres et du reste du Royaume-Uni (voir p. 308).

Vaut le détour
Abbotsford

Les admirateurs de sir Walter Scott ne manqueront pas de visiter son ancienne résidence, **Abbotsford** (www.scottsabbotsford.co.uk ; maison adulte/enfant 8/4 £, Visitor Centre entrée libre ; 🕘9h30-17h lun-sam tte l'année, 9h30-17h dim juin-sept, 11h-16h dim mars-oct). La nature environnante lui inspira la plupart de ses œuvres les plus célèbres. Le lieu est fermé pour restauration jusqu'en juillet 2013, mais un nouveau Visitor Centre est ouvert et abrite une exposition sur la vie de l'écrivain.

Abbotsford est à environ 3 km à l'ouest de Melrose, entre la Tweed et la B6360. Des bus fréquents relient Galashiels à Melrose : descendre au rond-point sur les berges de la Tweed et suivre les panneaux, la maison est à 15 minutes à pied. Vous pouvez aussi marcher de Melrose à Abbotsford en longeant la rive sud de la Tweed (1 heure).

Train

La gare de Waverley est située au cœur de la ville. Les trains à destination ou en provenance de l'ouest s'arrêtent également à la gare de Haymarket, plus pratique pour le West End.

Achat de billets, réservations et informations auprès de l'Edinburgh Rail Travel Centre (🕘4h45-0h30 lun-sam, 7h-0h30 dim), dans la gare de Waverley. Pour tout renseignement sur les tarifs et les horaires, appeler le National Rail Enquiry Service (☎08457 48 49 50 ; www.nationalrail.co.uk) ou utiliser le Journey Planner, sur le site Internet.

First ScotRail (☎08457 55 00 33 ; www.scotrail.co.uk) gère une navette régulière entre Édimbourg et Glasgow (12,90 £, 50 min, toutes les 15 min) et de fréquents services vers toutes les villes d'Écosse, dont Aberdeen (45 £, 2 heures 30),

Dundee (23 £, 1 heure 15) et Inverness (40 £, 3 heures 30).

Voiture et moto

Atteindre ou quitter Édimbourg en voiture aux heures de pointe (7h30-9h30 et 16h30-18h30) est une expérience dont on peut se dispenser. Mieux vaut calculer son trajet pour éviter les énormes bouchons.

Comment circuler

Depuis/vers l'aéroport

Le service **Airlink** (**www.flybybus.com**) 100 des bus Lothian dessert l'aéroport depuis Waverley Bridge, à l'extérieur de la gare ferroviaire (3,50/6 £ aller simple/aller-retour, 30 min, ttes les 10-15 min) via le West End et Haymarket.

Depuis l'aéroport, un taxi pour le centre-ville revient à 16 £ environ et met 20 minutes en moyenne. Bus et taxis partent de l'extérieur du hall des arrivées, à gauche en sortant.

Taxi

Les taxis noirs d'Édimbourg se hèlent dans la rue, se commandent par téléphone (supplément de 0,80 £) ou se prennent à l'une des nombreuses stations du centre.

Central Taxis (0131-229 2468)

City Cabs (0131-228 1211)

ComCab (0131-272 8000)

Transports publics

À ce jour, les transports publics d'Édimbourg sont intégralement assurés par des bus (un réseau de tramway est en construction et devrait être opérationnel en 2014). Les principales compagnies sont **Lothian Buses** (**www.lothianbuses.com**) et **First** (0131-663 9233 ; **www.firstedinburgh.co.uk**). Renseignements sur les horaires auprès de **Traveline** (p. 107).

Les heures de passage, le plan des lignes et le guide des tarifs sont affichés aux arrêts principaux, sinon les **Lothian Buses Travelshops** proposent un plan gratuit, le *Lothian Buses Route Map.*

Le **tarif** adulte est de 1,40 £, on achète le billet au conducteur ; les enfants de moins de 5 ans voyagent gratuitement et ceux de 5 à 15 ans paient un tarif unique de 0,70 £. Dans les bus Lothian, vous payez au chauffeur et devez faire l'appoint ; dans les bus First, on vous rendra la monnaie. Les chauffeurs des bus Lothian vendent aussi un Daysaver, ticket journalier illimité à 3 £ (valable uniquement dans les bus Lothian, excepté les bus de nuit).

Sur le Royal Mile (p. 65 et p. 70-71)

Les **services nocturnes** (www.nightbuses.com), limités à un par heure entre 0h et 5h, coûtent 3 £.

On peut aussi se procurer un forfait hebdomadaire **Ridacard** (dans les Travelshops uniquement), coûtant 17 £.

Le bureau des objets trouvés (*lost property office*) de Lothian Buses se trouve dans le Travelshop de Hanover St.

Lothian Buses Travelshops:

Hanover St (27 Hanover St ; 9h-18h lun-ven, 10h-18h sam)

Shandwick Pl (7 Shandwick Pl ; 9h-18h lun-ven, 10h-18h sam)

Waverley Bridge (31 Waverley Bridge ; 9h-18h lun-ven, 10h-18h sam, 10h-17h15 dim)

Voiture et moto

Utile pour faire des excursions hors la ville, une voiture pour circuler dans le centre-ville est plus une gêne qu'autre chose. La circulation est chaotique depuis des années à cause du chantier du tramway, très controversé. L'accès à Princes St, George St et Charlotte Square est limité, et nombre de rues sont à sens unique. Quant à trouver une place de stationnement dans le centre, autant vouloir gagner au loto. Queen's Drive, autour de Holyrood Park, est fermée à la circulation le dimanche.

Location de voiture

Toutes les grandes agences de location internationales sont représentées à Édimbourg.

Nombre de petites agences locales offrent de meilleurs tarifs, dont **Arnold Clark** (0131-657 9120 ; www.arnoldclarkrental.co.uk ; 20 Seafield Rd East), près de Portobello, qui demande 30 £/jour, ou 180 £/semaine, pour une petite voiture, TVA et assurance comprises.

Stationnement

Il est interdit de se garer sur les grandes voies d'accès à la ville, du lundi au samedi de 7h30 à 18h30, et le stationnement dans le centre-ville tient souvent du cauchemar. Le **stationnement dans la rue** est contrôlé par des horodateurs, du lundi au samedi de 8h30 à 18h30, et coûte 1-2 £ l'heure pour 30 minutes à 4 heures au maximum. Si vous enfreignez la réglementation, vous recevrez une amende dans les minutes qui suivent l'heure d'expiration de votre ticket. Les agents de contrôle d'Édimbourg sont réputés pour être nombreux et vigilants. L'amende est de 60 £, réduite à 30 £ si vous payez dans un délai de 14 jours. Les voitures en stationnement non autorisé vont à la fourrière. Il y a de vastes parkings pour stationnement de longue durée à St James Centre, Greenside Pl, New St, Castle Tce et Morrison St. Les motos peuvent stationner gratuitement dans les espaces qui leur sont réservés dans le centre-ville.

Glasgow et le Loch Lomond

Évoluant à une vitesse folle, Glasgow est une ville remuante, tendance et franchement culottée. Son architecture victorienne est prise d'assaut par des bars chics, des restaurants de grand standing qui titilleront vos papilles et des clubs tendance qui sauront réveiller vos instincts de noctambule. En outre, la scène musicale compte parmi les meilleures du royaume.

Mais la vie nocturne n'est qu'une mise en bouche. Les musées de premier ordre ne manquent pas, et le riche héritage artistique et industriel de la ville s'affiche de manière novatrice. Les magnifiques bâtiments de Mackintosh émaillent la ville, tandis que la Clyde, traditionnellement associée à tout ce que Glasgow a de plus prosaïque, est devenue le symbole de la renaissance de la cité.

Et si cela ne suffit pas, l'un des principaux atouts de la ville est sa situation, aux portes de l'un des plus beaux paysages d'Écosse, le Loch Lomond. Lové dans le premier parc national du pays, il n'est qu'à 32 km de la ville.

L'animation d'un bar de Glasgow.

Glasgow et le Loch Lomond

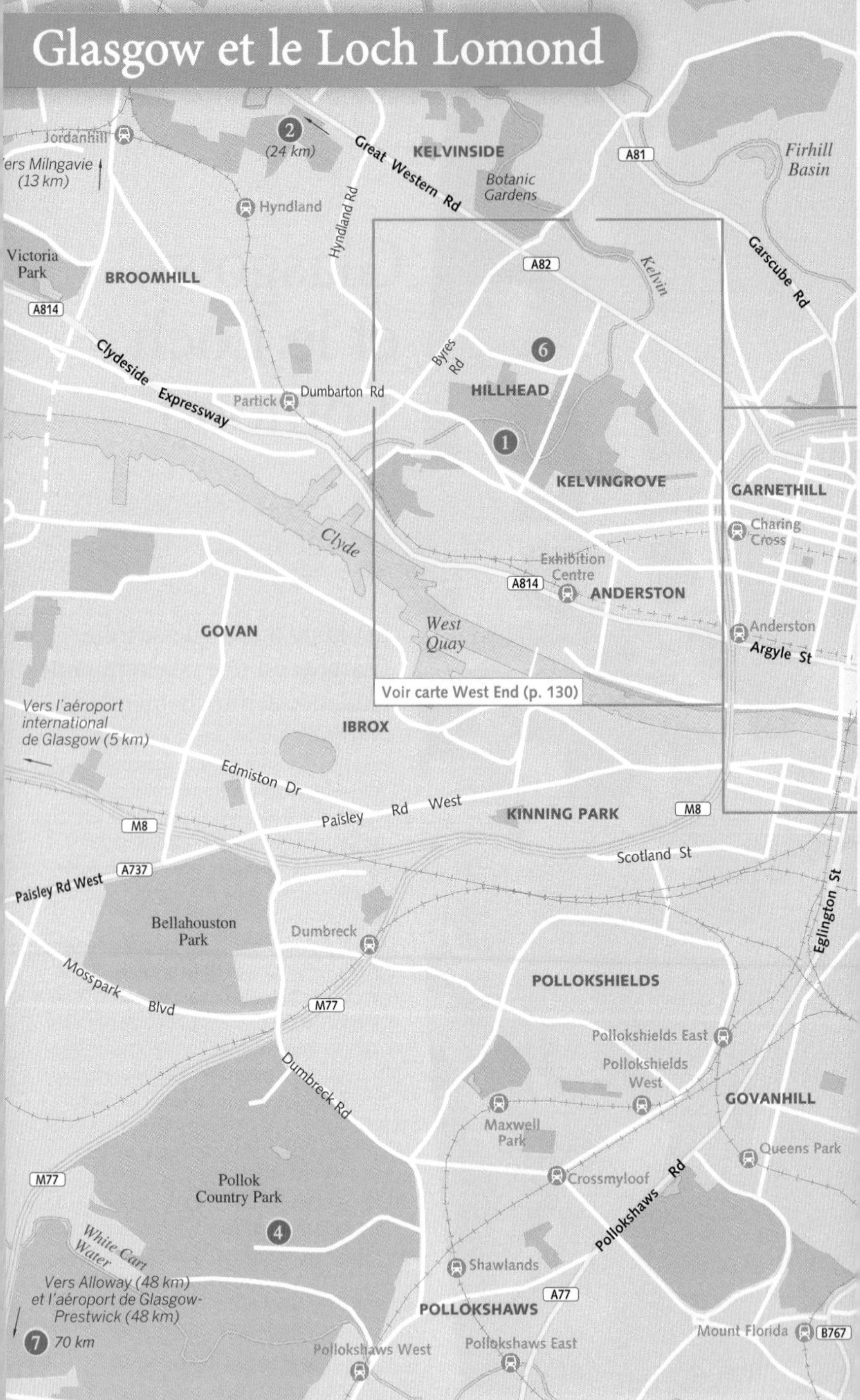

0 1 km
0 0,5 miles
POSSILPARK
A879
Saracen St
Springburn Rd
A803
Springburn
Barnhill
BARMULLOCH
Vers le Craigendmuir Park (1,6 km)
M80
Vers Édimbourg (63 km)
M8
A80
M8
OWCADDENS
TOWNHEAD
RIDDRIE
Cumbernauld Rd
uchanan St
Gare ferroviaire de Queen St
Alexandra Pde
Alexandra Parade
A80
CARNTYNE
Edinburgh Rd
entral
Gare ferroviaire d'Argyle St
DENNISTOUN
Duke St
High St
Gare ferroviaire de High St
Duke Street
Carntyne Rd
St Enoch
Bellgrove
London Rd
A721
Gallowgate
Shettleston Rd
Voir carte Centre de Glasgow (p. 126)
BRIDGETON
Westmuir St
A721
HUTCHESONTOWN
Bridgeton
London Rd
Dalmarnock Rd
PARKHEAD
Glasgow Green
767
Clyde
DALMARNOCK
Dalmarnock
1 Kelvingrove Art Gallery & Museum
2 Loch Lomond
3 Les pubs de Glasgow
4 Burrell Collection
5 Glasgow Cathedral
6 Mackintosh House
7 Culzean Castle
Crosshill
Aikenhead Rd
POLMADIE
Rutherglen
Hampden Park
Main St
RUTHERGLEN
BANKHEAD
B766

Glasgow et le Loch Lomond À ne pas manquer

1

Kelvingrove Art Gallery & Museum

Temple victorien de la culture, Kelvingrove est le musée le plus visité au Royaume-Uni, en dehors de Londres. Ses collections couvrent aussi bien l'histoire naturelle et l'évolution que les armes et armures (ainsi qu'un avion de combat Spitfire de la Seconde Guerre mondiale), l'histoire de Glasgow et les réalisations de Mackintosh.

Nos conseils

QUAND Y ALLER En semaine, pour éviter la foule. **BON À SAVOIR** L'entrée est gratuite. **ASTUCE** N'essayez pas de tout voir en une fois. Faites des choix. **Plus d'infos p. 132.**

Ma sélection

Le Kelvingrove Museum

PAR NEIL BALLANTYNE, DIRECTEUR DU MUSÉE

1 **LE CHRIST DE SALVADOR DALÍ**
L'une de nos acquisitions les plus controversées, *Le Christ de saint Jean de la Croix*, est devenue aussi emblématique que le Kelvingrove lui-même. Taxé de "gaspillage indécent" et attaqué deux fois par le passé, le tableau est désormais l'un de nos plus précieux trésors.

2 **MACKINTOSH ET LE STYLE GLASGOW**
Le style Glasgow caractérise une forme particulière d'art décoratif, conçue par des artistes de la ville entre 1890 et 1920. Cette galerie contient des bijoux, des vitraux et des meubles fabuleux. Mon objet préféré est le *Wassail*, grande frise murale provenant des Ingram Street Tearooms et réalisée par Charles Rennie Mackintosh.

3 **PEMBROKE ARMOUR**
Datant de 1557, il s'agit de l'unique exemplaire d'une armure de Greenwich complète, pour homme et cheval. La rareté de cette magnifique pièce témoigne de la passion de R. L. Scott, qui constitua une des plus belles collections au monde d'armes et d'armures européennes. On sait moins, en revanche, qu'il préférait collectionner les pièces ayant réellement été utilisées au combat, plutôt que les armures purement décoratives ou destinées à l'exposition.

4 **LE SARCOPHAGE DE PA-BA-SA**
Ce mystérieux sarcophage de granit, datant de650 av. J.-C. environ, intrigue beaucoup les visiteurs. Il est vide depuis longtemps, mais des indélicats ont, au fil des ans, glissé des objets dans l'ouverture (morceaux de tickets d'anciennes expositions et même un exemplaire du magazine *Playboy* des années 1970).

5 **L'ART ET L'IDENTITÉ ÉCOSSAISE**
Les tableaux représentant des héros de l'histoire, tel William Wallace, ainsi que les paysages sauvages et les cerfs majestueux prisés par les artistes victoriens, ont contribué à définir "l'âme écossaise". On trouve aussi, plus controversées, une représentation de Robert Burns en Che Guevara et une caricature de l'Écossais moderne portant kilt et canette de bière, un ballon de foot à la place de la tête.

Loch Lomond

Le Loch Lomond est le plus grand lac du Royaume-Uni et le plus célèbre des lochs d'Écosse après le Loch Ness. Réputé pour ses paysages, il enjambe la frontière des Highlands. Sa partie sud, large et semée d'îles, est bordée de prairies et de bois où fleurissent les jacinthes sauvages ; la partie nord occupe une profonde gorge taillée par les glaciers, cernée de sommets de plus de 900 m.

Nos conseils

QUAND Y ALLER En mai, pour les jacinthes des bois. **PHOTO** Une vue du Ben Lomond depuis Loch Lomond Shores. **PAUSE-CAFÉ** The Coach House (p. 149).

Plus d'infos p. 145.

2

Le Loch Lomond

PAR JASON MCINALLY, GÉRANT DE CANYOU EXPERIENCE, AMATEUR D'ACTIVITÉS DE PLEIN AIR

1 INCHCAILLOCH

La visite de cette île en kayak, en canoë ou en ferry est incontournable. Ses sous-bois se couvrent de jacinthes sauvages au printemps. L'île offre de nombreux sites historiques intéressants, dont un ancien cimetière. De son sommet, la vue sur le loch et ses environs est magique.

2 LOCH LOMOND SHORES

Au bord du loch, dans un cadre magnifique, Loch Lomond Shores (p. 147) est une excellente attraction. La splendide Drumkinnon Tower offre une vue spectaculaire sur le Ben Lomond. Le complexe accueille régulièrement des animations et propose des activités de plein air : balades, aire de jeux, manèges et activités aquatiques.

3 VISITE DES ÎLES

Embarquez pour une balade guidée en canoë ou une croisière (p. 145) entre les nombreuses îles du loch. Toutes possèdent une riche histoire et accueillent des forteresses de clans, des sites religieux et une abondante vie sauvage… dont des wallabies. Ces marsupiaux, introduits dans les années 1940 sur l'île d'Inchconnachan par lady Arran, ont réussi à y créer une population viable.

4 BEN LOMOND

Le Ben Lomond (p. 145) est le *munro* (sommet d'Écosse de plus de 900 m) le plus au sud et domine la ligne d'horizon du parc national. Près de 30 000 visiteurs par an réalisent son ascension, sans difficulté. Deux sentiers de randonnée en boucle partent du parking de Rowardennan. Quel que soit l'itinéraire choisi, vous serez récompensé par une vue panoramique sur le Loch Lomond et ses alentours.

5 À VÉLO ET EN BATEAU

Les façons de découvrir le loch sont nombreuses, mais l'une des meilleures est de combiner vélo et bateau. Au départ de Loch Lomond Shores (location de vélos), la piste cyclable West Loch Lomond Cycle Path (27 km) vous fera longer le loch jusqu'à Tarbet, d'où une croisière à caractère historique vous donnera ensuite la perspective depuis le loch !

Les pubs de Glasgow

Les bars et pubs bondés de Glasgow, à l'ambiance bruyante et tapageuse, font tout le sel de sa vie nocturne. Il existe autant de styles de bars que de types de clientèle, depuis le Horse Shoe (p. 140) et son décor victorien classique de cuivre poli et de miroirs jusqu'à la décadence chic et branchée d'Artà (p. 140). Un mois de fréquentation assidue ne suffirait pa[s] pour en découvrir la moitié.

3

4 Burrell Collection

Sir William Burrell, riche industriel, légua en 1944 à la ville de Glasgow sa magnifique collection d'œuvres d'art (p. 136), comptant plus de 8 000 objets. Ce n'est qu'en 1983 que ce bel édifice fut érigé dans le verdoyant Pollok Park afin d'exposer ladite collection dans sa totalité : porcelaine chinoise, mobilier médiéval, pièces d'art islamiqu[e] ou encore peintures de Renoir et de Cézanne. L'œuvre la plus célèbre est un exemplaire du *Penseur* de Rodin.

D.G.FARQUHAR/ALAMY ©

5 Glasgow Cathedral

Seule cathédrale d'Écosse épargnée par les destructions qui suivirent la Réforme, la cathédrale de Glasgow (p. 125) est un superbe exemple d'architecture gothique, et l'essentiel de sa structure date du XVe siècle. La partie la plus remarquable est la forêt de piliers qui entoure la tombe de saint Mungo. La visite ne serait pas complète sans une promenade dans la nécropole voisine, l'un des plus beaux et des plus impressionnants cimetières d'Écosse.

NEIL SETCHFIELD/ALAMY ©

NICHOLAS REUSS/GETTY IMAGES ©

6 Mackintosh House

La maison où vécurent Charles Rennie Mackintosh, architecte emblématique de Glasgow, et sa femme de 1906 à 1914 fut démolie en 1963 en raison d'un risque d'effondrement. Cette fidèle reconstitution (p. 135), menée par la Glasgow University, la fait renaître. Respectant au plus près les dessins et les photographies de l'époque, elle fut aménagée autant que possible avec du mobilier et des installations originales de Mackintosh et décorée à l'identique.

7 Culzean Castle

Cette majestueuse demeure (p. 148) doit beaucoup à l'architecte écossais Robert Adam, célèbre pour ses conceptions néoclassiques. Les éléments les plus connus sont ici un splendide escalier ovale, qui mène à un opulent salon circulaire donnant sur l'île d'Arran et l'îlot d'Ailsa Craig. Partout, l'intérieur est orné de frises et de rosaces de plâtre du XVIIIe siècle finement modelées, à l'élégance classique.

Glasgow et le Loch Lomond : le best of

Dîner

- **Café Gandolfi** (p. 137). Adresse incontournable de Glasgow, du petit-déjeuner au dîner de fruits de mer.
- **The Ubiquitous Chip** (p. 138). Une institution locale, l'une des premières à avoir misé sur les produits locaux.
- **Mother India** (p. 138). Le meilleur des restaurants indiens de Glasgow.
- **Stravaigin** (p. 138). Contemporain et pas guindé, il ravira les fins gourmets.
- **Oak Tree Inn** (p. 149). Bel emplacement au bord du loch et excellente soupe *Cullen skink*.

Pubs et bars

- **Horse Shoe** (p. 140). Pub légendaire de Glasgow au décor victorien d'origine.
- **Babbity Bowster** (p. 141). Charmant bar dans un coin tranquille du quartier branché de Merchant City.
- **Òran Mór** (p. 141). Ancienne église reconvertie en un bar animé.
- **Artà** (p. 140). Bar à cocktails drapé dans une débauche d'extravagance chic.
- **Drover's Inn** (p. 148). Pub plein de caractère près du Loch Lomond, où les serveurs portent le kilt.

Musées

- **Kelvingrove Art Gallery & Museum** (p. 132). Imposant temple victorien de la culture, l'un des meilleurs musées d'Écosse.
- **Burrell Collection** (p. 136). Célèbre collection d'art, léguée à la ville et installée dans un ravissant parc.
- **Riverside Museum** (p. 128). Musée des Transports à l'architecture moderne frappante. Un navire du XIXe siècle est amarré devant.
- **Robert Burns Birthplace Museum** (p. 147). Consacré au plus célèbre poète d'Écosse ; la visite inclut la découverte de sa maisonnette natale.

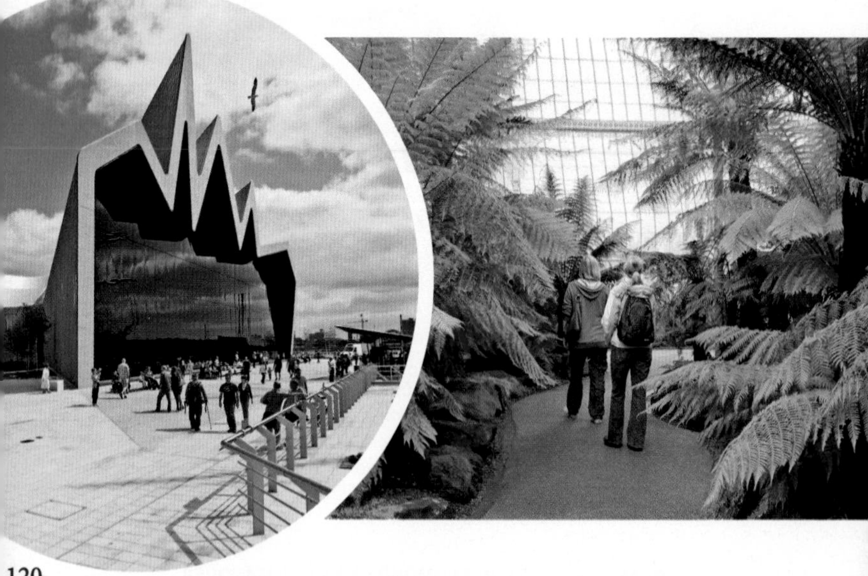

Beaux cadres

- **Botanic Gardens** (p. 131). Lieu idéal pour un pique-nique estival sur les rives de la Kelvin, dans le West End.
- **Culzean Castle & Country Park** (p. 148). Un château au parc magnifique, avec vue sur l'île d'Arran.
- **Loch Lomond Shores** (p. 147). Le sommet de la Drumkinnon Tower offre un panorama imprenable sur le loch et le Ben Lomond.
- **Millarochy Bay** (p. 149). Zone de pique-nique avec plage de galets et vue majestueuse sur le loch et les Luss Hills.

gauche Le Riverside Museum (p. 128 ; architecte : Zaha Hadid) **Ci-dessus** Les Botanic Gardens (p. 131).

Ce qu'il faut savoir

À PRÉVOIR

- **1 mois avant** Réservez votre hébergement dans le centre de Glasgow et près du Loch Lomond si vous voyagez en été.
- **2 semaines avant** Réservez une table dans les grands restaurants de la ville, surtout pour un soir de week-end.
- **1 semaine avant** Faites vos réservations pour les croisières sur le Loch Lomond.

ADRESSES UTILES

- **Glasgow: Scotland with Style** (www.seeglasgow.com). Site de l'office du tourisme : réservation d'hébergement, sites touristiques, activités et événements.
- **Glasgow Museums** (www.glasgowmuseums.com). Tout sur les galeries d'art et les musées publics de la ville.
- **Clyde Waterfront** (www.clydewaterfront.com). Dernières évolutions de la réhabilitation des quais de Glasgow, dont le récent Riverside Museum.
- **SPT** (www.spt.co.uk). Infos complètes sur les transports publics de Glasgow et ses environs.
- **Loch Lomond & the Trossachs National Park** (www.lochlomond-trossachs.org). Infos sur la faune et la flore, les activités, lieux d'intérêt et transports publics.
- **Ayrshire & Arran Tourist Board** (www.ayrshire-arran.com). Tout sur la région du Culzean Castle et de Robert Burns.

COMMENT CIRCULER

- **Depuis l'aéroport** Un bus relie toutes les 10 minutes environ l'aéroport Glasgow International à la gare routière de Buchanan St.
- **À pied** Il est très simple de découvrir le centre-ville à pied ; transports en commun indispensables pour le West End.
- **En bus** Bon réseau urbain, géré par **First Glasgow** (www.firstglasgow.com).
- **En métro** Une ligne circulaire relie le centre-ville au West End ; une rame toutes les 4 à 12 minutes.
- **En voiture** Système complexe de rues à sens unique et difficultés pour se garer dans le centre-ville ; préférez les transports en commun.

Promenade dans Glasgow

Le centre de Glasgow est célèbre pour son imposante architecture victorienne, héritage de son riche passé commerçant. Cette balade vous mènera jusqu'à la cathédrale de Glasgow, à travers le secteur branché de Merchant City, jadis quartier des industriels de Glasgow.

INFORMATIONS

- **Départ** George Square
- **Arrivée** Nécropole
- **Distance** 2,5 km
- **Durée** 1 heure 30

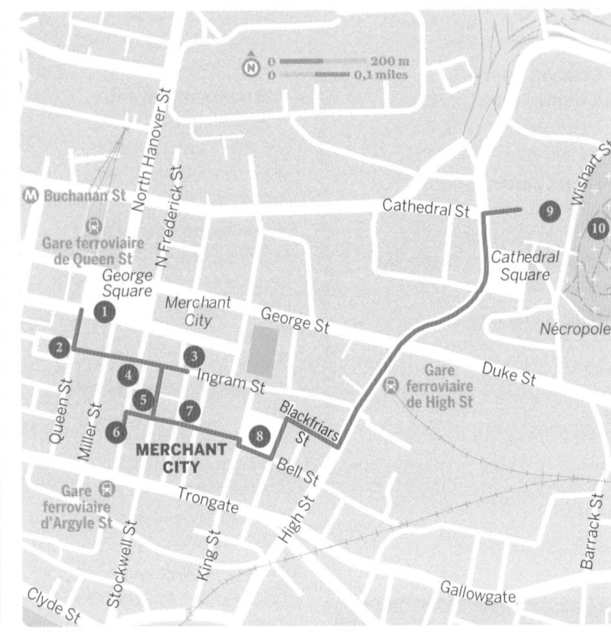

1 George Square

D'imposants bâtiments victoriens, tels que l'ancienne poste, la Bank of Scotland et les grandioses **City Chambers**, entourent la place, où l'on peut voir les statues de Robert Burns, James Watt et, en haut d'une colonne dorique de 24 m, sir Walter Scott.

2 Gallery of Modern Art

Descendez Queen St sur un pâté de maisons pour gagner la Gallery of Modern Art. Cet impressionnant bâtiment à colonnade qui date de 1827 était autrefois occupé par le Royal Exchange (Bourse) et abrite aujourd'hui certaines des plus belles expositions d'art contemporain du pays.

3 Hutcheson's Hall

La Gallery of Modern Art fait face à Ingram St. Traversez la rue, puis remontez-la vers l'est en longeant quatre pâtés de maisons jusqu'à l'élégant Hutcheson's Hall, bâti en 1805 et aujourd'hui entretenu par le National Trust of Scotland (NTS).

4 Corinthian Bar

Revenez sur vos pas sur un pâté de maisons et jetez un coup d'œil au Corinthian, un bar à la décoration fastueuse, qui a établi ses quartiers dans l'ancien palais de justice, dont il a même investi les cellules (au sous-sol).

5 Trades Hall

Continuez vers le sud dans Glassford St. Vous passez alors devant le Trades Hall, conçu par Robert Adam en 1791 pour accueillir la guilde des marchands. C'est la seule réalisation de ce célèbre architecte écossais encore visible à Glasgow. On en apprécie mieux l'extérieur depuis Garth St.

6 Tobacco Exchange

Tournez ensuite à droite dans Wilson St, puis prenez la première à gauche dans Virginia St, le long de laquelle se dressent les anciens entrepôts des "seigneurs du tabac" (des marchands de Glasgow ayant fait fortune dans le commerce du tabac). Nombre d'entre eux ont été reconvertis en appartements chics. Le Tobacco Exchange est devenu le Sugar Exchange en 1820.

7 Sheriff Court

Retournez dans Wilson St, où vous apercevrez l'édifice massif du Sheriff Court, qui occupe un pâté de maisons à lui seul. Cet étonnant bâtiment, qui abritait autrefois l'hôtel de ville de Glasgow, a été aménagé en luxueux appartements.

8 Merchant Square

Continuez vers l'est dans Wilson St et traversez Ingram Square, où d'autres bâtiments industriels ont été réhabilités, jusqu'à Merchant Square, cour couverte qui était autrefois le marché aux fruits de la ville et qui regorge de cafés et de bars.

9 Glasgow Cathedral

Descendez Albion St, puis prenez la première à droite dans Blackfriars St. Tournez à gauche dans High St et montez jusqu'à la cathédrale.

10 Nécropole

Derrière la cathédrale, allez flâner dans le dédale de nobles tombes en ruine de la nécropole, qui offre une vue superbe sur la ville.

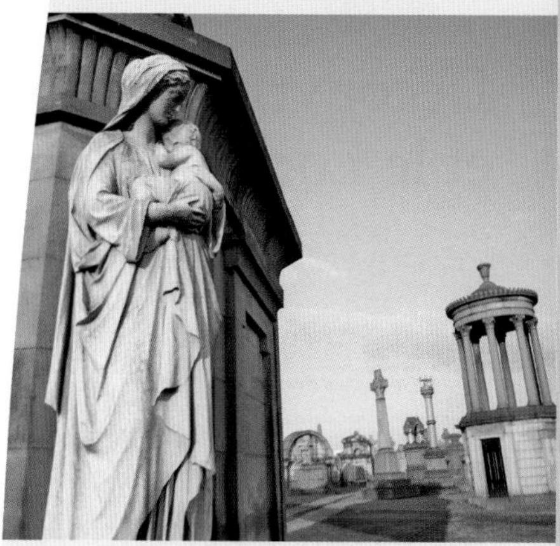

Glasgow en…

1 JOUR

Glasgow mérite un long séjour, mais si vous êtes pris par le temps, rendez-vous dans l'**East End** pour découvrir la **cathédrale** et le **St Mungo's Museum** et vous promener dans la **nécropole**. Dans l'après-midi, visitez l'un des meilleurs musées de la ville – la **Burrell Collection** ou le **Kelvingrove Art Gallery & Museum**. En début de soirée, flânez dans les rues de **Merchant City** avant d'aller dîner au **Café Gandolfi** ou dans un autre restaurant branché. Terminez votre journée par un verre à l'**Artà**.

2 JOURS

Suivez notre promenade (ci-contre), puis visitez les musées que vous avez manqués la veille. Pleins feux ensuite sur Mackintosh : la **Glasgow School of Art** est sa plus belle réalisation, et vous pouvez aussi admirer la reconstitution de la **Mackintosh House**. Dirigez-vous ensuite vers la **Clyde** et le **Glasgow Science Centre**. Faites une pause au **Horse Shoe Bar**, puis décidez de l'endroit où dîner : pourquoi pas le **Mother India** ? Pour boucler la soirée, profitez de l'une des excellentes salles de concerts de Glasgow.

La nécropole de Glasgow (p. 125)

Découvrir Glasgow et le Loch Lomond

Les incontournables

- **Centre-ville** (p. 124). Rues commerçantes piétonnières et imposante architecture victorienne.
- **East End** (p. 125). Partie la plus ancienne de la ville, dominée par la cathédrale de Glasgow.
- **La Clyde** (p. 127). Ancienne zone industrielle des chantiers navals, en pleine réhabilitation.
- **West End** (p. 129). Quartier universitaire, branché et bohème, riche en musées, cafés et restaurants.
- **Loch Lomond** (p. 145). Parc national aux portes de Glasgow.

La Glasgow School of Art

GLASGOW

À voir

Les principaux sites dignes d'intérêt sont assez régulièrement répartis. Beaucoup se trouvent le long des berges de la Clyde (qui font l'objet d'un important programme de réhabilitation), du côté des jardins entourant la cathédrale dans l'East End, et dans le South Side, réputé pour ses musées. La plupart des musées de la ville sont gratuits. Le centre-ville abrite plusieurs bâtiments de Mackintosh. Quant au West End, quartier branché, il est envahi par les étudiants pendant l'année universitaire.

Centre-ville

Avec ses rues piétonnières et son plan en damier, le centre-ville s'explore facilement. On y trouve de nombreux cafés et pubs, parfaits pour faire une pause entre les visites.

GLASGOW SCHOOL OF ART Œuvre de Mackintosh

(carte p. 126 ; ✆ 0141-353 4526 ; www.gsa.ac.uk/tours ; 167 Renfrew St ; adulte/enfant/famille 8,75/7/24 £ ; ⏲ 9h30-18h30 avr-sept, 10h30-17h oct-mars). Considérée comme la plus belle réussite de Mackintosh, l'École d'art de Glasgow remplit encore sa fonction originale. Difficile de rester de marbre devant le travail de l'architecte, qui semble avoir pensé le plus petit détail, à l'intérieur comme à l'extérieur. La décoration intérieure est assez austère, avec des combinaisons de couleurs simples (noir et blanc cassé le plus souvent) et les fameuses chaises à très haut dossier, d'allure inconfortable, qui ont fait la notoriété de Mackintosh. La bibliothèque, ajoutée à l'édifice en 1907, est un chef-d'œuvre. L'entrée des visiteurs se fait sur le côté, dans Dalhousie St. Là, vous trouverez une boutique avec une petite exposition explicative. D'excellentes visites guidées de 1 heure (à peu près toutes les heures en été ; à 11h, 13h et 15h en hiver), menées par des étudiants en architecture, en partent. C'est le seul moyen de découvrir l'édifice. N'hésitez pas à réserver par téléphone en période d'affluence. Traductions disponibles en plusieurs langues.

GRATUIT GALLERY OF MODERN ART Musée

(GoMA ; carte p. 126 ; www.glasgowlife.org.uk ; Royal Exchange Sq ; 10h-17h lun-mer et sam, 10h-20h jeu, 11h-17h ven et dim ; @). Aménagée dans un admirable bâtiment de style néoclassique, la galerie d'Art contemporain la plus populaire d'Écosse conserve des œuvres d'artistes du monde entier. Les expositions, présentées dans un espace original, sont aussi audacieuses qu'inventives, et mettent l'accent sur les thématiques sociales. Cependant, tout n'est pas ardu, et un grand effort a été fait pour que les enfants ne s'ennuient pas.

CITY CHAMBERS Hôtel de ville

(carte p. 126 ; www.glasgow.gov.uk ; George Sq). Les imposantes City Chambers, où siège aujourd'hui la municipalité, furent érigées dans les années 1880, lorsque Glasgow se trouvait à son apogée. Leur décoration intérieure est encore plus somptueuse que leur façade, et elles ont parfois servi de décor de film, pour évoquer le Kremlin ou le Vatican. Des visites guidées gratuites ont lieu à 10h30 et 14h30 du lundi au vendredi.

East End

Le quartier le plus ancien de la ville, rajeuni par un ravalement des façades dans les années 1990, s'étend autour de la cathédrale de Glasgow, à l'est du centre actuel. Comptez 15 minutes de marche depuis George Square, ou prenez l'un des nombreux bus qui passent tout près de ce quartier, tels les n°s 11, 12, 36, 37, 38 et 42.

GLASGOW CATHEDRAL Cathédrale

(HS ; carte p. 126 ; www.historic-scotland.gov.uk ; Cathedral Sq ; 9h30-17h30 lun-sam, 13h-17h dim avr-sept ; 9h30-16h30 lun-sam, 13h-16h30 dim oct-mars). Cette cathédrale (XVe siècle) est un bel exemple d'architecture gothique. C'est l'une des rares cathédrales d'Écosse à avoir été plutôt épargnée par les destructions de la Réforme. La **nef** arbore les couleurs de plusieurs régiments. Les panneaux du grand vitrail situé à l'est, qui représentent les apôtres, sont remarquables. La crypte, partie la plus intéressante de l'édifice, est une forêt de piliers autour du **tombeau de saint Mungo**, qui fonda une communauté monastique sur ce site au Ve siècle. Au Moyen Âge, c'était un haut lieu de pèlerinage.

Derrière la cathédrale, la **nécropole** s'étire sur une colline verdoyante. Les tombes victoriennes élaborées des industriels fortunés de la ville forment un cadre étonnant pour une promenade offrant une belle vue et quelques frissons.

GRATUIT ST MUNGO'S MUSEUM OF RELIGIOUS LIFE & ART Musée

(carte p. 126 ; www.glasgowlife.org.uk ; 2 Castle St ; entrée libre ; 10h-17h mar-jeu et sam, 11h-17h ven et dim). Audacieux et surprenant, ce musée, installé dans la reconstitution du palais de l'évêché qui se dressait dans l'avant-cour de la cathédrale, présente, de manière à la fois synthétique et artistique, plusieurs religions du monde, en soulignant les différences et les similitudes de leur approche de thèmes communs, comme la naissance, le mariage et la mort. Le résultat est louable. En même temps qu'elles gomment les frontières entre les différentes religions et cultures, ses très belles collections invitent à découvrir les formes diverses que prend la foi à travers le monde. Trois galeries thématiques sont ainsi consacrées à la religion en tant qu'art, à la vie religieuse et à la religion en Écosse (au dernier étage). Jardin zen à l'extérieur.

GRATUIT PROVAND'S LORDSHIP Maison historique

(carte p. 126 ; www.glasgowlife.org.uk ; 3 Castle St ; 10h-17h mar-jeu et sam, 11h-17h ven et dim). Proche de la cathédrale, Provand's Lordship est la plus ancienne demeure de Glasgow. Exemple rare de l'architecture domestique écossaise du XVe siècle, elle fut construite en 1471 et servait à l'origine de

Centre de Glasgow

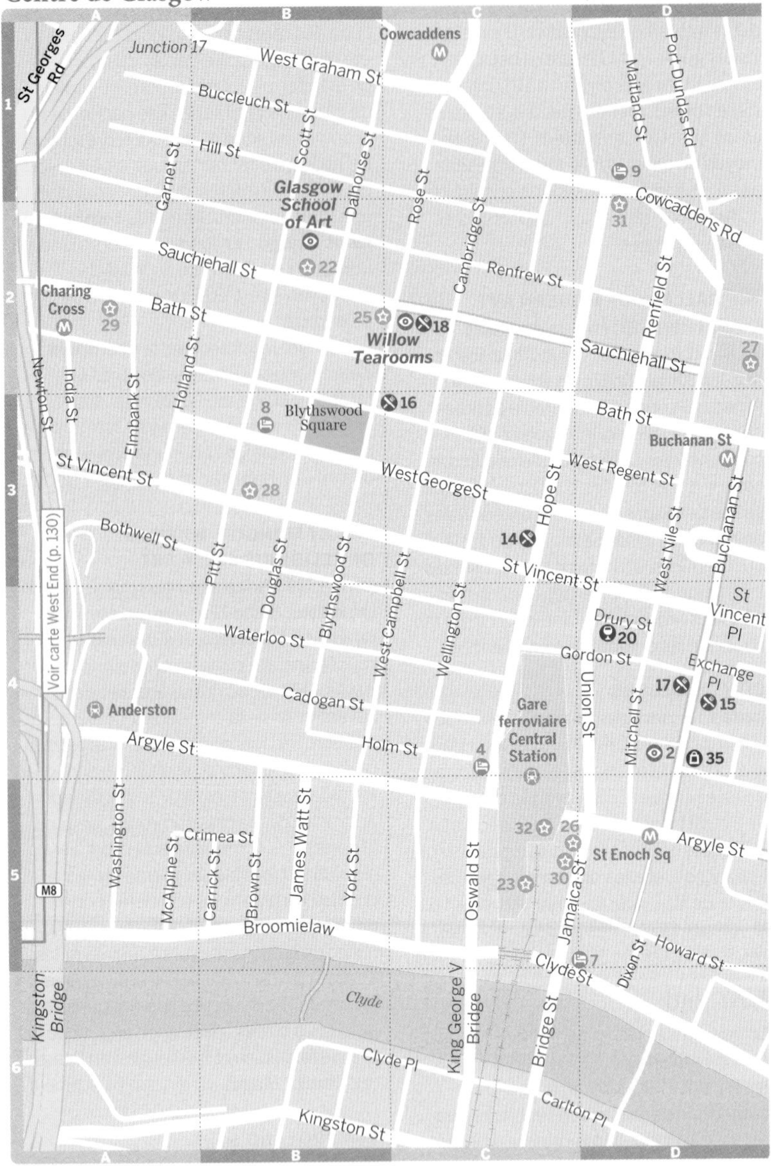

Voir carte West End (p. 130)

presbytère à l'aumônier de l'hôpital Saint-Nicolas. Les plafonds et les encadrements des portes sont bas. Les pièces ne comportent que quelques meubles d'époque, sauf l'une d'elles, située à l'étage, qui a été entièrement meublée et décorée, de sorte que le visiteur puisse se faire une idée du cadre de vie d'un aumônier du début du XVIe siècle. Une impression d'authenticité domine l'ensemble, exception faite du linoléum imitant un sol en pierre au rez-de-chaussée.

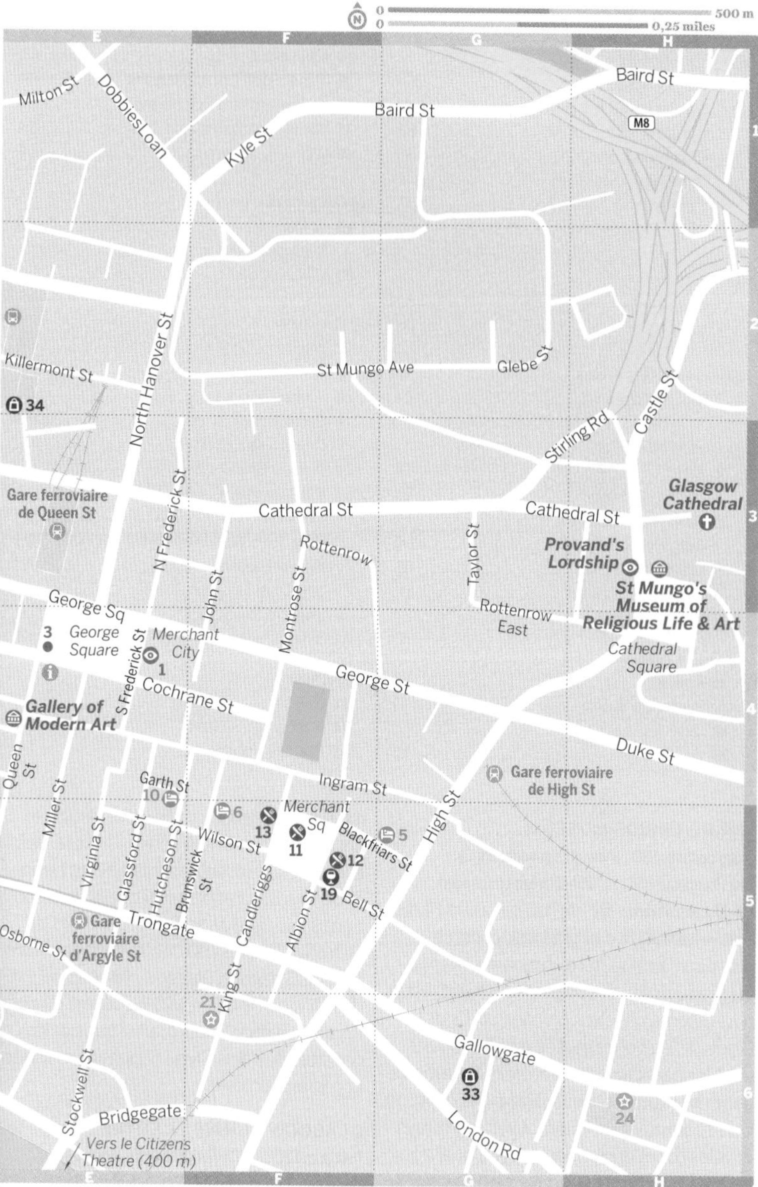

La Clyde

La Clyde, jadis florissante grâce à ses chantiers navals, fut longtemps laissée à l'abandon, mais elle entreprend une cure de rajeunissement. De grands travaux de réhabilitation du port (Glasgow Harbour), comprenant la transformation des anciens docks en boutiques et lieux de promenade, ont été engagés. Pour en savoir plus, consultez le site Internet www.glasgowharbour.com.

Centre de Glasgow

GRATUIT **RIVERSIDE MUSEUM** Musée

(hors carte p. 130 ; www.glasgowlife.org.uk ; 100 Pointhouse Pl ; 10h-17h lun-jeu et sam, 11h-17h ven et dim ;). Conçu par Zaha Hadid, une Britannique d'origine irakienne, ce musée à l'architecture étonnante, avec sa façade hérissée et son plan ondoyant, est la plus récente construction des bords de la Clyde. Il s'agit d'un musée des Transports, dont les collections présentent une superbe gamme d'automobiles *made in Scotland*, un bel assortiment de locomotives, tramways et vélos (dont la première bicyclette à pédales au monde, qui date de 1847), ainsi que des maquettes de navires sortis des chantiers navals de la Clyde. Ces véhicules d'antan sont replacés dans leur contexte grâce à la reconstitution, charmante, d'une rue commerçante du Glasgow du début du XXe siècle. Le **Glenlee (www.thetallship.com ; adulte/enfant 5/3 £ ; 10h-17h mars-oct, 10h-16h nov-fév)**, majestueux trois-mâts inauguré en 1896, est amarré à côté du musée. Ses expositions présentent l'histoire du navire et de sa restauration, ainsi que la vie à son bord à l'apogée de sa gloire. Le Riverside se trouve à l'ouest du centre-ville, dans le port de Glasgow (Glasgow Harbour) ; il est desservi par le bus n°100 au départ du côté nord de George Square, ainsi que par les navettes fluviales Clyde Clippers. Le musée comprend un café.

GLASGOW SCIENCE CENTRE Musée

(carte p. 130 ; 0141-420 5000 ; www.gsc.org.uk ; 50 Pacific Quay ; Science Mall adulte/enfant 9,95/7,95 £, Imax, tour d'observation ou planétarium 2,50 £ ; 10h-17h mer-dim). Projet phare de la Commission du millénaire, ce superbe musée ultramoderne a de quoi occuper petits et grands pendant des heures, grâce à des centaines d'expositions interactives sur quatre étages. L'illusion d'optique est à l'honneur avec le scanner qui redessine votre visage en 3D et la chambre à brouillard qui permet de suivre les trajectoires des particules. Le centre comporte une salle **Imax** en forme d'œuf, aux murs couverts de titane (appelez pour connaître le programme des projections en 3D), et un **Science Mall** interactif, vitré du sol au plafond, véritable mine d'or pour les esprits curieux. On y trouve aussi une **tour d'observation** pivotante haute de 127 m. Ne manquez pas de faire un tour au planétarium, où le **Scottish Power Space Theatre** donne vie au ciel nocturne et où le **Virtual Science Theatre** propose un voyage virtuel en 3D. Pour vous y rendre, prenez le bus Arriva n°24 dans Renfield St ou les bus First Glasgow n[os]89 ou 90 dans Union St. En hiver, le musée ferme plus tôt et n'ouvre ni le lundi, ni le mardi.

West End

Toujours en quête de nouveauté, le West End est sans doute le quartier le plus enjôleur de Glasgow, avec ses bars et cafés branchés et sa décontraction affichée. C'est l'endroit où prendre le pouls de la ville, et c'est ce que l'on fait de plus bohème à Glasgow. Du centre, les bus n[os]9, 16 et 23 vont vers Kelvingrove, les n[os]8, 11 et 16 vers l'université, et les n[os]20, 44 et 66 vers Byres Rd (entre autres lignes).

GRATUIT HUNTERIAN MUSEUM — Musée

(carte p. 130 ; www.hunterian.gla.ac.uk ; University Ave ; 10h-17h mar-sam, 11h-16h dim). Installé dans un superbe bâtiment de l'université, qui vaut à lui seul une visite, ce musée insolite abrite la collection de William Hunter (1718-1783), ancien étudiant renommé de l'université. À l'origine anatomiste et médecin, Hunter s'intéressait à tout ce que le monde avait à offrir. Des organes au formol trouvent leur place à côté de phénomènes géologiques, de tessons découverts dans d'anciens *brochs*, de squelettes de dinosaures et d'affreux animaux déformés. Les salles, avec leurs hauts plafonds voûtés, sont magnifiques. La *Map of the Whole Word* (carte du monde entier), de 1674, est une pièce maîtresse de la section baptisée World Culture.

GRATUIT HUNTERIAN ART GALLERY — Musée

(carte p. 130 ; www.hunterian.gla.ac.uk ; 82 Hillhead St ; 10h-17h mar-sam, 11h-16h dim). En face du Hunterian Museum, cette galerie, qui fait aussi partie du legs de

Le Glasgow Science Centre et le Scottish Exhibition and Conference Centre, conçus par Foster and Partners

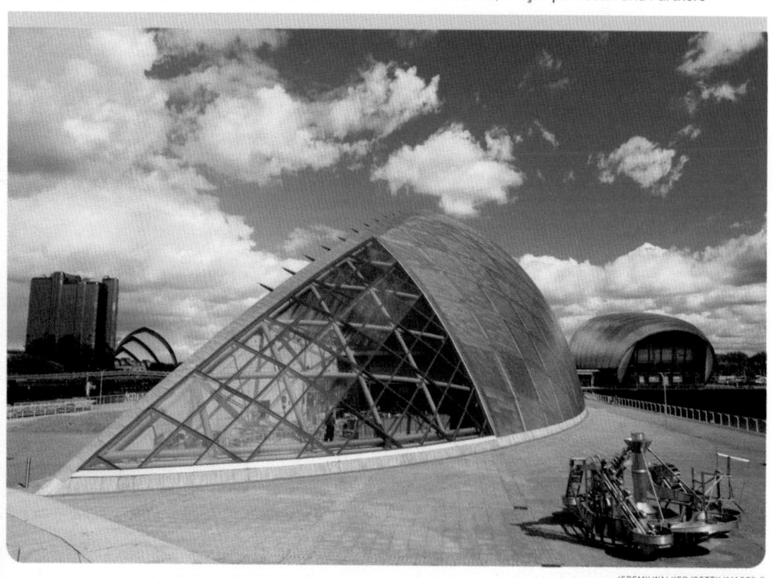

JEREMY WALKER/GETTY IMAGES ©

West End

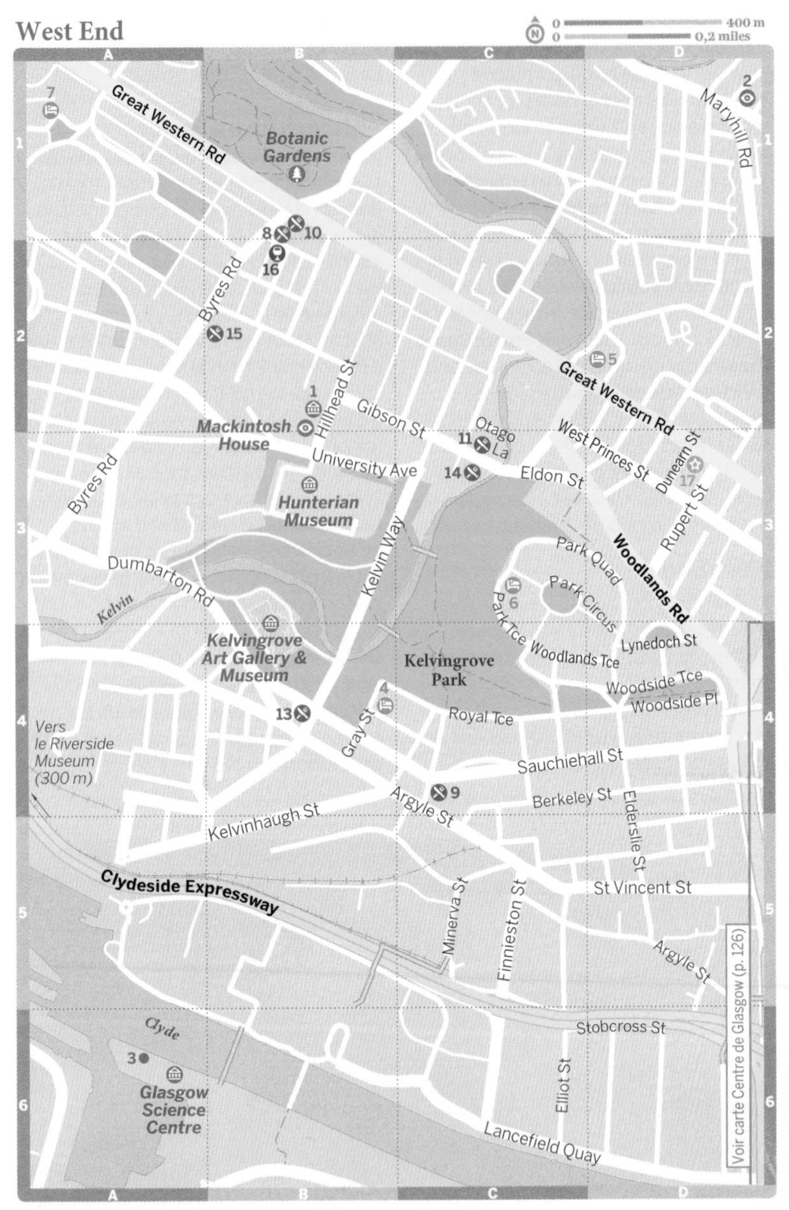

Hunter à l'université, présente les œuvres de coloristes écossais comme Samuel Peploe, Francis Cadell et J. D. Fergusson. On peut également admirer des paysages impressionnistes de sir William MacTaggart, un chef-d'œuvre de Thomas Millie Dow et une collection spéciale des gravures, dessins et tableaux de James McNeill Whistler. À l'étage, dans une section consacrée à l'art écossais du XIXe siècle, sont exposées des œuvres de quelques Glasgow Boys.

West End

Les incontournables

À voir

Circuits organisés

Où se loger

Où se restaurer

Où prendre un verre

Où sortir

BOTANIC GARDENS Jardins

(carte p. 130 ; www.glasgowbotanicgardens.com ; 730 Great Western Rd ; 7h-crépuscule, serre 10h-18h l'été, 10h-16h15 l'hiver). Un lieu délicieux pour échapper à la bruyante Great Western Rd. Pourtant, ce parc luxuriant ne semble guère attirer les habitants (sauf lors des week-ends ensoleillés), et il suffit de s'éloigner un peu pour se retrouver seul. Les jardins boisés s'étendent sur une berge de la Kelvin. Vous y découvrirez une foule de plantes tropicales. Le **Kibble Palace**, impressionnant bâtiment victorien de verre et de fer datant de 1873, est l'une des plus vastes serres de Grande-Bretagne. N'oubliez pas de faire un détour par le jardin des simples (*herb garden*), où sont cultivées des plantes médicinales. Cet espace vallonné et verdoyant forme un cadre idéal pour un pique-nique. En été, des circuits pédestres et des concerts sont organisés ici. Pour en savoir plus sur la programmation, jetez un coup d'œil au panneau d'affichage situé près de l'entrée.

South Side

Ce quartier est formé d'un entrelacs de rues bruyantes, émaillées çà et là d'oasis de tranquillité. C'est là que se trouve l'excellente Burrell Collection (p. 136).

Circuits organisés

CITY SIGHTSEEING En bus

(carte p. 126 ; 0141-204 0444 ; www.citysightseeingglasgow.co.uk ; adulte/enfant 11/5 £). Bus à impériale qui passent par les sites incontournables de la ville et permettent de faire autant d'arrêts qu'on le souhaite. Départ près de l'office du tourisme, sur George Square. Un ticket, acheté au conducteur ou à l'office, est valable 2 jours consécutifs. Les bus sont accessibles aux fauteuils roulants. Commentaires en plusieurs langues.

GLASGOW TAXIS CITY TOUR En taxi

(0141-429 7070 ; www.glasgowtaxis.co.uk). Si vous êtes à l'aise avec l'accent de Glasgow, un circuit en taxi est un bon moyen de découvrir la ville. Celui de 60 minutes passe par les principaux sites. Le circuit de base coûte 35 £ (jusqu'à 5 pers).

LOCH LOMOND SEAPLANES En hydravion

(carte p. 130 ; 0143-667 5030 ; www.lochlomondseaplanes.com ; sur la Clyde près du Glasgow Science Centre ; vols à partir de 129 £). Utilisant la Clyde comme piste d'amerrissage, ce prestataire propose des survols de Glasgow et du Loch Lomond et peut même vous conduire jusqu'à Oban.

WAVERLEY En bateau

(carte p. 130 ; www.waverleyexcursions.co.uk ; sur la Clyde près du Glasgow Science Centre ; 15-40 £ ; avr-sept). Construit en 1947, le *Waverley* est le tout dernier vapeur à roue à aubes

PATRICK DIEUDONNE/GETTY IMAGES

À ne pas manquer Kelvingrove Art Gallery & Museum

Dans un magnifique bâtiment victorien en pierre, ce musée a été rénové pour devenir un établissement original et fascinant, doté d'une incroyable variété d'expositions. Ici se côtoient des œuvres d'art et des animaux empaillés, des épées micronésiennes en dent de requin et un Spitfire. Toutefois, les salles sont aménagées par thème et ne sont pas surchargées. Excellente salle sur l'art écossais, superbes œuvres impressionnistes françaises et magnifiques tableaux Renaissance d'Italie et des Flandres. Le musée abrite aussi *Le Christ de saint Jean de la Croix*, de Salvador Dalí. Cerise sur le gâteau : presque toutes les œuvres sont accompagnées d'un petit paragraphe explicatif. On y apprend beaucoup, et les enfants ne sont pas oubliés, des activités et des expositions leur étant consacrées. Des visites guidées de 1 heure, gratuites, partent à 11h et 14h30. Le bus n°17, notamment, relie Renfield St au musée.

INFOS PRATIQUES

Carte p. 130 ; www.glasgowmuseums.com ; Argyle St ; entrée libre ; 10h-17h lun-jeu et sam, 11h-17h ven et dim ; @

à naviguer encore en pleine mer. Des croisières dans le Firth (estuaire) of Clyde sont programmées d'avril à septembre. Pour les horaires, reportez-vous au site Internet. Ce bateau dessert plusieurs villes ainsi que les îles de Bute, Great Cumbrae et Arran. Il part de plusieurs endroits dans Glasgow et ses environs, et notamment du Glasgow Science Centre.

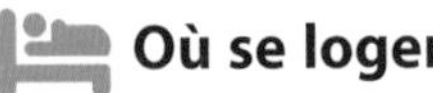

Où se loger

Le centre-ville est bruyant le week-end, et les établissements sont vite pris d'assaut, surtout par des groupes qui rentrent avec fracas après 3h. Les moins noctambules préféreront donc des adresses plus petites et plus calmes, ou opteront pour le West

End. Il est essentiel que vous réserviez votre chambre, surtout si vous voyagez en week-end ou en juillet-août.

Centre-ville

BRUNSWICK HOTEL Hôtel ££

(carte p. 126 ; 0141-552 0001 ; www.brunswickhotel.co.uk ; 106 Brunswick St ; d 50/95 £ ;). Le propriétaire transforme de temps en temps l'hôtel en un grand club, avec DJ dans les ascenseurs et installations artistiques dans les chambres. On ne peut rêver atmosphère plus détendue à Merchant City. Les chambres sont toutes élégantes, mêlant minimalisme et couleurs chaudes. Les doubles, compactes et standards, conviendront aux voyageurs qui restent une nuit, mais les *king-size* valent bien les 10 £ supplémentaires. Excellent restaurant au rez-de-chaussée et discothèque occasionnelle au sous-sol.

MALMAISON Hôtel £££

(carte p. 126 ; 0141-572 1000 ; www.malmaison.com ; 278 West George St ; ch/suite 160/345 ;). Cet établissement paradisiaque est le must de l'hébergement urbain chic, un havre de raffinement et d'élégance, portant à son comble le sens de l'hospitalité. Les chambres, à la lumière tamisée, sont meublées avec goût et décorées dans des tons sombres. Réservez par Internet : les tarifs sont moins élevés, et certaines offres pour des suites sont tentantes.

RAB HA'S Auberge ££

(carte p. 126 ; 0141-572 0400 ; www.rabhas.com ; 83 Hutcheson St ; ch 69-89 £ ;). Une adresse-phare de Merchant City, très bien située : un pub-restaurant plein de charme et, à l'étage au-dessus, 4 chambres élégantes, toutes différentes et gaies. La n°1 est la meilleure et la plus spacieuse, mais toutes sont confortables. Le sens du détail déployé ici (fleurs fraîches, docks pour iPod, petit-déjeuner servi à toute heure) et la chaleur de l'accueil font la différence.

ARTTO Hôtel ££

(carte p. 126 ; 0141-248 2480 ; www.arttohotel.com ; 37 Hope St ; s/d 75/90 £ ;). À côté de la gare ferroviaire, cet hôtel tendance et abordable, situé au-dessus d'un bar-restaurant prisé, loue des chambres compactes décorées dans des tons blanc, fauve et bordeaux. Avec leurs grandes fenêtres à double vitrage, celles sur l'avant sont attrayantes ; si vous avez le sommeil léger, vous préférerez sans doute celles qui donnent sur l'arrière. Les prix varient de façon spectaculaire d'un jour sur l'autre ; des tarifs chambre seule sont proposés.

PIPERS TRYST HOTEL Hôtel ££

(carte p. 126 ; 0141-353 5551 ; www.thepipingcentre.co.uk ; 30-34 McPhater St ; s/d 50/65 £ ;). Ce petit hôtel chaleureux occupe une noble bâtisse dont la gestion est assurée par le centre de cornemuse voisin, auquel il reverse tous ses bénéfices. Un service enjoué, un excellent rapport qualité-prix et un emplacement central le placent un cran au-dessus de ses concurrents. Sur les 8 chambres bien équipées, les n[os]6 et 7 sont nos préférées. Bar-restaurant au rez-de-chaussée, pour profiter de la musique et des *single malts*.

EURO HOSTEL Auberge de jeunesse £

(carte p. 126 ; 0141-222 2828 ; www.euro-hostels.co.uk ; 318 Clyde St ; dort 17-20 £, s 29-40 £, d 36-52 £ ; @). Non loin de la gare, cet établissement gigantesque, doté de centaines de lits, dégage une ambiance un peu impersonnelle, mais les services y sont excellents : dortoirs avec salle de bains et casiers, accès Internet, cuisine (compacte), service de petit-déjeuner et laverie. Dortoirs de 4 à 14 lits et prix variables d'un jour sur l'autre. Dans ce lieu très prisé par les groupes et doté de tables de billard et d'un excellent bar, les conversations se nouent instantanément.

BABBITY BOWSTER Auberge £

(carte p. 126 ; 0141-552 5055 ; www.babbitybowster.com ; 16-18 Blackfriars St ; s/d 45/60 £ ; P). En plein cœur du quartier branché de Merchant City, ce pub agréable et animé loue des chambres simples au mobilier et au design très sobres (mention spéciale pour la n°3), offrant une plongée dans le Glasgow authentique – la construction du bâtiment est attribuée à Robert Adam. Fait rare, le petit-déjeuner n'est pas compris, d'où les prix modérés.

West End

GLASGOW SYHA Auberge de jeunesse £
(carte p. 130 ; ☎ 0141-332 3004 ; www.syha.org.uk ; 8 Park Tce ; dort/lits jum 23/62 £ ; @ 📶). Sur une colline surplombant Kelvingrove Park, cette charmante demeure est l'une des meilleures auberges de jeunesse d'Écosse. La plupart des dortoirs (avec casiers à cadenas) comptent 4 à 6 lits et ont leur salle de bains privative. Il fait bon s'attarder dans les parties communes, spacieuses et raffinées. Pas de couvre-feu, bonne cuisine et repas proposés. Les tarifs indiqués ici sont les plus élevés mais sont, en pratique, généralement plus bas.

ALAMO GUEST HOUSE B&B ££
(carte p. 130 ; ☎ 0141-339 2395 ; www.alamoguesthouse.com ; 46 Gray St ; d/sup 95/145 £, s/d sans sdb 55/74 £ ; @ 📶). Fantastique petit B&B très paisible, situé en face de Kelvingrove Park, qui semble loin de l'animation de la ville. Pourtant, le centre-ville et le West End ne sont qu'à quelques minutes à pied, de même que certains des musées et des restaurants les plus intéressants. La décoration est un charmant cocktail de mobilier ancien et de design contemporain, les salles de bains sont parfaites, et les propriétaires vous réserveront un accueil chaleureux. Toutes les chambres ont un lecteur DVD, et beaucoup de films peuvent être empruntés. Le petit-déjeuner est copieux, mais il n'est pas servi dans sa version écossaise.

KIRKLEE HOTEL Hôtel ££
(carte p. 130 ; ☎ 0141-334 5555 ; www.kirkleehotel.co.uk ; 11 Kensington Gate ; s/d 65/80 £ ; 📶). Dans un quartier vert – et dans l'une

Le génie de Charles Rennie Mackintosh

Artistes, designers et architectes expriment souvent l'âme d'une ville, tout en contribuant à enrichir son patrimoine. On peut dire que les œuvres insolites aux lignes géométriques épurées du célèbre architecte écossais sont à Glasgow ce que le travail de Gaudí est à Barcelone. Nombre des bâtiments conçus par Mackintosh sont ouverts au public, et vous verrez son empreinte Art nouveau un peu partout dans la ville.

Né en 1868, Mackintosh fit ses études à la Glasgow School of Art. Il y rencontra Margaret Macdonald, qui devait elle aussi devenir une artiste influente et qu'il épousa : tous deux collaborèrent sur de nombreux projets et exercèrent une grande influence sur leurs travaux respectifs. En 1896, à l'âge de 27 ans seulement, Mackintosh remporta un concours d'architecture grâce à ses plans du nouveau bâtiment de la School of Art, sa plus belle réussite architecturale. La première aile ouvrit ses portes en 1899. On la considère comme le tout premier exemple d'Art nouveau en Grande-Bretagne, combinant à la perfection élégance du style et dimension fonctionnelle.

Bien que Mackintosh ait très vite acquis une vraie reconnaissance sur le continent, il ne connut pas le même succès en Écosse. Sa carrière d'architecte s'arrêta en 1914, date à laquelle il s'installa en Angleterre et ne s'occupa plus que de dessiner des meubles. Il mourut en 1928. C'est seulement à la fin du XXe siècle que son génie fut reconnu à sa juste valeur. Si vous souhaitez en apprendre davantage, adressez-vous à la **Charles Rennie Mackintosh Society** (☎ 0141-946 6600 ; www.crmsociety.com ; Mackintosh Church, 870 Garscube Rd, Mackintosh Church). Consultez le site Internet pour les manifestations spéciales.

Les grands amateurs d'architecture opteront pour le **ticket Mackintosh Trail** (16 £), en vente à l'office du tourisme et dans tous les édifices de Mackintosh. Il permet de visiter toutes les créations de l'architecte pendant une journée entière et donne droit à un nombre illimité de trajets en bus et en métro.

À ne pas manquer Mackintosh House

Adjacente à la Hunterian Art Gallery, voici une reconstitution de la première maison que Charles Rennie Mackintosh acheta avec sa femme, artiste renommée, Mary Macdonald. La décoration était l'un de ses points forts et se révèle, aujourd'hui encore, surprenante. Raffinées, l'entrée et la salle à manger, au rez-de-chaussée, conduisent à un superbe salon, où les précieux panneaux d'argent martelé, les chaises à haut dossier et les motifs évoquant les enluminures de manuscrits celtiques créent une atmosphère unique.

INFOS PRATIQUES

Carte p. 130 ; www.hunterian.gla.ac.uk ; 82 Hillhead St ; tarif plein/réduit 5/3 £ ; 10h-17h mar-sam, 11h-16h dim

des plus belles rues de Glasgow –, un joyau alliant le luxe d'un grand hôtel au charme et à la simplicité d'une maison d'hôtes. Les chambres sont ravissantes, magnifiquement meublées, et presque toutes donnent sur un joli jardin. Pour les familles, celle du rez-de-chaussée est dotée d'une grande salle de bains.

AMADEUS GUEST HOUSE B&B £
(carte p. 130 ; 0141-339 8257 ; www.amadeusguesthouse.co.uk ; 411 North Woodside Rd ; s 26-36 £, d 48-60 £ ;). À deux pas de l'agitation de Great Western Road et à une minute du métro, mais dans une rue tranquille non loin de la rivière, ce B&B propose des chambres lumineuses équipées d'une literie confortable et de jolis coussins. Leur gamme est variée, mais les tarifs sont toujours très raisonnables. Petit-déjeuner continental.

Où se restaurer

Avec son large éventail de pubs et de restaurants en tout genre, Glasgow est l'endroit où l'on mange le mieux en Écosse. Le West End est le centre gastronomique

VISITBRITAIN/BRITAIN ON VIEW/GETTY IMAGES ©

À ne pas manquer Burrell Collection

C'est l'un des sites incontournables de Glasgow, à environ 5 km du centre-ville. Industriel fortuné, sir William Burrell rassembla une impressionnante collection d'objets dont il fit don à la ville. Cette collection éminemment personnelle réunit des trésors qui vont de la porcelaine chinoise aux tableaux de Degas et Cézanne, en passant par du mobilier médiéval. En dépit des apparences, l'ensemble est agréablement cohérent.

Chacun trouvera ici une section à son goût. La galerie des tapisseries est d'une rare beauté – riche notamment d'immenses tentures murales du XIIIe au XVIe siècle, d'une finesse et d'un raffinement extrêmes.

Les chambranles en pierre sculptée de style roman sont superbes. Pour ajouter encore à la beauté du lieu, la lumière entre à flots à travers d'immenses baies vitrées offrant une vue imprenable sur le paysage alentour.

Au printemps, passer une journée ici et flâner dans le magnifique parc, parsemé de fleurs, est très agréable. Le domaine, qui faisait autrefois partie de la **Pollok House** (que l'on peut visiter), possède bon nombre de coins de pique-nique. Si vous ne pensez pas aller dans le nord du pays, vous pourrez voir ici des vaches à poil long des Highlands ainsi que des chevaux de trait.

De nombreux bus en provenance du centre-ville s'arrêtent devant les portes du parc (dont les nos 45, 47, 48 et 57). Il y a 2 navettes par heure entre l'entrée du parc et le musée (sinon, comptez 10 minutes pour effectuer cet agréable trajet à pied). Autre solution : prendre un train (il y en a 4 par heure) à Central Station en direction d'East Kilbride ou de Kilmarnock et descendre de Pollokshaws West (deuxième arrêt sur la ligne).

INFOS PRATIQUES

Carte p. 112 ; www.glasgowmuseums.com ; Pollok Country Park ; 🕘10h-17h lun-jeu et sam, 11h-17h ven et dim de la ville, et Merchant City compte un nombre incroyable de restaurants et cafés de qualité. De nombreux établissements mettent leurs offres du jour en ligne sur le site www.5pm.co.uk. Pour le déjeuner, les pubs et les bars constituent toujours d'excellentes options.

Centre-ville

CAFÉ GANDOLFI Café, bistrot ££

(carte p. 126 ; ☎0141-552 6813 ; 64 Albion St ; plats 11-15 £ ; ⌚9h-23h30). Dans le quartier tendance de Merchant City, le Gandolfi faisait jadis partie d'un marché aux fromages. Depuis des années, ce bistrot accueillant doublé d'un café chic ne désemplit pas et attire une clientèle où se mêlent fidèles, nantis et touristes. Pour espérer découvrir sa savoureuse cuisine écossaise et continentale, mieux vaut réserver sa table (d'allure médiévale et dessinée par Tim Stead). À côté, la nouvelle salle est spécialisée dans le poisson.

BRUTTI MA BUONI Méditerranéen £

(carte p. 126 ; ☎0141-552 0001 ; www.brunswickhotel.co.uk ; 106 Brunswick St ; plats 7-11 £ ; ⌚11h-22h ; 👪). Aux antipodes de certains restaurants prétentieux de Merchant City, Brutti Ma Buoni (qui signifie "laid mais bon" en italien) séduit par son sens de l'humour et sa carte qui, non contente d'afficher des prix doux, fera sourire les anglophones parmi vous. La cuisine mêle influences italienne et espagnole, portions façon tapas et assiettes plus copieuses. Tout est inventif, frais et vraiment délicieux.

MUSSEL INN Fruits de mer ££

(carte p. 126 ; ☎0141-572 1405 ; www.mussel-inn.com ; 157 Hope St ; plats 10-18 £). Le succès – non démenti – d'une première table ouverte à Édimbourg (dans Rose St ; voir p. 95), a donné des ailes à cette enseigne, qui s'est lancée récemment dans la plus grande ville d'Écosse. Installé sur deux niveaux, ce restaurant clair et décontracté vous régalera de coquilles Saint-Jacques, d'huîtres et de moules issues d'élevages durables, servies avec le sourire.

DAKHIN Indien ££

(carte p. 126 ; ☎0141-553 2585 ; www.dakhin.com ; 89 Candleriggs ; plats 7-19 £). Un restaurant qui se démarque de la scène gastronomique indienne de Glasgow en proposant une cuisine venue du sud de l'Inde, où figurent notamment des *dosa* (fines galettes de riz) et un choix de curries au lait de coco qui met l'eau à la bouche. Les gros appétits opteront pour le *thali*, un assortiment de plats.

ARISAIG Écossais ££

(carte p. 126 ; ☎0141-553 1010 ; www.arisaigrestaurant.co.uk ; 1 Merchant Sq ; plats 12-20 £). Situé dans l'immeuble de Merchant Square, bâtiment historique transformé en espace restauration bruyant, l'Arisaig est l'occasion de goûter à des plats écossais bien préparés à des prix corrects, en terrasse ou à l'intérieur. Le service sympathique, les bougies et le linge de table impeccable compensent le côté artificiel du cadre.

THE CHIPPY DOON THE LANE Fish and chips £

(carte p. 126 ; www.thechippyglasgow.com ; McCormick Lane, 84 Buchanan St ; repas 6-11 £ ; ⌚12h-21h30). Ne soyez pas rebuté par cette morne ruelle du quartier commerçant, car voilà un *fish and chips* qui détonne : produits de la mer respectueux du développement durable et ambiance jazzy dans une salle chic toute de briques et de métal. Vous pouvez aussi déguster votre commande à l'une des tables de la ruelle.

WHERE THE MONKEY SLEEPS Café £

(carte p. 126 ; www.monkeysleeps.com ; 182 West Regent St ; plats 4-7 £ ; ⌚7h-17h lun-ven). Avec sa totale décontraction, cette petite adresse change agréablement des innombrables cafés standardisés du quartier d'affaires. Les stars du coin sont les bagels et les paninis répondant à des noms étranges, mais les plats sont très inventifs, à l'image des haricots "nucléaires", au poivre de Cayenne et au Tabasco.

WILLOW TEAROOMS Salon de thé £

(www.willowtearooms.co.uk ; repas léger 4-8 £ ; ⌚9h-17h lun-sam, 11h-17h dim) Buchanan St

Si vous aimez... Charles Rennie Mackintosh

Si la Glasgow School of Art a éveillé en vous un enthousiasme fiévreux pour le style Glasgow, la ville a d'autres merveilles de Mackintosh en réserve.

1 **WILLOW TEAROOMS**
(carte p. 126 ; www.willowtearooms.co.uk ; 217 Sauchiehall St ; 9h-17h lun-sam, 11h-17h dim). Cet édifice, que l'architecte avait dessiné et meublé au début du XXe siècle pour la restauratrice Kate Cranston, a été magnifiquement restauré.

2 **LIGHTHOUSE**
(carte p. 126 ; 0141-221 6362 ; www.thelighthouse.co.uk ; 11 Mitchell Lane ; 10h30-17h lun-sam, 12h-17h dim). Première réalisation de Mackintosh, conçue en 1893, cet édifice accueille le Scotland's Centre for Architecture & Design.

3 **SCOTLAND STREET SCHOOL MUSEUM**
(www.glasgowmuseums.com ; 225 Scotland St ; 10h-17h mar-jeu et sam, 11h-17h ven et dim). Mérite une visite pour sa remarquable façade et son intéressant musée consacré à l'éducation.

4 **HOUSE FOR AN ART LOVER**
(0141-353 4770 ; www.houseforanartlover.co.uk ; Bellahouston Park, Dumbreck Rd ; adulte/enfant 4,50/3 £ ; 10h-16h lun-mer, 10h-13h jeu-dim). Dessinée en 1901, cette "Maison pour un amateur d'art" ne fut pas édifiée avant les années 1990. Mackintosh travailla sur ce projet en collaboration avec sa femme, dont on perçoit nettement l'influence, notamment dans les motifs en forme de rose.

5 **MACKINTOSH CHURCH**
(carte p. 130 ; www.crmsociety.com ; 870 Garscube Rd ; adulte/enfant 4 £/gratuit ; 10h-17h lun, mer et ven avr-oct, 10h-16h lun, mer et ven nov-mars). La seule église dessinée par Mackintosh à avoir été construite.

(carte p. 126 ; 97 Buchanan St) Sauchiehall St **(carte p. 126 ; 217 Sauchiehall St).** Ces deux salons de thé sont des reconstitutions de ceux conçus en 1904 par Charles Rennie Mackintosh. Ils ne se contentent pas d'être beaux : ils servent des bagels et des pâtisseries excellents, et, comble du chic, des goûters au champagne (20 £). À certaines heures, les files d'attente peuvent être longues.

West End

Les excellents restaurants ne manquent pas dans le West End, en particulier dans Byres Rd et ses alentours, dans Ashton Lane et Ruthven Lane. Gibson St et Great Western Rd ne sont pas en reste.

THE UBIQUITOUS CHIP Écossais **£££**
(carte p. 130 ; 0141-334 5007 ; www.ubiquitouschip.co.uk ; 12 Ashton Lane ; dîner 2/3 plats 35/40 £, plats de brasserie déj 7-12 £, dîner 12-15 £). Ce restaurant a remporté de nombreux prix pour sa cuisine écossaise hors pair, et sa carte des vins est impressionnante. La cuisine affiche des inspirations françaises mais mise résolument sur les produits locaux, choisis avec soin et dans le respect du développement durable. Dans une cour élégante, c'est l'une des meilleures tables de Glasgow. À l'étage, dans le pub plein de charme, la carte affiche des prix plus accessibles sans rogner sur la qualité. Au bout de l'allée voisine, l'adorable Wee Pub est parfait pour un verre. Consultez le site Internet : il se passe toujours quelque chose au Chip.

STRAVAIGIN Écossais **££**
(carte p. 130 ; 0141-334 2665 ; www.stravaigin.co.uk ; 28 Gibson St ; plats 10-18 £ ; 9h-23h). Un must pour les fins gourmets, où la cuisine repousse sans cesse les limites de l'inventivité et de l'excellence. Dans le décor contemporain de la salle au sous-sol, aménagée en alcôves, le personnel sympathique est aux petits soins pour vous aider à déchiffrer les audacieuses propositions culinaires.

On y accède par le bar, un endroit animé, sur 2 étages, où il est aussi possible de manger. De nombreuses formules sont proposées, de même que des soirées culinaires thématiques.

MOTHER INDIA Indien ££

(carte p. 130 ; ☎0141-221 1663 ; www.motherindia.co.uk ; 28 Westminster Tce, Sauchiehall St ; plats 8-14 £ ; 🕒déj ven-dim, dîner tlj ; 🍷 👪). La scène gastronomique du Sud-Est asiatique fait l'objet à Glasgow de débats enflammés entre fines gueules, mais le Mother India en est toujours un nom incontournable. Certes, ce restaurant n'est peut-être pas aussi tendance que certains petits nouveaux, mais c'est une institution où qualité et inventivité ne se démentent pas. Et les enfants, loin d'être oubliés, y font leur choix dans une carte qui leur est dédiée.

THE BUTCHERSHOP Grill £££

(carte p. 130 ; www.butchershopglasgow.com ; 1055 Sauchiehall St ; steaks 16-30 £ ; 🕒12h-22h). Traçabilité et maturation soignée caractérisent toutes les viandes ici, sans doute la meilleure table de Glasgow pour déguster un savoureux morceau de bœuf servi exactement selon vos désirs – idéal pour déjeuner après la visite du musée Kelvingrove. Des tables sont installées devant quand le temps le permet. À la carte également, du poisson et des fruits de mer, et des cocktails corrects.

🍃THE LEFT BANK Bistrot ££

(carte p. 130 ; ☎0141-339 5969 ; www.theleftbank.co.uk ; 33 Gibson St ; plats 12-18 £ ; 🕒9h-22h lun-ven, 10h-22h sam-dim ; 🍷 👪). Cette adresse se signale autant par ses grandes baies vitrées donnant sur la rue que par sa cuisine gastronomique. Ses nombreux petits espaces avec sofas et tables en bois brut incitent à venir s'y prélasser des après-midi entiers. Piochez dans la carte des entrées comme vous commanderiez des tapas et partagez-les. D'influences bigarrées, les délicieuses créations culinaires mettent à l'honneur les produits de saison et du terroir.

HEART BUCHANAN Café, épicerie fine £

(carte p. 130 ; www.heartbuchanan.co.uk ; 380 Byres Rd ; repas léger 6-10 £ ; 🕒9h-16h lun-sam, 10h-18h dim). La célèbre épicerie du West End (entrez-y, ne serait-ce que pour ses merveilleux effluves) se double d'un petit café. N'hésitez pas à enfreindre un ou plusieurs des dix commandements pour obtenir une table et savourer l'un des meilleurs petits-déjeuners de Glasgow, à base de produits savoureux et de qualité, un jus de fruits ou un milk-shake rafraîchissant, ou encore un plat léger au déjeuner. La carte change régulièrement. Si le café est bondé, certains de ses plats sont vendus à emporter à l'épicerie.

Aux Willow Tearooms (p. 137)

Ci-dessous Le Kibble Palace, dans les Botanic Gardens (p. 131)
À droite Le Burns National Heritage Park, à Alloway (p. 147)

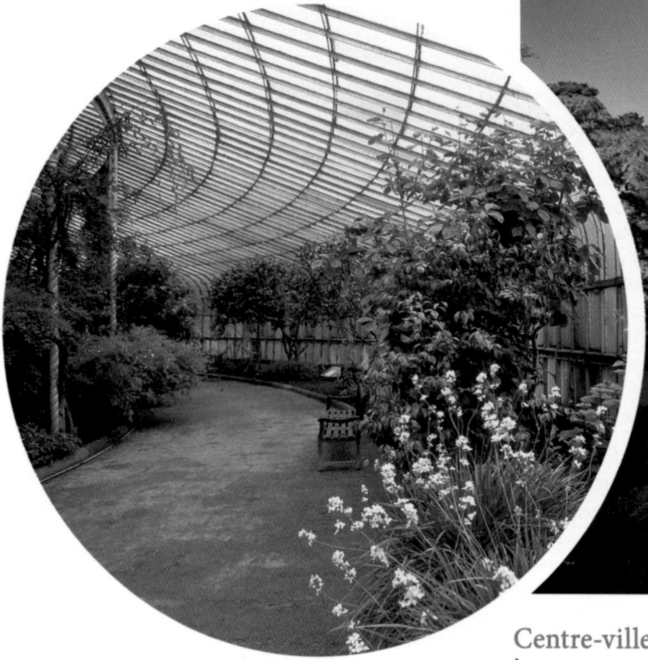

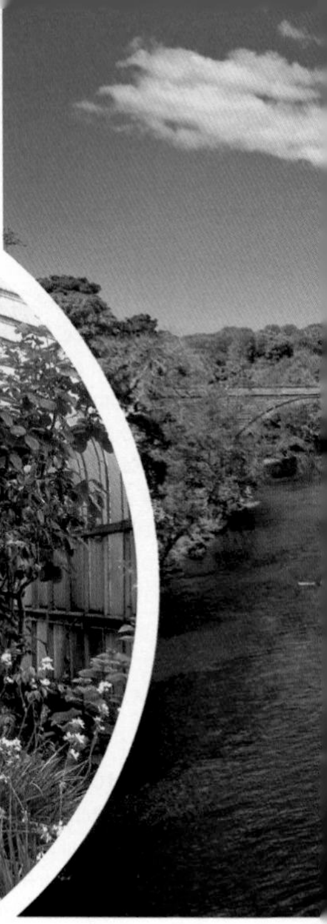

ÒRAN MÓR BRASSERIE Écossais ££
(carte p. 130 ; 0141-357 6226 ; www.oran-mor.co.uk ; 731 Great Western Rd ; plats 12-20 £ ; 12h-21h dim-mer, 12h-22h jeu-sam). Ce temple de la gastronomie et des breuvages écossais est installé dans le cadre superbe d'une ancienne église. Loin de l'ascétisme religieux, la brasserie mitonne une cuisine de qualité dans un intérieur sombre, inspiré de Mackintosh. La carte est variée, faisant aussi bien dans la simplicité (hamburgers) que dans les plats plus élaborés. Lors de notre passage, une formule à 2 plats pour 13 £ était servie de 16h à la fermeture.

Où prendre un verre

Les pubs et bars de Glasgow sont l'incarnation du caractère de la ville : bruyants, bavards, conviviaux et résolument tournés vers la recherche d'un bon *craic* (discussion animée).

Centre-ville

ARTÀ Bar
(carte p. 126 ; www.arta.co.uk ; 13-19 Walls St ; 17h-23h jeu, 17h-3h ven-sam). Ce bar extraordinaire offre une telle esthétique que l'on s'attend presque à voir Mozart à l'autre bout du bar lorsque l'on entend un de ses concertos en fond sonore. Installé dans un ancien marché aux fromages, il mérite vraiment un coup d'œil. L'intérieur, éclairé aux bougies, est opulent : les murs sont tendus de velours du sol au plafond, et des rideaux rouges dévoilent un escalier menant au bar à tapas et au restaurant, le tout dans un style un rien "décadent chic". Clientèle éclectique et ambiance détendue. Les cocktails sont délicieux.

HORSE SHOE Pub
(carte p. 126 ; www.horseshoebar.co.uk ; 17 Drury St). Ce pub légendaire et très fréquenté date de la fin du XIXe siècle. Il semble n'avoir guère changé depuis. Pittoresque, il est connu pour posséder le plus long comptoir de tout le Royaume-Uni, mais on y vient d'abord pour ses plats

et ses boissons de qualité. À l'étage est servie une cuisine d'un rapport qualité-prix imbattable (menu 3 plats 4,50 £).

BABBITY BOWSTER Pub

(carte p. 126 ; 16-18 Blackfriars St). Dans un coin calme de Merchant City, ce pub est l'endroit idéal pour prendre tranquillement un verre dans la journée, en particulier en terrasse. Le service est attentif, et l'odeur des saucisses aiguisera votre appétit. On y loue des chambres (voir p. 133). L'un des pubs les plus charmants du centre-ville, dans l'un de ses bâtiments les plus anciens.

West End

HILLHEAD BOOKCLUB Bar

(carte p. 130 ; www.hillheadbookclub.com ; 17 Vinicombe St). Sur deux niveaux et sous un superbe plafond en bois travaillé, ce bar décontracté du West End déborde de charme : cocktails bien préparés, boissons très abordables, en-cas revigorants et fascinants petits détails déco. Et, en prime, une table de ping-pong dans une cage !

ÒRAN MÓR Bar

(carte p. 130 ; www.oran-mor.co.uk ; 731 Great Western Rd). Dans cette église reconvertie en bar, restaurant et club, tout de bois et de pierres apparentes, le bar a beaucoup de cachet et propose un bon choix de whiskies.

BREL Bar

(carte p. 130 ; www.brelbarrestaurant.com ; 39 Ashton Lane). Meilleure adresse d'Ashton Lane, ce bar belge peut sembler trop petit, mais il y a un *beer garden* à l'arrière, ainsi qu'un jardin d'hiver, ce qui donne l'impression d'être dehors même lorsqu'il pleut. Grand choix de bières belges, de moules et d'autres spécialités du plat pays.

Où sortir

De la musique classique au théâtre, en passant par les ballets, les concerts de groupes locaux et les discothèques résonnant des derniers tubes hip-hop ou électro, Glasgow est la capitale écossaise des sorties.

Disponible en kiosque et librairie, le bihebdomadaire *The List* (www.list.co.uk) sera le principal guide de vos sorties.

Pour les billets pour le théâtre, rendez-vous sur place. Pour les concerts, vous pouvez passer par le centre de réservation **Tickets Scotland** (carte p. 126 ; ☎0141-204 5151 ; www.tickets-scotland.com ; 237 Argyle St).

Clubs

Glasgow compte parmi les villes de Grande-Bretagne les plus à la pointe en la matière, et les fêtards y viennent de loin. Les gens se rendent dans les clubs après la fermeture des pubs ; par conséquent, de nombreux établissements proposent un tarif réduit (sur l'entrée et les boissons) avant 22h30. L'entrée coûte entre 5 et 10 £ (et jusqu'à 25 £ pour les grandes soirées). Sachez que les bars distribuent souvent des *pass* gratuits. La loi oblige les clubs à fermer à 3h. Tendez l'oreille pour trouver les *after*.

SUB CLUB Club

(carte p. 126 ; www.subclub.co.uk ; 22 Jamaica St). Les samedis du Sub Club sont légendaires, avec des rythmes que les clubbeurs considèrent souvent comme les meilleurs de la ville. Claustrophobes s'abstenir.

ARCHES club

(carte p. 126 ; www.thearches.co.uk ; 253 Argyle St). Ce vétéran des clubs de Glasgow, dont l'architecture intérieure repose sur des centaines d'arches, est incontournable pour les amateurs de funk et de hip-hop. Figurant parmi les plus gros clubs de la ville, il attire de grands DJ et permet d'écouter certaines étoiles montantes des platines britanniques. Tout près de Jamaica St.

Musique live

Glasgow est le centre de la scène musicale écossaise. Année après année, musiciens en tournée, artistes et voyageurs la désignent comme l'une de leurs villes favorites en matière de concerts. De même que l'ambiance de la ville est liée au caractère de ses habitants, ce dynamisme musical de Glasgow repose en grande partie sur son public, ainsi que sur une communauté musicale qui s'est façonnée au fil des ans.

Les lieux de concerts sont si nombreux qu'il serait impossible de tous les présenter ici. Le site **Gig Guide** (www.gigguide.co.uk) et son mensuel gratuit, disponible dans les pubs et les salles de concerts, proposent la liste de tous les concerts à venir.

La Gallery of Modern Art (p. 125)

ERIC JAMES/ALAMY ©

L'un des premiers pubs musicaux de la ville, l'excellent **King Tut's Wah Wah Hut** (carte p. 126 ; ☎0141-221 5279 ; www.kingtuts.co.uk ; 272a St Vincent St) accueille des groupes tous les soirs de la semaine. C'est ici qu'Oasis s'est fait remarquer.

Deux bars, le **Brunswick Cellars** (carte p. 126 ; 239 Sauchiehall St) et le **Classic Grand** (carte p. 126 ; www.classicgrand.com ; 18 Jamaica St), permettent de découvrir le meilleur et le pire des nouveaux groupes de Glasgow.

13TH NOTE CAFÉ Musique live, café
(carte p. 126 ; www.13thnote.co.uk ; 50-60 King St). Sert aussi des plats végétariens corrects.

ABC Club, musique live
(O2 ABC ; carte p. 126 ; www.o2abcglasgow.co.uk ; 300 Sauchiehall St). Adresse phare du quartier, l'ABC fait à la fois club, avec plusieurs bars intéressants, et salle de concerts, avec ses deux scènes spacieuses – et il le fait très bien. Des DJ y mixent tous les soirs, du jeudi au samedi. Les noctambules ici soignent leur look.

BARROWLAND Salle de concerts
(carte p. 126 ; www.glasgow-barrowland.com ; 244 Gallowgate). Une ancienne salle de bal, exceptionnelle, où sont organisés certains des plus gros concerts de Glasgow.

THE CAPTAIN'S Musique live
(carte p. 130 ; www.captainsrest.co.uk ; 185 Great Western Rd). Programmation tournée vers les groupes indés, avec des concerts presque tous les soirs, et soirée scène ouverte le lundi.

Théâtres et salles de concerts

THEATRE ROYAL Opéra, ballet, théâtre
(carte p. 126 ; ☎0844-871 7627 ; www.atgtickets.com ; 282 Hope St). La salle du Scottish Opera accueille aussi souvent le Scottish Ballet. Pour réserver à un guichet, rendez-vous au King's Theatre.

GLASGOW ROYAL CONCERT HALL Salle de concerts
(carte p. 126 ; ☎0141-353 8000 ; www.glasgowconcerthalls.com ; 2 Sauchiehall St). Résidence du Royal Scottish National Orchestra, cette salle est dédiée à la musique classique.

KING'S THEATRE Théâtre
(carte p. 126 ; ☎0844 871 7627 ; www.atgtickets.com ; 297 Bath St). On y joue pour l'essentiel des comédies musicales, parfois des shows de variétés, des pantomimes et des spectacles comiques.

CITIZENS' THEATRE Théâtre
(hors carte p. 127 ; ☎0141-429 0022 ; www.citz.co.uk ; 119 Gorbals St). L'un des meilleurs d'Écosse.

Achats

Paradis des accros du shopping, Glasgow est, dit-on, la ville du Royaume-Uni comptant le plus de commerces après Londres. Le "Style Mile", autour de Buchanan St, Argyle St et Merchant City (en particulier Ingram St, très haut de gamme), est le quartier de la mode, tandis que le West End possède des boutiques plus insolites et bohèmes : Byres Rd compte d'excellentes friperies.

BARRAS Marché aux puces
(carte p. 126 ; www.glasgow-barrowland.com ; entre Gallowgate et London Rd ; 10h-17h sam-dim). À bien des égards, on peut considérer que c'est au marché aux puces de Barras que bat le cœur de la ville. On y dénombre presque un millier de stands, et c'est tout autant un lieu de promenade que de shopping. Voilà pourquoi il s'en dégage comme une atmosphère de vacances. Seuls bémols : Barras est aussi célèbre pour ses contrefaçons et pour ses pickpockets.

BUCHANAN GALLERIES Centre commercial
(carte p. 126 ; www.buchanangalleries.co.uk ; Royal Exchange Sq). Grand nombre de magasins de vêtements modernes.

PRINCES SQUARE Mode
(carte p. 126 ; www.princessquare.co.uk ; Buchanan St). Sur une magnifique place rénovée datant de 1841. Boutiques de cosmétique et de mode, Vivienne Westwood notamment.

Renseignements

Offices du tourisme

Glasgow Information Centre (☎0141-204 4400 ; www.seeglasgow.com ; 11 George Sq ; 🕘9h-17h lun-sam). Un excellent office du tourisme. Réservation d'hébergements à Glasgow et dans tout le pays (4 £). En juillet-août, il ferme plus tard et ouvre le dimanche.

Airport Tourist Office (☎0141-848 4440 ; Glasgow International Airport ; 🕘7h30-17h lun-sam, 7h30-15h30 dim). À l'aéroport.

Services médicaux

Si vous avez besoin de voir un médecin, rendez-vous dans le service de consultations ambulatoires de n'importe quel hôpital.

Glasgow Dental Hospital (☎0141-211 9600 ; www.nhsggc.org.uk ; 378 Sauchiehall St). Problèmes dentaires.

Glasgow Royal Infirmary (☎0141-211 4000 ; www.nhsggc.org.uk ; 84 Castle St). Urgences et services de consultation médicale.

Western Infirmary (☎0141-211 2000 ; www.nhsggc.org.uk ; Dumbarton Rd)

Depuis/vers Glasgow

Avion

Situé à 16 km de la ville, l'**aéroport international de Glasgow** (GLA ; www.glasgowairport.com) est desservi par des lignes aériennes nationales et internationales. L'**aéroport Glasgow Prestwick** (PIK ; www.glasgowprestwick.com), à 50 km environ au sud-ouest de Glasgow, est utilisé par **Ryanair** (www.ryanair.com) et d'autres compagnies low cost reliant le reste de la Grande-Bretagne et l'Europe.

Bus

Tous les bus longue distance arrivent et partent de la **Buchanan bus station** (gare routière de Buchanan ; ☎0141-333 3708 ; www.spt.co.uk ; Killermont St), où se trouvent une consigne onéreuse, des DAB et un café avec accès Wi-Fi.

Si vous cherchez un billet à prix bas, renseignez-vous avant tout auprès de **Megabus** (www.megabus.com), qui pratique des tarifs très avantageux, en fonction de la demande, sur les principaux trajets, y compris pour Édimbourg et Londres. Avec un peu de chance, vous pourriez décrocher un billet pour Londres à seulement 12 £.

Scottish Citylink (☎0871-266 3333 ; www.citylink.co.uk) rallie la plupart des grandes villes écossaises, dont les suivantes :

Édimbourg (6,80 £, 1 heure 15, ttes les 15 minutes)

Stirling (7,30 £, 45 min, au moins 1/h)

Perth (11,20 £, 1 heure 30, 1/h)

Inverness (27,50 £, 3 heures 30, 8/j)

Aberdeen (28,80 £, 2 heures 30 à 3 heures, 1/h)

Oban (17,50 £, 3 heures, 4 bus directs par jour)

Fort William (22 £, 3 heures, 7/j)

Portree, île de Skye (39,40 £, 6 heures 15 à 7 heures, 3/j)

La Glasgow School of Art (p. 124)

Train

En règle générale, les trains de **Glasgow Central Station** desservent le sud de l'Écosse, l'Angleterre et le pays de Galles, et ceux de **Queen Street Station**, le nord et l'est. Il y a des navettes toutes les 10 minutes entre ces deux gares. Pour Londres, les trains directs arrivent à Euston ; ils sont beaucoup plus rapides et confortables que les bus (aller simple acheté à l'avance 28-105 £, tarif plein 162 £, 4 heures 30, plus de 1/heure)

First ScotRail (☎08457 55 00 33 ; www.scotrail.co.uk) gère les trains écossais. Quelques destinations : Édimbourg (12,90 £, 50 min, ttes les 15 min), Oban (21,60 £, 3 heures, 3-4/j), Fort William (26,30 £, 3 heures 45, 4-5/j), Dundee (25,30 £, 1 heure 30, 1/h), Aberdeen (45,20 £, 2 heures 30, 1/h) et Inverness (79 £, 3 heures 30, 10/j lun-sam, 4/j dim).

Voiture et moto

Il existe nombre d'agences de location de voitures. Les grandes enseignes ont des bureaux aux aéroports de Glasgow et de Prestwick. En voici trois :

Arnold Clark (☎0141-423 9559 ; www.arnoldclarkrental.com ; 43 Allison St)

Avis (☎0844 544 6064 ; www.avis.co.uk ; 70 Lancefield St)

Europcar (☎0141-204 1072 ; www.europcar.co.uk ; 1 Waterloo St)

 Comment circuler

Taxi

La compagnie Glasgow Taxis (☎0141-429 7070 ; www.glasgowtaxis.co.uk) accepte le paiement par carte bancaire si vous commandez votre taxi par téléphone. La plupart de ses véhicules sont accessibles aux personnes en fauteuil roulant.

Transports en commun

Bus En ville, les bus, principalement gérés par First Glasgow (☎0141-423 6600 ; www.firstglasgow.com), sont fréquents. Vous pouvez acheter votre ticket au chauffeur, mais mieux vaut prévoir, le plus souvent, l'appoint.

Train et métro Glasgow et sa banlieue sont très bien desservies par le réseau ferré. On achète son billet à la gare ou, s'il n'y a pas de guichet, au contrôleur. Il y a également une ligne de métro (le Subway) qui dessert 15 stations dans le centre, l'ouest et le sud de la ville.

LOCH LOMOND ET ENVIRONS

Les superbes rives du Loch Lomond et leurs environs sont depuis longtemps le lieu de villégiature favori des habitants de Glasgow. Rien d'étonnant à cela : ces magnifiques paysages de hautes collines et de lochs, où l'on respire un air pur d'une exceptionnelle douceur, sont très facilement accessibles depuis la grande métropole d'Écosse (le loch ne se trouve en effet qu'à 1 heure de route à peine du lieu de résidence de 70% de la population écossaise). Depuis les années 1930, la popularité du Loch Lomond n'a jamais faibli : aujourd'hui encore, un véritable exode vers le lac, en voiture, à vélo ou à pied, a lieu chaque week-end.

La région du Loch Lomond a gagné ses lettres de noblesse en devenant le cœur du **Loch Lomond & The Trossachs National Park** (www.lochlomond-trossachs.org), premier parc national d'Écosse, créé en 2002.

 Activités

Randonnée

Le **West Highland Way** (www.west-highland-way.co.uk), qui longe la rive orientale du loch, est l'itinéraire le plus apprécié par les randonneurs, mais il y a des sentiers plus courts, à Firkin Point, le long de la rive ouest, ainsi qu'en plusieurs autres endroits autour du loch. Pour plus d'informations sur les promenades dans le secteur, contactez les centres d'information du parc de Loch Lomond Shores et de Balmaha.

On peut faire l'ascension du **Ben Lomond** (974 m) au départ de Rowardennan ; c'est un circuit de 5-6 heures assez direct (mais épuisant). L'itinéraire part du parking situé à côté de l'hôtel Rowardennan.

Excursions

SWEENEY'S CRUISES En bateau
(☎01389-752376 ; www.sweeneyscruises.com ; Balloch Rd, Ballock). La plupart des excursions en bateau partent de Balloch. Sweeney's Cruises propose un vaste choix de promenades, dont une de 1 heure jusqu'à

l'île d'Inchmurrin (adulte/enfant 8,50/5 £ aller-retour, 5/j) et un tour des îles de 2 heures (15/8 £, départs à 13h et 15h). L'embarcadère se trouve en face de la gare ferroviaire de Balloch, à côté de l'office du tourisme.

CRUISE LOCH LOMOND En bateau (www.cruiselochlomond.co.uk ; Tarbet). Cette compagnie établie à Tarbet organise des périples de 2 heures à Inversnaid, aux chutes d'Arklet et à la grotte de Rob Roy MacGregor (adulte/enfant 12,50/7,50 £). Vous pouvez aussi débarquer à Rowardennan, faire l'ascension du Ben Lomond (14,50/7,50 £) et reprendre le bateau à Rowardennan 7 heures plus tard, ou à Inversnaid après une randonnée de 14,5 km sur le West Highland Way (14,50/7,50 £).

BALMAHA BOATYARD En bateau (www.balmahaboatyard.co.uk ; Balmaha). Le bateau postal, géré par Balmaha Boatyard, navigue entre Balmaha et les quatre îles habitées du loch. Il part à 11h30 et revient à 14h, avec une halte de 1 heure sur Inchmurrin (adulte/enfant 9/4,50 £ ; tlj juil-août – sauf dim ; lun, jeu et sam en mai-juin et sept ; lun et jeu seulement oct-avril).

Autres activités

Peu fréquenté, le **Clyde and Loch Lomond Cycle Way** (itinéraire de cyclotourisme) relie Glasgow à Balloch (32 km), où il rejoint le **West Loch Lomond Cycle Path**, qui continue le long de la berge du lac jusqu'à Tarbet (27 km).

Balmaha Boatyard (ci-dessus) loue des **barques** pour 10/40 £ par heure/jour et des bateaux à moteur pour 20/60 £. **Lomond Adventure** (☎01360-870218 ; www.lomondadventure.co.uk) dispose de **canoës** (30 £/jour) et de **kayaks de mer** (25 £).

De son côté, **Can You Experience** (☎01389-756251 ; www.canyouexperience.com ; Loch Lomond Shores, Balloch) loue des canoës (12/17 £ la demi-heure/heure) et des vélos (13/17 £ pour 3 heures/journée, et propose des **sorties guidées en canoë** (Hopping Canoe Safari) d'une journée sur le loch (adulte/enfant 65/55 £).

Renseignements

Balloch Tourist Office (☎0870 720 0607 ; Balloch Rd, Balloch ; ⌚9h30-18h juin-août, 10h-18h avr et sept)

Balmaha National Park Centre (☎01389-722100 ; Balmaha ; ⌚9h30-16h15 avr-sept)

National Park Gateway Centre (☎01389-751035 ; www.lochlomondshores.com ; Loch Lomond Shores, Balloch ; ⌚10h-18h avr-sept, 10h-17h oct-mars ; @ 📶)

Tarbet Tourist Office (☎0870-720 0623 ; Tarbet ; ⌚10h-18h juil-août, 10h-17h Pâques-juin et sept-oct). Au carrefour de l'A82 et de l'A83.

Depuis/vers le Loch Lomond

Bus

Les bus **First Glasgow** (☎0141-423 6600 ; www.firstglasgow.com) partent d'Argyle St, dans le centre de Glasgow, pour Balloch et Loch Lomond Shores (1 heure 30, au moins 2/heure).

Les bus **Scottish Citylink** (www.citylink.co.uk) allant de Glasgow à Oban et Fort William s'arrêtent à Luss (8,20 £, 55 min, 6/jour), Tarbet (8,20 £, 65 min) et Ardlui (14,30 £, 1 heure 15).

Train

Glasgow-Balloch 4,70 £, 45 min, toutes les 30 min

Glasgow-Arrochar et Tarbet 11 £, 1 heure 15, 3-4/j

Glasgow-Ardlui 14 £, 1 heure 30, 3-4/j, puis jusqu'à Oban ou Fort William

Comment circuler

L'utile **brochure des transports publics** (gratuite) qui détaille les horaires de tous les bus, trains et ferries dans le Loch Lomond & The Trossachs National Park est disponible dans les offices du tourisme et les centres d'information du parc.

Bateaux-bus

D'avril à octobre, des ferries sillonnent le Loch Lomond, permettant aux visiteurs d'explorer les sentiers pédestres et cyclables du Loch Lomond en empruntant les transports publics (des trains

Vaut le détour
Alloway

La jolie ville d'Alloway (à 61 km au sud de Glasgow) est un passage obligé pour les admirateurs de Robert Burns : c'est ici que naquit le poète, le 25 janvier 1759.

L'impressionnant nouveau **Robert Burns Birthplace Museum** (NTS ; www.nts.org.uk ; adulte/enfant 8/6 £ ; 10h-17h oct-mars, 10h-17h30 avr-sept ;), qui fait partie du **Burns National Heritage Park**, a rassemblé une vaste collection d'objets liés à Burns, notamment des manuscrits et des effets personnels du poète, comme les pistolets qu'il utilisait dans son métier de percepteur d'impôts.

Le billet d'entrée permet d'accéder au pittoresque Burns Cottage, sur la grand-route à la sortie d'Ayr, relié au Birthplace Museum par un sentier jalonné de sculptures. Le poète naquit dans le petit lit de cette minuscule chaumière et y passa les sept premières années de sa vie. Ce bel endroit vous permettra de replacer les vers de l'artiste dans leur contexte. Les murs sont ornés de certains mots du jargon agricole écossais qu'il employait si volontiers.

À côté du Birthplace Museum, on découvre les ruines de l'**Alloway Auld Kirk**, église qui servit de cadre à une partie de "Tam o'Shanter". Le père de Robert Burns, William Burnes (son fils supprima le "e" du patronyme), est enterré dans le cimetière ; un poème est gravé au dos de sa pierre tombale.

desservent Balloch, Arrochar et Tarbet et Ardlui, et des bus rallient Luss et Balmaha). Les horaires du **Loch Lomond Water Bus** (www.lochlomond-trossachs.org/waterbus) sont disponibles dans les offices du tourisme, les centres d'information du parc national et sur Internet. Seuls les tarifs aller sont indiqués.

Bus

Le bus n°309 de **McColl's Coaches** (www.mccolls.org.uk) relie Balloch à Balmaha (25 min, toutes les 2 heures). Le **billet familial SPT Daytripper** (www.spt.co.uk/tickets) donne droit pour une journée à un nombre illimité de trajets sur la plupart des bus et des trains de la région de Glasgow, du Loch Lomond et de Helensburgh. Ce billet (10,70 £ pour 1 adulte et 1 ou 2 enfants, 19 £ pour 2 adultes et 4 enfants au maximum) s'achète dans les gares ferroviaires et la principale gare routière de Glasgow.

Rive occidentale

La petite ville de **Balloch** s'est développée de part et d'autre de la Leven, à l'endroit où celle-ci s'écoule de la pointe sud du Loch Lomond. C'est le principal centre urbain et nœud de transports des bords du lac. Lieu de villégiature dès l'époque victorienne, Balloch était autrefois bondée de touristes d'un jour, qui y descendaient du train pour y prendre le bateau. Aujourd'hui, Balloch est la porte d'entrée au Loch Lomond & The Trossachs National Park.

À moins de 1 km au nord, le vaste ensemble touristique de **Loch Lomond Shores** (www.lochlomondshores.com) est doté d'un centre d'informations sur le parc national. Diverses attractions y sont proposées, dont des activités de plein air et des excursions en bateau. En accord avec son époque, le site s'est développé autour d'une importante galerie marchande. Au **Loch Lomond Aquarium** (www.sealife.co.uk ; 13,20 £/pers ; 10h-17h), vous pourrez découvrir la faune du Loch Lomond, toutes sortes d'animaux marins (requins, raies pastenagues, tortues de mer, etc.) et, dans l'enclos à loutres, des loutres cendrées d'Asie – mais pas de loutres écossaises.

Le **Maid of the Loch** (www.maidoftheloch.com ; entrée libre ; 11h-16h sam et 14h-16h dim Pâques-août), bateau à vapeur construit en 1953, est amarré ici en attendant la fin de sa restauration ; il est possible de monter à bord. Il faut espérer que les moteurs à vapeur seront en état de fonctionner en 2013.

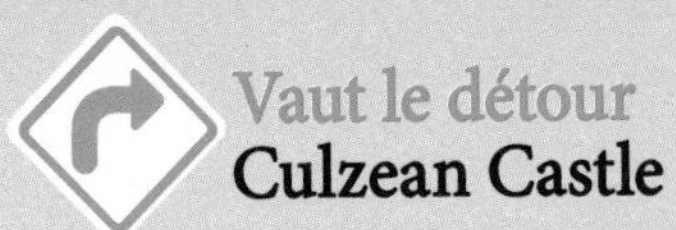

Vaut le détour
Culzean Castle

Le superbe domaine de **Culzean Castle** (NTS ; 01655-884400 ; www.culzeanexperience.org ; adulte/enfant/famille 15/11/36 £, parc seulement adulte/enfant 9,50/7 £ ; château 10h30-17h avr-oct, parc 9h30-crépuscule tte l'année) renferme l'un des châteaux écossais les plus impressionnants. Transformée au XVIIIe siècle par Robert Adam, l'architecte le plus influent de son temps, cette demeure occupe un site exceptionnel au bord des falaises.

Le superbe escalier ovale est considéré comme l'une des plus belles réalisations de Robert Adam. Au premier étage, l'opulence du salon circulaire offre un contraste saisissant avec la rudesse du paysage maritime en contrebas. Les salles de bains sont somptueuses et le dressing qui jouxte l'imposante chambre à coucher est doté d'une douche dernier cri pour l'époque victorienne.

Le domaine comprend également deux chambres froides, une mare aux cygnes, une pagode, la reconstitution d'un vignoble victorien, une orangeraie, un parc aux cerfs et une volière, sans oublier quelques loutres.
Pour profiter pleinement de la magie du lieu, vous pouvez passer la nuit au **château** (s/d à partir 140/225 £, ste Eisenhower s/d 250/375 £ ; P) d'avril à octobre.

Culzean est à 79 km au sud de Glasgow ; la gare la plus proche est Maybole, à plus de 6 km. Mieux vaut donc s'y rendre en bus depuis Ayr (30 min, 11/j lun-sam) ; des trains desservent fréquemment Ayr depuis Glasgow. Les bus s'arrêtent devant l'entrée du parc ; le château est à 20 minutes de marche, à travers le domaine.

À moins qu'il ne pleuve, vous pouvez faire l'impasse sur Loch Lomond Shores pour filer tout droit à **Luss**, un pittoresque petit village. Il est très agréable de flâner au milieu de ses charmants cottages, construits au XIXe siècle par le laird (propriétaire foncier) local pour ses ouvriers. Profitez-en pour faire un tour au **Clan Colquhoun Visitor Centre** (01436-860814 ; Shore Cottage, Luss ; adulte/enfant 1 £/gratuit ; 10h30-18h Pâques-oct), où vous pourrez découvrir l'histoire de la région, avant d'aller prendre une tasse de thé au Coach House Coffee Shop.

Où se loger et se restaurer

DROVER'S INN Auberge ££

(01301-704234 ; www.thedroversinn.co.uk ; s/d à partir de 42/83 £, plats de bar 7-12 £ ; déj et dîner). Un *howff* (pub) à ne pas manquer – plafond bas, pierres noircies par la fumée, plancher brut taché par la cire, trophées de cerf défraîchis et oiseaux empaillés aux murs –, où les serveurs portent le kilt. Il y a même un ours naturalisé et la carcasse desséchée d'un requin pèlerin.

L'établissement sert des plats roboratifs pour les randonneurs, comme la tourte (*pie*) à la viande et à la Guinness accompagnée de purée à la moutarde. Concert de musique traditionnelle les vendredis et samedis soir. L'hébergement proposé est moins enthousiasmant : chambres désuètes dans le vieux bâtiment (la n°6 serait hantée !) ou plus confortables (avec salle de bains) dans l'annexe moderne, de l'autre côté de la rue. Mieux vaut y jeter un coup d'œil avant de réserver.

LOCH LOMOND SYHA Auberge de jeunesse £

(01389-850226 ; www.syha.org.uk ; dort 19 £ ; mars-oct ; P @). L'une des plus incroyables auberges de jeunesse du pays, dans un imposant manoir du XIXe siècle, au cœur d'un beau parc dominant le loch. Située à un peu plus de 3 km au nord de Balloch, elle a beaucoup de succès, aussi mieux vaut réserver l'été. Un fantôme hante bien sûr les lieux.

COACH HOUSE COFFEE SHOP Café **£**
(plats 6-11 £ ; 10h-17h ;). Avec ses solides meubles en pin et son canapé profond face à une cheminée rustique, c'est un des endroits les plus agréables pour se restaurer. À la carte : café, thé, gâteaux maison, scones, *ciabatte* et mets plus copieux, comme le saumon fumé, les crevettes à la sauce Marie Rose, et le *haggis* (panse de brebis farcie) servi avec des *neeps and tatties* (purées de navets et de pommes de terre).

Rive orientale

La route qui longe la rive orientale du loch traverse le ravissant village de **Balmaha**, où l'on peut louer des barques ou partir en excursion à bord du bateau postal (voir p. 146). Un chemin court mais raide part du parking du village et grimpe au sommet de **Conic Hill** (361 m), superbe point de vue (4 km aller-retour, prévoyez 2-3 heures).

Il y a plusieurs aires de pique-nique le long du loch ; la plus plaisante est **Millarochy Bay** (à 2,5 km au nord de Balmaha), avec sa belle plage de galets et un beau point de vue sur les collines de Luss, sur la rive opposée.

La route s'arrête à **Rowardennan**, mais elle est prolongée par le West Highland Way (p. 145), sentier de randonnée qui remonte le long de la berge en direction du nord. Comptez 11 km jusqu'à **Inversnaid**, où l'on peut aussi se rendre par la route depuis les Trossachs, et 24 km jusqu'à **Inverarnan**, bourgade située à l'extrémité nord du loch, sur l'A82.

Où se loger et se restaurer

De mars à octobre, camper en dehors des terrains réglementaires est interdit sur la rive orientale du Loch Lomond, entre Drymen et le Ptarmigan Lodge (au nord de la Rowardennan Youth Hostel). Vous trouverez des campings à Millarochy, Cashel et Sallochy.

PASSFOOT COTTAGE B&B **££**
(01360-870324 ; www.passfoot.com ; Balmaha ; 37,50 £/pers ; avr-sept ;). Un ravissant cottage aux murs chaulés ornés de jardinières, qui donne sur Balmaha Bay. Chambres lumineuses où l'on se sent comme chez soi, et confortable salon avec poêle à bois et vue sur le lac.

OAK TREE INN Auberge **££**
(01360-870357 ; www.oak-tree-inn.co.uk ; Balmaha ; dort/s/d 30/60/75 £ ; P). Une jolie auberge traditionnelle en bois et ardoise, qui abrite de luxueuses chambres appréciées des randonneurs en quête d'un peu de confort. Il y a aussi 2 dortoirs de 4 lits. Restaurant rustique où déguster de substantiels déjeuners et dîners (plats 9-12 £) : *pie* au bœuf et aux champignons, omble chevalier rôti au citron vert et au beurre à la ciboulette, et excellente soupe *Cullen skink* (haddock, pommes de terre, oignons et lait).

Crianlarich
A84 (A85)
Trossachs
Trail
Stirling A84
P

Stirling et l'Écosse du Nord-Est

De nombreux visiteurs se contentent de traverser cette partie de l'Écosse pour filer droit vers le Loch Ness et l'île de Skye. Ils se privent de la découverte d'une région dont la beauté et la diversité n'ont rien à envier aux grands sites des Highlands et des îles de l'Ouest.

Stirling et le Nord-Est constituent le cœur historique et culturel de l'Écosse. Des sites emblématiques de son passé mouvementé ponctuent le paysage : les champs de bataille de Bannockburn et de Killiecrankie, les châteaux de Stirling et de Glamis, et Scone, ancien lieu de couronnement des rois écossais.

On trouve ici St Andrews, berceau du golf, Balmoral, lieu de villégiature des monarques britanniques depuis le XIXe siècle, et la célèbre vallée de la Spey, parsemée de dizaines de distilleries de whisky. Tous ces lieux s'inscrivent dans de grandioses paysages : forêts et lochs pittoresques des Trossachs ou imposants monts Grampians.

Callander, dans les Trossachs (p. 173)

Joueur de golf à St Andrews (p. 177)

Stirling et l'Écosse du Nord-Est

Stirling et l'Écosse du Nord-Est À ne pas manquer

1

Stirling Castle

Moins visité que celui d'Édimbourg, le château de Stirling n'a cependant rien à envier à son aîné en termes de patrimoine et d'histoire. Cette solide forteresse a joué un rôle central dans bon nombre d'événements écossais historiques. Elle fut autrefois la résidence de la dynastie des Stuart.

Nos conseils

QUAND Y ALLER 2 heures avant la fermeture (pour éviter la foule). **PAUSE-CAFÉ** Darnley Coffee House (p. 172). **PHOTO** La vue sur la Forth. **Plus d'infos 164.**

Ma sélection

Stirling Castle

PAR PETER YEOMAN, RESPONSABLE DES RESSOURCES CULTURELLES DE HISTORIC SCOTLAND

1 **GREAT HALL**
Cette salle de réception, la plus vaste d'Écosse à l'époque (*photo page de gauche*), fut commandée par Jacques IV vers 1503 afin d'offrir un cadre spectaculaire aux grands événements officiels. Récemment rénovée, elle a retrouvé sa charpente à blochets en chêne et accueille de nouveau concerts et dîners.

2 **ROYAL PALACE**
De somptueux appartements que le jeune Jacques V fit construire pour sa noble épouse française, Marie de Guise. L'intérieur reconstitué présente mobilier, installations, tissus et décoration d'époque. Seuls les appartements du roi ont été laissés vides, tels qu'après sa mort en 1542. Ces pièces magnifiques sont animées par les reproductions des Stirling Heads, portraits sculptés sur des disques de chêne, et par les spectaculaires tapisseries récemment installées dans les appartements de la reine.

3 **MUSICAL HEAD**
Lors de la restauration, John Donaldson, le talentueux sculpteur qui reproduisit les 36 Stirling Heads destinées à orner le plafond, découvrit une partition codée dans le pourtour d'un des portraits féminins, qui semble lui-même en train de chanter. On pourra entendre ce beau morceau de harpe, peut-être composé pour Jacques V, dans une nouvelle exposition permanente : "Image-Makers to the King".

4 **PALACE VAULTS**
Dans les caves, l'exposition sur la "vie cachée" dans le château au temps de Jacques V et de Marie de Guise devrait séduire toute la famille. Elle présente les activités quotidiennes indispensables à la vie de la Cour et le travail des peintres, tailleurs, musiciens, sculpteurs et bouffons à Stirling dans les années 1540.

5 **BRAVEHEART**
Le château domine deux grands champs de bataille, Stirling Bridge (1297) et Bannockburn (1314), où les Écossais l'emportèrent sur les Anglais, venus tenter de s'emparer du château. Le National Wallace Monument (*photo ci-contre, en bas*) commémore avec grandeur la victoire décisive de William Wallace à Stirling Bridge.

Speyside Whisky Trail

Un voyage en Écosse ne serait pas complet sans la visite d'une distillerie. La région du Speyside en compte à elle seule une cinquantaine. Dufftown, véritable capitale du whisky écossais, permet d'accéder aisément à sept de ces distilleries et possède son propre musée sur le sujet. En bas à droite : la distillerie Glenfiddich (p. 193)

Nos conseils

ASTUCE Réservez la visite bien à l'avance. **QUAND Y ALLER** Mai ou septembre, pour le festival Spirit of Speyside. **PHOTO** Les fûts de Speyside Cooperage. **Plus d'infos p. 193.**

2

Ma sélection

Le whisky du Speyside

PAR IAN LOGAN, AMBASSADEUR CHIVAS BROTHERS

1 DISTILLERIE GLENLIVET

Berceau d'un des *single malts* les plus connus au monde, la distillerie Glenlivet (www.theglenlivet.com ; Ballindalloch, 16 km à l'ouest de Dufftown) mélange avec brio tradition et modernité. Elle est l'occasion de voir comment la technologie contemporaine cohabite avec des méthodes traditionnelles. Les connaisseurs peuvent se joindre à ma visite hebdomadaire et découvrir les secrets de fabrication.

2 SPEYSIDE COOPERAGE

Cette tonnellerie (p. 193 ; *photos page de gauche et ci-contre en haut*) permet de découvrir un métier artisanal qui n'a que peu changé au cours des siècles : la qualité du fût est l'un des éléments constitutifs de l'arôme d'un *single malt*. L'équipe fournit des tonneaux aux distilleries du monde entier et partage avec les distillateurs la passion de créer les meilleurs whiskies qui soient.

3 GORDON & MACPHAIL

La célèbre boutique de whisky Gordon & MacPhail (www.gordonandmacphail.com ; 58-60 South St, Elgin) possède quelques-uns des plus vieux whiskies au monde, dont un Mortlach de 70 ans d'âge. La famille Urquhart (propriétaire) a joué un rôle important dans le statut actuel du *single malt*, en mettant ces whiskies si spécifiques en bouteilles bien avant les distillateurs eux-mêmes.

4 CORGARFF CASTLE

Très isolé, l'impressionnant Corgarff Castle (à proximité de Cockbridge, à 48 km au sud de Dufftown, sur la route de Ballater) abrita au début du XIXe siècle les *redcoats* ("tuniques rouges") : ces soldats britanniques avaient pour mission de traquer les distilleries illégales.

5 GROUSE INN

En plein cœur d'anciennes terres de contrebande, ce pub de Cabrach, perdu dans les collines, à 16 km au sud de Dufftown, sert près de 250 whiskies différents, et expose autour du bar une collection plus riche encore, dont quelques bouteilles rares et originales.

Les Trossachs

Célébrée par les écrits de sir Walter Scott au début du XIXe siècle, époque des premiers développements du tourisme en Écosse, la région des Trossachs (p. 173) séduit par ses lochs entourés de sommets rocheux et de pentes couvertes de forêts, qui lui valent le surnom de "Highlands en miniature". En son cœur, d'anciens bateaux à vapeur circulent sur le Loch Katrine (p. 175), parmi les collines perdues qui constituaient autrefois le territoire du hors-la-loi Rob Roy MacGregor. Loch Katrine

3

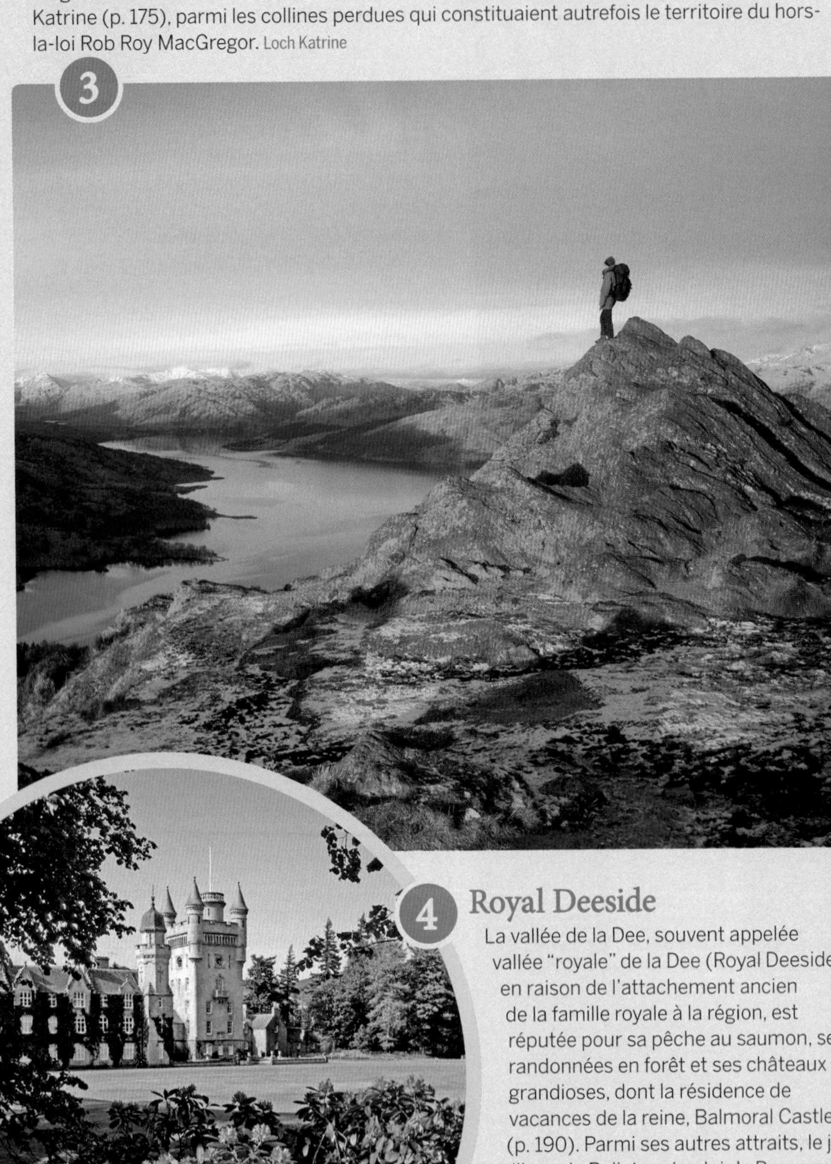

4

Royal Deeside

La vallée de la Dee, souvent appelée vallée "royale" de la Dee (Royal Deeside) en raison de l'attachement ancien de la famille royale à la région, est réputée pour sa pêche au saumon, ses randonnées en forêt et ses châteaux grandioses, dont la résidence de vacances de la reine, Balmoral Castle (p. 190). Parmi ses autres attraits, le jo village de Ballater et celui de Braemar, plus isolé, où se déroulent les plus célèbres Highland Games. Balmoral Castle

Scone Palace

Le moindre recoin de ce somptueux et imposant palais (p. 177), près de Perth, est chargé d'histoire. Kenneth MacAilpin, premier roi de l'Écosse unifiée, y fut couronné en 838, et Scone devint alors le lieu de couronnement traditionnel des rois d'Écosse. La fameuse pierre du Destin, qui se trouvait ici, fut emportée en 1296 par le roi Édouard Ier d'Angleterre, devenant ainsi un symbole puissant de l'identité écossaise.

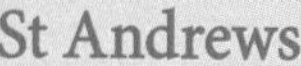

St Andrews

L'Écosse est la patrie du golf, et l'Old Course (p. 180) de St Andrews – l'un des plus vieux parcours au monde – est un rêve de golfeur. Au-delà du sport, St Andrews fut jadis la capitale religieuse de l'Écosse, et les ruines de son château et de sa cathédrale méritent une visite. Ne ratez pas non plus la magnifique plage de West Sands, où furent tournées des scènes du film *Les Chariots de feu*.

Blair Castle

Ancien fief des ducs et des comtes d'Atholl, Blair Castle (p. 187) contrôle la principale route du Nord, qui mène à Inverness au-delà de la vallée de la Tay. Ses somptueux appartements et ses salons opulents reflètent sa longue et illustre histoire. La visite permet aussi de découvrir les Atholl Highlanders, seule armée privée d'Europe. Non loin du château, le champ de bataille de Killiecrankie joua un rôle clé lors de la rébellion jacobite du XVIIIe siècle.

Stirling et l'Écosse du Nord-Est : le best of

Châteaux

- **Stirling Castle** (p. 164). Forteresse perchée sur une colline, qui joua un rôle crucial dans l'histoire écossaise.
- **Glamis Castle** (p. 183). Ses tourelles abritèrent l'enfance royale d'Élisabeth Ire.
- **Balmoral Castle** (p. 190). Résidence de vacances de la reine, bâtie dans le style Scottish Baronial.
- **St Andrews Castle** (p. 179). Ces ruines chargées d'histoire offrent une belle vue sur la côte et cachent un réseau d'anciens tunnels de siège.

Musées

- **British Golf Museum** (p. 180). Situé dans le berceau de ce sport, il en fait la chronique historique.
- **Scottish Fisheries Museum** (p. 184). Tout ce qu'il faut savoir sur l'industrie de la pêche. D'anciens bateaux en bois sont amarrés dans le port.
- **Angus Folk Museum** (p. 183). Plongée fascinante dans la vie rurale écossaise des XVIIIe et XIXe siècles.
- **Whisky Museum** (p. 192). Distille de nombreuses informations sur ce breuvage.

Festivals

- **Braemar Gathering** (p. 191). Les plus célèbres Highland Games, très prisés de la royauté.
- **Spirit of Speyside** (p. 193). Festival semestriel autour du whisky : dégustations, stands de restauration et musique traditionnelle.
- **St Andrews Festival** Célébration joyeuse et bruyante de tout ce qui fait l'Écosse, du *haggis* aux danses des Highlands.
- **Pitlochry Festival Theatre** (p. 188). Depuis sa création en 1951, ce "théâtre dans les collines" est devenu une véritable institution culturelle.

Sites historiques

- **Bannockburn** (p. 170). Champ de bataille où Robert Bruce gagna l'indépendance de l'Écosse en 1314.
- **Scone Palace** (p. 177). Ancien lieu de couronnement des rois écossais, ce château abritait jadis la pierre du Destin.
- **Balquhidder** (p. 175). Ancien territoire (et lieu de sépulture) du hors-la-loi Rob Roy MacGregor, héros romantique d'un roman et d'un film.
- **Killiecrankie** (p. 186). Magnifique paysage et site où se déroula la bataille clé de la rébellion jacobite du XVIIIe siècle.

À gauche Un salon de Glamis Castle
Ci-dessus Une fête dans les Highlands

Ce qu'il faut savoir

À PRÉVOIR

- **6 mois avant** Réservez un créneau pour un parcours de golf sur l'Old Course de St Andrews.
- **2 semaines avant** Réservez votre hébergement si vous venez en été.
- **1 semaine avant** Faites les réservations pour les visites des distilleries du Speyside et les excursions en bateau dans les Trossachs.

ADRESSES UTILES

- **Scottish Heartlands** (www.visitscottishheartlands.com). Informations touristiques sur Stirling et les Trossachs.
- **Aberdeen & Grampian** (www.aberdeen-grampian.com). Informations touristiques sur le Royal Deeside.
- **Highlands of Scotland** (www.visithighlands.com). Informations touristiques sur le Speyside.
- **Loch Lomond & The Trossachs National Park** (www.lochlomond-trossachs.org). Faune et flore, activités, sites à visiter, transports en commun.
- **Visit Fife** (www.visitfife.com). Informations touristiques sur St Andrews et sur l'East Neuk of Fife.
- **Whisky Trail** (www.maltwhiskytrail.com). Lieux à visiter près de Dufftown, dans le Speyside.

COMMENT CIRCULER

- **En bus** Bon réseau de bus locaux et intercités.
- **En train** Pratique pour rejoindre les principales villes depuis Édimbourg ou Glasgow, mais beaucoup moins pour des déplacements quotidiens sur place – les lignes contournent la région par l'est et l'ouest.
- **En voiture** Le moyen le plus rapide de se déplacer dans la région.

MISES EN GARDE

- **Open de golf** Avant de partir, vérifiez si ce tournoi est organisé à St Andrews. Si c'est le cas, il vous sera impossible de trouver un hébergement et la circulation sur les routes à proximité sera très difficile.

Suggestions d'itinéraires

Ces deux circuits couvrent les principaux sites liés à l'histoire et à l'identité écossaises, du champ de bataille de Bannockburn et du Stirling Castle au Speyside, berceau du whisky.

3 JOURS

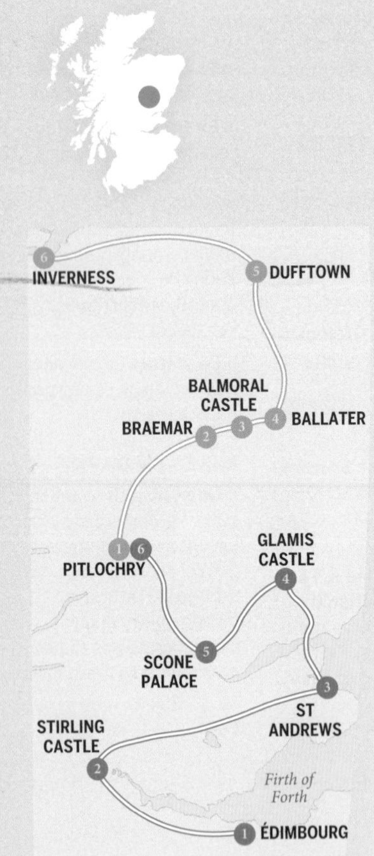

D'ÉDIMBOURG À PITLOCHRY

Sur les chemins de l'histoire

Depuis **Édimbourg (1)**, 30 minutes sur la M9 suffisent à rallier l'imposant **Stirling Castle (2)**. En approchant la forteresse par cette ancienne route des invasions depuis l'Angleterre, on comprend mieux comment elle contrôle l'accès vers le nord. Consacrez la journée à sa visite et à celle de Bannockburn et du Wallace Monument, avant de prendre l'A91 jusqu'à **St Andrews (3)**.

Passez une journée dans cette ancienne capitale religieuse, découvrez les ruines de sa cathédrale et de son château, et essayez-vous à une partie de golf sur son parcours réputé. Traversez le Tay Bridge et dirigez-vous vers le **Glamis Castle (4)**, aux imposantes tourelles, célèbre pour ses fantômes et ses liens avec la famille royale ; n'oubliez pas l'Angus Folk Museum, près de l'entrée. L'A94 vous ramène ensuite vers l'ouest jusqu'au **Scone Palace (5)**, ancien lieu de couronnement des rois écossais et site d'origine de la pierre du Destin.

Après 56 km vers le nord sur l'A9, très vite faits, vous arriverez à **Pitlochry (6)** et au Blair Castle, fief du duc d'Atholl, à la tête de l'unique armée privée du royaume.

En haut à gauche Le Loch Tummel, près de Pitlochry (p. 186)
En haut à droite La distillerie Glenfiddich (p. 193)

DE PITLOCHRY À INVERNESS

Des châteaux et du whisky

Depuis **Pitlochry (1)**, la journée commence par une belle promenade en voiture de 2 heures sur l'A924 et la B950 à travers les collines, pour rejoindre l'A93. Suivez-la vers le nord jusqu'au col de Glenshee et redescendez jusqu'au village de **Braemar (2)**, typique des Highlands, idéal pour une pause-déjeuner.

Après une visite du Braemar Castle ou une balade sur les pentes du Creag Choinnich, reprenez la route d'Aberdeen vers l'est pour un court trajet jusqu'au **Balmoral Castle (3)**, lieu de vacances de la famille royale (souvent présente en août). Consacrez au moins 2 heures à ce passionnant domaine royal avant de pousser jusqu'au joli village de **Ballater (4)**, où vous passerez la nuit.

Le lendemain matin, un autre trajet dans de beaux paysages vous attend sur l'A939, qui relie Cockbridge à Tomintoul et est généralement la première route bloquée par la neige à l'arrivée de l'hiver. Depuis Tomintoul, une route secondaire mène vers le nord jusqu'à Bridge of Avon sur l'A95. Bordée de chaque côté par des distilleries, l'A95 court le long de la vallée de la Spey jusqu'à **Dufftown (5)**, capitale du whisky. De là, il ne vous reste plus que 90 minutes de route, en passant par Elgin, pour rejoindre **Inverness (6)**.

Découvrir Stirling et l'Écosse du Nord-Est

Les incontournables

- **Stirling** (p. 164). William Wallace, Robert Bruce et Bannockburn : un condensé d'histoire écossaise.
- **Trossachs** (p. 173). Belle région de lochs et de collines boisées.
- **St Andrews** (p. 177). Le berceau du golf.
- **East Neuk of Fife** (p. 184). Côte émaillée de pittoresques villages de pêcheurs.
- **Royal Deeside** (p. 188). Lieu de villégiature de la famille royale depuis la reine Victoria.
- **Speyside** (p. 192). Grande région de production du whisky écossais.

Barils de whisky, Speyside

TIM WRIGHT/ALAMY ©

STIRLING

32 673 HABITANTS

Bénéficiant d'un emplacement inexpugnable au sommet d'un majestueux *crag* (ici le sommet d'un volcan éteint) boisé, la vieille ville (Old Town) de Stirling, superbement préservée, se distingue par ses admirables édifices et ses rues pavées sinuant jusqu'aux remparts du château, d'où la vue s'étend sur des kilomètres à la ronde. Du paysage se détache l'austère Wallace Monument, étrange création de style gothique victorien érigée en l'honneur du légendaire combattant pour la liberté qu'évoque le film *Braveheart*. Non loin se trouve Bannockburn, théâtre de la grande victoire de Robert Bruce sur les Anglais.

Il faut bien sûr visiter le château, mais gardez aussi du temps pour la vieille ville et le pittoresque sentier qui en fait le tour. En contrebas de la vieille ville, la Stirling moderne, très commerciale, n'a pas le même charme ; restez autant que possible dans les hauteurs et vous serez enchanté par votre visite.

À voir

STIRLING CASTLE Château

(HS ; carte p. 165 ; www.historic-scotland.gov.uk ; adulte/enfant 13/6,50 £ ; 9h30-18h avr-sept, 9h30-17h oct-mars). "Prenez Stirling, et vous tiendrez toute l'Écosse !" Cette maxime illustre l'importance stratégique de Stirling et explique qu'une forteresse s'y dresse depuis la nuit des temps. On ne peut s'empêcher de comparer ce château à celui d'Édimbourg, tous deux offrant de magnifiques panoramas. Toutefois, nombreux sont ceux qui trouvent celui de Stirling plus marquant : son emplacement,

Stirling

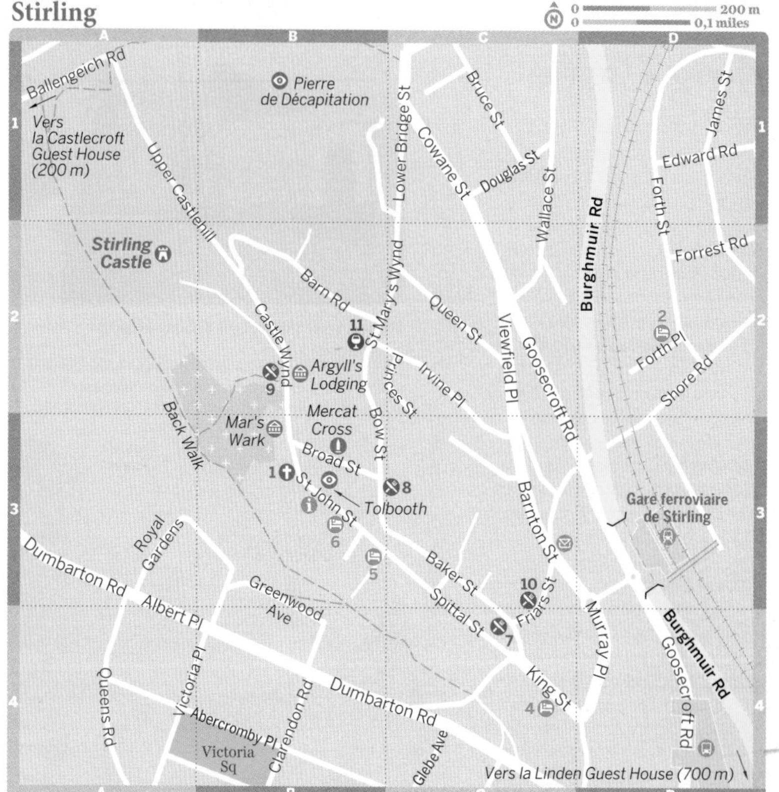

son architecture et son rôle majeur dans l'histoire du pays jouent en sa faveur. De nombreux touristes le visitent en excursion à la journée, alors mieux vaut le découvrir l'après-midi : vous aurez toutes les chances de l'avoir à vous seul à partir de 16h.

L'actuel château, édifié entre la fin du XIVe et le début du XVIe siècle, servit de résidence aux rois Stuart. Le clou de la visite est le fabuleux **Royal Palace** (palais royal), récemment restauré. Le but de ces longs travaux était de redonner au palais l'apparence flamboyante qu'il avait lorsqu'il fut construit, par des maçons français, sous le règne de Jacques V, au milieu du XVIe siècle – le monarque voulait en effet impressionner son épouse (française également) et les autres têtes couronnées d'Europe. Les somptueux appartements royaux, composés de six

Stirling

Les incontournables
Stirling Castle A2

À voir
1 Church of the Holy Rude B3

Où se loger
2 Forth Guest House D2
4 Sruighlea C4
5 Stirling Highland Hotel B3
6 Stirling SYHA B3

Où se restaurer
7 Breá C4
8 Darnley Coffee House C3
9 Portcullis B2
10 The Kitchen C3

Où prendre un verre
11 Settle Inn B2

Stirling Castle

Préparer l'assaut

Après avoir rafraîchi vos connaissances sur les monarques écossais à la **Castle Exhibition** 1, prenez le temps de la visite. Tout d'abord, faites une pause sur les **remparts** 2, stratégiques tout au long de l'histoire de l'Écosse : la vue sur la plate vallée est magnifique.

Rendez-vous à l'arrière du château pour visiter l'**atelier de tapisserie** 3, s'il est encore en service : voir les talentueux artisans à l'œuvre est un bonheur. Revenez sur vos pas pour rejoindre le cœur de la citadelle et faites une incursion dans les **Great Kitchens** 4 (Grandes Cuisines), emplies de quantité de victuailles factices. Pénétrez ensuite dans la cour principale. Tout autour de vous se dressent les principaux bâtiments de la forteresse. En été, le **Great Hall** 5 (Grande Salle) accueille des représentations (de danse de la Renaissance, par exemple). Renseignez-vous à l'entrée. Le **Museum of the Argyll & Sutherland Highlanders** 6 ravira les amateurs d'histoire militaire, les autres peuvent éventuellement s'en passer. Gardez le meilleur pour la fin (le nombre de visiteurs s'amenuise l'après-midi) : le somptueux **Royal Palace** 7 (Palais royal).

Marche d'approche

Si vous avez le temps, faites la pittoresque Back Walk, promenade autour des fortifications de la vieille ville (Old Town) et jusqu'à l'imposante citadelle, au sommet d'une éminence volcanique escarpée. Ensuite, redescendez par les rues de la vieille ville afin d'en admirer les façades.

BON À SAVOIR

Entrée Gratuite pour les membres de Historic Scotland. Si vous comptez visitez plusieurs sites écossais, devenir membre de cet organisme vous fera faire de substantielles économies.

Quelques données Première construction : avant 1110. Nombre de sièges : au moins 9. Dernier assaillant : Bonnie Prince Charlie (sans succès). Restauration du Palais royal : 12 millions de livres

Museum of the Argyll & Sutherland Highlanders
Ce musée retrace l'histoire de l'un des légendaires régiments écossais (aujourd'hui inclus dans le Royal Regiment of Scotland) à travers divers objets, armes et uniformes.

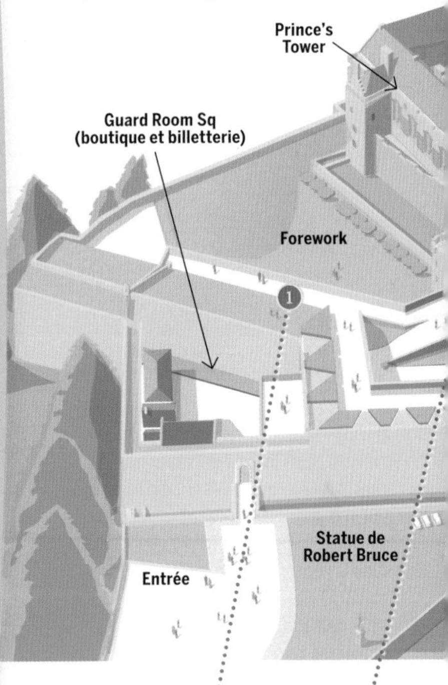

Castle Exhibition
Cette exposition offre un excellent aperçu de l'histoire des Stuart, permettant de resituer le contexte historique. Elle présente également les dernières trouvailles des fouilles archéologiques en cours sous la citadelle. L'analyse de squelettes a fourni une quantité étonnante de données biographiques.

Royal Palace
Cette reconstitution des appartements royaux construits par Jacques V est le nouvel incontournable tout à fait impressionnant de la visite du château. Le plafond finement ouvragé, le mobilier ornementé et les opulentes tapisseries représentant des licornes sont splendides.

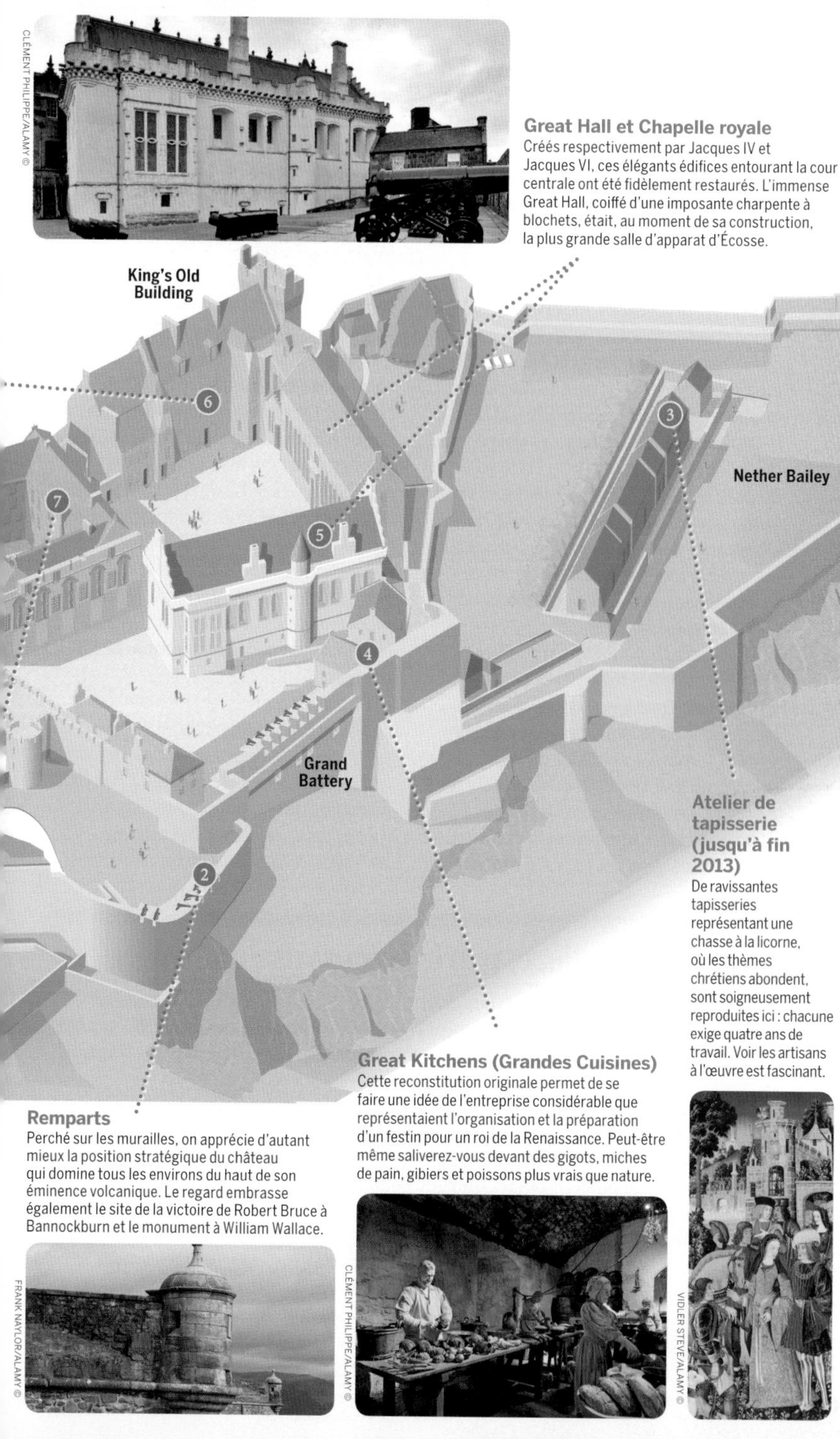

Great Hall et Chapelle royale

Créés respectivement par Jacques IV et Jacques VI, ces élégants édifices entourant la cour centrale ont été fidèlement restaurés. L'immense Great Hall, coiffé d'une imposante charpente à blochets, était, au moment de sa construction, la plus grande salle d'apparat d'Écosse.

Atelier de tapisserie (jusqu'à fin 2013)

De ravissantes tapisseries représentant une chasse à la licorne, où les thèmes chrétiens abondent, sont soigneusement reproduites ici : chacune exige quatre ans de travail. Voir les artisans à l'œuvre est fascinant.

Great Kitchens (Grandes Cuisines)

Cette reconstitution originale permet de se faire une idée de l'entreprise considérable que représentaient l'organisation et la préparation d'un festin pour un roi de la Renaissance. Peut-être même saliverez-vous devant des gigots, miches de pain, gibiers et poissons plus vrais que nature.

Remparts

Perché sur les murailles, on apprécie d'autant mieux la position stratégique du château qui domine tous les environs du haut de son éminence volcanique. Le regard embrasse également le site de la victoire de Robert Bruce à Bannockburn et le monument à William Wallace.

pièces (trois pour le roi et trois pour la reine), sont éblouissants de couleurs. On admire les belles cheminées, les disques de chêne recréés et repeints à l'identique sur le plafond lambrissé de la salle d'audience du roi, ainsi que le magnifique ensemble de **tapisseries** laborieusement reproduites au cours de longues années. Inspirées d'originaux exposés au Metropolitan Museum of Art de New York, celles-ci représentent une chasse à la licorne (événement riche en symbolique chrétienne) et sont de toute beauté. Il faut aussi s'attarder sur la façade du palais, ornée de splendides sculptures, et dans la **Stirling Heads Gallery**, au-dessus des appartements royaux. Dans cette galerie de portraits de rois, de courtisans et de personnages célèbres, les disques de chêne sont d'origine. Les caves du palais accueillent une **exposition** traitant de divers aspects de la vie au château, qui devrait plaire aux enfants.

D'autres bâtiments remarquables entourent la cour principale, dont le **Great Hall** (Grand Hall), construit par Jacques IV ; la **Royal Chapel** (chapelle royale), remaniée au début du XVIIe siècle par Jacques VI, qui a conservé ses fresques d'origine, très colorées ; et le King's Old Building (ancien appartement du roi). Ce dernier héberge aujourd'hui le **Museum of the Argyll & Sutherland Highlanders** (dons appréciés), qui retrace l'histoire du célèbre régiment de highlanders fondé en 1794, dont les hommes furent les héros de la bataille de Balaclava en 1854, pendant la guerre de Crimée. N'oubliez pas de lire les lettres émouvantes que d'autres envoyèrent lors des deux guerres mondiales.

Jusqu'à ce que la dernière tapisserie soit terminée, probablement vers la fin 2013, vous pourrez observer le travail fascinant des tisserands dans l'**atelier de tapisserie**, tout au bout du château. On peut aussi découvrir les **Great Kitchens** (grandes cuisines), qui permettent de se faire une idée de la gageure que représentait la confection d'un festin royal. Près de l'entrée, la **Castle Exhibition** (exposition du château) fournit d'excellentes informations sur la dynastie des Stuart et sur les dernières trouvailles archéologiques des chantiers en cours. Le panorama depuis les **remparts** est époustouflant.

Le billet d'admission au château comprend un Audioguide, et l'on peut participer à des visites guidées, régulières, gratuites. Des circuits guidés (2 £ en sus, membres de Historic Scotland gratuit) mènent aussi à l'**Argyll's Lodging**, en haut de Castle Wynd. Doté de tourelles, c'est le

William Wallace, patriote écossais

William Wallace est l'un des plus grands héros écossais, et les exploits de ce patriote sont de ceux qui donnent du relief à l'histoire d'une nation. Né en 1270, il est entré dans l'histoire du pays en prenant la tête d'une guérilla qui tint les Anglais en échec durant de nombreuses années.

Après sa victoire sur les Anglais à Stirling Bridge en 1297, Wallace fut élevé au rang de chevalier par Robert Bruce et proclamé *Guardian of Scotland* (gardien de l'Écosse). Or, la supériorité militaire des Anglais et la versatilité de la noblesse locale allaient porter un rude coup à ces velléités d'indépendance.

En juillet 1298, les Écossais furent battus par les troupes du roi Édouard lors de la bataille de Falkirk. Wallace entra alors en clandestinité et parcourut l'Europe, en quête de soutien pour la cause écossaise. Cela n'empêcha pas plusieurs nobles écossais de rejoindre le camp d'Édouard, et Wallace fut trahi à son retour en Écosse, en 1305. Sir William Wallace fut accusé de haute trahison à Westminster, puis pendu, décapité et éviscéré à Smithfield (Londres).

DAVID ROBERTSON/PHOTOSHOT ©

À ne pas manquer National Wallace Monument

Cette haute tour de style gothique victorien est un hommage aux luttes écossaises pour l'indépendance, celles-là même dont il est question dans le film *Braveheart*. Du centre d'information, remontez la colline à pied ou en navette jusqu'au monument. Ensuite, grimpez l'étroit escalier à l'intérieur de la tour, afin d'admirer la *broadsword* (longue épée médiévale écossaise) de Wallace et de voir l'homme lui-même, recréé en 3D. Les bustes en marbre des héros écossais offrent un spectacle moins impressionnant, mais la vue sur la vallée de la Forth, plate et verdoyante, et sur le Stirling Bridge, site de la victoire de Wallace sur les Anglais en 1297, justifie en quelque sorte l'onéreux droit d'entrée.

Les bus n^os^62 et 63 vont de Murray Place, à Stirling (voir case D4 sur le plan p. 165), jusqu'au centre d'information. Sinon, comptez 30 minutes de marche depuis le centre de Stirling. Vous trouverez aussi un café sur place.

INFOS PRATIQUES

www.nationalwallacemonument.com ; adulte/enfant 8,25/5,25 £ ; ⏲10h-17h avr-juin et sept-oct, 10h-18h juil-août, 10h30-16h nov-mars

plus impressionnant exemple de maison de ville du XVIIe siècle que l'on puisse voir en Écosse. Il s'agit de l'ancienne demeure de William Alexander, comte de Stirling et célèbre figure littéraire. L'hôtel particulier, restauré avec goût, permet d'imaginer le faste de la vie des aristocrates au XVIIe siècle. Quatre ou cinq visites guidées sont proposées chaque jour (impossible de visiter la demeure par soi-même).

OLD TOWN Quartier historique

En contrebas du château, les rues escarpées et pavées de la vieille ville sont bordées d'admirables édifices bâtis entre le XVe et le XVIIe siècle. L'expansion de Stirling débuta en 1124, lorsqu'elle obtint le statut de *burgh* royal, et se poursuivit aux XVe et XVIe siècles avec l'arrivée de riches marchands qui y firent construire leur demeure.

Vue de St Andrews depuis la St Rule's Tower (p. 179)

BOISVIEUX CHRISTOPHE/HEMIS.FR/GETTY IMAGES ©

Stirling possède aussi la plus belle **enceinte** d'Écosse. Elle fut érigée vers 1547, lorsque Henri VIII attaqua la ville pour forcer Marie Stuart, reine des Écossais, à épouser son fils, afin d'unir les deux royaumes – épisode connu sous le nom de Rough Wooing ("cour agressive"). Le **Back Walk** est une promenade qui suit les remparts depuis Dumbarton Rd jusqu'au château. On passe devant les cimetières (jetez un coup d'œil à la **pyramide**, symbole des valeurs de la Réforme datant de 1863), puis le sentier contourne le château par l'arrière jusqu'à Gowan Hill, où l'on peut voir la **pierre de Décapitation** (Beheading Stone), protégée aujourd'hui par des barreaux métalliques.

Mar's Wark, sur Castle Wynd, au-dessus de la vieille ville, est la façade travaillée de ce qui fut une demeure de style Renaissance commandée par le riche comte de Mar, régent d'Écosse jusqu'à la majorité de Jacques VI d'Écosse.

Église paroissiale depuis six cents ans, la **Church of the Holy Rude (carte p. 165 ; www.holyrude.org ; St John St ; entrée libre ; 11h-16h mai-sept)** est la seule des églises d'Écosse ayant accueilli des couronnements à subsister de nos jours : Jacques VI y fut sacré roi en 1567. La nef et la tour datent de 1456. Quant à sa charpente apparente médiévale, c'est l'une des dernières existant encore. Enfin, ses immenses piliers de pierre et ses superbes vitraux accentuent l'impression de majesté qu'elle dégage.

BANNOCKBURN Site historique

Si les exploits de Wallace furent importants, c'est la défaite que Robert Bruce infligea aux Anglais le 24 juin 1314 à Bannockburn, au sortir de Stirling, qui posa les fondations de la nation écossaise. Tirant parti du terrain marécageux, Bruce remporta une grande victoire tactique sur un ennemi en supériorité numérique et mieux équipé, et renvoya Édouard II dans ses foyers, comme le célèbre la chanson *Flower of Scotland*.

Le **Bannockburn Heritage Centre (NTS ; www.nts.org.uk)**, actuellement en réaménagement, devrait rouvrir ses portes au printemps 2014, juste à temps pour le 700e anniversaire de la bataille.

La mise en valeur du champ de bataille (toujours ouvert) serait aussi bienvenue car, aujourd'hui, hormis la statue équestre du vainqueur et un drapeau d'origine douteuse, il n'y a rien à voir. Bannockburn est à 3,2 km au sud de Stirling ; prendre le bus n°51 au départ de Murray Place, dans le centre de la ville (voir case D4, sur le plan p. 165).

Où se loger

En plus de nos adresses, on trouve également un chapelet de B&B le long de Causewayhead Rd, entre le centre et le Wallace Monument.

CASTLECROFT GUEST HOUSE B&B **££**
(01786-474933 ; www.castlecroft-uk.com ; Ballengeich Rd ; s/d 50/65 £ ; P @). Une sorte de charmant refuge campagnard, niché à flanc de colline en contrebas de l'arrière du château, à courte distance à pied (la balade est splendide) du cœur historique de Stirling. Le magnifique salon et sa terrasse bénéficient d'une vue à 180° sur les champs verdoyants et les collines qui entourent la ville. Ravissantes chambres aux salles de bains modernes, accueil très chaleureux, et plein de bonnes choses au petit-déjeuner, dont du pain maison.

NEIDPATH B&B **£**
(01786-469017 ; www.neidpath-stirling.co.uk ; 24 Linden Ave ; s/d 40/58 £ ; P). B&B d'un excellent rapport qualité/prix, facile d'accès en voiture, où l'on vous réservera un accueil charmant. Des 3 belles chambres modernisées (réfrigérateur, bonne salle de bains), celle à l'avant est particulièrement plaisante. Les propriétaires louent aussi des appartements tout équipés en ville ; détails sur le site Internet.

LINDEN GUEST HOUSE B&B **££**
(01786-448850 ; www.lindenguesthouse.co.uk ; 22 Linden Ave ; d 60-80 £ ; P @). L'accueil chaleureux et des facilités de stationnement ajoutent à l'attrait du lieu. Toutes les chambres, dont 2 adaptées aux familles, possèdent un réfrigérateur et une TV (lecteur DVD, stations iPod), et les salles de bains sont d'une propreté étincelante. Au petit-déjeuner, on peut se régaler de fruits frais et de harengs fumés (kippers).

STIRLING SYHA Auberge de jeunesse **£**
(carte p. 165 ; 01786-473442 ; www.syha.org.uk ; St John St ; dort/lits jum 18,75/48 £ ; P @). Emplacement imbattable au cœur de la vieille ville, et excellents équipements pour cette auberge de jeunesse. Si la façade est celle d'une ancienne église, l'intérieur a tout de moderne. Petits dortoirs confortables avec salles de bains et casiers à cadenas. Également : table de billard, abri à vélos et repas bon marché lorsqu'il y a du monde. Seul bémol : l'atmosphère un peu terne.

SRUIGHLEA B&B **££**
(carte p. 165 ; 01786-471082 ; www.sruighlea.com ; 27 King St ; s/d 40/60 £ ;). B&B sans enseigne, situé au cœur de la ville. Loger ici donne l'impression d'être du coin, et l'on est à deux pas des restaurants et des pubs. L'accueil donne envie de revenir.

FORTH GUEST HOUSE B&B **££**
(carte p. 165 ; 01786-471020 ; www.forthguesthouse.co.uk ; 23 Forth Pl ; s/d 50/60 £ ; P). À quelques minutes à pied de la ville, de l'autre côté de la voie ferrée, dans une belle rangée de maisons georgiennes, un hébergement élégant à un tarif correct. Chambres très spacieuses, en particulier les ravissantes chambres mansardées, avec lucarnes et salles de bains modernes. Beaucoup moins cher en basse saison.

STIRLING HIGHLAND HOTEL Hôtel **£££**
(carte p. 165 ; 01786-272722 ; www.pumahotels.co.uk ; Spittal St ; ch 130-190 £ ; P @). L'hôtel le plus chic de la ville, aménagé dans une magnifique ancienne *high school* (lycée). Soit un lieu insolite, d'un classicisme un rien formel, idéalement situé pour visiter le château et profiter de la vieille ville. Excellents équipements (piscine, spa, salle de sport, sauna et terrains de squash). Confortables chambres réaménagées, aux dimensions très variables et à la literie convenable ; les *deluxe* bénéficient des plus belles vues mais ne valent pas vraiment le supplément de 50 £. Tarifs souvent moins chers que ceux indiqués ci-dessus. Service aimable.

Où se restaurer et prendre un verre

THE KITCHEN Bistrot **££**
(carte p. 165 ; 01786-448833 ; www.thekitchenstirling.co.uk ; 3 Friars St ; plats 11-15 £). Cette nouvelle table, installée dans une rue piétonnière du centre, fait tout pour séduire. On s'y régale d'excellents

Rob Roy

Surnommé "Red" ("le Rouge", *ruadh* en gaélique, anglicisé en *roy*) en raison de sa chevelure rousse, Robert MacGregor (1671-1734) était le chef charismatique de l'un des clans les plus farouches d'Écosse. Il revendiquait un droit légitime sur les terres occupées par son clan, lesquelles étaient entourées de voisins puissants qui déclarèrent les MacGregor hors-la-loi – d'où leur sobriquet d'"enfants de la brume". Incognito, Rob Roy devint un maquignon prospère, jusqu'à ce que, après une tractation commerciale douteuse, un mandat d'arrêt soit lancé contre lui.

Excellent bretteur, le fugitif se fit ensuite remarquer par des attaques audacieuses menées dans les Lowlands pour s'emparer de bovins et de moutons. Cherchant sans cesse à échapper à la justice, il fut tout de même emprisonné à deux reprises mais réussit chaque fois une évasion spectaculaire. Il finit par se rendre et reçut du roi la liberté et le pardon. Il est inhumé dans le cimetière de l'église de Balquhidder (p. 176) ; son épitaphe, sans concession, dit ceci : "MacGregor envers et contre tous." Sir Walter Scott enjoliva la vie du personnage dans le roman qu'il lui consacra, et le film tourné en 1995 le présenta sous un jour au moins aussi héroïque. Nombre d'Écossais voient en lui le symbole de la lutte du peuple contre l'iniquité d'aristocrates prompts à s'accaparer les terres.

poissons et fruits de mer, dans la petite salle au sol d'ardoise. Service de bonne volonté, assez lent. Le week-end, mieux vaut réserver.

PORTCULLIS Pub ££

(carte p. 165 ; ☎01786-472290 ; www.theportcullishotel.com ; Castle Wynd ; plats de bar 8-12 £ ; ⏲déj et dîner). Dans un imposant édifice en pierre (une ancienne école), au pied du château, un lieu parfait pour s'offrir une pinte et un copieux plat de pub au déjeuner, après la visite du palais royal. Petit *beer garden*, atmosphère tranquillement animée en salle. L'endroit assure aussi le gîte (s/d 69/89 £).

BREÁ Café £

(carte p. 165 ; www.breastirling.co.uk ; 5 Baker St ; plats 7-13 £ ; ⏲10h-21h30 mar-dim ;). Le Breá apporte sa touche bohème, avec un décor contemporain minimaliste et une courte carte mettant en valeur de bons produits du terroir. Servi avec du pain maison, le hamburger au porc, avec sa compote de pommes et boudin noir, est un délice.

DARNLEY COFFEE HOUSE Café £

(carte p. 165 ; ☎01786 474468 ; www.darnley.connectfree.co.uk ; 18 Bow St ; en-cas 4-7 £ ; ⏲petit-déj et déj). Au bas de la colline et du château, après Broad St, un café réputé pour ses pains et gâteaux maison et diverses sortes de cafés. Parfait pour les petits creux lors d'une promenade dans la vieille ville. C'est dans cette demeure du XVIe siècle que lord Darnley, amant puis époux de Marie Stuart, séjournait jadis quand il rendait visite à sa belle.

SETTLE INN Pub

(carte p. 165 ; ☎01786 474609 ; 91 St Mary's Wynd ;). Accueil chaleureux garanti dans le plus vieux pub de Stirling (1733), plein de cachet avec sa cheminée, son arrière-salle voûtée et ses plafonds bas. Au programme : bières artisanales changeant régulièrement, petits coins douillets où se lover pour la soirée et clientèle d'habitués. Un classique.

Renseignements

Stirling Community Hospital (☎01786-434000 ; Livilands Rd). Hôpital au sud du centre-ville.

Stirling Information Centre (☎01786-475019 ; www.visitscottishheartlands.com ; St John St ; ⏲10h-17h ; @). Office du tourisme, à l'entrée de la prison de la vieille ville, en contrebas du château.

Depuis/vers Stirling

Bus

La gare routière (☎ 01786-446474) se trouve dans Goosecroft Rd. Citylink (☎ 0871 266 33 33 ; www.citylink.co.uk) propose plusieurs services depuis/vers Stirling :

- **Édimbourg** 7,50 £, 1 heure, 1/h
- **Glasgow** 7 £, 40 min, 1/h

Certains bus poursuivent jusqu'à Aberdeen, Inverness et Fort William ; le plus souvent, il faut prendre une correspondance.

Train

First ScotRail (www.scotrail.co.uk) assure la liaison depuis/vers plusieurs destinations, dont :

- **Édimbourg** 7,70 £, 55 min, 2/h lun-sam, 1/h dim
- **Glasgow** 8 £, 40 min, 2/h lun-sam, 1/h dim

LES TROSSACHS

Cette région est, de longue date, une destination de week-end prisée en raison de sa beauté naturelle et de ses excellents sentiers de randonnée, pédestres et cyclistes, aisément accessibles depuis les villes au sud. Avec ses collines couvertes d'épaisses forêts, ses lochs, ses bons hôtels et restaurants toujours plus nombreux, cette région classée parc national est assurée de voir grandir sa popularité.

Les Trossachs ont suscité l'engouement des touristes au début du XIXe siècle. Les curieux accouraient alors des quatre coins de Grande-Bretagne pour voir le Loch Katrine, célébré dans un poème de sir Walter Scott, *La Dame du lac*, ainsi que les lieux où il puisa l'inspiration de son roman *Rob Roy*, dont le héros est le plus célèbre enfant du pays.

En été, les Trossachs sont parfois envahis de cars de tourisme, dont les passagers sont toutefois essentiellement en excursion à la journée. On peut ainsi passer de longues soirées paisibles au bord des lochs. Dans la mesure du possible, tâchez de venir en semaine.

Callander

2 754 HABITANTS

Voilà plus de cent cinquante ans que la petite ville de Callander séduit les touristes. L'atmosphère décontractée de sa grand-rue, son charme tranquille et son bon choix d'hébergements en font un lieu de séjour agréable.

À voir et à faire

Une piste et un sentier de randonnée mènent aux superbes chutes **Bracklinn Falls** depuis Bracklinn Rd (30 min depuis le parking). Toujours depuis Bracklinn Rd, un sentier à travers bois rejoint **Callander Crags**, d'où le panorama est exceptionnel (6,5 km aller-retour depuis le parking).

Les Bracklinn Falls

Les Trossachs sont propices aux balades à vélo. Installé sur un itinéraire cyclable, l'excellent **Wheels Cycling Centre** (01877-331100 ; www.wheelscyclingcentre.com) propose un large choix de vélos, à partir de 12/18 £ la demi-journée/journée. Pour vous y rendre, empruntez Bridge St, en retrait de Main St, puis tournez à droite dans Invertrossachs Rd et poursuivez sur 1,6 km.

Où se loger

ROMAN CAMP HOTEL Hôtel ££

(01877-330003 ; www.romancamphotel.co.uk ; Main St ; s/d/superior 100/155/195 £ ; P). Le meilleur hôtel de Callander, à l'emplacement central, a tout d'une retraite de campagne en bordure de rivière, au cœur d'un superbe parc dont le silence est seulement troublé par le chant des oiseaux. Parmi ses nombreux atouts, citons le salon où crépite un feu de cheminée, et la bibliothèque, dotée d'une minuscule chapelle secrète. Le nom de l'enseigne fait référence à des ruines romaines situées dans les champs voisins.

ABBOTSFORD LODGE B&B ££

(01877-330066 ; www.abbotsfordlodge.com ; Stirling Rd ; s/d 50/85 £ ; P). Dans cette agréable maison victorienne, les classiques tartans et motifs floraux sont délaissés au profit d'un design contemporain stylé et confortable rehaussant l'architecture de l'édifice. Les chambres, rénovées, se distinguent par leurs tissus froissés et leurs vases garnis de fleurs. Sur la route principale du côté est de la ville.

ROSLIN COTTAGE B&B ££

(01877-339787 ; www.roslincottage.co.uk ; Stirling Rd ; s 40-50 £, d 60-70 £ ; P). Un cottage plein de caractère, où l'hospitalité n'est pas un vain mot. Soit une base des plus séduisantes pour explorer les Trossachs. Les 3 chambres douillettes, toutes avec salle de bains, ont chacune leur charme – la "Kirtle" conserve un mur aux pierres apparentes du XVIIe siècle. Sur la droite quand vous arrivez à Callander par l'est, avant la station-service.

ARDEN HOUSE B&B ££

(01877-330235 ; www.ardenhouse.org.uk ; Bracklinn Rd ; s/d 45/75 £ ; P). Une élégante demeure en pierre à flanc de colline dans un cadre boisé, au calme donc, sans être excentrée. Les chambres spacieuses, dont une suite (90 £), offrent une vue superbe.

Le Loch Katrine

ADAM BURTON/GETTY IMAGES ©

De nouveaux propriétaires auront investi les lieux quand vous lirez ces lignes, mais la maison devrait rester la même.

Où se restaurer et prendre un verre

CALLANDER MEADOWS Écossais **££**
(☎01877-330181 ; www.callandermeadows.co.uk ; 24 Main St ; déj 8,95 £, plats 11-18 £ ; ⏲déj et dîner jeu-dim). Restaurant très couru du centre de Callander, installé dans une maison de ville ancienne (années 1800) de la rue principale. Style informel et charmant pour le cadre ; mélange de saveurs inhabituelles, à partir des solides bases de la gastronomie britannique (maquereau, chou rouge, saumon et canard) côté cuisine, et tendance contemporaine pour la présentation des plats. Bières et cafés sont servis en journée dans le beau *beer garden* à l'arrière. Le restaurant ouvre également le lundi d'avril à septembre, ainsi que tous les jours au plus fort de l'été.

MHOR FISH Fruits de mer **££**
(☎01877-330213 ; www.mhor.net ; 75 Main St ; fish and chips 6 £, plats 8-14 £ ; ⏲12h-21h mar-dim). À la fois *fish and chips* et restaurant de poisson, où l'on ne propose que la pêche du jour. Soit un lieu sortant de l'ordinaire, au carrelage noir et blanc, où chacun choisit le mode de préparation souhaité – sauté à la poêle et accompagné par l'un des nombreux excellents crus de la carte, ou frit et enveloppé dans du papier avec des frites, à emporter.

LADE INN Pub
(www.theladeinn.com ; Kilmahog ; 👪). Le meilleur pub de Callander se trouve à... 2 km au nord de la ville. Ici, les bières artisanales sont brassées selon une recette maison, et, juste à côté, les propriétaires tiennent une boutique vendant un choix étourdissant de bières écossaises.

ℹ Renseignements

Loch Lomond & the Trossachs National Park Visitor Centre (☎01389-722600 ; www.lochlomond-trossachs.org ; 52 Main St ; ⏲9h30-15h30 lun et mer-jeu, 9h30-16h30 mar et ven). Office du tourisme pratique pour des renseignements sur le parc. Ferme 30 minutes au déjeuner.

Rob Roy & Trossachs Information Centre (☎01877-330342 ; www.visitscottishheartlands.com ; Ancaster Sq ; ⏲10h-17h avr-oct, 10h-16h nov-mars ; @). Documentation abondante sur la région. Film (20 min) sur Rob Roy (1,50 £).

ℹ Depuis/vers Callander

Les bus **First** (☎0871 200 2233 ; www.firstgroup.com) assurent la liaison avec Stirling (45 min, 1/h lun-sam, 1 toutes les 2 heures dim). Les bus **Kingshouse** (☎01877-384768 ; www.kingshousetravel.com) viennent de Killin (45 min, 2-6/j). Pour Aberfoyle, descendez du bus à destination de Stirling au Blair Drummond Safari Park et traversez la route. Il y a également des bus **Citylink** (www.citylink.co.uk) d'Édimbourg à Oban ou à Fort William via Callander (15,60 £, 1 heure 45, 2/j).

Loch Katrine

Cette région accidentée, à environ 10 km au nord d'Aberfoyle et à 16 km à l'ouest de Callander, est le cœur des Trossachs. D'avril à octobre, deux **bateaux** (☎01877-376315 ; www.lochkatrine.com ; Trossachs Pier ; croisière de 1 heure adulte/enfant 12/8 £) naviguent sur le Loch Katrine, depuis l'embarcadère des Trossachs, à l'extrémité orientale du lac. Différentes croisières de 1 heure sont proposées l'après-midi. Naviguer sur le *Sir Walter Scott*, superbe vapeur centenaire, est une expérience fabuleuse ; le site Internet donne l'horaire en spécifiant le nom des bateaux. Un bateau appareille à 10h30 (et à 14h de juin à août) pour Stronachlachar, à l'autre extrémité du loch, avant de revenir (aller simple/aller-retour adulte 13/15,50 £, enfant 8/9,50 £, 2 heures aller-retour). De Stronachlachar (également accessible en voiture via Aberfoyle), on peut rejoindre la rive orientale du Loch Lomond à Inversnaid, un lieu isolé.

Balquhidder et environs

Profondément enracinée dans l'histoire des clans, cette région montagneuse et peu peuplée est la plus sauvage des Trossachs. Il suffit de quitter l'A84 pour découvrir de paisibles paysages de lochs

et effectuer de magnifiques randonnées. Au nord de Callander, on contourne les rives du superbe Loch Lubnaig. Moins connu que d'autres, il mérite néanmoins le détour pour la vue sublime sur les collines boisées. Dans le petit village de **Balquhidder** (prononcez "ball-whidder"), à 14,5 km au nord de Callander près de l'A84, se trouve le cimetière accueillant la **tombe de Rob Roy**. Niché au creux d'une profonde et sinueuse vallée où le ciel paraît plus immense qu'ailleurs, l'endroit est merveilleux. L'épouse et deux des fils de Rob Roy sont également enterrés ici.

Le **Monachyle Mhor** (☎01877-384622 ; www.mhor.net ; d 195-265 £ ; ⏲fév-déc ; P wifi enfants animaux), 6,4 km plus loin, est une luxueuse retraite surplombant deux lochs. L'établissement marie avec bonheur la tradition rurale écossaise à un design et une cuisine modernes. La décoration des chambres est originale, et le restaurant propose des déjeuners à la carte et des dîners de 5 plats (50 £) novateurs de haute qualité, à base de produits issus de l'agriculture durable. Ici, la belle hospitalité et l'atmosphère campagnarde ravissent les hôtes : enfants et chiens courent sur les pelouses, et nul ne s'offusque de vous voir arriver en nage et tout crotté après une journée de pêche ou de marche.

Les bus locaux circulant entre Callander et Killin s'arrêtent à l'embranchement pour Balquhidder, de même que les bus quotidiens **Citylink** (www.citylink.co.uk) entre Édimbourg et Oban ou Fort William.

Killin

666 HABITANTS

Base idéale pour explorer les Trossachs ou le Perthshire, ce joli village se situe à l'extrémité ouest du Loch Tay. Il s'en dégage une agréable atmosphère décontractée, notamment aux abords des **Falls of Dochart**, magnifiques chutes qui cascadent au centre. Par beau temps, les gens paressent sur les rochers à côté du pont, une bière ou un en-cas à la main. Il y a de belles balades à faire dans les environs, qui ne manquent ni de montagnes ni de *glens* majestueux.

Où se loger et se restaurer

FAIRVIEW HOUSE B&B ££

(☎01567-820667 ; www.fairview-killin.co.uk ; Main St ; s 32 £, d 60-70 £ ; P wifi). Chambres très confortables, toutes avec une salle de bains (dans la chambre ou extérieure

Scone Palace

DEA/W. BUSS/GETTY IMAGES ©

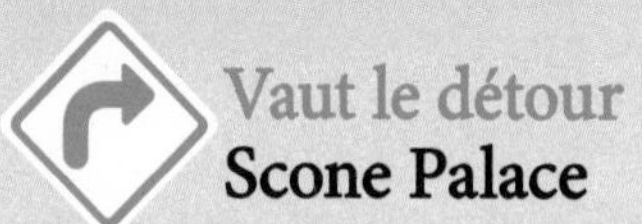

Vaut le détour
Scone Palace

"Je vous rends grâces à tous ensemble et à chacun en particulier, et je vous invite tous à venir nous voir couronner à Scone." Ce vers qui clôt *Macbeth* montre l'importance de **Scone Palace** (www.scone-palace.co.uk ; adulte/enfant/famille 10/7/30 £ ; 9h30-17h avr-oct, 9h30-16h30 sam), situé à 3,2 km au nord de Perth. Le palais fut érigé en 1580 sur un site déjà chargé d'histoire. C'est ici qu'en 838, Kenneth MacAlpin devint le premier roi de l'Écosse réunifiée, et apporta, sur Moot Hill, la pierre du Destin (p. 83), sur laquelle étaient couronnés les rois écossais. En 1296, Édouard Ier d'Angleterre transporta ce talisman à Westminster Abbey, où il demeura durant 700 ans avant d'être rendu à l'Écosse. De nos jours pourtant, difficile d'imaginer cette époque car, depuis, le palais, reconstruit au XIXe siècle, est devenu une demeure georgienne témoignant d'une élégance et d'un luxe extrêmes.

La visite donne à découvrir une succession de somptueuses **pièces** décorées de magnifiques meubles français et d'œuvres d'art. On peut admirer une étonnante collection de porcelaine et de portraits, ainsi que de superbes meubles couverts de vernis Martin. Scone appartient depuis des siècles aux Murray, comtes de Mansfield, et nombre d'objets ont une fascinante histoire (que vous raconteront volontiers les guides). Chaque pièce comporte des informations détaillées en plusieurs langues. Des panneaux expliquent également l'histoire de certains rois d'Écosse couronnés à Scone.

Dehors, des paons (tous baptisés du nom d'un monarque) font la roue dans les superbes **jardins**, qui comprennent des bois, un jardin à papillons et un labyrinthe.

mais privative) et prix très raisonnables caractérisent ce B&B central, ravissant et accueillant. Agréable salon, séchoir et abri à vélos. Le nom sied bien à la demeure : nombre des chambres bénéficient d'une belle vue sur les collines environnantes.

FALLS OF DOCHART INN Pub ££
(01567-820270 ; www.falls-of-dochart-inn.co.uk ; plats 10-13 £ ;). Situation de choix, en surplomb des chutes, pour cet agréable pub plein de cachet, où crépite un feu de cheminée. Service aimable et excellente cuisine d'un bon rapport qualité/prix (repas légers ou steaks tendres et savoureux, ainsi que quelques plats un peu plus élaborés). Les chambres (s/d à partir de 60/80 £) sont jolies, mais le chauffage dans certaines se révèle insuffisant.

Depuis/vers Killin

Les deux bus **Citylink** (www.citylink.co.uk) reliant tous les jours Édimbourg à Oban ou Fort William s'arrêtent ici, de même que les 2 bus assurant la liaison de Dundee à Oban. Ces bus marquent aussi un arrêt à Crianlarich, notamment. Les bus **Kingshouse** (01877-384768 ; www.kingshousetravel.com) desservent Callander, où vous trouverez une correspondance pour Stirling.

ST ANDREWS

14 209 HABITANTS

Petite par la taille, grande par la réputation, St Andrews a d'abord été un important centre religieux, et elle est aussi connue pour être la plus ancienne ville universitaire d'Écosse. C'est toutefois son statut de patrie du golf qui lui a donné encore plus de notoriété et, aujourd'hui, les pèlerins affluent de toutes parts avec, à la main, des clubs plutôt que des bâtons. Quoi qu'il en soit, St Andrews a tout de charmant, avec ses impressionnantes ruines médiévales, sa majestueuse université, ses superbes plages de sable blanc et son choix d'excellents hôtels et restaurants.

St Andrews

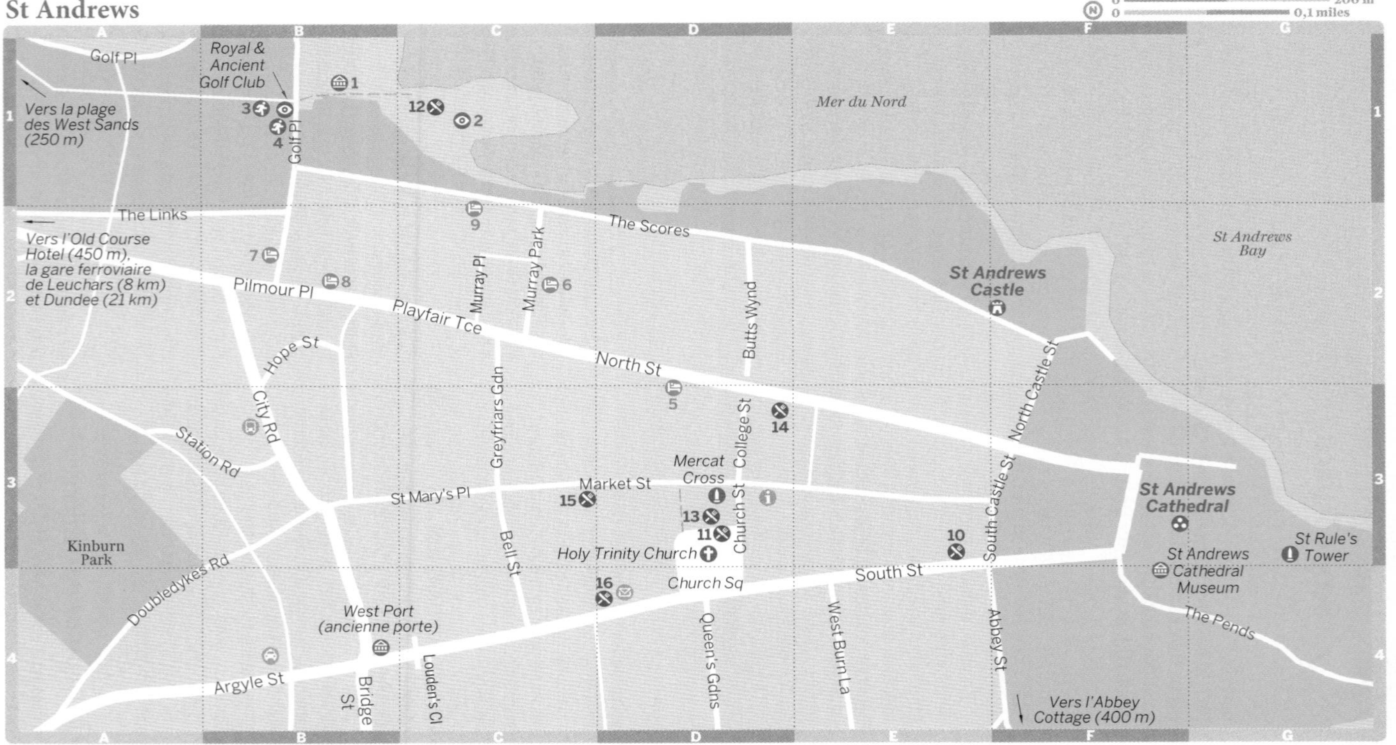
0 200 m
0 0,1 miles
Golf Pl
Royal & Ancient Golf Club
Vers la plage des West Sands (250 m)
1
2
3
4
12
Golf Pl
Mer du Nord
The Links
Vers l'Old Course Hotel (450 m), la gare ferroviaire de Leuchars (8 km) et Dundee (21 km)
7
8
9
Pilmour Pl
Playfair Tce
Murray Pl
Murray Park
6
The Scores
St Andrews Bay
St Andrews Castle
Butts Wynd
North St
5
Hope St
City Rd
Station Rd
Greyfriars Gdn
College St
14
North Castle St
St Andrews Cathedral
Mercat Cross
Market St
St Mary's Pl
15
13
11
Church St
Holy Trinity Church
10
South Castle St
St Rule's Tower
St Andrews Cathedral Museum
Kinburn Park
Doubledykes Rd
Bell St
16
Church Sq
South St
The Pends
West Port (ancienne porte)
Argyle St
Bridge St
Louden's Cl
Queen's Gdns
West Burn La
Abbey St
Vers l'Abbey Cottage (400 m)
A
B
C
D
E
F
G

St Andrews

Les incontournables

St Andrews Castle F2
St Andrews Cathedral F3

À voir

1 British Golf Museum B1
2 St Andrews Aquarium C1

Activités, cours et circuits organisés

3 Caddie Office B1
4 Old Course B1

Où se loger

5 Aslar House D3
6 Cameron House C2
7 Fairways of St Andrews B2
8 Five Pilmour Place B2
9 Hazelbank Hotel C2

Où se restaurer

10 B Jannetta E3
11 Doll's House D3
12 Seafood Restaurant C1
13 The Café in the Square D3
14 The Glass House D3
15 The Tailend C3
16 Vine Leaf D4

Histoire

St Andrews aurait été fondée par saint Regulus, arrivé de Grèce au IVe siècle avec les ossements de saint André, saint patron de l'Écosse. La cité se développa rapidement en tant que lieu majeur de pèlerinage, avant de devenir la capitale religieuse de l'Écosse. L'université, fondée en 1410, est la plus ancienne de la région.

On y joue au golf depuis plus de six cents ans ; le Royal & Ancient Golf Club, haute autorité de ce sport, fut fondé en 1754, et l'imposant bâtiment fut construit une centaine d'années plus tard.

À voir

ST ANDREWS CATHEDRAL Ruines

(HS; carte p. 178 ; www.historic-scotland.gov.uk ; The Pends ; adulte/enfant 4,50/2,70 £, avec le château 7,60/4,60 £ ; 9h30-17h30 avr-sept, 9h30-16h30 oct-mars). Les ruines de cette cathédrale sont tout ce qu'il reste de l'un des plus beaux édifices médiévaux de Grande-Bretagne. Les petites sections de mur encore debout permettent néanmoins d'en apprécier la grandeur et la majesté. Bien que fondée en 1160, la cathédrale ne fut consacrée qu'en 1318, et constitua un important centre de pèlerinage jusqu'en 1559. Elle fut pillée pendant la Réforme.

Les ossements supposés de saint André reposent sous l'autel. Jusqu'à la construction de la cathédrale, ils étaient conservés dans l'église voisine de St Regulus (St Rule), dont seule subsiste la **St Rule's Tower**, tour offrant une belle vue sur la ville. Un **musée** expose une collection de croix celtiques et de pierres tombales découvertes sur place. L'entrée inclut la tour et le musée ; en revanche, on peut se promener librement au milieu des ruines, cadre parfait pour un pique-nique.

ST ANDREWS CASTLE Château

(HS ; carte p. 178 ; www.historic-scotland.gov.uk ; The Scores ; adulte/enfant 5,50/3,30 £, avec la cathédrale 7,60/4,60 £ ; 9h30-17h30 avr-sept, 9h30-16h30 oct-mars). De ce château, ménageant une vue superbe sur la côte, il ne reste quasiment que des ruines, mais le site n'a pas perdu son pouvoir d'évocation. L'endroit fut construit vers 1200 pour servir de résidence fortifiée à l'évêque. Après l'exécution des réformateurs protestants en 1545, les autres réformateurs se vengèrent en assassinant le cardinal Beaton et en s'emparant du château. Ils s'y terrèrent presque une année, durant laquelle ils creusèrent, ainsi que leurs assaillants, un réseau complexe de **tunnels de siège** ; on peut parcourir ces galeries humides et basses de plafond. Un centre d'information présente une vidéo très instructive et une collection de pierres pictes.

THE SCORES Rue

Partant du château, The Scores est une artère qui suit la côte vers l'ouest jusqu'aux abords de l'Old Course. Idéal en famille, le **St Andrews Aquarium** (**carte p. 178 ; www.standrewsaquarium.co.uk ; adulte/enfant 8/6 £ ; 10h-17h mars-oct, 10h-16h30 nov-fév ;**) comporte des bassins à phoques, à raies et à requins issus des eaux écossaises, ainsi que les classiques poissons tropicaux.

Jouer sur l'Old Course

On joue au golf à St Andrews depuis le XVe siècle. Dès 1457, victime de sa popularité, ce sport fut même interdit par Jacques II car il perturbait l'entraînement de ses archers. Bien que situé à côté du très sélect et très masculin Royal & Ancient Golf Club, l'**Old Course** (carte p. 178 ; ☎01334-466666; www.standrews.org.uk; Reservations Office, St Andrews Links Trust) est un terrain public.

Pour jouer, il faut réserver via le **St Andrews Links Trust** (☎01334-466666 ; www.standrews.org.uk), une opération qui doit s'effectuer à partir du 1er mercredi de septembre de l'année précédant la date choisie pour la partie. Aucune réservation n'est acceptée pour le samedi ou le mois de septembre.

À moins de réserver des mois à l'avance, l'accès au green tient – littéralement – de la loterie. Il faut glisser son bulletin dans une urne au **Caddie Office** (bureau des caddies ; carte p. 178 ; ☎01334-466666) avant 14h l'avant-veille du jour où l'on souhaite jouer (pas de partie le dimanche). Il faut savoir que les demandes par bulletin suscitent une très forte participation et que les *green fees* (frais d'accès au green) s'élèvent à 150 £ en été. Les joueurs en solo n'ont pas le droit de glisser un bulletin dans l'urne et doivent se poster dans la file d'attente le jour même, aussi tôt que possible (dès 5h) afin de se joindre à un groupe. Il faudra produire un certificat de handicap (24/36 pour les hommes/femmes).

Des **visites guidées** (2,50 £) de l'Old Course sont organisées du mardi au dimanche en juin et août, lors desquelles notamment découvrir les célèbres Swilcan Bridge et Road Hole Bunker. Elles démarrent devant la boutique à côté du green du 18e trou, à 11h et 13h30, et durent 50 minutes.

Une fois les présentations faites avec nos amis à nageoires, on peut passer à leur dégustation (avec des frites) dans le café.

Non loin, le **British Golf Museum** (carte p. 178 ; www.britishgolfmuseum.co.uk ; Bruce Embankment ; adulte/enfant 6/3 £ ; ⏲9h30-17h lun-sam et 10h-17h dim avr-oct, 10h-16h tlj nov-mars) retrace de façon extraordinairement détaillée l'histoire de ce sport, et son rapport intime à St Andrews.

Face au musée, le **Royal & Ancient Golf Club** se tient fièrement à l'entrée de l'Old Course (voir ci-dessus). À côté s'étend la plage des **West Sands**, rendue célèbre par le film *Les Chariots de feu*.

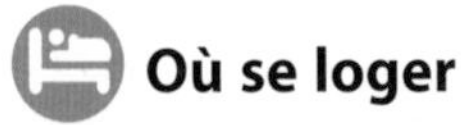

Où se loger

Les hôtels de St Andrews, onéreux, affichent vite complet, surtout en été ; réservez donc bien à l'avance. La plupart des demeures de Murray Park et Murray Place, en centre-ville, sont des maisons d'hôtes.

ABBEY COTTAGE B&B ££

(☎01334-473727 ; coull@lineone.net ; Abbey Walk ; s 45 £, d 65-70 £ ; P ; wifi). Un B&B très accueillant, situé en contrebas de la ville. Des murs en pierre enclosent son jardin touffu, qui donne l'impression de loger à la campagne. Il y a 3 chambres superbes, toutes différentes, agrémentées de dessus-de-lit en patchwork, de peaux de mouton et de mobilier ancien. La charmante propriétaire photographie des tigres, et ses albums valent la peine d'être feuilletés.

FAIRWAYS OF ST ANDREWS B&B ££

(carte p. 178 ; ☎01334-479513 ; www.fairwaysofstandrews.co.uk ; 8a Golf Pl ; s 80-120 £, d 90-150 £ ; wifi). Sis à deux pas du fameux 18e trou de l'Old Course, ce magnifique B&B a tout d'un hôtel de charme. Seulement 3 chambres, luxueuses et d'un goût exquis ; la plus belle, au dernier étage, immense, possède son propre balcon donnant sur le golf.

OLD COURSE HOTEL Hôtel £££
(☎01334-474371 ; www.oldcoursehotel.co.uk ; Old Station Rd ; d avec/sans vue 460/410 £, ste 745 £ ; P @ ᯤ ≋). Incarnation du luxe associé au golf, cet hôtel se situe juste à côté du célèbre 17e trou. On y profite de chambres immenses, d'un service hors pair et de multiples équipements, dont un spa. Moyennant quelque 50 £ en sus, vous aurez vue sur l'Old Course. Les prix proposés en ligne sont généralement plus avantageux que ceux indiqués ici.

HAZELBANK HOTEL Hôtel ££
(carte p. 178 ; ☎01334-472466 ; www.hazelbank.com ; 28 The Scores ; s 69-89 £, d 99-151 £ ; @ ᯤ). L'accueil réellement chaleureux dans cet hôtel familial en fait le plus agréable de tous les établissements à l'ancienne qui bordent The Scores. Les chambres à l'avant offrent une vue splendide sur la plage et la mer, celles à l'arrière sont meilleur marché. Les prix baissent nettement hors période estivale.

FIVE PILMOUR PLACE B&B ££
(carte p. 178 ; ☎01334-478665 ; www.5pilmourplace.com ; 5 Pilmour Pl ; s 78 £, d 120-160 £ ; @ ᯤ). À un jet de pierre de l'Old Course, un luxueux B&B à l'ambiance feutrée, dont le salon est un bijou d'élégance. Petites chambres raffinées, aux styles variés, aux équipements modernes (TV à écran plat, lecteur de DVD, etc.) et aux lits immenses, très confortables.

ASLAR HOUSE B&B ££
(carte p. 178 ; ☎01334-473460 ; www.aslar.com ; 120 North St ; s/d/ste 50/96/100 £ ; ⏲ fév à mi-nov ; ᯤ). Un établissement haut de gamme aux chambres impeccablement tenues, toutes pourvues de station iPod, lecteur DVD, de sèche-cheveux, et complétées d'une superbe salle de bains flambant neuve. Tant de modernité ne dépare pas le cachet ancien de la demeure – qui compte une chambre insolite dans une tourelle –, mais le met au contraire en valeur. La *master suite*, très spacieuse, mérite largement le petit supplément. Les moins de 16 ans ne sont pas acceptés.

CAMERON HOUSE B&B ££
(carte p. 178 ; ☎01334-472306 ; www.cameronhouse-sta.co.uk ; 11 Murray Park ; s/d 45/90 £ ; ᯤ). Les chambres superbement décorées et l'accueil sympathique des propriétaires font que l'on se sent chez soi dans cette maison d'hôtes. Les 2 chambres individuelles se partagent une salle de

Toutes les saveurs de la mer écossaise sur un plateau

bains. Les tarifs baissent de 10 £ par personne hors saison. Nombreux autres B&B dans la même rue.

Où se restaurer

VINE LEAF Écossais £££
(carte p. 178 ; ☎01334-477497 ; www.vineleafstandrews.co.uk ; 131 South St ; dîner 2 plats 26,50 £ ; ⏲dîner mar-sam ;). Une table stylée et chaleureuse, établie de longue date. La carte, régulièrement renouvelée, est axée sur le poisson et les fruits de mer, le gibier et les mets végétariens, tous fameux. Même les plats de la formule dîner sont variés, et bien présentés. Belle carte des vins, surtout du Vieux Continent. Dans un passage donnant sur South St.

**SEAFOOD RESTAURANT** Fruits de mer £££
(carte p. 178 ; ☎01334-479475 ; www.theseafoodrestaurant.com ; The Scores ; déj/dîner 22/45 £). Superbe salle rythmée de baies vitrées dominant la mer sur trois côtés, cuisine ouverte et vue panoramique sur la baie de St Andrews côté cadre. Et, dans l'assiette, de sublimes produits de la mer, à accompagner d'un vin de l'excellente carte. Formules spéciales l'hiver.

DOLL'S HOUSE Écossais ££
(carte p. 178 ; ☎01334-477422 ; www.dolls-house.co.uk ; 3 Church Sq ; plats 13-15 £). Allure de chambre d'enfant victorienne (chaises à haut dossier, couleurs chatoyantes, parquet qui craque) alliée à une élégance toutefois moderne pour cette "maison de poupée" à l'ambiance chaleureuse. Le menu fait la part belle aux produits de la pêche et autres spécialités écossaises. Formule imbattable au déjeuner et pour dîner tôt (2 plats déj/dîner 6,95/12,95 £).

THE GLASS HOUSE Italien, écossais ££
(carte p. 178 ; www.glasshouse-restaurant.co.uk ; 80 North St ; plats 7-15 £ ; ⏲12h-21h). Décontracté mais confortable, ce restaurant sur deux niveaux, avec cuisine ouverte, est très lumineux. Menu plutôt italien (pizzas et plats de pâtes notamment), apprécié des étudiants. L'Écosse est toutefois représentée dans quelques plats du jour à base de viande et de gibier de qualité.

THE CAFÉ IN THE SQUARE Café £
(carte p. 178 ; 4 Church Sq ; repas légers 4-7 £ ; ⏲10h30-16h30 lun-sam). Caché sur un côté

La Tummel, près de Pitlochry (p. 186)

LEE FROST/GETTY IMAGES ©

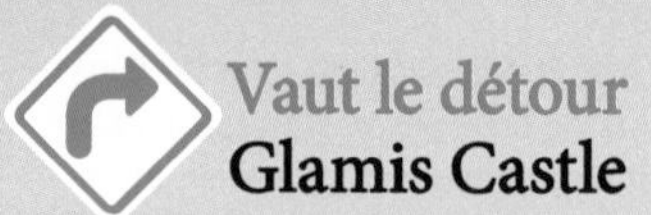

Vaut le détour Glamis Castle

Parfaite illustration du château seigneurial écossais, avec sa forêt de tourelles pointues et de créneaux, **Glamis Castle** (www.glamis-castle.co.uk ; adulte/enfant 9,75/7,25 £ ; 10h-18h mi-mars à oct, 10h30-16h30 nov-déc, fermé jan-fév) est le cadre choisi par Shakespeare pour son *Macbeth*. Résidence royale depuis 1372, c'est la demeure familiale des comtes de Strathmore and Kinghorne – la reine mère (née Elizabeth Bowes-Lyon ; 1900-2002) passa son enfance à Glamis (prononcez "glams") et la princesse Margaret (sœur de la reine, 1930-2002) y naquit. Visites guidées de 1 heure toutes les 15 minutes (dernière visite à 16h30, 15h30 en hiver).

Dans une allée de cottages du XVIIIe siècle partant de la place toute fleurie du village de Glamis, l'**Angus Folk Museum** (NTS ; Kirkwynd ; adulte/enfant 6/5 £ ; 10h30-16h30 jeu-lun juil et août, 11h30-16h30 sam-lun avr-juin, sept et oct) regroupe une belle collection d'objets domestiques et agricoles.

Glamis Castle se trouve à 19 km au nord de Dundee, relié par 2 à 4 bus quotidiens (35 min), certains continuant sur Kirriemuir.

de la bibliothèque, un café minuscule et chaleureux, parfait aussi pour un déjeuner léger. Sandwichs, paninis, salades peuvent se déguster à de tranquilles tables dehors.

THE TAILEND Fruits de mer £
(carte p. 178 ; www.tailendfishbar.co.uk ; 130 Market St ; à emporter/sur place 6/10,50 £ ; 11h30-22h). Le poisson frais pêché à Arbroath, plus au nord, classe cette adresse au-dessus de la plupart des gargotes bon marché. Frit sur commande, il vaut la peine que l'on patiente. Le choix de délicieux mets fumés donne envie de pique-niquer ou de jouer des coudes pour obtenir une table.

B JANNETTA Glaces £
(carte p. 178 ; 01334-473285 ; www.jannettas.co.uk ; 31 South St ; cône 1/2 boules 1,40/2 £ ; lun-sam). Une institution de St Andrews, réputée pour sa cinquantaine de parfums de glaces, dont le sorbet au soda Irn-Bru ou la glace fraise-champagne.

Renseignements

St Andrews Community Hospital (01334-465656; www.nhsfife.org ; Largo Rd)

St Andrews Information Centre (01334-472021 ; www.visit-standrews.co.uk ; 70 Market St ; 9h15-18h lun-sam et 10h-17h dim juil-août, 9h15-17h lun-sam sept-juin, plus 11h-16h dim avr-juin et sept-oct ; @). Personnel serviable et bien documenté sur St Andrews et le Fife.

Depuis/vers St Andrews

Bus

Tous les bus partent de la gare routière de Station Road. Liaisons fréquentes à destination de :

- **Anstruther** 40 min, passages fréquents
- **Crail** 30 min, passages fréquents
- **Édimbourg** 9,50 £, 2 heures, 1/h
- **Glasgow** 9,95 £, 2 heures 30, 1/h
- **Stirling** 7,45 £, 2 heures, 1 toutes les 2 heures lun-sam

Train

Il n'y a pas de gare ferroviaire à St Andrews-même, mais l'on peut prendre un train d'Édimbourg à Leuchars (12,60 £, 1 heure, 1/h), à 8 km au nord-ouest. De là, des bus desservent St Andrews.

Comment circuler

Pour commander un taxi, contactez **Golf City Taxis** (01334-477788). De la gare de Leuchars au centre de St Andrews, comptez environ 12 £.

Spokes (01334-477835 ; www.spokescycles.com ; 37 South St ; 9h-17h30 lun-sam) loue des VTT pour 8,50/13,50/60 £ la demi-journée/journée/semaine.

EAST NEUK OF FIFE

Cette charmante portion de littoral s'étend du sud de St Andrews jusqu'à la pointe de Fife Ness, puis vers l'ouest jusqu'à Leven. *Neuk* signifie "coin" en vieil écossais ; et ce coin est très agréable à découvrir avec ses jolis villages de pêcheurs et ses magnifiques balades côtières. Le tronçon le plus beau du Fife Coastal Path (sentier côtier du Fife) se trouve d'ailleurs dans le secteur. Facilement accessible depuis St Andrews pour une excursion à la journée, l'East Neuk fait aussi un lieu de séjour plaisant.

Crail

1 695 HABITANTS

Crail, petite localité paisible et ravissante, est dotée d'un port protégé par une digue de pierre et bordé de cottages coiffés de tuiles rouges. L'ensemble fait le bonheur des photographes. On peut acheter du homard et des crabes dans un **kiosque** (**déj sam-dim**). Les bancs installés sur la pelouse voisine sont le lieu idéal pour se restaurer face à l'Isle of May (île de May).

L'histoire du village et son rôle dans l'industrie de la pêche sont retracés au **Crail Museum** (**www.crailmuseum.org.uk ; 62 Marketgate ; entrée libre ; 10h-13h et 14h-17h lun-sam, 14h-17h dim juin-sept, sam-dim seulement avr-mai**), et tient lieu d'office du tourisme.

Crail est à 16 km au sud-est de St Andrews. Le bus **Stagecoach** (**www.stagecoachbus.com**) n°95 circulant entre Leven, Anstruther, Crail et St Andrews s'arrête à Crail toutes les heures environ (30 min depuis St Andrews).

Anstruther

3 442 HABITANTS

Jadis l'un des ports les plus actifs d'Écosse, Anstruther a résisté mieux que d'autres aux secousses qui ont ébranlé l'industrie de la pêche. Aujourd'hui, c'est un petit port plaisant, où les touristes déambulent dans les jolies rues en grignotant un *fish and chips* ou en admirant île de May.

À voir

Une visite au **Scottish Fisheries Museum** (**www.scotfishmuseum.org ; St Ayles, Harbourhead ; adulte/enfant 6 £/gratuit ; 10h-17h30 lun-sam, 11h-17h dim avr-sept, 10h-16h30 lun-sam, 12h-16h30 dim oct-mars**) s'impose, notamment pour sa **galerie du Zulu**, qui abrite l'immense coque d'un bateau de pêche de type *zulu* partiellement restaurée. Amarré devant le musée, le *Reaper*, bateau de type *fifie*, fut construit en 1902.

Où se loger et se restaurer

THE SPINDRIFT B&B ££ (**01333-310573 ; www.thespindrift.co.uk ; Pittenweem Rd ; s/d 60/80 £ ; P**). Lorsqu'on arrive à Anstruther par l'ouest, inutile d'aller plus loin que la première maison sur la gauche, à l'hospitalité tout écossaise légendaire. Les chambres sont charmantes et

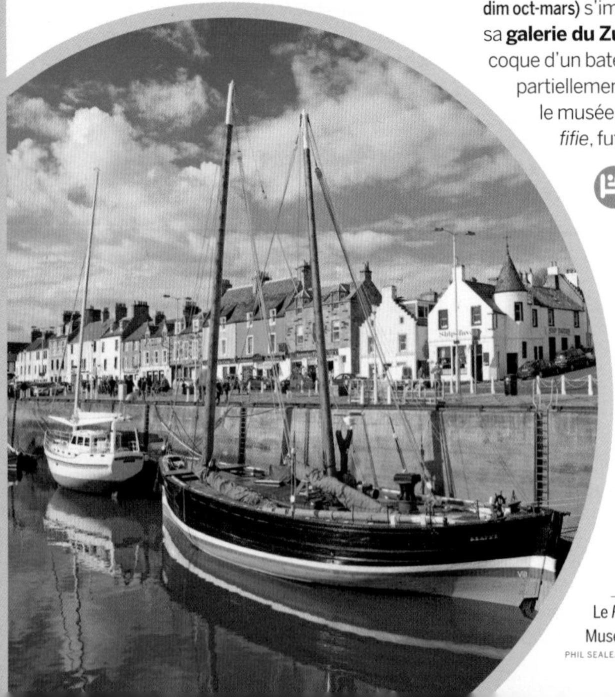

Le *Reaper*, devant le Scottish Fisheries Museum (voir ci-dessus)

extrêmement confortables – certaines ont vue sur Édimbourg par-delà le Fife of Forth, et l'une est aménagée comme une cabine de bateau, grâce au capitaine qui possédait la maison autrefois.

THE BANK Auberge ££

(01333-310189 ; www.thebank-anstruther.co.uk ; 23 High St ; s/d 50/100 £ ;). Les chambres réaménagées de ce pub central, modernisé lui aussi, sont spacieuses, dotées de grands lits et de belles salles de bains. L'arrière du bâtiment donnant sur l'estuaire, la plupart des chambres profitent de jolies vues. Le bar est agréable, avec des tables dans le jardin à l'arrière – du coup, si vous y dormez le week-end, préférez les chambres les plus basses (nos 7 et 8). Prix généralement beaucoup moins chers que ceux indiqués ici.

CRICHTON HOUSE B&B ££

(01333-310219 ; www.crichtonhouse.com ; High St W ; d 70-80 £ ; P). On repère ce B&B sur la droite en approchant du centre par l'ouest. Chambres d'une propreté impeccable avec corbeille de fruits frais, et salle de bains aux dalles d'ardoise. Les propriétaires, pleins d'entrain, proposent de multiples spécialités au petit-déjeuner. Accès par un escalier en bois sur le côté.

CELLAR RESTAURANT
Poissons et fruits de mer £££

(01333-310378 ; www.cellaranstruther.co.uk ; 24 East Green ; menu dîner 2-3 plats 35/40 £ ; déj ven-sam, dîner mar-sam). Niché dans une ruelle derrière le musée, le Cellar est réputé pour son poisson, ses fruits de mer et ses vins. Vous pourrez vous régaler de crabe, de homard ou de tout autre délice pêché du jour. Cadre élégant et raffiné. Réservation indispensable.

WEE CHIPPY Fish and chips £

(4 Shore St ; fish and chips 5,50 £). L'Anstruther Fish Bar est l'un des meilleurs *fish and chips* de Grande-Bretagne mais, pour nous (et pour de nombreux habitants), celui-ci est encore mieux : poisson de tout premier choix, portions plus copieuses – et la file d'attente est moins longue. Savourez votre "prise" au bord de l'eau.

Vaut le détour
Gleneagles

Dans la campagne du Perthshire, près d'Auchterarder, se trouve l'un des hébergements les plus réputés d'Écosse, le **Gleneagles Hotel** (01764-662231 ; www.gleneagles.com ; d 435-535 £ ; P @). Temple du luxe et de l'opulence, il s'enorgueillit de trois terrains de golf de championnat, de l'Andrew Fairlie at Gleneagles (souvent désigné comme la meilleure table d'Écosse ; dîner mar-sam) et d'un choix de chambres et de suites somptueuses, pouvant accueillir aussi bien des couples en week-end romantique qu'une famille royale en exil… Malgré son allure imposante et son personnel en kilt aussi prévenant que discret, l'hôtel accueille volontiers les hôtes qui ne sont pas forcément de marque, ainsi que la clientèle familiale (nombreuses activités proposées). Il possède même sa propre gare ferroviaire, mais l'on peut aussi venir en limousine. Vous trouverez plus d'informations et des offres spéciales sur le site Internet. Gleneagles accueillera le tournoi de golf de la Ryder Cup en 2014.

Renseignements

Anstruther Information Centre (01333-311073 ; www.visitfife.com ; Harbourhead ; 10h-17h lun-sam, 11h-16h dim avr-oct). Le meilleur office du tourisme de l'East Neuk.

Depuis/vers Anstruther

Le bus **Stagecoach** (www.stagecoachbus.com) n°95 fait tous les jours le trajet entre Leven (départs plus fréquents depuis St Monans) et Anstruther, puis St Andrews (40 min, 1/h) via Crail.

PERTHSHIRE

Pitlochry

2 564 HABITANTS

Pitlochry, qui évoque les Highlands, est une halte prisée sur la route vers le nord et une bonne base pour explorer la partie septentrionale de l'Écosse du Centre. Par un après-midi de printemps, la ville est très agréable : on y voit des saumons nager dans la Tummel, et une délicieuse odeur s'échappe du Moulin Hotel. En été, l'artère principale voit défiler une foule de touristes en circuit organisé, mais il suffit de s'en écarter pour retrouver le charme du bourg.

À voir

Les superbes **bords de rivière** sont l'un des principaux atouts de Pitlochry. Une retenue est aménagée sur la Tummel, et l'on peut voir les saumons nager (et non sauter) le long d'une **échelle à poissons** pour rejoindre le loch situé plus haut.

BELL'S BLAIR ATHOL DISTILLERY Distillerie
(01796-482003 ; www.discovering-distilleries.com ; Perth Rd ; visite 6 £ ; tlj avri-oct, lun-ven nov-mars). L'une des deux distilleries de Pitlochry, située à l'extrémité sud de la bourgade. Les visites mettent l'accent sur le procédé de fabrication et de mélange du whisky. Visites privées plus complètes, avec de meilleures dégustations.

Pass of Killiecrankie

Le **Killiecrankie Visitor Centre** (NTS ; 01796-473233 ; www.nts.org.uk ; entrée libre, parking 2 £ ; 10h-17h30 avr-oct) est installé dans un défilé escarpé, à 5,6 km au nord de Pitlochry. Expositions interactives sur la révolte jacobite, ainsi que sur la flore et la faune locales. On peut faire de magnifiques randonnées dans cette gorge boisée où vivent des écureuils roux. Ici également le **Highland Fling** (0845 366 5844 ; www.bungeejumpscotland.co.uk ; 70 £, sauts répétés 30 £) vous fait faire le grand saut à l'élastique depuis le pont sur la gorge (40 m), le week-end, plus le mercredi et le vendredi en été.

Des bus relient Pitlochry à Blair Atholl via Killiecrankie (10 min, 3-7/j).

Où se loger et se restaurer

CRAIGATIN HOUSE Guesthouse ££
(01796-472478 ; www.craigatinhouse.co.uk ; 165 Atholl Rd ; s 75 £, d standard/deluxe 85/95 £ ; mi-jan à oct ; P @). Cette noble demeure victorienne avec jardin, en retrait de l'artère principale, a bien plus de cachet que la moyenne des hébergements de Pitlochry. Dans les chambres, au confort et au standing bien au-dessus de ce que laisserait espérer le prix, d'élégants tissus contemporains couvrent les lits immenses. Chambres aménagées dans l'ancienne écurie particulièrement charmantes. La salle du petit-déjeuner et le salon, superbes, donnent sur un jardin luxuriant. Parmi les plats servis au petit-déjeuner, citons le porridge au whisky, l'omelette au poisson fumé et les pancakes aux pommes. Les enfants ne sont pas acceptés.

MOULIN HOTEL Pub ££
(01796-472196 ; www.moulinhotel.co.uk ; plats de bar 9-11 £). À un peu moins de 2 km de Pitlochry, cet hôtel plein de caractère existait déjà bien avant l'arrivée des touristes. Plafonds bas, bois patiné par les ans et charmantes alcôves donnent à cette auberge énormément de cachet. On vient y siroter une bière artisanale maison ou se régaler de spécialités des Highlands, comme le copieux *haggis* ou le chevreuil en ragoût. Le mieux est de venir à pied de Pitlochry : on commence par grimper à travers champs puis l'on redescend la colline en pente douce.

ASHLEIGH B&B £
(01796-470316 ; www.realbandbpitlochry.co.uk ; 120 Atholl Rd ; s/d 30/50 £ ;). L'accueil de Nancy est si naturellement chaleureux que son établissement, dans la rue principale, est une étape de choix à Pitlochry. Ses 3 chambres confortables se partagent une superbe salle de bains, et la cuisine ouverte est garnie de victuailles pour préparer

À ne pas manquer **Blair Castle**

Le magnifique Blair Castle et son domaine de 280 km^2, fief du duc d'Atholl, le chef du clan Murray, est l'un des sites touristiques les plus fréquentés d'Écosse. Impressionnant édifice blanc, il se tient sur les pentes boisées qui surplombent la Garry.

La tour d'origine fut érigée en 1269, mais le château a subi d'importantes modifications. Les trente pièces ouvertes au public donnent un merveilleux aperçu de la vie de la haute société des Highlands, du XVIe siècle à nos jours. La salle à manger est somptueuse (remarquez les superbes verres à vin), et la salle de bal, immense et voûtée, s'orne de trophées de cerfs.

L'actuel duc vient au château chaque année, en mai, pour passer en revue les Atholl Highlanders, l'unique armée privée de Grande-Bretagne.

Blair Atholl est à environ 9,5 km au nord-ouest de Pitlochry, et le château se trouve près de 2 km plus loin. Les bus locaux relient Pitlochry à Blair Atholl (25 min, 3-7/j). Du lundi au samedi, 4 bus quotidiens vont directement au château. Il y a une gare ferroviaire dans le village, mais tous les trains ne s'y arrêtent pas.

INFOS PRATIQUES

(☎01796-481207 ; www.blair-castle.co.uk ; adulte/enfant/famille 9,50/5,70/25,75 £ ; 🕘9h30-17h30 avr-oct, 10h-16h sam-dim nov-mars

soi-même le petit-déjeuner. Excellente adresse bon marché où l'on se sent comme chez soi. Nancy loue aussi à la nuit un bel appartement équipé, avec une jolie vue.

KNOCKENDARROCH HOUSE Hôtel **££**
(☎01796-473473 ; www.knockendarroch.co.uk ; Higher Oakfield ; dîner + B&B d 188 £ ; P 📶 🐾). Meilleur hôtel de Pitlochry, qui bénéficie aussi de la plus belle vue. Chambres luxueuses avec fenêtres laissant entrer la magnifique lumière des Highlands. Les standards ont une vue plus agréable que les *superiors*, plus grandes et plus chères. Quelques-unes disposent d'un balcon, idéal pour l'apéritif. Repas recommandés.

Ci-dessous Braemar Castle (p. 191)
À droite Le Loch Dunmore, près de Pitlochry (p. 186)

Où sortir

PITLOCHRY FESTIVAL THEATRE Théâtre (**☎01796-484626 ; www.pitlochry.org.uk ; Foss Rd ; billets 26-35 £**). Ce théâtre célèbre, auquel les habitants sont très attachés, a une saison d'été. Des pièces sont jouées tous les jours, sauf le dimanche, de mai à mi-octobre.

Renseignements

Pitlochry Information Centre (**☎01796-472215 ; www.perthshire.co.uk ; 22 Atholl Rd ; ⏲tlj mars-oct, lun-sam nov ; @**). Bonnes informations sur les balades dans la région.

Depuis/vers Pitlochry

Les bus **Citylink** (**www.citylink.co.uk**) rallient environ toutes les heures Inverness (15,50 £, 2 heures), Perth (10 £, 40 min), Édimbourg (15,50 £, 2 heures-2 heures 30) et Glasgow (15,70 £, 2 heures 15). Les bus à prix réduits **Megabus** (**☎0871 266 3333 ; www.megabus.com**) desservent également ces itinéraires.

Les bus **Stagecoach** (**www.stagecoachbus.com**) vont à Aberfeldy (30 min, 1/h lun-sam, 3/j dim), Dunkeld (25 min, jusqu'à 10/j lun-sam) et Perth (1 heure, jusqu'à 10/j lun-sam).

Pitlochry est sur la ligne ferroviaire entre Perth (12,30 £, 30 min, 9/j lun-sam, 5/j dim) et Inverness.

ROYAL DEESIDE

La vallée de la **Dee**, souvent appelée **Royal Deeside** car la famille royale y séjourne depuis longtemps, s'étend à l'ouest d'Aberdeen jusqu'à Braemar. L'A93 suit ses contours. La région entre le Deeside et Strathdon au nord, hérissée de châteaux, compte plus d'exemples d'architecture seigneuriale qu'aucune autre en Écosse.

Ballater

1 450 HABITANTS

Ballater est un joli petit village qui doit son existence, depuis le XVIIIe siècle, aux propriétés curatives des eaux jaillissant des Pannanich Springs (aujourd'hui commercialisées sous le nom de Deeside Natural Mineral Water) et sa prospérité à la proximité du château de Balmoral.

L'**office du tourisme** (01339-755306 ; Station Sq ; 9h-18h juil-août, 10h-17h sept-juin) se trouve dans l'Old Royal Station.

En approchant de Ballater par l'est, les collines, resserrées, offrent maintes possibilités de marches. Il faut un peu plus de 1 heure pour gravir le boisé Craigendarroch (400 m). Le Morven (871 m) est un défi plus sérieux (environ 6 heures), mais son sommet ménage une belle vue. L'office du tourisme vous renseignera.

À voir et à faire

Quand la reine Victoria séjournait à Balmoral, elle descendait du train royal à l'**Old Royal Station** (01339 755306 ; Station Sq ; 2 £ ; 9h-18h juil-août, 10h-17h sept-juin) de Ballater. La gare a été superbement restaurée et abrite maintenant l'office du tourisme, un café et un musée présentant une voiture royale victorienne. Notez les armoiries sur les devantures des boutiques de la grand-rue arborant le "By Royal Appointment" – le village concentre les principaux fournisseurs de Balmoral.

Où se loger et se restaurer

AULD KIRK Hôtel ££
(01339-755762 ; www.theauldkirk.com ; Braemar Rd ; s/d à partir de 73/110 £ ; P). Original, ce "restaurant avec chambres" (six) est aménagé dans une ancienne église du XIXe siècle. L'intérieur mêle les éléments d'origine à un décor moderne épuré. L'élégant restaurant écossais (dîner 2/3 plats 29/36 £) sert du mouton, du chevreuil et des fruits de mer.

PATRICIA HOFMEESTER/SHUTTERSTOCK ©

À ne pas manquer **Balmoral Castle**

À 13 km à l'ouest de Ballater, ce château, derrière son épais rideau d'arbres, est la résidence d'été de la reine. Bâti en 1855 pour Victoria, il fut à l'origine du retour au style seigneurial écossais qui caractérise tant de manoirs écossais du XIXe siècle.

Le billet d'entrée donne droit à un Audioguide bien conçu, mais la visite concerne essentiellement les extérieurs ; dans le château lui-même, seule la salle de bal, qui abrite une collection d'argenterie royale et des peintures de Landseer, est ouverte au public. Ne comptez pas voir les appartements privés ! On en apprend plus sur la gestion des domaines des Highlands que sur la vie des rois. Des visites guidées sont organisées le samedi, d'octobre à décembre. Consultez le site Internet pour plus d'informations.

INFOS PRATIQUES

01339-742334 ; www.balmoralcastle.com ; adulte/enfant 9/5 £ ; 10h-17h avr-juil, dernière entrée 16h.

GREEN INN B&B ££
(**01339-755701 ; www.green-inn.com ; 9 Victoria Rd ; B&B à partir de 40 £/pers ; P**). Dans une belle maison ancienne, avec fauteuils et canapés cossus, cet autre "restaurant avec chambres" (trois, confortables, avec sdb) est réputé pour la finesse de sa cuisine. La carte comporte des plats d'inspiration française tels que cailles rôties aux écrevisses, champignons sauvages et truffes. Le dîner de 3 plats coûte 43 £ et est servi du mardi au samedi de 19h à 21h.

HABITAT Auberge de jeunesse £
(**01339-753752 ; www.habitat-at-ballater.com ; Bridge Sq ; dort/lits jum 20/45 £ ;**). Perchée en haut d'une allée près du pont sur la Dee, voici une attrayante auberge de jeunesse écologique, forte de 3 dortoirs de 8 lits (avec casier et lampe de chevet) et d'un salon avec canapés moelleux et poêle à bois.

OLD STATION CAFE Café ££
(**01339-755050 ; Station Sq ; plats 9-15 £ ; 10h-17h tlj, 18h30-20h30 jeu-sam**). L'ancienne

salle d'attente de la gare de la reine Victoria est devenue une séduisante salle à manger avec sol à carreaux noirs et blancs, chaises cannées, et cheminée et tables en marbre. Les plats du jour mettent à l'honneur les produits locaux, du saumon au chevreuil. Café et gâteaux maison toute la journée.

 Depuis/vers Ballater

Ballater est relié à Aberdeen par le bus n°201 (9,60 £, 1 heure 45, 1/h lun-sam, 6/j dim), qui passe par Crathes Castle et continue, toutes les 2 heures, sur Braemar (30 min).

Braemar

400 HABITANTS

Braemar se niche dans un cadre enchanteur, une large plaine encadrée de montagnes, au point de rencontre de la vallée de la Dee et du Glen Clunie. En hiver, c'est l'un des endroits les plus froids du pays – les températures peuvent atteindre – 29°C –, et des cerfs affamés s'aventurent parfois dans les rues en quête de nourriture.

L'**office du tourisme** (☎01399-741600 ; The Mews, Mar Rd ; 9h-18h août, 9h-17h juin, juil, sept et oct, 10h-13h30 et 14h-17h lun-sam, 14h-17h dim nov-mai), en face du Fife Arms Hotel, fournit des informations sur les balades.

 À voir et à faire

Au nord du village, **Braemar Castle** (www.braemarcastle.co.uk ; adulte/enfant 6/3 £ ; 10h-16h sam-dim Pâques-oct, plus mer juil-mi-sept), caractérisé par ses tourelles, date de 1628. Il servit de garnison aux troupes d'État après la rébellion jacobite de 1745. Il a été repris en main par la communauté locale en 2007, qui propose des visites guidées des anciens appartements.

Une promenade facile (1 heure 30) mène en haut du **Creag Choinnich** (538 m), une hauteur à l'est du village, dominant l'A93. Le chemin est balisé sur toute la longueur.

Vous pourrez louer des VTT chez **Braemar Mountain Sports** (☎01339-741242 ; www.braemarmountainsports.com ; 5 Invercauld Rd ; 9h-18h) pour 16 £ les 24 heures, ainsi que des équipements de ski et d'escalade.

 Où se loger et se restaurer

CLUNIE LODGE GUESTHOUSE B&B ££

(☎01339-741330 ; www.clunielodge.com ; Cluniebank Rd ; ch à partir de 32 £/pers ; P wifi). Villa victorienne spacieuse dans un joli jardin. Un salon confortable, des chambres avec vue sur les collines et des écureuils batifolant dans les bois alentour en font un bel endroit pour se reposer après une rude journée de marche. Séchoir et local à vélos.

CRAIGLEA B&B ££

(☎01339-741641 ; www.craigleabraemar.com ; Hillside Dr ; ch 72 £ ; P wifi). Accueillant B&B dans un joli cottage en pierre doté de 3 chambres avec salle de bains. Petit-déjeuner végétarien sur demande. Les

Braemar Gathering

Chaque été, des Highland Games sont organisés dans de nombreux sites, mais les jeux écossais les plus connus se déroulent pendant le **Braemar Gathering** (☎01339-755377 ; www.braemargathering.org ; adulte/enfant à partir de 10/2 £), le 1er samedi de septembre. C'est un événement patronné chaque année depuis 1817 par la Braemar Royal Highland Society. Des athlètes internationaux s'affrontent dans différents concours et épreuves : danse, cornemuse, course au sommet du Morrone, tir à la corde, lancer de tronc, de marteau ou de poids et saut en longueur.

Ces jeux de force et d'adresse se tiennent de façon informelle dans les Highlands depuis des siècles. Ils ont pris une tournure officielle vers 1820, avec la montée du romantisme écossais mis à la mode par sir Walter Scott et le roi George IV. La reine Victoria, qui assista à la "Rencontre" de Braemar en 1848, fut à l'origine d'une tradition de patronage royal qui n'a pas cessé depuis.

Si vous aimez... Les châteaux

Balmoral évoque d'emblée la famille royale, mais de nombreux autres châteaux émaillent le Royal Deeside et ses alentours.

1 **CRATHES CASTLE**
(NTS ; 01330-844525 ; adulte/enfant 10,50/7,50 £ ; 10h30-17h juin-août, 10h30-16h30 sam-jeu avr-mai et sept-oct, 10h30-15h45 sam-dim nov-mars ;) Renommé pour ses plafonds peints jacobéens, ses lits à baldaquin remarquablement sculptés et la Horn of Leys (une corne incrustée de pierreries), offerte aux Burnett par Robert Bruce au XIVe siècle. À 26 km à l'ouest d'Aberdeen.

2 **CRAIGIEVAR CASTLE**
(NTS ; adulte/enfant 11,50/8,50 £ ; 11h-17h30 tlj juil et août, ven-mar avr-juin et sept). Demeuré quasiment intact depuis son achèvement au XVIIe siècle, Craigievar est un superbe exemple du style seigneurial écossais originel. À 24 km au nord de Ballater.

3 **FYVIE CASTLE**
(NTS ; adulte/enfant 11/8 £ ; 11h-17h juil-août, 12h-17h sam-mar avr-juin et sept-oct). Un magnifique exemple d'architecture seigneuriale écossaise, sans doute plus connu pour ses fantômes, parmi lesquels un trompettiste et la mystérieuse Green Lady. À 40 km au nord d'Aberdeen.

4 **CASTLE FRASER**
(NTS ; adulte/enfant 9,50/7 £ ; 11h-17h juil-août, 12h-17h jeu-dim avr-juin et sept-oct). L'impressionnante demeure ancestrale des Fraser date du XVIe siècle. L'intérieur, victorien, comprend la grande salle avec une ouverture cachée d'où le laird (propriétaire) pouvait espionner ses invités. À 25 km à l'ouest d'Aberdeen.

propriétaires peuvent vous conseiller sur les promenades locales.

BRAEMAR LODGE HOTEL Hôtel, gîte ££
(01339-741627 ; www.braemarlodge.co.uk ; Glenshee Rd ; dort à partir de 12 £, s/d 75/120 £ ; P). Un pavillon de chasse victorien plein de caractère, en lisière sud du village. La Malt Room, bar lambrissé et orné de trophées de cerfs, est bien fournie en whiskies pur malt. Bon restaurant avec vue sur les collines. Gîte de 12 places en lits superposés dans la propriété.

GATHERING PLACE Bistrot ££
(01339-741234 ; www.the-gathering-place.co.uk ; 9 Invercauld Rd ; plats 15-19 £ ; dîner mar-sam). Bistrot à l'ambiance décontractée et joviale qui fait aussi, ô surprise, dans l'excellence culinaire. Salle à manger accueillante et jardin d'hiver ensoleillé nichés en contrebas du grand carrefour à l'entrée du village.

Depuis/vers Braemar

Le bus n°201 dessert Braemar depuis Aberdeen (9,60 £, 2 heures 15, 8/j lun-sam, 5/j dim). La route entre Perth et Braemar (80 km) est splendide, mais n'est empruntée par aucun transport public.

SPEYSIDE

Dufftown

1 450 HABITANTS

Fondée en 1817 par James Duff, quatrième comte de Fife, Dufftown est à 27 km au sud d'Elgin, au cœur d'une grande région de fabrication de whisky, le Speyside.

L'**office du tourisme** (**01340-820501 ; 10h-13h et 14h-17h30 lun-sam, 11h-15h dim Pâques-oct)** est installé dans la tour de l'horloge, sur la grande place. Le musée voisin renferme quelques objets intéressants d'origine locale.

À voir et à faire

WHISKY MUSEUM Musée
(01340-821097 ; www.dufftown.co.uk ; 12 Conval St ; 13h-16h lun-ven mai-sept). Outre qu'il abrite une sélection de souvenirs ayant trait à la distillerie, ce musée (transféré récemment dans de nouveaux locaux de Conval St) organise des "soirées nez et dégustation" où l'on apprend à reconnaître un bon *single malt* (10 £/pers ; 20h mer juil-août).

Une route du whisky sur mesure

Visiter une distillerie peut être mémorable, mais seuls les forcenés voudront en voir plus de deux ou trois. Certaines enchantent, d'autres ressemblent à de grandes entreprises sans vie. Voici celles que nous recommandons vivement :

Aberlour (01340-881249 ; www.aberlour.com ; visite 12 £ ; 10h et 14h tlj avr-oct, lun-ven sur rdv nov-mars). Un excellent circuit, très détaillé, avec une dégustation intéressante. Dans la rue principale, à Aberlour.

Glenfarclas (01807-500257 ; www.glenfarclas.co.uk ; 5 £ ; 10h-16h lun-ven oct-mars, 10h-17h lun-ven avr-sept, plus 10h-16h sam juil-sept). Petite, accueillante et indépendante. La dernière visite débute 90 minutes avant la fermeture. L'Ambassador's Tour (vendredi uniquement), très approfondi, coûte 15 £. À 8 km au sud d'Aberlour sur la route de Grantown.

Glenfiddich (www.glenfiddich.com ; entrée libre ; 9h30-16h30 tlj toute l'année, fermé à Noël et au Nouvel An). Immense et bondée, c'est la plus pratique depuis Dufftown. Visites en plusieurs langues. Le circuit standard débute par une vidéo ampoulée, mais instructive et gratuite. Plus complet, le Connoisseur's Tour (20 £) doit être réservé. Glenfiddich a continué la production de *single malt* pendant l'âge d'or du *blend*.

Macallan (01340-872280 ; www.themacallan.com ; 9h30-16h30 lun-sam Pâques-oct, 11h-15h lun-ven nov-mars). Excellent malt vieilli en tonneaux de sherry. Plusieurs circuits pour petits groupes sont disponibles (dernier à 15h30), dont l'Expert (20 £). Réservation obligatoire. Dans un beau cadre à 3 km environ au nord-ouest de Craigellachie.

Speyside Cooperage (01340-871108 ; www.speysidecooperage.co.uk ; adulte/enfant 3,50/2 £ ; 9h-16h lun-ven). Pour voir les tonneliers à l'œuvre. À 1,5 km environ de Craigellachie sur la route de Dufftown.

Spirit of Speyside (www.spiritofspeyside.com). Ce festival semestriel se déroule à Dufftown début mai et fin septembre. Grand nombre de manifestations intéressantes, à réserver bien à l'avance (tout comme l'hébergement).

On peut ensuite tester ses connaissances au **Whisky Shop** (01340-821097 ; www.whiskyshopdufftown.co.uk ; 1 Fife St), qui possède en magasin des centaines de *single malts*.

Où se loger et se restaurer

DAVAAR B&B B&B ££

(01340-820464 ; www.davaardufftown.co.uk ; 17 Church St ; s/d à partir de 40/60 £). Belle villa victorienne abritant 3 petites chambres confortables, dans la rue face à l'office du tourisme. Superbe menu au petit-déjeuner, avec possibilité de prendre des kippers de Portsoy à la place du traditionnel *fry-up* (à base d'œufs des poules des propriétaires).

LA FAISANDERIE Écossais £££

(01340-821273 ; The Square ; plats 19-23 £ ; 12h-13h30 et 17h30-20h30). Un magnifique restaurant, tenu par un chef qui sert son propre gibier. Décor de style auberge française, avec une peinture murale gaie et des faisans cachés un peu partout. La formule à 3 plats pour dîner tôt (19,50 £, 17h30-19h) ne déçoit pas, mais on peut aussi commander à la carte.

Depuis/vers Dufftown

Des bus relient Dufftown à Elgin (50 min, 1/h), Huntly, Aberdeen et Inverness.

Les week-ends d'été, vous pouvez prendre un train depuis Aberdeen ou Inverness et changer à Keith pour emprunter le Keith and Dufftown Railway jusqu'a Dufftown.

Skye, Oban, Mull et Iona

Skye incarne à merveille l'image romantique de l'Écosse.

Les pics déchiquetés des Cuillin y transpercent la brume, tandis que les fantômes de Bonnie Prince Charlie et de Flora MacDonald hantent les couloirs du Dunvegan Castle. Lorsque le temps est clément, l'île est le paradis des randonneurs et des passionnés de vie sauvage : ses collines au relief tourmenté, ses lochs solitaires et sa magnifique côte sont le repaire de l'aigle royal, du cerf élaphe, de la loutre et du phoque.

Au sud, le port animé d'Oban constitue la "porte des îles" : des ferries en partent régulièrement pour les îles paisibles de Kerrera et de Lismore, les paysages grandioses de Mull et les plages sauvages battues par les vents de Coll et de Tiree.

La beauté et la diversité des paysages de l'île de Mull lui confèrent une place à part. Si l'on y ajoute deux châteaux majestueux, une petite voie ferrée et l'île sacrée d'Iona, on comprend pourquoi il est parfois impossible d'y trouver à se loger.

Coucher de soleil sur la plage d'Elgol (p. 212)

Le phare de Neist Point, sur la péninsule de Duirinish (p. 217)
SLOW IMAGES/GETTY IMAGES ©

Skye, Oban, Mull et Iona

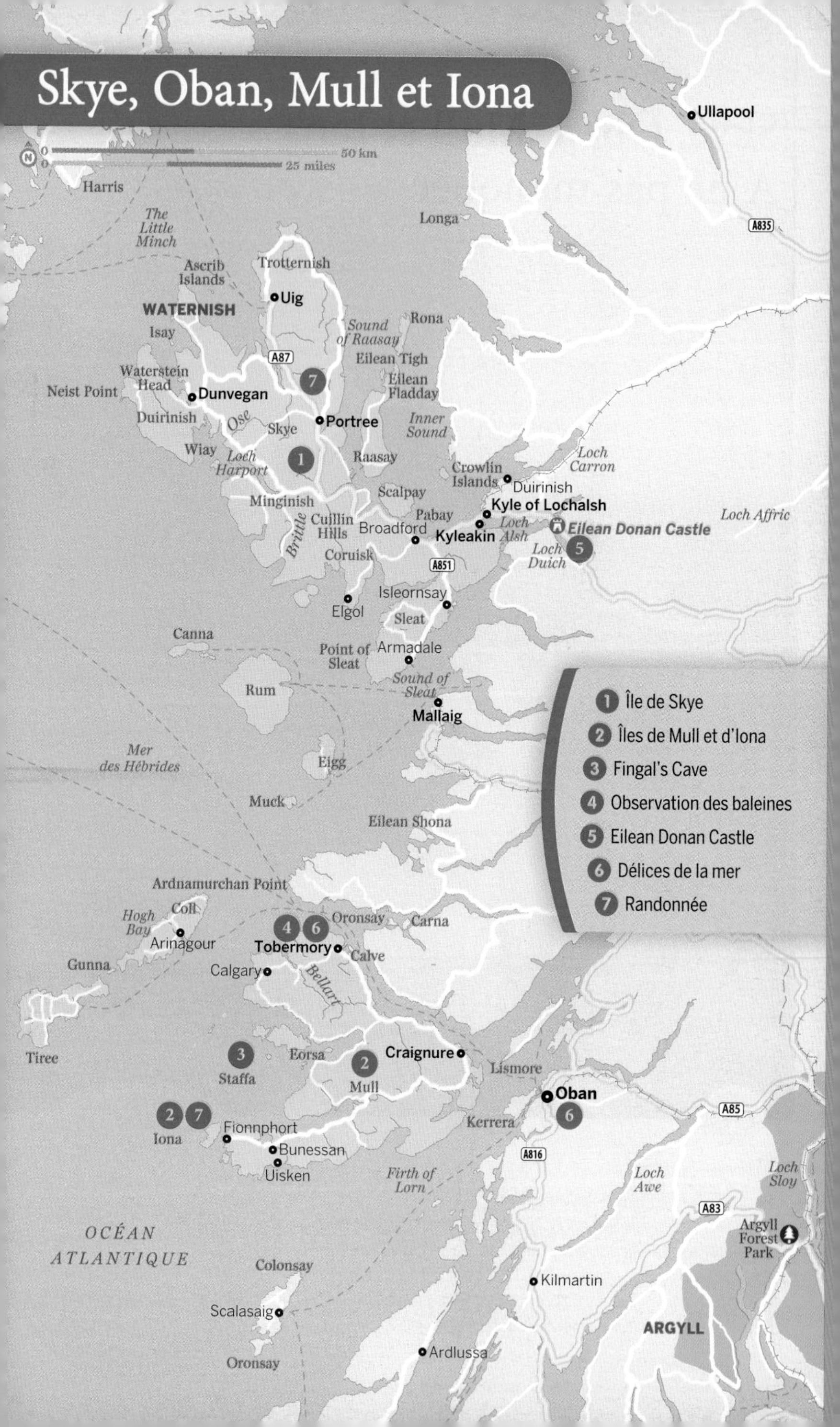

1. Île de Skye
2. Îles de Mull et d'Iona
3. Fingal's Cave
4. Observation des baleines
5. Eilean Donan Castle
6. Délices de la mer
7. Randonnée

0 50 km
0 25 miles

Ullapool
Harris
The Little Minch
Longa
A835
Ascrib Islands
Trotternish
Uig
WATERNISH
Isay
Sound of Raasay
Rona
A87
Eilean Tigh
Waterstein Head
Neist Point
Dunvegan
Eilean Fladday
Duirinish
Ose
Skye
Portree
Inner Sound
Wiay
Loch Harport
Raasay
Loch Carron
Crowlin Islands
Duirinish
Scalpay
Minginish
Kyle of Lochalsh
Pabay
Cuillin Hills
Brittle
Broadford
Kyleakin
Loch Alsh
Eilean Donan Castle
Loch Affric
Loch Duich
Coruisk
A851
Isleornsay
Elgol
Sleat
Canna
Point of Sleat
Armadale
Sound of Sleat
Rum
Mallaig
Mer des Hébrides
Eigg
Muck
Eilean Shona
Ardnamurchan Point
Hogh Bay
Coll
Oronsay
Carna
Arinagour
Tobermory
Calve
Gunna
Calgary
Bellart
Tiree
Staffa
Eorsa
Craignure
Mull
Lismore
Oban
A85
Iona
Fionnphort
Kerrera
Bunessan
A816
Uisken
Firth of Lorn
Loch Awe
Loch Sloy
A83
OCÉAN ATLANTIQUE
Argyll Forest Park
Colonsay
Kilmartin
Scalasaig
ARGYLL
Ardlussa
Oronsay

Skye, Oban, Mull et Iona À ne pas manquer

1

Île de Skye

Pendant longtemps, les voyageurs ont traversé la mer pour se rendre sur Skye. Le voyage peut aujourd'hui se faire par la route grâce à un pont moderne controversé. Il n'enlève rien aux charmes de l'île, dont les paysages comptent parmi les plus beaux et les plus spectaculaires d'Europe. En bas à droite : Skye Museum of Island Life

Nos conseils

QUAND Y ALLER Mai et septembre (mois les plus secs). **PHOTO** Par beau temps, presque partout ! **ASTUCE** Prévoyez un répulsif contre les midges. **Plus d'infos p. 208.**

L'île de Skye

PAR SUU RAMSAY, GUIDE POUR RABBIE'S TRAILBURNERS

1 CUILLIN HILLS

Ces pics en dents de scie, qui dressent vers le ciel la ligne déchiquetée de leurs sombres roches volcaniques (p. 214), sont un véritable défi pour les randonneurs et les férus d'escalade. Le plus redoutable est le bien-nommé Inaccessible Pinnacle. Les moins sportifs pourront se contenter d'une belle croisière entre Elgol et Coruisk, où surgit au-dessus de la mer le relief spectaculaire des Cuillin.

2 DUNVEGAN CASTLE

Fief du clan MacLeod, le château de Dunvegan (p. 216 ; *photo ci-contre, à gauche*) se targue d'être habité sans interruption depuis le XIIIe siècle, un record dans le royaume. Les objets exposés, comme le Fairy Flag et la Rory Mor's Drinking Horn, ne manqueront pas d'éveiller l'intérêt des passionnés d'histoire. Le château se dresse sur les rives du Loch Dunvegan, et l'on y voit souvent des phoques s'ébattre.

3 QUIRAING

Cette impressionnante formation rocheuse (p. 218 ; *photo en page de gauche*) offre une vue magnifique sur un paysage où le temps semble s'être arrêté. Il est possible d'y randonner (avec prudence) jusqu'à la "Prison", ensemble d'étranges colonnes de pierre dressées le long des pentes. Les plus agiles se fraieront un chemin jusqu'à la "Table", qui accueillait jadis la finale du tournoi annuel de *shinty*.

4 FAIRY GLEN

De nombreux "tertres de fées" sont posés dans ce petit vallon paisible et méconnu (p. 219). Selon les habitants de la région, c'est là que vit le "petit peuple", au plus profond de sombres cavernes. Des sorbiers destinés à éloigner les mauvais esprits y furent plantés pour monter la garde. Cherchez aussi la tour et le cercle des fées… et repartez convaincu de leur existence !

5 SKYE MUSEUM OF ISLAND LIFE

Gérée par des habitants de l'île parlant le gaélique, cette reconstitution d'un village de Skye (p. 218) permet de découvrir l'histoire de l'île de façon pédagogique et offre un aperçu nostalgique de la vie quotidienne au XIXe siècle. Parmi les cottages au toit de chaume se trouvent la ferme d'origine, la grange, la maison du tisserand, l'ancienne forge et la salle du *cèilidh*.

Îles de Mull et d'Iona

Très facilement accessible (45 minutes de ferry depuis Oban), Mull est une autre des plus belles îles d'Écosse. De Duart Castle, perché sur un spectaculaire promontoire, à l'île sacrée d'Iona (p. 228), chaque détour de ses routes à une seule voie ménage son lot d'émerveillement. Ci-dessous : Tobermory, île de Mull. En haut à droite : macareux. En bas à droite : île d'Iona

Nos conseils

QUAND Y ALLER De juin à août, pour les baleines. **PHOTO** Du sommet du Dun I (Iona). **FAUNE** Observer les pygargues à queue blanche avec la RSPB (p. 225).

Plus d'infos p. 222.

2

Ma sélection

Îles de Mull et d'Iona

PAR DAVID SEXTON, ORNITHOLOGUE REPRÉSENTANT DE LA RSPB SUR MULL

1 NID D'AIGLE

Mull est le seul endroit au monde à posséder un poste d'observation public dominant la zone de reproduction du pygargue à queue blanche, une espèce rare. Il offre une occasion privilégiée d'admirer cet oiseau de proie, le plus grand du Royaume-Uni, et les revenus générés soutiennent des actions locales. Renseignez-vous au Craignure Tourist Office (p. 223) pour connaître son emplacement.

2 ÎLE D'IONA

Bon nombre de visiteurs traversent Mull au pas de course. Levez le pied et passez si possible une nuit sur Iona (p. 228). C'est une destination de rêve par une belle journée d'été. En soirée, une balade à pied ou à vélo le long de ses chemins tranquilles permet d'entendre le chant étonnant du râle des genêts, sauvé d'une quasi-extinction au Royaume-Uni par la mobilisation des exploitants agricoles locaux.

3 ÎLE DE STAFFA ET ÎLES TRESHNISH

Sur ces îles, l'observation des macareux (p. 225 et p. 230) est un incontournable. D'autres oiseaux marins, comme le guillemot, le petit pingouin et la mouette tridactyle, se massent sur les étroites saillies rocheuses des falaises et leur "parfum" imprégnera durablement vos narines. La géologie de ces îles, Staffa notamment, est remarquable.

4 TOBERMORY

Les maisons colorées du quai de Tobermory (p. 224) sont connues des Britanniques pour avoir servi de décor à une émission de la BBC pour les enfants, *Balamory*. Tobermory est un port animé, avec de bons pubs et restaurants de fruits de mer. Des bateaux proposent des excursions permettant d'observer baleines de Minke, dauphins et requins-pèlerins. S'il fait beau, faites comme le prince Charles : allez acheter votre *fish and chips* au van sur la jetée.

5 PLAGES

Impossible de venir à Mull et Iona sans arpenter une de leurs splendides plages de sable blanc. Celles d'Iona sont nombreuses. En chemin, profitez-en pour découvrir le cadre idyllique des plages d'Ardalanish ou d'Uisken sur la péninsule du Ross of Mull (p. 227), ou dirigez-vous vers le nord et la superbe Calgary Bay.

Fingal's Cave

L'impressionnante architecture rocheuse de cette grotte, sur l'île de Staffa (p. 230), inspira à Felix Mendelssohn son ouverture *Les Hébrides* et représente une expérience incontournable pour les voyageurs désireux de connaître les paysages de ces îles écossaises. Si le temps le permet, un bateau vous y dépose sur une chaussée rocheuse, d'où une passerelle et une saillie naturelle permettent d'aller tout au fond de la grotte.

3

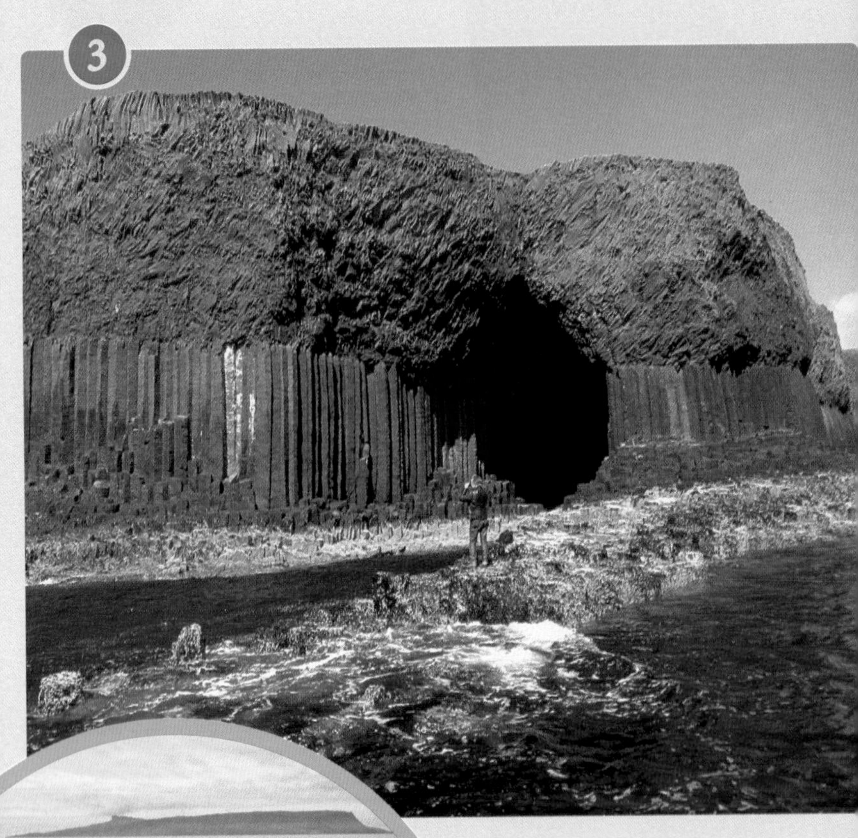

4 Observation des baleines

Les eaux de la côte ouest de l'Écosse attirent de nombreux mammifères marins : marsouins, dauphins, baleines de Minke et même, bien qu'il soit rare de les voir, baleines à bosse et cachalots. Les excursions en bateau (p. 225), au départ de Tobermory sur l'île de Mull, or généralement lieu d'avril à septembre e raison des conditions météorologiques (repérer les baleines est plus aisé par me calme). Il n'est pas rare d'apercevoir auss des requins pèlerins à cette occasion.

5 Eilean Donan Castle

Perché sur un minuscule îlot relié au continent par les charmantes arches d'un vieux pont, Eilean Donan (p. 211) est le plus emblématique des châteaux écossais. Son image est partout, des cartes postales aux boîtes à biscuits, et il figure dans de nombreux films, comme *Highlander* et *Le monde ne suffit pas.* Malgré son air vénérable, il a en réalité été restauré assez récemment, au début du XXe siècle.

6 Délices de la mer

Les eaux de l'Écosse de l'Ouest sont parmi les plus riches d'Europe. À la carte des bons restaurants, tels le Waterfront Fishouse Restaurant (p. 221) et le Café Fish (p. 226), figurent les langoustines (ou *Dublin Bay prawns*), les noix de Saint-Jacques (*scallops* ; récoltées à la main par les plongeurs), les couteaux (*razor clams* ; ramassés sur les plages à marée basse) et la galathée (*squat lobster* ; un crustacé plus petit que son cousin, le homard commun).

7 Randonnée

Les îles écossaises offrent quelques-uns des plus beaux paysages d'Europe. Enfiler ses chaussures de marche et escalader une colline reste le meilleur moyen de les apprécier. Certaines balades sur les îles de Skye et Mull sont réellement difficiles, mais de nombreuses autres sont accessibles à tous, comme celle vers l'Old Man of Storr (p. 218) ou celle du Dun I, point le plus élevé d'Iona. Old Man of Storr, île de Skye

Skye, Oban, Mull et Iona : le best of

Restaurants

- **Three Chimneys** (p. 217). Dîner raffiné dans un magnifique coin isolé de l'île de Skye.
- **Lochbay Seafood Restaurant** (p. 217). Un des restaurants les plus romantiques de l'île de Skye.
- **Waterfront Fishouse Restaurant** (p. 221). Bâtiment jadis réservé aux marins, où l'on sert d'excellents fruits de mer fraîchement débarqués sur le quai.
- **Café Fish** (p. 226). Petit restaurant accueillant sur le port de Tobermory, qui propose des fruits de mer tout juste pêchés.

Points de vue

- **Elgol** (p. 212). Panorama célèbre sur les Cuillin Hills.
- **Sligachan Hotel** (p. 214). Une image de carte postale sur la ligne déchiquetée des Cuillin.
- **Eilean Donan Castle** (p. 211). Avec la mer et les montagnes en toile de fond, ce château orne un nombre incalculable de boîtes de biscuits.
- **McCaig's Tower** (p. 219). Vue sur Oban Bay et les îles de Kerrera et de Mull.
- **Dun I** (p. 230). Une vue panoramique sur la mer et les îles.

Randonnée

- **Coire Lagan** (p. 214). Une randonnée jusqu'au cœur des Cuillin Hills.
- **Coral Beaches** (p. 216). Marche facile jusqu'à de surprenantes plages de gravier blanc avec vue sur les Hébrides extérieures.
- **Old Man of Storr** (p. 218). Courte randonnée à flanc de colline jusqu'à un sommet incroyable, avec une belle vue sur les collines du continent.
- **Quiraing** (p. 218). Une balade sans difficulté, aux dénivelés très rares, dans un étrange décor rocheux.

Excursions en bateau

- **Loch Coruisk** (p. 213). Départ d'Elgol pour rejoindre le fastueux décor de montagnes de ce loch.
- **Observation des baleines, île de Skye** (p. 211). Un petit bateau rapide vous emmène observer les animaux marins dans les eaux de l'île.
- **Observation des baleines, île de Mull** (p. 225). Excursions de qualité au départ du port de Tobermory.
- **Île de Staffa** (p. 225 et p. 230). Visite de la Fingal's Cave, sur l'île de Staffa, au départ d'Iona.

À gauche Coire Lagan (p. 214) **Ci-dessus** Vue d'Oban depuis la McCaig's Tower (p. 219)

Ce qu'il faut savoir

À PRÉVOIR

- **1 mois avant** Réservez une table au Three Chimneys, sur Skye, pour éviter toute déception ; réservez votre hébergement sur Mull et Skye.
- **2 semaines avant** Si vous voyagez en voiture, réservez la traversée en ferry, surtout en été.
- **1 semaine avant** Réservez les excursions en bateau pour observer la faune marine.

ADRESSES UTILES

- **Skye & Lochalsh** (www.skye.co.uk). Renseignements touristiques pour l'île de Skye.
- **Oban** (www.oban.org.uk). Renseignements touristiques pour Oban et ses environs.
- **Isle of Mull** (www.isle-of-mull.net). Beaucoup d'informations utiles, de l'hébergement à la vie sauvage.
- **Isle of Iona** (www.isle-of-iona.net). Renseignements touristiques sur l'île d'Iona.
- **Scottish Heartlands** (www.visitscottishheartlands.com). Site officiel de l'office du tourisme pour Oban et l'île de Mull.
- **Caledonian MacBrayne** (www.calmac.co.uk). Horaires et tarifs des ferries vers les îles.

COMMENT CIRCULER

- **En bus** Réseau correct de bus sur les diverses îles.
- **En ferry** Services fréquents toute l'année entre Oban et l'île de Mull.
- **En train** Départ d'Édimbourg ou de Glasgow vers Oban, Mallaig ou Kyle of Lochalsh.
- **En voiture** Le moyen le plus efficace de se déplacer dans les îles.

MISES EN GARDE

- **Midges** Ces minuscules moucherons qui piquent sont un vrai fléau, de juin à septembre, notamment par beau temps, au crépuscule et à l'aube. Prévoir répulsifs et vêtements à manches longues.
- **Météo** Toujours imprévisible sur la côte ouest ; attendez-vous à de la pluie et du vent, même en plein été.

Suggestions d'itinéraires

Ces itinéraires vous offrent le meilleur des îles de Skye et de Mull. Tous deux commencent et s'achèvent dans une ville possédant une gare ferroviaire. Vous pouvez louer une voiture à Kyle of Lochalsh et la rendre à Armadale.

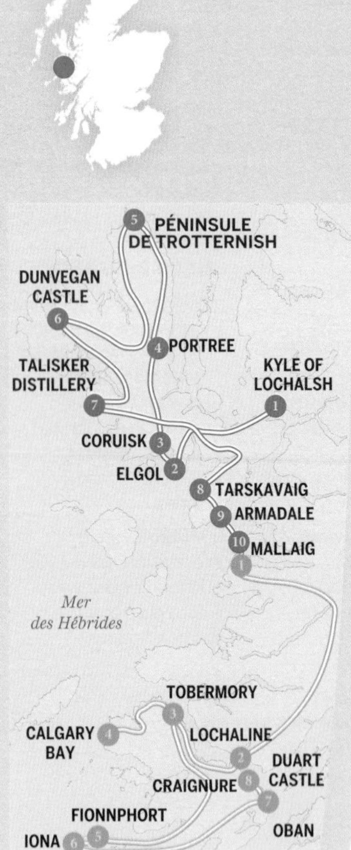

3 JOURS

DE KYLE OF LOCHALSH À MALLAIG

À la découverte de l'île de Skye

Depuis **Kyle of Lochalsh (1)**, empruntez le Skye Bridge et croisez les doigts pour avoir du beau temps ! Suivez les panneaux pour Portree et, à la sortie de Broadford, bifurquez vers le sud-ouest pour rejoindre **Elgol (2)**, où vous attend une croisière pour **Coruisk (3)**. À votre retour, en fin d'après-midi, continuez jusqu'à la capitale de l'île, **Portree (4)**.

Le 2ᵉ jour, faites le tour de la **péninsule de Trotternish (5)** pour découvrir l'Old Man of Storr, Kilt Rock, le Quiraing et le Skye Museum of Island Life, et revenez à Portree pour la nuit. Le 3ᵉ jour, dirigez-vous vers l'ouest jusqu'au **Dunvegan Castle (6)**, avant une promenade vers les Coral Beaches.

Repartez vers le sud sur l'A863 via Bracadale – faites éventuellement halte à la **Talisker Distillery (7)**. De retour à Broadford, partez vers le sud sur l'A851. Pour admirer d'autres paysages grandioses, faites un détour vers l'ouest en suivant la petite route qui passe par **Tarskavaig (8)**, où vous jouirez d'une vue superbe sur les Cuillin Hills et l'île de Rum. Faites néanmoins en sorte d'arriver à **Armadale (9)** à temps pour le ferry vers **Mallaig (10)**.

Ci-dessus Loch Coruisk (p. 213)
Page de droite Bétail sur une plage de Fionnphort (p. 228)

DE MALLAIG À OBAN

En route pour l'île de Mull

De **Mallaig (1)**, comptez 2 heures pour parcourir les 107 km de la magnifique route vers le sud, le long de l'A861 et de l'A884, qui rejoint **Lochaline (2)**, d'où vous prendrez le ferry pour Fishnish, sur l'île de Mull. Dirigez-vous vers le nord jusqu'à **Tobermory (3)**, la capitale colorée de l'île, et après un déjeuner de fruits de mer, faites un tour dans la partie nord de Mull, en vous arrêtant pour une pause pique-nique sur la plage de sable de **Calgary Bay (4)**. Rentrez ensuite passer la nuit à Tobermory.

Le jour suivant, partez vers le sud, le long de la route étroite qui longe en serpentant les rives spectaculaires du Loch na Keal. Tournez à droite sur la route menant à **Fionnphort (5)**. Le trajet semble court sur la carte mais vous prendra 2 ou 3 heures, surtout si vous souhaitez admirer le magnifique paysage. Passez la nuit à Fionnphort et profitez-en pour explorer l'île sacrée d'**Iona (6)** jusqu'au départ du dernier ferry (vous pouvez aussi y passer la nuit) et profiter du calme après le départ des visiteurs de la journée.

Le lendemain, faites le long trajet jusqu'à Craignure (56 km, pour l'essentiel sur une route à une seule voie ; comptez 1 heure 30), avec une halte au **Duart Castle (7)**, fief du clan MacLean, avant d'attraper le ferry qui relie **Craignure (8)** à Oban.

Découvrir Skye, Oban, Mull et Iona

Les incontournables

- **Île de Skye** (p. 208). Une île de brume et de montagnes, célébrée dans les chansons et les légendes.
- **Oban** (p. 219). Port pittoresque et "porte des îles".
- **Île de Mull** (p. 222). Facile d'accès, elle offre des paysages fabuleux et une faune incroyable.
- **Île d'Iona** (p. 228). Île sacrée, d'où saint Colomba entreprit la christianisation de l'Écosse.

Pierre sculptée, île d'Iona (p. 228)

ÎLE DE SKYE

9 900 HABITANTS

L'île de Skye (*An t-Eilean Sgitheanach*, en gaélique) tient son nom du vieux norrois *sky-a*, qui signifie "île des nuages" – certainement une allusion, datant du temps des Vikings, aux Cuillin Hills, dont les sommets sont souvent perdus dans la brume. Plus grande des îles écossaises, Skye s'étend sur 80 km. Ses paysages magnifiques où se mêlent landes, montagnes aux contours déchiquetés, lochs étincelants et imposantes falaises forment son atout le plus précieux. Mais lorsque la brume l'enveloppe, ses châteaux, ses musées et ses confortables pubs et restaurants offrent d'agréables refuges.

Activités

Randonnées

Skye offre quelques-unes des plus belles randonnées d'Écosse et, dans certains cas, des plus difficiles et des plus délicates. Nombreux guides détaillés (dont quatre signés Charles Rhodes) à l'Aros Experience (p. 213) et au Portree Information Centre. Les cartes indispensables sont les n[os]3 et 32 de l'Ordnance Survey (OS) au 1/50 000. Ne vous engagez pas dans de longues randonnées par mauvais temps ou en hiver.

Il existe plusieurs randonnées faciles. L'une d'elle va de Luib (sur la route Broadford-Sligachan) à Torrin (sur la route Broadford-Elgol) via le **Strath Mor** (1 heure 30, 6,5 km). On peut aussi aller de **Sligachan à Kilmarie** via Camasunary (4 heures, 17,5 km), ou d'**Elgol à Kilmarie** également via Camasunary (2 heures 30, 10,5 km). La randonnée de **Kilmarie à**

Coruisk via Camasunary et le "Bad Step" (une masse de rocher plongeant dans la mer, facile à franchir lorsqu'il fait beau et sec, mais que certains randonneurs trouvent néanmoins intimidante) est superbe mais un peu plus difficile (comptez 5 heures, 17,5 km aller-retour).

SKYE WALKING HOLIDAYS Randonnée
(☎ 01470-552213 ; www.skyewalks.co.uk ; Duntulm Castle Hotel, Duntulm). Cette agence organise des randonnées guidées de 3 jours (400 £/pers, 4 nuits d'hôtel comprises).

Kayak de mer

Les criques abritées et les lochs qui parsèment la côte de Skye se prêtent merveilleusement au kayak de mer. Les centres mentionnés ci-après fournissent cours, guides et équipement, pour les débutants comme pour les aguerris. Comptez environ 35 à 40 £ pour un cours d'une demi-journée, location du kayak comprise.

WHITEWAVE OUTDOOR CENTRE Kayak
(☎ 01470-542414 ; www.white-wave.co.uk ; 19 Linicro, Kilmuir ; ⏲ mars-oct). Cours de kayak et excursions guidées aussi bien pour les débutants que les vétérans. Équipement à louer.

SKYAK ADVENTURES Kayak
(☎ 01471-820002 ; www.skyakadventures.com ; 29 Lower Breakish, Breakish). Expéditions et cours emmènent les kayakistes débutants ou confirmés dans des endroits inaccessibles au simple touriste.

Circuits organisés

Plusieurs agences proposent des circuits thématiques (histoire, culture, faune et flore) autour de Skye. L'excursion de 6 heures pour un maximum de 6 personnes coûte à partir de 150-200 £.

SKYE TOURS Circuit en bus
(☎ 0800 980 4846 ; www.skye-tours.co.uk ; adulte/enfant 35/30 £ ; ⏲ lun-sam). Circuit de 5 heures en minibus de l'île de Skye, au départ du parking de l'office du tourisme de Kyle of Lochalsh (près de la gare).

SKYE LIGHT IMAGES Circuit en 4x4
(☎ 07909 706802 ; www.skyejeepsafaris.co.uk ; ⏲ oct-Pâques). Propose des sorties l'hiver en 4x4 dans les zones les plus sauvages de Skye avec cours de photographie (paysages, faune et flore).

Renseignements

Argent

Seuls Portree et Broadford ont des banques avec DAB. Bureau de change à l'office du tourisme de Portree.

Offices du tourisme

Broadford Information Centre (☎ 01471-822361 ; The Car Park, Broadford ; ⏲ 9h30-17h lun-sam, 10h-16h dim avr-oct)

Dunvegan Information Centre (☎ 01470-521581 ; 2 Lochside, Dunvegan ; ⏲ 10h-17h lun-sam juin-oct, plus 10h-16h dim juil-août, 10h-17h lun-ven avr-mai, horaires réduits nov-mars)

Portree Information Centre (☎ 01478-612137 ; Bayfield Rd, Portree ; Internet 1 £/20 min ; ⏲ 9h-18h lun-sam et 10h-16h dim juin-août, 9h-17h lun-ven et 10h-16h sam avr-mai et sept, horaires réduits oct-mars)

Services médicaux

Portree Community Hospital (☎ 01478-613200 ; Fancyhill). Urgences et chirurgie dentaire.

Depuis/vers l'île de Skye

Bateau

Malgré le pont, des ferries continuent de relier Skye au continent. D'autres assurent la liaison entre Uig, sur l'île de Skye, et les Hébrides extérieures.

Mallaig-Armadale (www.calmac.co.uk ; piéton/voiture 4,35/22,60 £). La ligne Mallaig-Armadale (30 min, 8/j lun-sam, 5-7/j dim) est très fréquentée en juillet-août. Réservez bien à l'avance si vous traversez en voiture.

Glenelg-Kylerhea (www.skyeferry.co.uk ; voiture et 4 passagers max 14 £) gère un petit bateau (capacité de 6 voitures) qui assure cette courte traversée (5 min), de Pâques à octobre, tous les jours et toutes les 20 min, de 10h à 18h (10h-19h juin-août).

Bus

Glasgow-Portree 40 £, 7 heures, 4/j

Inverness-Portree 23 £, 3 heures 30, 3/j

Voiture et moto

L'île de Skye est reliée au continent par le Skye Bridge, ouvert en 1995. Le péage controversé du pont fut supprimé en 2004.

Vous trouverez des stations-service à Broadford (24h/24), Armadale, Portree, Dunvegan et Uig.

Comment circuler

Circuler sur l'île en transport public n'a rien d'aisé, surtout si l'on veut s'éloigner de l'axe principal Kyleakin-Portree-Uig. Ici, comme dans le reste des Highlands en règle générale, il y a très peu de bus le samedi, et une seule ligne fonctionne le dimanche (entre Kyle of Lochalsh et Portree).

Bus

Les bus Stagecoach circulent sur les principaux axes et relient les villages les plus importants et les villes. Le ticket **Skye Dayrider** permet de les emprunter à volonté pendant un jour pour 7,50 £. Pour les horaires, appelez la **Traveline** (☎0871 200 22 33).

Taxi

Vous pouvez commander un taxi chez **Kyle Taxi Company** (☎01599-534323), qui loue aussi des véhicules pour 38 £ par jour (vous pouvez demander à récupérer votre voiture de location à la gare ferroviaire de Kyle of Lochalsh).

Kyleakin (Caol Acain)

100 HABITANTS

L'ouverture du Skye Bridge n'a pas arrangé les affaires du pauvre village de Kyleakin – de porte d'entrée vers l'île de Skye, il est devenu un simple village-étape sur la route principale. La bourgade, aujourd'hui paisible, compte un port de plaisance et de pêche.

Géré par la municipalité, le **Bright Water Visitor Centre** (☎01599-530040 ; www.eileanban.org ; The Pier ; adulte/enfant 1 £/gratuit ; ⏲10h-16h lun-ven Pâques-sept) est le point de départ de circuits sur **Eilean Ban**, l'île qui servit de pierre de gué au Skye Bridge, et où le naturaliste et écrivain Gavin Maxwell (l'auteur de *Mes amies les loutres – Ring of Bright Water* en anglais) passa les dix-huit derniers mois de sa vie, en 1968-1969, dans le cottage du gardien de phare. L'île est désormais une réserve naturelle que l'on

Sleat

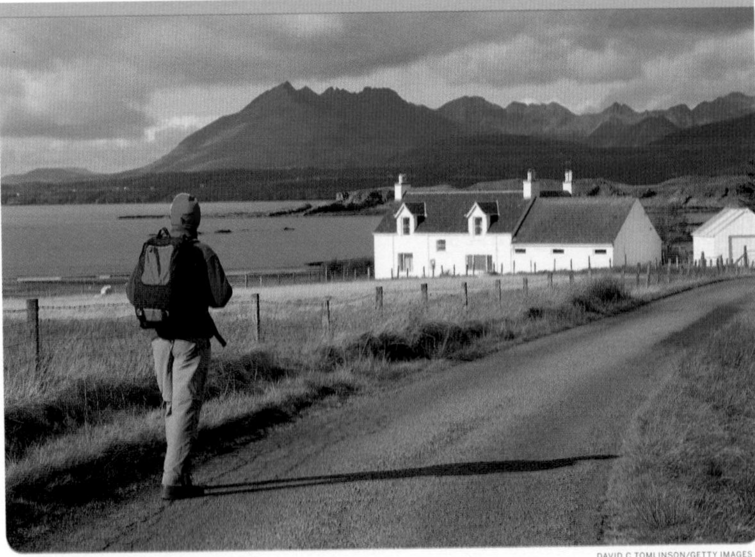

DAVID C TOMLINSON/GETTY IMAGES ©

peut découvrir en été lors de circuits (7 £/pers, à réserver bien à l'avance). Le centre abrite aussi une exposition, sur l'écrivain et sur le phare, ainsi que sur la faune et la flore, qui intéressera petits et grands. Lors de notre passage, les horaires étaient incertains – téléphonez au préalable.

Une navette assure la liaison entre Kyle of Lochalsh et Kyleakin (5 min, toutes les 30 min) et il y a 8 à 10 bus quotidiens entre Broadford et Portree (tlj sauf dim).

Sleat

Le ferry partant de Mallaig pour l'île de Skye débarque à Armadale, à l'extrémité sud de la longue et basse péninsule de Sleat. La péninsule en elle-même n'a rien d'exceptionnel, mais elle ménage de très belles vues sur l'île de Rum, les Cuillin Hills et le Bla Bheinn. Une boucle passant par **Tarskavaig** et **Tokavaig**, le long d'une route sinueuse, permet de les admirer.

Armadale

C'est ici qu'accoste le ferry en provenance de Mallaig. Le village ne compte qu'un magasin, un bureau de poste et quelques maisons. Six ou sept bus quotidiens (lun-sam) relient Armadale à Broadford et à Portree.

À voir et à faire

MUSEUM OF THE ISLES Musée

(☎01471-844305 ; www.clandonald.com ; adulte/enfant 6,95/4,95 £ ; 🕘9h30-17h30 avr-oct). Sur le bord de la route en venant du ferry, **Armadale Castle**, ancien fief de lord MacDonald de Sleat, partiellement en ruine, continue à défier le temps. Outre l'histoire du clan MacDonald, le musée voisin relate aussi celle des seigneurs des îles.

On peut y voir des portraits rares de chefs de clan, ainsi qu'un verre de vin dans lequel a bu Bonnie Prince Charlie. L'entrée comprend l'accès aux magnifiques **jardins du château**.

GRATUIT **AIRD OLD CHURCH GALLERY** Galerie d'art

(☎01471-844291 ; www.airdoldchurchgallery.co.uk ; Aird ; 🕘10h-17h lun-sam Pâques-sept). Au bout d'une route étroite partant d'Armadale vers le sud-ouest jusqu'au village d'Ardvasar, cette petite galerie expose les majestueux paysages peints par l'artiste Peter McDermott.

SEA.FARI ADVENTURES Excursions en bateau

(☎01471-833316 ; www.whalespotting.co.uk ; adulte/enfant 42/34 £ ; 🕘Pâques-sept). Cette agence organise des sorties de 3 heures en Zodiac ultrarapide, permettant notamment d'observer des baleines de Minke l'été (180 apparitions chaque année, en moyenne) et, plus rarement, des grands dauphins et des requins-pèlerins.

Vaut le détour
Eilean Donan Castle

Construit à l'entrée du Loch Duich, près du village de Dornie, **Eilean Donan Castle** (☎01599-555202 ; www.eileandonancastle.com ; Dornie ; adulte/enfant 6/5 £ ; 🕘9h30-18h mars-oct) est l'un des châteaux écossais les plus fascinants – et les plus photographiés. Il s'élève sur un îlot relié comme par magie au continent pas un élégant pont en pierre à arches. Rien de plus plaisant que de le visiter – il y a notamment une intéressante exposition, et c'est là qu'ont été tournées les scènes de château du film *Highlander*. On peut aussi voir une épée ayant servi pendant la bataille de Culloden, en 1746. Le château fut détruit en 1719 par les canons des bateaux du gouvernement après que les forces jacobites eurent perdu la bataille de Glenshiel. Il fut reconstruit entre 1912 et 1932.

Les bus Scottish Citylink depuis Fort William et Inverness, à destination de Portree et de l'île de Skye, s'arrêtent en face du château.

Isleornsay

Ce port coquet, à 13 km au nord d'Armadale, fait face à la baie de Sandaig, sur le continent, où Gavin Maxwell, écrivain et naturaliste, a vécu et a écrit son célèbre *Ring of Bright Water* (*Mes amies les loutres*). La **Gallery An Talla Dearg** (entrée libre ; 10h-18h lun-ven, 10h-16h sam-dim avr-oct) expose les œuvres d'artistes inspirés par les paysages et la culture écossaise.

Où se loger et se restaurer

TORAVAIG HOUSE HOTEL Hôtel ££
(01471-820200 ; www.skyehotel.co.uk ; d 95-120 £ ; P). À 5 km au sud d'Isleornsay, voici une adresse où l'hospitalité prend tout son sens. À peine arrivé, vous vous sentirez chez vous, que vous choisissiez de vous détendre dans les canapés bien rembourrés au coin du feu ou de contempler la vue sur le Sound of Sleat depuis les chaises longues du jardin.

Les chambres spacieuses – demandez la n°1 (Eriskay), pourvue d'un immense lit bateau – sont luxueusement équipées, du linge de lit à la douche haute pression. L'élégant **restaurant Islay** sert ce qu'il a de mieux en matière de poisson, gibier et agneau du cru. Après dîner, vous pourrez vous retirer au salon pour siroter un verre de *single malt* et feuilleter des magazines de voile. Les propriétaires organisent même des excursions d'une journée à bord de leur voilier de 13 m.

HOTEL EILEAN IARMAIN Hôtel £££
(01471-833332 ; www.eilean-iarmain.co.uk ; s/d à partir de 110/170 £ ; P). Charmant hôtel de style victorien avec des cheminées, un excellent restaurant éclairé aux chandelles et 12 chambres somptueuses donnant pour la plupart sur la mer. Le confortable **An Praban Bar** (plats 9-16 £), tout en lambris, mitonne une cuisine de bar gastronomique. Goûtez les beignets de haddock à la bière, le hamburger de chevreuil ou les cannellonis végétariens.

Elgol (Ealaghol)

Par beau temps, la route de Broadford à Elgol est l'une des plus belles de Skye. Elle permet notamment de contempler deux paysages de carte postale : la vue du Bla Bheinn derrière le **Loch Slapin** (près de Torrin), et le superbe panorama des Cuillin Hills depuis l'**embarcadère d'Elgol** (Elgol Pier).

Loch Slapin

La ligne de bus n°49 assure la liaison entre Broadford et Elgol (40 min, 3/j lun-ven, 2/j sam).

Activités

BELLA JANE En bateau
(**0800 731 3089 ; www.bellajane.co.uk ; avr-oct**). La *Bella Jane* propose des sorties de 3 heures (adulte/enfant 22/12 £, 3/j) au départ du port d'Elgol vers le Loch na Cuilce, une impressionnante crique isolée, surmontée de sommets s'élançant vers le ciel et cernée de côtes rocheuses. Par beau temps, il est possible d'accoster et de partir pour une promenade (1 heure 30) jusqu'au Loch Coruisk, au cœur des Cuillin Hills. En chemin, vous pourrez observer une colonie de phoques.

AQUAXPLORE En bateau
(**0800 731 3089 ; www.aquaxplore.co.uk ; Pâques à mi-oct**). Organise des sorties de 1 heure 30 en hors-bord au départ d'Elgol jusqu'à une base de pêche au requin abandonnée de l'île de **Soay** (adulte/enfant 25/20 £), qui appartenait jadis à l'écrivain Gavin Maxwell. Il y a aussi des sorties plus longues (48/38 £, 4 heures) vers Rum, Canna et Sanday, permettant de découvrir les colonies de macareux moines en train de nidifier et, parfois, d'observer des baleines de Minke en chemin.

MISTY ISLE En bateau
(**01471-866288 ; www.mistyisleboattrips.co.uk ; adulte/enfant 18/7,50 £ ; avr-oct**). Plus joli et plus traditionnel, ce bateau en bois assure des excursions sur le Loch Coruisk incluant une escale de 1 heure 30. Il ne navigue pas le dimanche.

Minginish

Le Loch Harport, au nord des Cuillin Hills, sépare la péninsule de Minginish du reste de l'île de Skye. C'est dans le village de Carbost, sur sa rive sud, que la **Talisker Distillery** (**01478-614308 ; www.discovering-distilleries.com ; visite guidée 6 £ ; 9h30-17h lun-sam avr-oct, 11h-17h dim juil-août, 10h-16h30 lun-ven nov-mars**), la seule distillerie de l'île, élabore le fameux Talisker, whisky de malt moelleux, doux et fumé. La visite guidée comprend une dégustation gratuite. La splendide **Talisker Bay**, à 8 km à l'ouest de Carbost, se distingue par sa plage de sable, ses roches émergées et sa chute d'eau.

Portree (Port Rìgh)

1 920 HABITANTS

Portree est la bourgade la plus animée et la plus importante de Skye. Le long de son joli petit port s'alignent des maisons aux couleurs vives. La vue sur les collines environnantes est magnifique. Le nom de l'endroit (du gaélique signifiant "port du roi") a été choisi en l'honneur de Jacques V d'Écosse, qui s'y est rendu en 1540 pour pacifier les clans locaux.

À voir et à faire

AROS EXPERIENCE Centre d'information
(**01478-613649 ; www.aros.co.uk ; Viewfield Rd ; expo sur les pygargues à queue blanche 4,75 £ ; 9h-17h30 ;**). Au sud de Portree, Aros Experience fait à la fois office de centre d'information, de librairie, de boutique de souvenirs, de restaurant, de théâtre et de cinéma. Le centre d'information diffuse des images en direct de nids de pygargues à queue blanche et de hérons (vidéosurveillance). On peut aussi y visionner sur un écran géant un film sur les impressionnants paysages de Skye (il vaut la peine d'attendre les images aériennes des Cuillin Hills).

Le centre est un refuge idéal les jours de pluie, puisqu'il compte aussi une aire de jeux pour les enfants.

MV STARDUST En bateau
(**07798-743858 ; www.skyeboat-trips.co.uk ; Portree Harbour ; adulte/enfant 15/9 £**). Des excursions de 1 à 2 heures jusqu'au Sound of Raasay offrant la possibilité de voir des phoques, des marsouins et, avec un peu de chance, des pygargues à queue blanche. Le samedi, des sorties plus longues mettent le cap sur l'île de Rona (25 £/pers). Sur organisation préalable, le bateau peut aussi vous déposer sur l'île de Raasay pour une randonnée et venir vous reprendre plus tard.

MELBA/GETTY IMAGES ©

À ne pas manquer **Cuillin Hills**

Les Cuillin Hills forment la chaîne de montagnes la plus spectaculaire de Grande-Bretagne (le nom vient du vieux norrois *kjöllen,* qui signifie "en forme de quille"). Bien qu'elles ne soient pas démesurément hautes (le **Sgurr Alasdair**, pic le plus élevé, culmine à 993 m), leurs sommets rappellent ceux des Alpes, avec des crêtes en lame de rasoir, des cimes en dents de scie, des éboulis et de la roche nue à perte de vue. Paradis des grimpeurs aguerris, les cimes les plus hautes des Cuillin sont hors d'atteinte pour la majorité des randonneurs.

Il y a cependant de nombreuses randonnées assez faciles. L'une des meilleures (par beau temps) part du camping de Glenbrittle pour monter jusqu'au **Coire Lagan** (9,5 km aller-retour ; au moins 3 heures). Sur les hauteurs, les plus courageux pourront se baigner dans un *lochan* (petit loch), tandis que les amateurs d'escalade se mesureront aux parois environnantes. N'oubliez pas vos jumelles.

Fréquenté depuis des générations par les alpinistes, le **Sligachan Hotel**, ou "Slig", est presque un village à lui tout seul : il réunit un hôtel huppé, des cottages indépendants, un bâtiment-dortoir, un camping, une microbrasserie, un grand bar (le **Seamus's Bar**) et une aire de jeux. Des bus relient Portree à Carbost via Sligachan (5/j lun-ven, 1/j sam).

INFOS PRATIQUES

Sligachan Hotel (☎ 01478-650204 ; www.sligachan.co.uk ; 65-75 £/pers ; [P] [@] [wifi])

Seamus's Bar (Sligachan Hotel ; plats 8-10 £ ; (horaires) restauration 11h-23h ; [wifi] [famille])

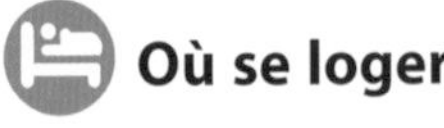

Où se loger

Portree dispose de nombreux B&B. Beaucoup ont été aménagés dans des bungalows modernes confortables mais sans caractère. Taux d'occupation maximal en juillet-août ; réservez bien à l'avance.

BEN TIANAVAIG B&B B&B ££

(☎ 01478-612152 ; www.ben-tianavaig.co.uk ; 5 Bosville Tce ; ch 70-80 £ ; [P] [wifi]). Vous serez bien accueilli dans ce séduisant B&B en plein centre. Les 4 chambres ont vue sur le port et sur la colline dont l'établissement tire son nom. Le petit-déjeuner comprend des légumes du jardin.

PEINMORE HOUSE B&B ££
(**01478-612574 ; www.peinmorehouse.co.uk ; ch 130-140 £ ; P**). Signalé sur la route principale, à environ 3 km au sud de Portree, cet ancien presbytère a été converti en une pension plus luxueuse que nombre d'hôtels. Chambres et salles de bains immenses (un fauteuil trône dans l'une !), petit-déjeuner de qualité (kippers, haddock...) et vue sur l'Old Man of Storr.

BOSVILLE HOTEL Hôtel ££
(**01478-612846 ; www.bosvillehotel.co.uk ; 9-11 Bosville Tce ; s/d à partir de 130/138 £ ;**). Avec son design, ses TV à écran plat et ses salles de bains claires et spacieuses, le Bosville arbore un style très urbain. Offrez-vous le luxe d'une chambre *premier*, d'où vous pourrez admirer la vue sur la ville et le port dans un fauteuil en cuir inclinable.

ROSEDALE HOTEL Hôtel ££
(**01478-613131 ; www.rosedalehotelskye.co.uk ; Beaumont Cres ; s/d à partir de 65/100 £ ; Pâques-oct ;**). Cette adresse cosy au charme désuet, sur le front de mer, se compose de 3 cottages de pêcheurs reliés par un dédale d'escaliers et de couloirs. Vue sur le port depuis l'excellent restaurant. Verre de bienvenue (xérès ou whisky).

WOODLANDS B&B ££
(**01478-612980 ; www.woodlands-portree.co.uk ; Viewfield Rd ; ch 68 £ ; P**). Son emplacement idéal avec vue sur la baie, à 800 m au sud du centre-ville, et son hospitalité sans égale plaident en faveur de ce B&B moderne.

Où se restaurer et prendre un verre

CAFÉ ARRIBA Café £
(**01478-611830 ; www.cafearriba.co.uk ; Quay Brae ; plats 4-8 £ ; 7h-22h mai-sept, 8h-17h30 oct-avr ;**). Ce joyeux petit café blanc et bleu propose de délicieux pains plats fourrés de fondue (celui au bacon, poireaux et fromage est notre préféré) ainsi que le meilleur choix de plats végétariens de l'île (petit-déjeuner, gâteaux de haricots épicés à l'indienne servis avec du yaourt à la menthe). Excellent café de surcroît.

HARBOUR VIEW SEAFOOD RESTAURANT Fruits de mer ££
(**01478-612069 ; www.harbourviewskye.co.uk ; 7 Bosville Tce ; plats 14-19 £ ; déj et 17h30-23h mar-dim**). L'endroit le plus agréable de Portree pour se restaurer. Un feu de bois l'hiver, des livres sur la cheminée et des étagères chargées de bric-à-brac contribuent à la chaleur de la salle. Sur les tables arrivent huîtres de Skye, soupe de poisson, grosses noix de Saint-Jacques, langoustines, homards et autres délices marines.

SEA BREEZES Fruits de mer ££
(**01478-612016 ; www.seabreezes-skye.co.uk ; 2 Marine Buildings, Quay St ; plats 12-19 £ ; déj et dîner avr-oct**). Une bonne enseigne que ce restaurant sans chichis, spécialisé dans les poissons et crustacés issus de la pêche locale. Le plateau, une petite pyramide de langoustines, crabes, huîtres et homard, impressionne. La formule pour dîner tôt (entre 17h et 18h) affiche 2 plats pour 17 £. Réservez, car on s'arrache les tables.

BISTRO AT THE BOSVILLE Bistrot ££
(**01478-612846 ; www.bosvillehotel.co.uk ; Bosville Tce ; plats 9-20 £ ; 12h-14h30 et 17h30-22h ;**). Ce bistrot d'hôtel se caractérise par une ambiance détendue, un chef primé et une carte qui met à l'honneur les produits de l'île – agneau, gibier, fruits de mer, fromage, légumes bio, baies – et revisite ses classiques avec une touche de fantaisie. À côté, le **Chandlery Restaurant** (dîner 3 plats 44 £) accueille sa clientèle dans un cadre plus haut de gamme.

Achats

SKYE BATIKS Cadeaux
(**www.skyebatiks.com ; The Green ; 9h-18h mai-sept, 9h-21h juil-août, 9h-17h lun-sam oct-avr**). Un

PAUL HARRIS/GETTY IMAGES ©

À ne pas manquer **Dunvegan Castle**

Monument historique le plus célèbre de Skye – et sa principale attraction touristique –, Dunvegan Castle était le siège du chef du clan MacLeod. Samuel Johnson, sir Walter Scott et Flora MacDonald y ont séjourné. La partie la plus ancienne de l'édifice est le donjon du XIVe siècle, le reste du château datant du XVIIe au XIXe siècle.

À l'intérieur, en plus des attributs communs à tous les châteaux forts (épées, argenterie et portraits de famille), d'autres objets présentent un certain intérêt, le plus célèbre étant le Fairy Flag, une bannière de soie datée d'entre les IVe et VIIe siècles. Le gilet et une mèche de cheveux de Bonnie Prince Charlie, donations de la petite-fille de Flora MacDonald, se trouvent dans la même salle que le Rory Mor's Drinking Horn, une corne ouvragée du XVIe siècle. En 1956, comme le veut la tradition familiale, John MacLeod, 29e chef du clan, décédé en 2007, vida son contenu en 1 minute et 57 secondes, "sans vaciller ni tomber".

Au bout de la petite route après l'entrée du château, un chemin (2 km) mène aux **Coral Beaches**, deux plages dont le sable, composé d'exosquelettes d'algues coralliennes (maërls), est d'un blanc éblouissant.

La route allant de Portree à Dunvegan passe devant **Edinbane Pottery** (☎01470-582234 ; www.edinbane-pottery.co.uk ; ⏲9h-18h tlj Pâques-oct, fermé sam-dim nov-Pâques). Dans cet atelier de poterie d'art créé en 1971, vous pourrez observer la fabrication artisanale de céramiques.

INFOS PRATIQUES

☎01470-521206 ; www.dunvegancastle.com ; adulte/enfant 9,50/5 £ ; ⏲10h-17h avr à mi-oct

cran au-dessus des boutiques de cadeaux, le Skye Batiks vend toutes sortes d'objets artisanaux, comme des sculptures sur bois, des bijoux et des batiks à motifs celtiques.

ISLE OF SKYE CRAFTS @OVER THE RAINBOW Cadeaux

(☎01478-612361 ; www.skyeknitwear.com ; Quay Brae ; ⏲9h-17h30 lun-sam, plus 11h-16h dim avr-oct). Ce lieu débordant de pulls colorés et de châles en laine d'agneau ou cachemire propose aussi des canevas au point de croix et d'intéressants cadeaux.

ISLE OF SKYE SOAP CO Cosmétiques
(**01478-611350 ; www.skye-soap.co.uk ; Somerled Sq ; 9h-17h30 lun-ven, 9h-17h sam).** De douces senteurs envahissent cette boutique spécialisée dans les huiles essentielles, savons et cosmétiques artisanaux à base de produits naturels.

CARMINA GADELICA Musique
(**01478-612585 ; Bank St ; 9h-17h30 lun-sam, 9h-21h juin-août).** CD de musique traditionnelle et ouvrages sur la région.

Comment s'y rendre et circuler

Bus

Le principal arrêt de bus se trouve sur Somerled Sq. Des bus Scottish Citylink relient quotidiennement (dimanche compris) Kyle of Lochalsh à Portree (6 £, 1 heure), avant de continuer vers Uig.

Les bus locaux (lun-sam) relient Portree à Broadford (40 min, au moins 1/h) via Sligachan (15 min), à Armadale (1 heure 15, correspondance avec les ferries pour Mallaig), à Carbost (40 min, 4/j), à Uig (30 min, 6/j) et à Dunvegan Castle (40 min, 5/j lun-ven, 3/j sam). Chaque jour, 5 à 6 bus font le tour de Trotternish (dans les deux sens) : ils passent par Flodigarry (20 min), Kilmuir (1 heure 15) et Uig (30 min). Les bus en provenance du continent desservent également Portree.

Vélo

Island Cycles (**01478-613121 ; www.islandcycles-skye.co.uk ; The Green ; 9h-17h lun-sam).** Location de vélos pour 8,50/15 £ par demi-journée/journée.

Duirinish et Waternish

Les péninsules de Duirinish, à l'ouest de Dunvegan, et de Waternish, au nord, accueillent certains des hôtels et restaurants les plus agréables de l'île de Skye. De nombreux ateliers d'artistes et d'artisans y sont aussi installés, répertoriés dans une brochure gratuite que vous trouverez à l'office du tourisme de Portree.

À voir et à faire

La péninsule peu peuplée de Duirinish est dominée par les sommets aplatis caractéristiques du Helabhal Mhor (469 m) et du Helabhal Bheag (488 m), surnommés les **MacLeod Tables**. De belles randonnées se font depuis Orbost, dont une jusqu'au sommet du Helabhal Bheag (comptez 3 heures 30 aller-retour). Un sentier de 8 km mène aussi d'Orbost aux **MacLeod's Maidens**, ligne d'aiguilles jaillissant de la mer au sud de la péninsule.

De Dunvegan, il faut rouler longtemps vers l'ouest de la péninsule de Duirinish pour atteindre les spectaculaires falaises de **Waterstein Head**. Mais cela en vaut la peine ! Vous pourrez ensuite marcher vers le phare de **Neist Point** pour profiter de la vue sur les Hébrides extérieures.

Où se loger et se restaurer

THREE CHIMNEYS Écossais moderne £££
(**01470-511258 ; www.threechimneys.co.uk ; Colbost ; déj/dîner 3 plats 37/60 £ ; déj lun-sam mi-mars à oct, dîner tlj tte l'année ; P).** À mi-chemin entre Dunvegan et Waterstein, une retraite romantique combinant un restaurant gastronomique dans un vieux cottage éclairé aux chandelles et de somptueuses chambres d'hôtel cinq étoiles (d 295 £, dîner + B&B pour 2 pers 415 £) dans le bâtiment moderne mitoyen. Réservez bien à l'avance, et notez que les enfants ne sont pas admis au restaurant le soir.

LOCHBAY SEAFOOD RESTAURANT Fruits de mer £££
(**01470-592235 ; www.lochbay-seafood-restaurant.co.uk ; Stein ; plats 14-23 £, homard 30-42 £ ; déj et dîner mar-sam ; P).** L'un des restaurants les plus romantiques de l'île occupe une confortable cuisine de ferme aux carreaux de terre cuite, chauffée par un poêle à bois. La carte fait la part belle à tout ce qui vit dans la mer. Réservation conseillée.

RED ROOF CAFÉ Café ££

(01470-511766 ; www.redroofskye.co.uk ; Glendale ; plats 8-10 £ ; 11h-17h avr-oct ; P). À l'écart sur la crête d'un *glen*, à 1,5 km de la route principale, cette vieille étable (250 ans) restaurée est un petit paradis où l'on savoure café et pâtisseries, ainsi que la bonne cuisine de l'île. Au déjeuner (12h-15h), fruits de mer, gibier ou fromages servis avec une salade agrémentée de fleurs comestibles du jardin. Ajoutez des soirées en musique, et vous comprendrez pourquoi l'adresse fait l'unanimité.

STEIN INN Pub £

(01470-592362 ; www.steininn.co.uk ; Stein ; repas de bar 8-12 £ ; restauration 12h-16h et 18h-21h30 lun-sam, 12h30-16h et 18h30-21h dim Pâques-oct ; P). Cette vieille taverne (1790) compte une poignée de chambres (37-55 £/pers), toutes avec vue sur la mer, un petit bar animé et un charmant *beer garden* au bord du loch. Le bar sert des bières en fût brassées à Skye et, au déjeuner, un excellent sandwich au crabe. Restauration également en hiver, mais mieux vaut appeler au préalable.

Trotternish

La péninsule de Trotternish, au nord de Portree, offre quelques-uns des paysages les plus beaux et les plus étranges de Skye. Une route en boucle permet d'en faire le tour à partir de Portree, en passant par le village d'**Uig**, d'où part le ferry pour les Hébrides extérieures. De Portree, les sites suivants sont indiqués dans le sens contraire des aiguilles d'une montre.

À voir et à faire

OLD MAN OF STORR Formation rocheuse

Il y a tout d'abord cette grosse aiguille de basalte de 50 m de haut, l'Old Man of Storr (le Vieil Homme de Storr), qui se dresse au-dessus de la route à 9,5 km au nord de Portree. Pour vous en approcher, traversez la forêt depuis le parking situé à l'extrémité nord du Loch Leathan (3 km aller-retour). Elle semble inaccessible mais, en 1955, Don Whillans, un alpiniste anglais, fut le premier à l'escalader – une prouesse rarement répétée depuis.

QUIRAING Formation rocheuse

La baie de Staffin est dominée par l'impressionnant escarpement de basalte de Quiraing, dont les éboulements et les aiguilles constituent l'un des paysages les plus remarquables de Skye.

Il est accessible à pied (à 30 min au nord du parking situé au bout de la petite route allant de Staffin à Uig).

SKYE MUSEUM OF ISLAND LIFE Musée

(01470-552206 ; www.skyemuseum.co.uk ; adulte/enfant 2,50/0,50 £ ; 9h30-17h lun-sam Pâques-oct). Les paysans de l'île de Skye menaient aux XVIIIe et XIXe siècles une vie très dure dans les tourbières, une existence illustrée dans ce musée

Old Man of Storr
BRITAIN ONVIEW/GETTY IMAGES ©

au moyen de cottages au toit de chaume, de *crofts*, de granges et d'outils. Derrière, dans le cimetière de Kilmuir, une grande croix celtique signale la **tombe de Flora MacDonald**. Cette croix fut érigée en 1955 pour remplacer l'originale, "prélevée" au fil du temps par des touristes.

FAIRY GLEN Site naturel

Au sud d'Uig, une petite route, indiquée *Sheader and Balnaknock*, mène, à un peu plus de 1 km, au Fairy Glen, paysage enchanteur de curieuses collines miniatures, d'imposants rochers et de cottages à l'abandon, agrémenté d'un *lochan*.

OBAN

8 120 HABITANTS

Oban est une charmante cité portuaire donnant sur une très jolie baie, avec une vue imprenable sur Kerrera et sur Mull. Paisible l'hiver, elle voit affluer l'été les vacanciers en route vers les îles. La circulation se fait alors plus dense, mais l'endroit reste très agréable.

Oban est le point de passage principal vers les îles de Mull, Iona, Colonsay, Barra, Coll et Tiree. Il n'y a pas grand-chose à voir en ville, mais on y trouve tous les avantages de la vie citadine (excellents restaurants, pubs animés...).

À voir

MCCAIG'S TOWER Bâtiment historique

(angle Laurel Rd et Duncraggan Rd ; 24h/24). Couronnant la colline qui surplombe le centre-ville, McCaig's Tower est un large édifice bâti sur le modèle du Colisée de Rome. À vocation philanthropique, il a été construit en 1890 à l'instigation de John Stuart McCaig, riche critique d'art local, qui était aussi essayiste et banquier. Celui-ci s'était fixé comme but de donner du travail aux tailleurs de pierre au chômage.

Pour atteindre le site, il faut monter les marches assez raides de Jacob's Ladder, qui partent d'Argyll St, puis suivre les panneaux. Vos efforts seront récompensés par un beau panorama sur la baie.

Si vous aimez...
Les musées ruraux

De nombreux musées très intéressants conservent l'histoire des communautés rurales d'Écosse. Ils sont souvent installés dans d'anciens bâtiments de ferme et des bâtiments historiques.

1 **EASDALE ISLAND FOLK MUSEUM**
(01852-300370 ; www.easdalemuseum.org ; adulte/enfant 2,25 £/50 p ; 11h-16h30 avr-oct, 11h-17h juil-août). Ce musée présente d'intéressantes expositions sur l'exploitation de l'ardoise et la vie sur les îles aux XVIIIe et XIXe siècles. À 16 km au sud-ouest d'Oban.

2 **KILMARTIN HOUSE MUSEUM**
(01546-510278 ; www.kilmartin.org ; Kilmartin ; adulte/enfant 5/2 £ ; 10h-17h30 mars-oct, 11h-16h nov-23 déc). Présente des collections d'objets trouvés sur divers sites archéologiques. À 45 km au sud d'Oban.

3 **OLD BYRE HERITAGE CENTRE**
(01688-400229 ; www.old-byre.co.uk ; Dervaig ; adulte/enfant 4/2 £ ; 10h30-18h30 mer-dim avr-oct). Retrace le passé de Mull et son histoire naturelle grâce à une série de tableaux vivants et à un film de 30 minutes. À 16 km au nord-ouest de Tobermory.

OBAN DISTILLERY Distillerie

(01631-572004 ; www.discovering-distilleries.com ; Stafford St ; visite 7 £ ; 9h30-17h lun-sam Pâques-oct, plus 12h-17h dim juil-sept, fermé sam-dim nov-déc et fév-Pâques, fermé jan). Ici est produit un *single malt* depuis 1794. Visites guidées toute l'année (la dernière débute 1 heure avant la fermeture). Si elle ne vous tente pas, jetez tout de même un coup d'œil à la petite exposition dans le hall.

GRATUIT **WAR & PEACE MUSEUM** Musée

(01631-570007 ; www.obanmuseum.org.uk ; Corran Esplanade ; 10h-18h lun-sam et 10h-16h dim mai-sept, 10h-16h tlj mars-avr et oct-nov). Ce petit musée revient sur le rôle joué par Oban durant la Seconde Guerre mondiale, en qualité de base des avions Catalina et zone de rassemblement pour rallier les convois de l'Atlantique.

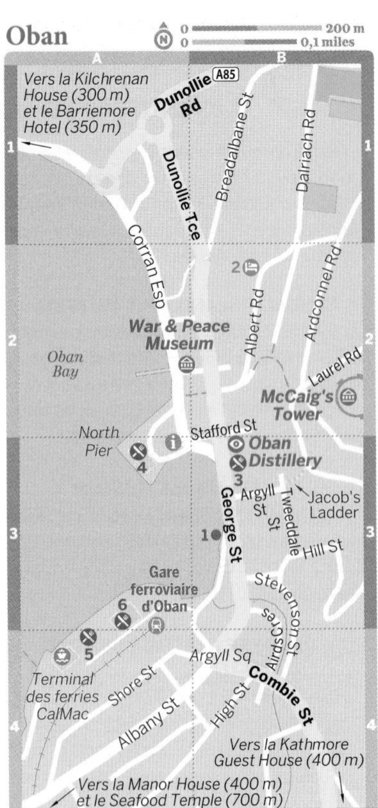

Oban

Les incontournables

McCaig's Tower B2
Oban Distillery B3
War & Peace Museum A2

Circuits organisés

1 Bowman's Tours B3

Où se loger

2 Heatherfield House B2

Où se restaurer

3 Cuan Mor B3
4 Ee'usk A3
5 Shellfish Bar A4
6 Waterfront Fishouse Restaurant A3

Circuits organisés

BOWMAN'S TOURS En bus

D'avril à octobre, **Bowman's Tours (01631-566809 ; www.bowmanstours.co.uk ; 1 Queens Park Pl)** organise, au départ d'Oban, une excursion à destination de Mull, d'Iona et de Staffa baptisée "Three Isles" ("Trois Îles" ; adulte/enfant 55/27,50 £, 10 heures, tlj) ; la traversée jusqu'à Staffa dépend de la météo. Bowman's assure aussi un circuit en bus autour de Mull (adulte/enfant 20/10 £).

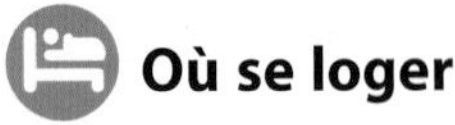

Où se loger

BARRIEMORE HOTEL B&B ££

(01631-566356 ; www.barriemore-hotel.co.uk ; Corran Esplanade ; s/d à partir de 70/99 £ ; P wifi). Le Barriemore jouit d'une situation exceptionnelle, à l'entrée d'Oban Bay. Des 13 chambres spacieuses, préférez celles qui donnent sur la mer. Les hôtes profitent d'un salon (magazines et journaux à disposition), et peuvent se régaler de kippers du Loch Fyne au petit-déjeuner.

HEATHERFIELD HOUSE B&B ££

(01631-562806 ; www.heatherfieldhouse.co.uk ; Albert Rd ; s/d à partir 38/88 £ ; P @ wifi). Accueillant B&B, doté de 6 grandes chambres, aménagé dans un presbytère de 1875, au cœur d'un vaste domaine. Demandez si possible la n°1, agrémentée d'une cheminée et d'un canapé, dont la vue embrasse la baie au-delà du jardin.

KILCHRENAN HOUSE B&B ££

(01631-562663 ; www.kilchrenanhouse.co.uk ; Corran Esplanade ; s/d 50/90 £ ; P). Un accueil chaleureux vous attend dans cette belle demeure victorienne, édifiée en 1883 pour un magnat du textile. La plupart des chambres donnent sur Oban Bay ; la n°5 (immense baignoire) et la n°9 sortent du lot.

MANOR HOUSE Hôtel £££

(01631-562087 ; www.manorhouseoban.com ; Gallanach Rd ; ch 165-225 £ ; P wifi). Construite en 1780 pour le duc d'Argyll sur ses terres d'Oban, cette magnifique demeure de campagne fait désormais partie des hôtels les plus raffinés de la ville. Petites chambres luxueusement décorées dans le style georgien, bar sélect fréquenté par les habitants et les plaisanciers, et remarquable restaurant de cuisine écossaise et française. Les enfants de moins de 12 ans ne sont pas les bienvenus.

KATHMORE GUEST HOUSE B&B ££
(01631-562104 ; www.kathmore.co.uk ; Soroba Rd ; s 45-65 £, d 55-75 £ ; P). Chaleureux et accueillant, le Kathmore allie hospitalité traditionnelle des Highlands et petits-déjeuners copieux, le tout avec une petite allure d'hôtel de charme – dessus-de-lit chics, œuvres d'art colorées, etc. Salon confortable et terrasse extérieure, où l'on peut siroter un verre de vin en soirée.

Où se restaurer

WATERFRONT FISHOUSE RESTAURANT Fruits de mer ££
(01631-563110 ; www.waterfrontoban.co.uk ; Railway Pier ; plats 11-20 £ ; déj et dîner ;). Au dernier étage d'un bâtiment autrefois réservé aux marins, ce restaurant d'une élégante sobriété – tons bordeaux et brun et meubles en bois sombre – régale ses convives de fruits de mer fraîchement débarqués sur le quai voisin. La carte va du traditionnel haddock-frites aux huîtres, coquilles Saint-Jacques et langoustines fraîches.

Le menu du déjeuner et du début de soirée (17h30-18h45) comprend 2 plats pour 10 £. Mieux vaut réserver pour le dîner.

SHELLFISH BAR Fruits de mer £
(Railway Pier ; plats 3-13 £ ; 9h-18h). Idéale pour déguster des fruits de mer sans se ruiner, cette petite cabane verte au bord du quai, près du terminal des ferries, vend des produits frais et cuisinés à emporter – excellents sandwichs aux crevettes (2,95 £), crabe tout préparé (4,95 £) et huîtres (75 p pièce).

SEAFOOD TEMPLE Fruits de mer £££
(01631-566000 ; www.obanseafood.com ; Gallanach Rd ; plats 16-35 £ ; déj et dîner). Les produits de provenance locale constituent le maître mot de ce "temple des fruits de mer", installé dans un pavillon de parc reconverti avec vue somptueuse sur la baie. Au menu du plus petit restaurant d'Oban : homard entier cuit à la demande, crabe au fromage en croûte d'herbes, langoustines charnues et le plateau de fruits de mer "Taste of Argyll" (70 £ pour 2), qui permet de goûter à tout. Deux services, à 18h15 et 20h30. Réservation indispensable.

CUAN MOR Bistrot ££
(01631-565078 ; www.cuanmor.co.uk ; 60 George St ; plats 9-14 £ ; 10h-24h ;). Toujours plein, le Cuan Mor brasse sa propre bière et sa carte affiche des classiques – haddock-frites, lasagnes maison, saucisses-purée sauce aux oignons, etc.–, ainsi que quelques plats plus sophistiqués à l'image du homard à la carbonara. Choix correct de recettes végétariennes. Ne manquez pas le *sticky toffee pudding* !

EE'USK Fruits de mer ££
(01631-565666 ; www.eeusk.com ; North Pier ; plats 13-20 £ ; déj et dîner). Restaurant moderne et lumineux, Ee'usk (transcription de la prononciation du mot *iasg*, "poisson" en gaélique) occupe un emplacement de premier ordre sur le North Pier. Ses deux niveaux comportent de hautes baies vitrées permettant de contempler la vue sur Kerrera et Mull au-delà du port, tout en dégustant des croquettes de poisson à la thaïlandaise ou des langoustines au piment et au gingembre. La qualité de la cuisine et la situation imprenable expliquent les prix un peu élevés.

Renseignements

Lorn & Islands District General Hospital (01631-567500 ; Glengallan Rd). Hôpital à l'extrémité sud de la ville.

Office du tourisme (01631-563122 ; www.oban.org.uk ; 3 North Pier ; 9h-19h lun-sam, 10h-18h dim mai-sept, 9h-17h30 lun-sam oct-avr)

Depuis/vers Oban

Les transports sont tous regroupés près du port, à l'extrémité sud de la baie.

Tobermory (p. 224)

KATHY COLLINS/GETTY IMAGES ©

Bateau

CalMac (www.calmac.co.uk) dessert les îles de **Mull**, **Coll**, **Tiree**, **Lismore**, **Colonsay**, **Barra** et **South Uist**. Reportez-vous à ces différentes destinations pour plus de détails. Concernant les services de la compagnie et les réservations, adressez-vous au **terminal des ferries** (01631-562244 ; Railway Pier ; 9h-18h mars-oct), près de la gare ferroviaire. Pour l'**île de Kerrera**, les ferries lèvent l'ancre d'une autre jetée, à environ 3 km au sud-ouest du centre-ville.

Bus

Scottish Citylink (www.citylink.co.uk) propose des bus interurbains pour Oban, et West Coast Motors (www.westcoastmotors.co.uk) dessert des destinations locales et régionales. L'arrêt principal des bus se trouve devant la gare ferroviaire.

Glasgow (via Inveraray et Arrochar) 18 £, 3 heures, 4/j

Fort William (via Appin et Ballachulish) 9,40 £, 1 heure 30, 3/j lun-sam

Train

Oban se situe au terminus d'un trajet traversant de magnifiques paysages et quittant la ligne ferroviaire West Highland à Crianlarich. Le train n'est pas un moyen de transport très usité quand on voyage au nord d'Oban : pour se rendre à Fort William, il faut faire un détour par Crianlarich (3 heures 45). Mieux vaut donc prendre le bus.

Glasgow 22 £, 3 heures, 3/j

Comment circuler

Taxi

Il y a une station de taxis devant la gare. Sinon, appeler Oban Taxis (01631-564666).

Voiture

Hazelbank Motors (01631-566476 ; www.obancarhire.co.uk ; Lynn Rd ; 8h30-17h30 lun-sam) loue de petits véhicules à partir de 40/225 £ par jour/semaine. Le tarif inclut la TVA, l'assurance et le CDW (*collision damage waiver*, ou garantie dommages collision).

ÎLE DE MULL

Les paysages de Mull sont parmi les plus beaux et les plus variés des Hébrides intérieures : crêtes déchiquetées du Ben More, rochers de basalte noir de Burg, sable blanc étincelant, granit rose et eaux émeraude le long de la péninsule de Ross. Côté maritime, les eaux à l'ouest de Mull sont l'un des meilleurs endroits en Écosse pour observer les baleines. À cela s'ajoutent deux majestueux châteaux, une petite voie ferrée, l'île sacrée d'Iona et un accès facile depuis Oban... Rien d'étonnant à ce qu'il soit parfois impossible d'y trouver un lit.

L'île est assez grande pour ne pas donner l'impression d'être envahie par le flot des touristes. Beaucoup ne viennent passer ici qu'une journée, s'en tenant à l'itinéraire classique menant de Craignure à Iona ou à Tobermory. Quantité de petits coins tranquilles permettent en outre d'échapper à la foule.

À peu près 60% de la population de Mull vit à Tobermory, capitale de l'île, au nord, et dans ses environs. Mais c'est à Craignure, au sud-est, que la plupart des touristes débarquent, cette bourgade possédant le plus important terminal de ferry de Mull. Et c'est de Fionnphort, à l'extrémité ouest de la longue péninsule de Ross of Mull, que partent les ferries pour Iona.

Circuits organisés

BOWMAN'S TOURS En ferry et bus
(01680-812313 ; www.bow manstours.co.uk). Organise des excursions d'une journée (en ferry et en bus) au départ d'Oban, à destination de Mull, Staffa et Iona.

GORDON GRANT MARINE En bateau
(01681-700388 ; www.staffatours.com). Excursions en bateau de Fionnphort vers Staffa (adulte/enfant 25/10 £, 2 heures 30, tlj avr-oct) ou Staffa et les îles Treshnish (45/20 £, 5 heures, dim-ven mai-juil).

MULL MAGIC À pied
(01688-301245 ; www.mullmagic.com). Randonnées guidées dans la campagne de Mull (37,50-47,50 £/pers) pour observer aigles, loutres, papillons et autres animaux. Organise aussi des circuits personnalisés.

Renseignements

Argent

Avec une carte, on peut retirer de l'argent dans les postes de Salen et de Craignure ; dans les supermarchés Co-op, elle permet aussi de payer un montant supérieur à celui de ses achats et d'obtenir la différence en espèces.

Offices du tourisme

Craignure Tourist Office (01680-812377 ; Craignure ; 8h30-17h lun-sam, 10h30-17h dim)

Mull Visitor & Information Centre (01688-302875 ; Ledaig, Tobermory ; 9h-17h)

Santé

Dunaros Hospital (01680-300392 ; Salen). Petit dispensaire pour les blessures bénignes ; le service d'urgence le plus proche se trouve à Oban.

Depuis/vers l'île de Mull

Trois ferries CalMac (www.calmac.co.uk) relient Mull au continent.

Oban-Craignure (passager/voiture 5,25/46,50 £, 40 min, 1 toutes les 2 heures). Itinéraire le plus court et le plus fréquenté. Réservation recommandée pour les voitures.

Lochaline-Fishnish (3,10/13,65 £, 15 min, au moins 1/h). Sur la côte est de Mull.

Tobermory-Kilchoan (5/25,50 £, 35 min, 7/j lun-sam). Liaisons avec la péninsule d'Ardnamurchan ; de mai à août, il y a aussi 5 traversées le dimanche.

Comment circuler

Bus

Les transports publics sont assez limités sur Mull. La principale compagnie, Bowman's Tours (voir ci-contre), assure la liaison entre les ports et les villages les plus importants.

Craignure-Tobermory (7,30 £ aller-retour, 1 heure, 4-7/j lun-ven, 3-5/j sam-dim)

Craignure-Fionnphort (11 £ aller-retour, 1 heure 15, 3/j lun-sam, 1/j dim)

Tobermory-Dervaig-Calgary (4 £ aller-retour, 3/j lun-ven, 2/j sam).

Taxi

La compagnie Mull Taxi (07760 426351 ; www.mulltaxi.co.uk), basée à Tobermory, possède un véhicule accessible en fauteuil roulant.

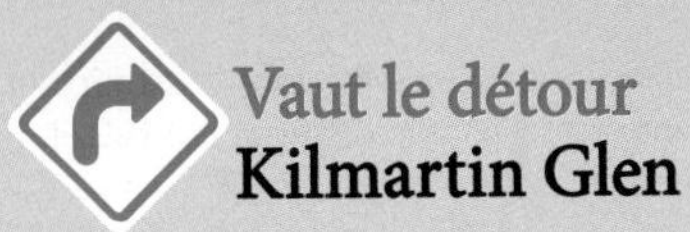

Vaut le détour
Kilmartin Glen

Ce *glen* magique possède l'une des plus fortes concentrations de sites préhistoriques d'Écosse. Cairns funéraires, menhirs (isolés ou en cercles), fortins sur des collines et pierres énigmatiques gravées de cercles et de trous ponctuent la campagne. Dans un rayon de près de 10 km autour du village de Kilmartin, on dénombre 25 sites de menhirs et plus d'une centaine de pierres gravées.

Les plus anciens monuments de Kilmartin ont 5 000 ans. Ils comprennent notamment une rangée linéaire de cairns funéraires s'étirant sur 2,5 km au sud du village, et deux cercles de menhirs (des sites rituels) à Temple Wood, à environ 1 km au sud-ouest. Des cartes et des guides sont en vente à la librairie du Kilmartin House Museum (p. 219).

Les premiers rois de Dalriada siégèrent dans le fortin de Dunadd, à 5,5 km au sud du village. Il se pourrait que la pierre du Destin vienne de cet endroit. Le sanglier sauvage sculpté dans la pierre et les deux empreintes de pas gravées d'une inscription oghamique furent peut-être réalisés pour servir au cours d'une sorte de cérémonie inaugurale. Un sentier glissant conduit au sommet, d'où l'on peut admirer le paysage – resté presque identique à celui que les rois de Dalriada avaient sous les yeux il y a 1 300 ans.

Le bus n°423, qui relie Oban à Ardrishaig (4/j lun-ven, 2/j sam), s'arrête à Kilmartin (5 £, 1 heure 20).

Voiture

La majeure partie du réseau routier de Mull se résume à des voies à sens unique. Vous trouverez des stations-service à Craignure, Fionnphort, Salen et Tobermory. **Mull Self Drive** (☎01680-300402 ; www.mullselfdrive.co.uk) loue de petits véhicules, moyennant 45/237 £ par jour/semaine.

Craignure et ses environs

Excepté le terminal du ferry et l'hôtel, il n'y a pas grand-chose à Craignure. Mieux vaut donc parcourir, en voiture ou à vélo, les 5 km qui mènent au **Duart Castle** (☎01680-812309 ; www.duartcastle.com ; adulte/enfant 5,50/2,75 £ ; 🕘10h30-17h30 tlj mai à mi-oct, 11h-16h dim-jeu avr), une imposante forteresse dominant le Sound of Mull (et que l'on ne peut pas manquer si l'on arrive à Craignure en ferry). Cette résidence ancestrale du clan MacLean est l'un des plus vieux châteaux habités d'Écosse (le donjon central a été érigé en 1360). Le château fut acheté et restauré en 1911 par sir Fitzroy MacLean, héros de la guerre. Il comporte des donjons humides, de vastes salles et des salles de bains anciennes. Un bus pour le château coïncide avec les ferries Oban-Craignure de 9h50, 11h55 et 14h.

En chemin vers Duart, on passe devant le **Wings Over Mull** (☎01680-812594 ; www.wingsovermull.com ; Torosay ; adulte/enfant 4,50/1,50 £ ; 🕘10h30-17h30 Pâques-oct), un centre animalier dédié aux oiseaux de proie. Il abrite plus d'une vingtaine d'espèces et on peut assister tous les jours à des démonstrations de fauconnerie.

Tobermory

Le principal bourg de l'île est un pittoresque petit port de pêche et de plaisance. Des maisons aux couleurs éclatantes sont alignées sur le quai, et les rues de la "ville haute" sont dessinées selon un plan en damier. Il est très connu des Britanniques pour avoir accueilli un programme télé pour les enfants, *Balamory*, jusqu'en 2005.

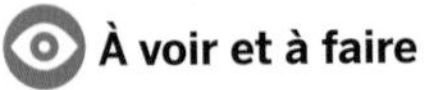

À voir et à faire

GRATUIT **MARINE DISCOVERY CENTRE** Centre nature
(☎01688-302620 ; www.whaledolphintrust.co.uk ; 28 Main St ; entrée libre ; 🕘10h-17h lun-ven,

11h-16h dim avr-oct, 11h-17h lun-ven nov-mars). Géré par le Hebridean Whale & Dolphin Trust, ce centre présente des expositions interactives et diffuse des vidéos sur les baleines, les dauphins et le milieu naturel dans lequel ils évoluent. Les petits apprendront ici quantité de choses sur les mammifères marins. Informations sur le bénévolat et l'observation de ces animaux.

MULL MUSEUM Musée
(☎01688-302603 ; www.mullmuseum.org.uk ; Main St ; donation requise ; ⏲10h-16h lun-ven Pâques-oct). Par temps de pluie, il est agréable de visiter ce musée qui retrace l'histoire de l'île. Il présente d'intéressantes expositions sur les petites exploitations agricoles et sur le galion de Tobermory, bateau de l'armada espagnole qui sombra dans la baie en 1588 et n'a cessé depuis d'attirer les chercheurs de trésors.

TOBERMORY DISTILLERY Distillerie
(☎01688-302647 ; www.tobermorymalt.com ; Ledaig ; visite 3 £ ; ⏲10h-17h lun-ven Pâques-oct). Fondée en 1798.

GRATUIT **AN TOBAR ARTS CENTRE** Galerie
(☎01688-302211 ; www.antobar.co.uk ; Argyll Tce ; entrée libre ; ⏲10h-17h lun-sam mai-sept, plus 14h-17h dim juil-août, 10h-16h mar-sam oct-avr). Lieu d'exposition et galerie d'art assorti d'un café à tendance végétarienne.

Observation de la faune sur l'île de Mull

Les paysages variés de Mull – hautes montagnes, landes sauvages, falaises malmenées par les vagues, plages sablonneuses, petites îles côtières bordées d'algues – servent d'habitat à de nombreuses espèces animales, dont certaines figurent parmi les plus rares et les plus spectaculaires d'Écosse : aigles, loutres, dauphins, baleines, etc.

Mull Wildlife Expeditions (**☎01688-500121 ; www.torrbuan.com**) organise des circuits d'une journée en 4x4 pour observer des cerfs élaphes, des aigles royaux, des faucons pèlerins, des pygargues à queue blanche, des busards Saint-Martin, des loutres, voire des dauphins et des marsouins. Le tarif (adulte/enfant 43/40 £) comprend le transport depuis votre lieu d'hébergement ou n'importe quel terminal de ferries, un pique-nique et le prêt de jumelles. Les horaires permettent d'envisager une excursion à la journée depuis Oban ; on ira vous chercher et on vous raccompagnera au terminal de Craignure.

Sea Life Surveys (**☎01688-302916 ; www.sealifesurveys.com ; Ledaig**). Au départ de Tobermory, partez pour une sortie d'observation des baleines au nord et à l'ouest de Mull (vous avez 95% de chances de pouvoir en observer). Pour une journée complète (80 £/pers), prévoyez jusqu'à 7 heures en mer (déconseillé aux moins de 14 ans). Le circuit familial "Wildlife Adventure", de 4 heures, s'adresse particulièrement aux enfants (50/40 £ par adulte/enfant).

Turus Mara (**☎08000 85 87 86 ; www.turusmara.com**). Promenades en bateau au départ d'Ulva Ferry, au centre de Mull, à destination de Staffa et des îles Treshnish (adulte/enfant 50/25 £, 6 heures 30). Vous passerez 1 heure sur Staffa et 2 heures sur Lunga, où vous pourrez voir des phoques, des macareux, des mouettes tridactyles, des petits pingouins et de nombreuses autres espèces d'oiseaux marins.

RSPB (**Royal Society for the Protection of Birds ; ☎01680-812556 ; www.forestry.gov.uk/mullseaeagles**). Sorties guidées jusqu'à un affût du Glen Seilisdeir, où l'on peut admirer des pygargues à queue blanche (adulte/enfant 6/3 £). Départs à 10h et 13h (lun-ven), depuis la route B8035, à 1,5 km environ au nord de Tiroran (réservation indispensable, par téléphone ou à l'office du tourisme de Craignure).

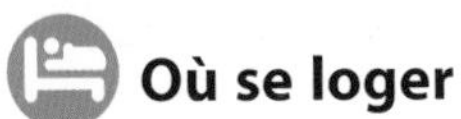

Où se loger

HIGHLAND COTTAGE HOTEL Hôtel de charme £££
(01688-302030 ; www.highlandcottage.co.uk ; Breadalbane St ; d 150-165 £ ; mi-mars à oct ; P). Mobilier ancien, lits à baldaquin, couvre-lits brodés, fleurs fraîches et éclairage à la bougie confèrent à ce petit hôtel de 6 chambres le charme désuet d'un vieux cottage, sans sacrifier pour autant au confort moderne. TV câblée, grandes baignoires, *room service* et restaurant gastronomique.

SONAS HOUSE B&B ££
(01688-302304 ; www.sonashouse.co.uk ; The Fairways, Erray Rd ; s/d 110/125 £, app à partir de 90 £ ; P ). Espace, luxe et modernité sont au rendez-vous dans un cadre splendide, avec vue sur la baie de Tobermory. Demandez la chambre Blue Poppy pour profiter d'un balcon. Piscine intérieure chauffée de 10 m. Il y a aussi un studio indépendant avec lit double.

CUIDHE LEATHAIN B&B ££
(01688-302504 ; www.cuidhe-leathain.co.uk ; Salen Rd ; ch 40 £/pers ;). Dans la ville haute, cette jolie maison du XIXe siècle délicieusement encombrée, dont le nom signifie le "coin de MacLean", dégage une atmosphère toute victorienne. Le petit-déjeuner nourrit pour la journée, et les propriétaires en connaissent un rayon sur la faune et la flore de Mull. Séjour de 2 nuitées au minimum.

HARBOUR VIEW B&B ££
(01688-301111 ; www.tobermorybandb.com ; 1 Argyll Tce ; 40-45 £/pers ;). À la limite de la "ville haute", une maison de pêcheur magnifiquement restaurée et pleine de charme, avec quelques murs en pierre d'origine. Dans la nouvelle extension a été aménagée la suite familiale (2 chambres voisines accueillant 4 personnes, et salle de bains commune,) avec une terrasse d'où jouir d'une vue imprenable sur le port.

Où se restaurer et prendre un verre

CAFÉ FISH Fruits de mer ££
(01688-301253 ; www.thecafefish.com ; The Pier ; plats 10-22 £ ; déj et dîner). Comme l'affirme sa devise, "la seule chose

Glengorm Castle

SCOTTISH VIEWPOINT/ALAMY ©

congelée ici, c'est le pêcheur" ! De fait, il n'y a pas plus frais que les fruits de mer de ce chaleureux petit restaurant donnant sur le port de Tobermory. Langoustines et homards vont directement du bateau aux cuisines, où l'on prépare bisques, noix de Saint-Jacques, tourtes marines et poisson du jour. Pain tout juste sorti du four, desserts maison et choix de fromages écossais complètent l'offre, renouvelée chaque jour.

FISH & CHIP VAN Fish and chips £
(☎01688-301109 ; www.tobermoryfishandchipvan.co.uk ; Main St ; plats 3-8 £ ; ⏲12h30-21h lun-sam avr-déc, plus dim juin-sept, 12h30-19h lun-sam jan-mars). Ce camion stationné sur le front de mer, primé par le label "Les Routiers", vend un remarquable *fish and chips* et, chose plus rare, des crevettes et coquilles Saint-Jacques préparées.

MACGOCHAN'S Pub ££
(☎01688-302350 ; www.macgochans-tobermory.co.uk ; Ledaig ; plats 9-20 £ ; ⏲déj et dîner). Un pub animé, à côté du parking à l'extrémité sud du front de mer. Bonne cuisine de bar (haddock-frites, *pie* à la viande, lasagnes de légumes...) et barbecues en plein air les soirs d'été. *Beer garden* à l'extérieur et concerts à l'intérieur, le week-end.

MISHNISH HOTEL Pub ££
(☎01688-302009 ; www.mishnish.co.uk ; Main St ; plats 11-20 £ ; ⏲déj et dîner ; 📶). "The Mish" a la faveur des plaisanciers, et il n'y a pas de meilleur endroit pour prendre une pinte, ou un repas dans le restaurant, le Mishdish. Bien dans la tradition locale, le pub lambrissé et couvert de drapeaux invite à se chauffer les pieds au coin du feu ou à défier les habitués au billard, sur fond de concerts traditionnels.

Nord de Mull

De Tobermory, la route qui part vers l'ouest en direction de Calgary passe par l'intérieur des terres. La côte septentrionale demeure donc en grande partie sauvage et inaccessible. À la sortie de Tobermory, une route à une seule voie rejoint, à 6,5 km au nord, le majestueux **Glengorm Castle** (☎01688-302321 ; www.glengorm.com ; Glengorm ; ⏲10h-17h Pâques à mi-oct). De là, on aperçoit Ardnamurchan, Rum et les Hébrides extérieures. Les dépendances abritent une **galerie d'art** où exposent des artistes régionaux, une **boutique de produits fermiers** et un agréable **café**. Le château lui-même n'est pas ouvert au public, contrairement à son superbe parc.

L'**Old Byre Heritage Centre** (☎01688-400229 ; www.old-byre.co.uk ; Dervaig ; adulte/enfant 4/2 £ ; ⏲10h30-18h30 mer-dim avr-oct) retrace le passé de Mull et son histoire naturelle grâce à une série de tableaux vivants et à un film de 30 minutes. La curiosité du lieu est une représentation de *midge* longue de 40 cm. Sur place, un salon de thé propose de bons en-cas à petits prix – soupe maison, *clootie dumpling*, etc. Aire de jeux pour les enfants à l'extérieur.

La plus belle **plage** de sable siliceux de Mull se trouve à **Calgary**, à environ 6,5 km à l'ouest de Dervaig. Surplombée par de hautes falaises et donnant sur les îles de Coll et Tiree, c'est aussi la plus fréquentée.

Sud de Mull

La route allant de Craignure à Fionnphort grimpe à travers des paysages sauvages et désolés avant d'atteindre la partie sud-ouest de l'île, une longue péninsule appelée **Ross of Mull**. La côte sud de cette péninsule, le long de laquelle s'alignent des falaises de basalte noir et, plus à l'ouest, des plages de sable blanc et des rochers escarpés de granit rose, est spectaculaire. Les falaises culminent à Malcolm's Point, près des superbes **Carsaig Arches**.

Le petit village de **Bunessan** possède un hôtel, un salon de thé, un pub et quelques boutiques. C'est là que se trouve le **Ross of Mull Historical Centre** (☎01681-700659 ; www.romhc.org.uk ; entrée 2 £ ; ⏲10h-16h lun-ven Pâques-oct), cottage-musée où sont présentées des expositions sur l'histoire locale, la géologie, l'archéologie, la généalogie et la vie sauvage.

De là, une route secondaire part vers le sud pour rejoindre la superbe plage de sable blanc d'**Uisken**, d'où l'on a une vue superbe sur les Paps of Jura. Vous pourrez camper près de la plage (1 £/pers ; aucune infrastructure ; demandez l'autorisation à l'Uisken Croft).

À l'extrémité ouest de la péninsule, à 61 km de Craignure, se trouve **Fionnphort**. La côte marie ici harmonieusement rochers de granit rose, plages de sable blanc et flots d'un bleu turquoise éclatant.

Où se loger et se restaurer

SEAVIEW B&B ££
(**01681-700235 ; www.iona-bed-breakfast-mull.com ; Fionnphort ; s/d 70/80 £ ;** P). À deux pas de l'embarcadère du ferry pour Iona, le Seaview dispose de 5 chambres joliment décorées. Du jardin d'hiver, où l'on prend le petit-déjeuner, la vue sur Iona est magique. Les propriétaires, un pêcheur en préretraite et son épouse, proposent un savoureux dîner de 3 plats (23 £/pers, sept-mai), souvent à base de fruits de mer du cru. Location de vélo réservée aux hôtes.

STAFFA HOUSE B&B ££
(**01681-700677 ; www.staffahouse.co.uk ; Fionnphort ; s/d 53/76 £ ;** P). L'accueil a tout de chaleureux dans ce charmant B&B paré d'antiquités et de meubles d'époque. Ici aussi, le petit-déjeuner est servi dans un jardin d'hiver offrant une perspective sur Iona. Des panneaux solaires contribuent à la production d'eau chaude. Petits-déjeuners et paniers-repas (6-8,50 £) très copieux privilégient les produits bio de provenance locale.

NINTH WAVE Fruits de mer £££
(**01681-700757 ; www.ninthwaverestaurant.co.uk ; Fionnphort ; dîner 4 plats 48 £ ; dîner mar-dim mai-oct).** Installé sur une ancienne exploitation agricole, à 1,6 km à l'est de Fionnphort, ce restaurant est tenu par un pêcheur de homards et sa femme canadienne. La carte, qui change tous les jours, met à l'honneur les coquillages et crustacés du secteur, ainsi que les légumes issus du potager de la ferme. Les convives mangent dans un *bothy* élégamment transformé. Réservation indispensable.

ÎLE D'IONA

La vue sur Iona depuis Mull par une journée ensoleillée est l'un des plus beaux spectacles que l'on puisse admirer en Écosse : imaginez une île émeraude jaillissant des eaux turquoise.

Dès la descente du ferry, on est envoûté par l'atmosphère empreinte de spiritualité de cette île sacrée qui attire – ce n'est pas une surprise – de très nombreux visiteurs.

La plupart viennent ici lors d'une excursion à la journée. Le mieux pour profiter pleinement de la quiétude offerte par l'endroit est donc de passer une nuit sur place. Une fois la foule repartie, vous pourrez flâner en paix

Iona Abbey

Les animaux marins

La dérive nord-atlantique – un courant tourbillonnant issu du Gulf Stream – apporte de l'eau chaude dans les mers froides et riches en nutriments des côtes écossaises. Cela favorise la prolifération du plancton, dont les petits poissons se nourrissent, les poissons plus gros mangeant les petits... Ce festin permanent attire nombre de mammifères marins : marsouins, dauphins, baleines de Minke et même – bien qu'il soit rare d'en apercevoir – baleines à bosse et cachalots.

L'Écosse a exploité la présence de ces animaux au large de ses côtes en favorisant l'**observation des mammifères marins**. Des dizaines d'agences proposent des sorties en mer – allant de quelques heures à une journée complète. Certaines garantissent à leurs clients, en été, 95% de chances de voir des cétacés.

Alors que l'on peut observer phoques, marsouins et dauphins toute l'année, les baleines sont des animaux migrateurs. Le meilleur moment pour les apercevoir s'étend entre juin et août, août étant la période idéale. Le site Internet du Hebridean Whale & Dolphin Trust (www.whaledolphintrust.co.uk) réunit de nombreuses informations sur les espèces que vous êtes susceptible de voir et sur la façon de les reconnaître.

Pour ceux qui lisent l'anglais, la brochure *Is It a Whale?*, disponible dans les offices du tourisme et les librairies, fournit des renseignements sur les différents mammifères marins que vous pourrez voir.

dans l'ancien cimetière, où sont enterrés les premiers rois d'Écosse, assister à la messe du soir à l'abbaye, ou marcher jusqu'en haut de Dun I et tourner votre regard vers le sud, en direction de l'Irlande, comme dut le faire en son temps saint Colomba.

Histoire

Venu d'Irlande, saint Colomba débarqua sur Iona en 563, avant d'entreprendre la christianisation de l'Écosse. Il fonda ici un monastère, où le *Livre de Kells* (*Book of Kells*) – aujourd'hui conservé au Trinity College de Dublin – fut sans doute transcrit, avant d'être emporté à Kells, en Irlande, à l'époque où les raids vikings obligèrent les moines à fuir Iona.

Une fois les moines de retour, le monastère prospéra jusqu'à sa destruction, à l'époque de la Réforme, au XVIe siècle. Ses ruines furent données à l'Église d'Écosse en 1899. En 1910, un groupe de fervents croyants, l'**Iona Community** (www.iona.org.uk), décida de reconstruire l'abbaye. Cette communauté religieuse toujours florissante continue d'organiser régulièrement des séminaires et des retraites.

À voir et à faire

Depuis le débarcadère, montez la colline et tournez à droite pour atteindre les jolis jardins d'un **couvent** (*nunnery*) en ruine du XIIIe siècle. Après les avoir traversés, vous parvenez sur une route de l'autre côté de laquelle se dresse l'**Iona Heritage Centre** (☎01681-700576 ; adulte/enfant 2 £/gratuit ; ⌚10h30-17h lun-sam avr-oct), qui retrace l'histoire d'Iona, de l'exploitation agricole sur l'île et des phares. Son **café** sert des gâteaux maison.

De là, prenez à droite et longez la route jusqu'à **Reilig Oran**, ancien cimetière qui abrite les tombes de 48 des premiers rois d'Écosse, dont celle de Macbeth, ainsi qu'une minuscule chapelle romane. Au-delà, on aperçoit **Iona Abbey** (HS ; ☎01681-700512 ; adulte/enfant 5,50/3,30 £ ; ⌚9h30-17h30 avr-sept, 9h30-16h30 oct-mars), centre spirituel de l'île. La nef de l'abbaye est spectaculaire, avec ses voûtes et ses

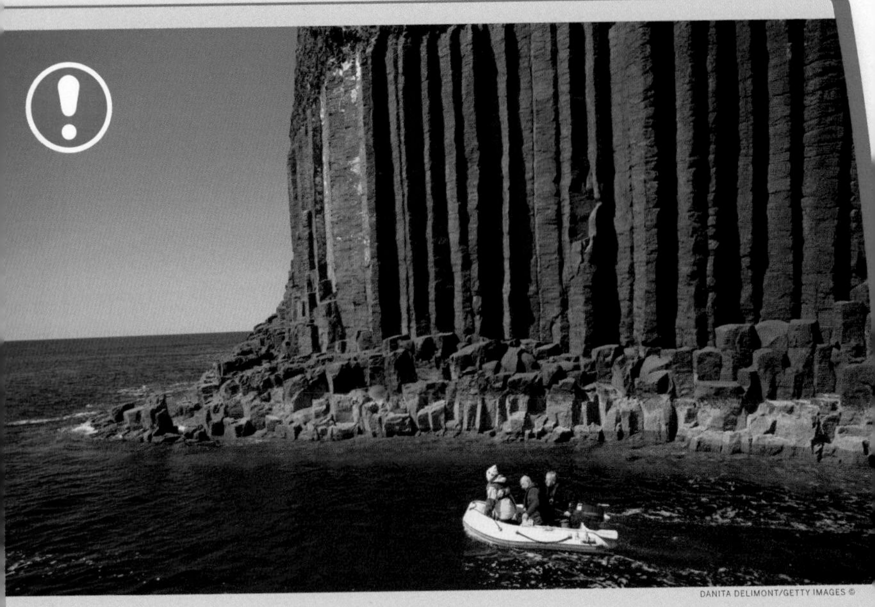
DANITA DELIMONT/GETTY IMAGES ©

À ne pas manquer **Île de Staffa et îles Treshnish**

Felix Mendelssohn, qui visita Staffa en 1829 (l'île était alors inhabitée), s'inspira de l'écho des vagues qu'il avait écouté dans la **Fingal's Cave**, grotte aussi vaste et impressionnante qu'une cathédrale, pour composer son ouverture *Les Hébrides*. Les parois de la grotte et les falaises environnantes sont composées de colonnes de basalte verticales et hexagonales ressemblant à des piliers (en vieux norrois, Staffa signifie “l'île aux Piliers”). On accède à l'île et à cette grotte par une chaussée surélevée, depuis laquelle on aperçoit également la **Boat Cave** (grotte du Bateau), toute proche mais qui n'est, quant à elle, pas accessible à pied. Une grande colonie de macareux occupe un site situé au nord du débarcadère.

L'archipel inhabité des **Treshnish** se trouve au nord-ouest de Staffa, les deux îles principales étant **Dutchman's Cap** et **Lunga**. À Lunga, grimpez sur la colline pour voir les colonies de cormorans, de macareux et de guillemots à **Harp Rock**, sur la côte ouest.

À moins de posséder son propre bateau, le seul moyen d'aller à Staffa et aux îles Treshnish est de faire appel à une agence, au départ d'Ulva, de Fionnphort ou d'Iona.

colonnes de styles roman et gothique primitif, à l'ombre desquelles reposent le duc d'Argyll, huitième du nom, et son épouse, dans des tombes de marbre blanc. Une porte sur la gauche ouvre sur un magnifique cloître gothique, où des dalles funéraires sculptées du Moyen Âge côtoient des sculptures religieuses contemporaines. Une réplique de la **croix de Saint-Jean** (St John's Cross) aux motifs sculptés entrelacés, se dresse devant l'abbaye. La croix originale, du VIIIe siècle, est exposée dans l'**Infirmary Museum** (musée de l'Infirmerie, situé derrière l'abbaye), au côté de nombreuses **pierres sculptées** remontant au début de l'époque chrétienne et au Moyen Âge.

Continuez après l'abbaye et guettez sur la gauche le sentier indiqué **Dun I**. Une marche facile de 15-20 minutes conduit à ce point culminant d'Iona, dont le panorama fantastique embrasse toutes les directions.

Excursions

ALTERNATIVE BOAT HIRE En bateau
(☎01681-700537 ; www.boattripsiona.com ; ⊙lun-jeu avr-oct). Sorties à bord de voiliers traditionnels en bois pour pêcher, observer les oiseaux, pique-niquer ou simplement admirer le paysage (3 heures ; adulte/enfant 20/9 £). Le mercredi, croisière d'une journée entière (10h-17h, 40/18 £). Réservation indispensable.

MV IOLAIRE En bateau
(☎01681-700358 ; www.staffatrips.co.uk). Des circuits de 3 heures à Staffa (25/10 £) partent de l'embarcadère d'Iona à 9h45 et 13h45, de celui de Fionnphort à 10h et 14h. Les participants restent 1 heure à terre.

MV VOLANTE En bateau
(☎01681-700362 ; www.volanteiona.com ; ⊙juin-oct). Organise des parties de pêche en mer de 4 heures (50 £/pers, matériel et appâts compris), des balades autour de l'île de 1 heure 30 pour observer la faune (adulte/enfant 15/8 £) et des sorties d'observation des baleines (3 heures 30, 40 £/pers).

Où se loger et se restaurer

ARGYLL HOTEL Hôtel ££
(☎01681-700334 ; www.argyllhoteliona.co.uk ; s/d à partir de 66/99 £ ; ⊙mars-oct ; @🐾). Ce ravissant petit hôtel abrite 16 chambres douillettes (double avec vue sur l'océan 140 £). Il dispose également d'un **restaurant** (☎01681-700334 ; www.argyllhoteliona.co.uk ; plats 12-17 £ ; ⊙8-10h, 12h30-13h20 et 19h-20h) rustique, avec feu de cheminée et mobilier ancien. La cuisine est approvisionnée par un immense potager bio à l'arrière. Au menu : salades maison, fruits de mer locaux, et bœuf ou agneau écossais.

IONA HOSTEL Auberge de jeunesse £
(☎01681-700781 ; www.ionahostel.co.uk ; Lagandorain ; dort adulte/enfant 20/17 £ ; ⊙enregistrement 16h-19h). Posée dans une prairie sur une exploitation agricole, une maison en bois moderne et attrayante, qui jouit d'une vue sensationnelle sur Staffa et les Treshnish. Il y a là des chambres nettes et fonctionnelles, ainsi qu'un salon-cuisine bien équipé, agrémenté d'une cheminée. À l'extrémité nord d'Iona – continuez sur la route qui passe devant l'abbaye pendant 2,5 km (20-30 min de marche).

Depuis/vers l'île d'Iona

Un ferry (passagers seulement) circule tous les jours entre Fionnphort et Iona (aller-retour 4,80 £, 5 min, 1/h). Toutes sortes d'excursions à la journée sont proposées entre Oban et Iona.

Inverness et les Highlands

Du massif des Cairngorms jusqu'aux sommets du Glen Coe et du Ben Nevis, la chaîne centrale des Highlands témoigne des talents de sculpteur déployés par la glace et le climat. C'est ici qu'éclate toute la splendeur du paysage écossais : collines rocheuses tapissées de bruyères, *glens* boisés et cascades rugissantes.

Rien d'étonnant à ce que la région fasse la joie des amateurs de sports de plein air. Aviemore, Glen Coe et Fort William attirent en été randonneurs et grimpeurs et, en hiver, skieurs, snowboardeurs et glaciéristes.

Capitale des Highlands, Inverness offre une pause citadine propice à la détente, tandis que le Loch Ness et son célèbre monstre apportent une touche de mystère.

De Fort William, base idéale pour l'ascension du Ben Nevis, la Road to the Isles (route des Îles) longe les plages magnifiques d'Arisaig et de Morar jusqu'à Mallaig, point de départ pour l'exploration de l'île de Skye.

Dans le Cairngorms National Park (p. 257)

Inverness et les Highlands

1 Loch Ness
2 Cairngorms National Park
3 Glen Coe
4 Ascension du Ben Nevis
5 Glen Affric
6 Activités de plein air
7 Observation de la faune

Spurness
Îles Orcades
Stromness
Kirkwall
Dunnet Head
Strathy Point
Durness
Scrabster
Dunnet Bay
Duncansby Head
John O'Groats
Kyle of Tongue
Bettyhill
Melvich
Thurso
Coldbackie
Kinlochbervie
Tongue
Strathy
Loch Calder
Watten
Sinclair's Bay
Wick
Wick
Laxford Bridge
Loch Rimsdale
Loch More
Achavanich
Mer du Nord
Kylesku
Kinbrace
Lybster
Dunbeath
Skinsdale
Loch Shin
Helmsdale
Brora
Loch Brora
Lairg
0 50 km
0 25 miles
Oykel
Invercassley
Golspie
Bonar Bridge
Ardgay
An Uidh
Dornoch Firth
Dornoch
Portmahomack
Tain
Moray Firth
Loch Morie
Loch Glass
Invergordon
Glass
Garve
Cromarty
Fort George
Elgin
Dingwall
Nairn
Fortrose
Cawdor Castle
Orrin
Culloden
Struy
1
Ness
Inverness
Loch Ness
Cannich
Glass
Drumnadrochit
5
Urquhart Castle
Grantown-on-Spey
Glen Affric
Carrbridge
Foyers
Monts Monadhliath
7
Loch Garten
Fort Augustus
Invermoriston
Aviemore
Monts Cairngorms
Dulnain
Kincraig
Aberdeen
nvergarry
Kingussie
7
Cairngorms National Park
Oich
Tarff
Newtonmore
Loch Morlich
2
Roy
Spey
Pattack
Roy Bridge
Dalwhinnie
Monts Grampians
Loch Muick
Spean
Ben Nevis (1 344 m)
4
Kinlochleven
Pitlochry
Loch Tay

Inverness et les Highlands À ne pas manquer

1

Le Loch Ness

S'étirant sur 37 km au fond du Great Glen, vaste vallée creusée par les glaciers, le Loch Ness contient à lui seul plus d'eau que les lacs d'Angleterre et du pays de Galles réunis. Ses eaux tourbeuses et profondes dissimulent le mystère de son monstre légendaire, et ses rives attirent chaque année des milliers de visiteurs, venus ici dans l'espoir de l'apercevoir. Ci-dessus : Loch Ness Centre & Exhibition

Nos conseils

QUAND Y ALLER Par beau temps, pour traquer le monstre. **ASTUCE** Pour fuir la foule, prenez la route qui longe la rive est du lac. **PHOTO** La vue depuis Urquhart Castle **Plus d'infos p. 253.**

Le Loch Ness

PAR ADRIAN SHINE, RESPONSABLE DU LOCH NESS PROJECT

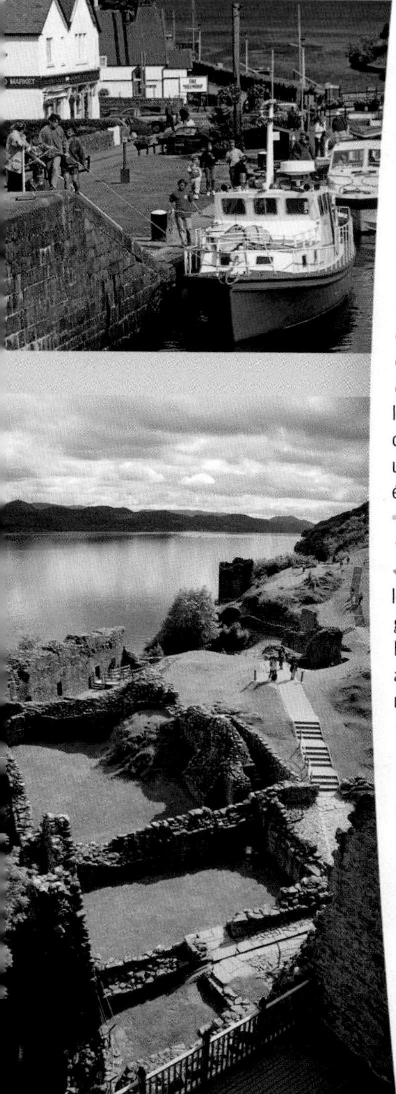

1 LOCH NESS CENTRE & EXHIBITION

J'ai conçu cette exposition (p. 253) afin de présenter les résultats de près de 80 ans de recherches. Elle rassemble aussi bien des sous-marins monoplaces que l'appareil Rosetta, qui ouvrit une capsule temporelle vieille de 10 000 ans, sertie dans les sédiments du loch. L'exposition n'apporte pas toutes les réponses, mais replace le mystère dans un contexte précis : l'environnement du Loch Ness.

2 URQUHART CASTLE

Si, après avoir découvert quelques-uns des secrets cachés dans les profondeurs du lac, vous voulez le regarder d'un œil neuf, rien de mieux qu'une visite à Urquhart Castle (p. 254 ; *photo ci-contre en bas*). Une exposition y relate l'histoire de ce château perché sur un promontoire rocheux dominant le Loch Ness, de son passé de fort picte vitrifié par un incendie jusqu'à son rôle dans les guerres d'indépendance écossaises. La vue depuis la Grant Tower est magnifique.

3 ÉCLUSES DE FORT AUGUSTUS

Au sud du loch, une série d'écluses (*locks*) fut bâtie sur le canal Calédonien (p. 255 ; *photo ci-contre en haut*) par le grand ingénieur Thomas Telford. Il est intéressant d'observer les bateaux gravir peu à peu les marches de cet "escalier" aquatique. À mi-parcours, une exposition instructive a été mise en place par British Waterways.

4 CROISIÈRE SUR LE LOCH

Vus du loch, la route nationale et Urquhart Castle paraissent minuscules. Le bateau *Deepscan*, que j'utilise pour mes recherches, part du Loch Ness Centre ; son skippeur vous racontera ses expériences. D'autres embarcations vous emmènent en excursion depuis Drumnadrochit. Les bateaux de Jacobite Cruises (p. 247), plus gros, partent d'Inverness.

5 DE CHUTE EN CHUTE

Depuis le parking d'Invermoriston, traversez la route pour découvrir une splendide chute d'eau, puis revenez sur vos pas pour emprunter le sentier qui longe la rivière et traverse un bois de grands hêtres avant de rejoindre la rive du loch. Il existe une autre cascade célèbre à Foyers, sur la rive sud-est du Loch Ness, ainsi que les Divach Falls, le long de Balmacaan Rd à Drumnadrochit.

Cairngorms National Park

Les sommets arrondis et enneigés des Cairngorms, plus grande zone d'altitude du Royaume-Uni, rassemblent cinq des six plus hautes montagnes d'Écosse. Le vaste parc national qui les entoure offre forêts de pins, lochs, rivières et cascades et sert de refuge au cerf élaphe, à l'aigle, au balbuzard et au chat sauvage. Ci-dessous : Loch Morlich. Ci-dessus à droite : Lochnagar. Ci-dessous à droite : bec-croisé d'Écosse.

Nos conseils

QUAND Y ALLER Au printemps, pour la neige sur les sommets ; en août, pour la bruyère. **ASTUCE** Prévoyez une tenue imperméable. **PHOTO** Une vue des hauteurs. **Plus d'infos p. 257.**

2

Le Cairngorms National Park

PAR ERIC BAIRD, GARDE FORESTIER EN CHEF, GLEN TANAR, CAIRNGORMS NATIONAL PARK

1 LOCH MORLICH

Non loin d'Aviemore, ce loch (p. 262) est une image de la perfection, tout comme la forêt et les montagnes qui l'entourent. Allez-y tôt le matin ou hors saison : on a alors l'impression d'être la première personne à le découvrir.

2 LOCHNAGAR

Toisant Balmoral Castle (p. 190), le Lochnagar (1155 m) est une montagne imposante, qui offre de fantastiques possibilités d'escalade sur les parois de son cirque, exposé au nord (été comme hiver, mais avec des outils, des techniques et des températures différentes). Toute personne en bonne condition physique peut marcher jusqu'au sommet : soyez prudent, restez sur le sentier et consultez la météo.

3 GLAS-ALLT WATERFALL

Ces chutes tombent, parfois avec fracas, du Lochnagar dans le Loch Muick. Le cadre fait toute leur beauté : il est possible de grimper depuis le Loch Muick en passant devant la demeure de Glas-allt Shiel. (La reine Victoria la fit condamner et interdit son utilisation après la mort du prince Albert. La dernière fois que j'ai regardé par la fenêtre, j'y ai vu de vieilles roses séchées dans un vase.) Bien que raide et parfois étroit, le sentier le long du cours d'eau est sûr si l'on est vigilant.

4 CRAIGENDARROCH

Le Craigendarroch (p. 189 ; 400 m), ou "rocher des chênes", est situé près de Ballater. En partant pour une randonnée après le petit-déjeuner, l'aller-retour peut se faire dans la matinée, mais cela vous prendra sans doute un peu plus de temps. On y trouve des fourmilières sous le soleil printanier, des myrtilles à la fin de l'été, les couleurs changeantes des chênes et des mélèzes en automne et, toute l'année, une vue magnifique sur la Dee.

5 GLEN TANAR FOREST

Flânez, une journée ou une semaine, à pied ou à VTT, dans les forêts endémiques de pins sylvestres, le long du Water of Tanar. Si tout est calme, vous pourrez apercevoir des becs-croisés, des rapaces, des cerfs élaphes, des chevreuils et des écureuils roux. Vous pouvez rester dans la forêt ou grimper sur le Mount Keen, en amont du *glen*.

Glen Coe

Qui imaginerait aujourd'hui, devant la beauté et le calme du Glen Coe (p. 264), l'un des *glens* les plus sauvages, les plus pittoresques et les plus célèbres d'Écosse, qu'il fut au XVIIe siècle le cadre d'un massacre impitoyable : l'assassinat des membres du clan MacDonald par les soldats du clan Campbell. Hormis son histoire, le lieu offre de nombreuses randonnées de tous niveaux et assez de caractère pour satisfaire les amateurs de photo.

3

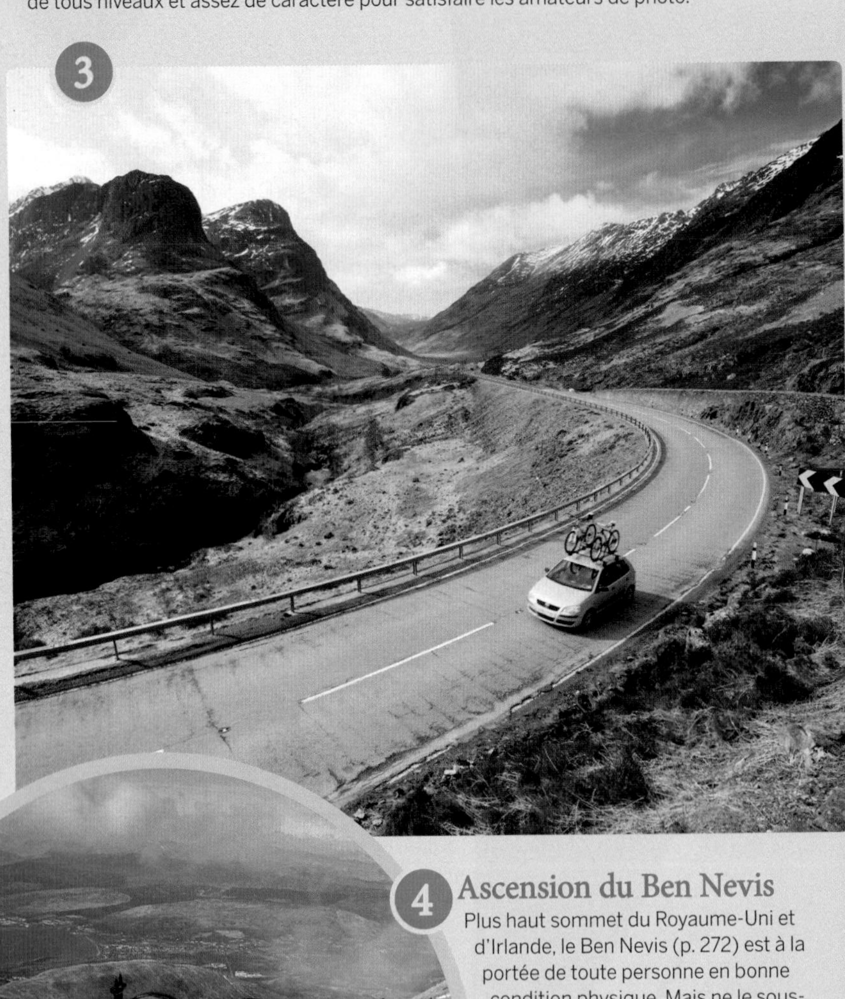

4

Ascension du Ben Nevis

Plus haut sommet du Royaume-Uni et d'Irlande, le Ben Nevis (p. 272) est à la portée de toute personne en bonne condition physique. Mais ne le sous-estimez pas : c'est une randonnée longue et ardue, et la météo peut se dégrader rapidement. Qui le traite avec respect se voit récompensé (par beau temps) par une vue absolument magnifique, un sentiment d'accomplissement avant un verre bien mérité au Ben Nevis Inn.

JOHNBRAID/SHUTTERSTOCK ©

5 Glen Affric

Le somptueux Glen Affric (p. 263) est un paradis pour les randonneurs, une débauche de lochs miroitants, de montagnes déchiquetées, de cascades grondantes et de forêts de pins endémiques. Souvent décrit comme le plus beau d'Écosse, il abrite martres, chats sauvages, loutres, écureuils roux et aigles royaux. Facilement accessible en voiture depuis Inverness ou le Loch Ness, il offre des randonnées de tout niveau, de la balade de 30 minutes à l'expédition.

MARK HAMBLIN/GETTY IMAGES ©

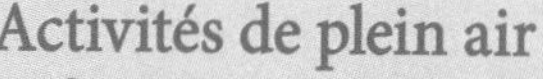

6 Activités de plein air

Les Cairngorms et les Highlands de l'Ouest offrent la plus grande concentration d'activités de plein air du pays. Fort William (p. 267) se proclame d'ailleurs "capitale des activités de plein air du Royaume-Uni". Promenades, randonnées, escalade, VTT, ski, snowboard, nautisme, kayak de mer et canoë se combinent pour offrir, aux débutants comme aux experts, le plus beau terrain de jeu du pays. Loch Lochy, près de Fort William

7 Observation de la faune

Les Highlands abritent un grand nombre d'espèces sauvages, dont le plus grand mammifère terrestre du pays, le cerf élaphe, et le plus gros oiseau endémique, le grand tétras. Les occasions d'observer des animaux sauvages ne manquent pas ; ainsi, des balbuzards nichent dans le Loch Garten Osprey Centre (p. 263), et le Highland Wildlife Park (p. 262) offre les meilleures chances d'apercevoir l'insaisissable chat sauvage. Chat sauvage d'Écosse

Inverness et les Highlands : le best of

Sites historiques

- **Culloden** (p. 252). Champ de bataille qui vit la fin des rêves jacobites.
- **Glen Coe** (p. 264). Site d'un tragique épisode historique, le massacre de Glencoe.
- **Ruthven Barracks** (p. 263). Vestige poignant de la rébellion jacobite.
- **Fort George** (p. 252). L'un des plus beaux forts d'artillerie du XVIIIe siècle en Europe.
- **Urquhart Castle** (p. 254). Impressionnant château médiéval, détruit pour éviter son usage par les jacobites.

Paysages

- **Loch Ness** (p. 253). Vue imprenable sur le lac depuis Fort Augustus et Urquhart Castle.
- **Glen Affric** (p. 263). Montagnes, lochs, forêts de pins calédoniens... Sublime !
- **Glen Coe** (p. 264). Un décor montagneux, austère, au-dessus d'un *glen* étroit.
- **Arisaig** (p. 274). Plages de sable blanc et somptueux couchers de soleil sur les îles au loin.

Faune sauvage

- **Loch Garten** (p. 263). Regardez les balbuzards nicher et nourrir leurs petits dans la nature.
- **Cairngorm Reindeer Centre** (p. 262). L'unique troupeau de rennes du Royaume-Uni viendra vous manger dans la main.
- **Rothiemurchus Estate** (p. 259). Écureuils roux, grands tétras et becs-croisés vivent dans les vestiges d'une ancienne forêt de pins calédoniens.
- **Moray Firth** (p. 265). Excursions en bateau pour observer le seul groupe de grands dauphins d'Écosse.

Pubs des Highlands

- **Lock Inn** (p. 257). Petit pub confortable près du Loch Ness, servant *real ales* et *fish and chips*.
- **Kings House Hotel** (p. 265). Ancienne garnison militaire isolée qui protégeait autrefois l'accès au Glen Coe par l'est.
- **Ben Nevis Inn** (p. 271). Havre chaleureux pour les randonneurs, au pied du Ben Nevis.
- **Clachnaharry Inn** (p. 250). Adorable vieux pub au large choix de bières, près du canal Calédonien.

gauche Pierre tombale d'un membre de clan, lloden **Ci-dessus** Cairngorm Reindeer Centre

Ce qu'il faut savoir

À PRÉVOIR

- **1 mois avant** Réservez une table dans un des grands restaurants d'Inverness ; réservez votre hébergement si vous venez en été.
- **2 semaines avant** Réservez les cours ou les locations de matériel pour les activités en plein air.
- **1 semaine avant** Réservez une excursion en bateau pour observer les dauphins du Moray Firth.

ADRESSES UTILES

- **VisitHighlands** (www.visithighlands.com). Site de l'office du tourisme pour la région.
- **Visit Loch Ness** (www.visitlochness.com). Site officiel pour le tourisme dans la région du Loch Ness.
- **Glen Affric** (www.glenaffric.org). Beaucoup de renseignements sur le Glen Affric.
- **Cairngorms National Park** (www.visitcairngorms.com). Nombreuses informations utiles, de l'hébergement à la faune.
- **Visit Fort William** (www.visit-fortwilliam.co.uk). Informations touristiques sur la région de Fort William.
- **Road to the Isles** (www.road-to-the-isles.org.uk). Informations utiles sur la zone de Fort William à Mallaig.

COMMENT CIRCULER

- **En bus** Réseau correct de bus locaux.
- **En train** Trains fréquents depuis Glasgow et Édimbourg jusqu'à Inverness, Fort William et Mallaig.
- **En voiture** Moyen le plus rapide pour se déplacer dans la région.

MISES EN GARDE

- ***Midges*** Ces minuscules moucherons piquants sont un vrai fléau de juin à septembre, notamment par beau temps, au crépuscule et à l'aube. Prévoir répulsifs et vêtements à manches longues.
- **Météo** Toujours imprévisible sur la côte ouest ; attendez-vous à de la pluie et du vent, même en plein été.

Suggestions d'itinéraires

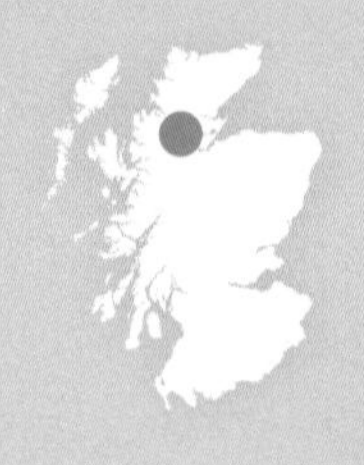

Ces deux circuits, l'un au départ d'Inverness ("capitale des Highlands"), l'autre de Fort William ("capitale des activités de plein air" du pays), vous donneront un excellent aperçu des superbes paysages des Highlands.

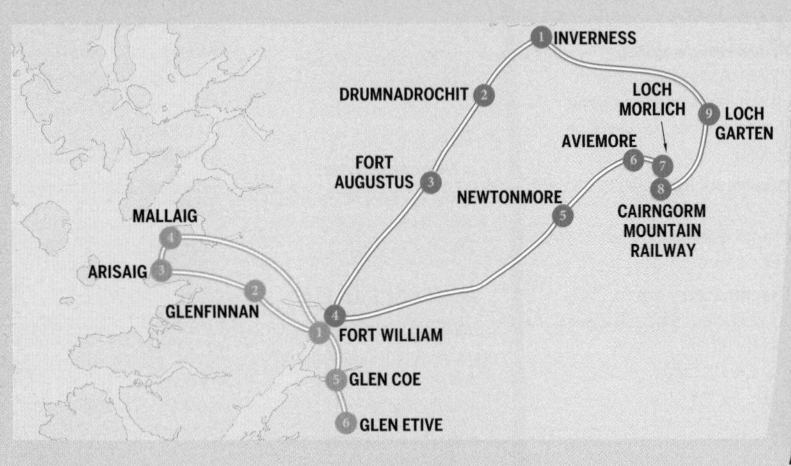

D'INVERNESS À INVERNESS

Monstre, montagne et faune sauvage

Quittez **Inverness (1)** sur l'A82 vers le sud, en direction du légendaire Loch Ness, et faites halte à **Drumnadrochit (2)** pour visiter les expositions consacrées au monstre du Loch Ness et l'Urquhart Castle, avec, pourquoi pas, une croisière sur le loch. Dans l'après-midi, continuez jusqu'à **Fort Augustus (3)**, pour une balade le long du canal Calédonien, puis **Fort William (4)** – un détour sur la B8004, qui part à droite avant Spean Bridge, vous offrira une vue splendide sur le Ben Nevis.

Le 2e jour s'ouvre sur un court trajet dans le beau Glen Nevis, au pied du plus haut sommet du Royaume-Uni. Partez ensuite vers l'est sur l'A86, le long du Loch Laggan, pour rejoindre **Newtonmore (5)**. Après la visite du Highland Folk Museum, suivez depuis Kingussie la paisible B9152, qui passe devant le Highland Wildlife Park à Kincraig avant d'atteindre **Aviemore (6)**.

Le 3e jour est consacré au Cairngorms National Park. Passez par le **Loch Morlich (7)** pour une agréable promenade en forêt, puis continuez jusqu'au **Cairngorm Mountain Railway (8)**, qui vous emmènera jusqu'au plateau subarctique du Cairn Gorm. Depuis Aviemore, continuez vers le nord sur les routes secondaires, en vous arrêtant pour observer les balbuzards du **Loch Garten (9)**. De là, l'A9 vous ramènera à Inverness.

DE FORT WILLIAM À FORT WILLIAM

Splendeur du paysage

Cet itinéraire suit deux excursions d'une journée au départ de **Fort William (1)**. Le 1er jour, partez en direction de Mallaig sur l'A830, la célèbre Road to the Isles. Faites halte à **Glenfinnan (2)** pour le monument à Bonnie Prince Charlie, puis marchez dans le *glen* pour admirer le viaduc ferroviaire, qui apparaît dans les films *Harry Potter*.

En continuant vers l'ouest, vous traversez de ravissants paysages. Quittez la route à **Arisaig (3)** pour emprunter la B8008 (signalée par un panneau "Alternative Coastal Route"). Elle serpente le long d'une série de magnifiques plages de sable blanc, avec une vue incroyable sur les îles d'Eigg et de Rum.

La route s'arrête à **Mallaig (4)**, port de pêche sans aucun attrait, d'où part le ferry pour l'île de Skye. Planifiez votre circuit de manière à pouvoir vous régaler de fruits de mer avant le retour vers Fort William.

Le jour suivant, suivez la route vers le sud jusqu'au **Glen Coe (5)** et profitez du moindre rayon de soleil pour y randonner. Si vous préférez un pique-nique tranquille, traversez le *glen* et bifurquez vers le sud en suivant le somptueux **Glen Etive (6)**. Rentrez à Fort William pour la nuit, puis poursuivez votre route vers les Cairngorms.

Viaduc de Glenfinnan (p. 273)

Découvrir Inverness et les Highlands

Les incontournables

- **Inverness** (p. 246). La "capitale" des Highlands.
- **Loch Ness** (p. 253). Le lac le plus long du royaume, où vivrait le fameux monstre.
- **Cairngorms** (p. 257). Ce vaste plateau au climat subarctique est le deuxième parc national d'Écosse.
- **Highlands de l'Ouest** (p. 264). Une chaîne de montagnes déchiquetées comme toile de fond.
- **Road to the Isles** (p. 272). Une histoire jacobite, de belles plages et une vue magnifique sur les îles.

Victorian Market

INVERNESS

55 000 HABITANTS

Grande ville et centre de commerce des Highlands, Inverness occupe un site enchanteur à l'embouchure de la Ness, à l'extrémité nord du Great Glen. Envahie en été par les visiteurs venus voir le Loch Ness tout proche, la cité elle-même mérite une visite, notamment pour une promenade le long de la rivière, une croisière sur le loch et un repas dans l'un de ses excellents restaurants.

À voir et à faire

NESS ISLANDS Parc

La promenade le long de la rivière jusqu'aux Ness Islands est incontournable. Plantées de vieux pins sylvestres, de sapins, de hêtres et d'érables sycomores, et reliées par de jolis ponts de l'ère victorienne, ces îles sont idéales pour un pique-nique.

Elles ne sont qu'à 20 minutes à pied du château : faites l'aller sur une rive (c'est ici que débute le Great Glen Way) et revenez par l'autre. Vous apercevrez, sur la rive ouest, les tours en grès rouge de la St Andrew's Cathedral, qui date de 1869, ainsi qu'une construction moderne, l'Eden Court Theatre (p. 251), qui accueille de nombreuses manifestations artistiques.

GRATUIT **INVERNESS MUSEUM & ART GALLERY** Musée

(carte p. 248 ; ✆ 01463-237114 ; www.inverness.highland.museum ; Castle Wynd ; ⏲ 10h-17h mar-sam avr-oct, jeu-sam nov-mars). Entre le château et l'office du tourisme, ce musée présente des dioramas sur la faune et la flore, des maquettes géologiques, des armes anciennes, des pierres pictes et de l'artisanat contemporain des Highlands.

VICTORIAN MARKET Galerie couverte
(**www.invernessvictorianmarket.co.uk ; Academy St ; 9h-17h**). Cette galerie couverte des années 1890, bien plus agréable que les centres commerciaux contemporains, permet de s'abriter les jours de pluie en faisant du shopping.

INVERNESS CASTLE Château
(**Castle St**). Sur la colline qui domine la ville se dressent les tours de cet édifice en grès rose érigé en 1847 à la place d'un château médiéval détruit par les jacobites en 1746. Il abrite aujourd'hui la Sheriff's Court (tribunal local). Il n'est pas ouvert au public, mais les jardins qui l'entourent permettent de l'admirer.

Circuits organisés

JACOBITE CRUISES En bateau
(**01463-233999 ; www.jacobite.co.uk ; Glenurquhart Rd ; adulte/enfant 29/22 £ ; 2/jour juin-sept, 1/jour avr-mai**). Les bateaux partent de Tomnahurich Bridge pour une croisière de 1 heure 30 sur le Loch Ness, suivie par une visite d'Urquhart Castle. Le retour à Inverness se fait par autocar. Vous pouvez acheter les billets à l'office du tourisme et emprunter un minibus gratuit jusqu'au bateau. D'autres croisières et circuits combinés croisière/autocar, allant de 1 heure à 6 heures 30, sont aussi disponibles.

HAPPY TOURS À pied
(**www.happy-tours.biz**). Promenade guidée de 1 heure 15 à la découverte de l'histoire et des légendes de la ville. Départ devant l'office du tourisme à 11h, 13h et 15h, tous les jours.

INVERNESS TAXIS En taxi
(**01463-222900 ; www.inverness-taxis.co.uk**). Grand choix de circuits à la journée pour Urquhart Castle, le Loch Ness et Culloden, et même jusqu'à l'île de Skye. Les tarifs par véhicule (jusqu'à 4 pers) vont de 60 £ (2 heures) à 240 £ (toute la journée).

Où se loger

Inverness dispose d'un large choix d'auberges de jeunesse, mais aussi de plusieurs excellents hôtels de charme. On trouve également de nombreux B&B et pensions dans Old Edinburgh Rd, Ardconnel St (rive est), Kenneth St et Fairfield Rd (rive ouest) ; tous sont à 10 minutes à pied du centre-ville.

La ville fait souvent le plein en juillet-août : réservez avant votre départ ou ne tardez pas à chercher une fois sur place.

TRAFFORD BANK B&B ££
(**01463-241414 ; www.traffordbankguesthouse.co.uk ; 96 Fairfield Rd ; d 110-125 £ ; P**). Le bouche à oreille a très bien fonctionné et tresse les louanges de cette belle villa victorienne, jadis demeure d'un évêque, située à deux pas du canal Calédonien et à 10 minutes à pied à l'ouest du centre-ville. Chambres luxueuses avec bouquets de fleurs, fruits frais, peignoirs et serviettes moelleuses. Demandez la Tartan Room, dotée d'un lit en fer forgé et d'une baignoire victorienne.

ROCPOOL RESERVE Hôtel de charme £££
(**01463-240089 ; www.rocpool.com ; Culduthel Rd ; s/d à partir de 175/210 £ ; P**). Petit hôtel élégant et sophistiqué, dont la superbe façade de style georgien cache un havre au chic contemporain. Hall d'entrée d'un blanc étincelant et moquetté de rouge, orné d'œuvres d'art récentes, et chambres design aux tons chocolat, crème et or. Les plus chères sont équipées d'une foule de gadgets high-tech, allant de la station iPod au Jacuzzi sur la terrasse avec TV étanche. Un restaurant tenu par Albert Roux complète cette offre luxueuse.

ARDCONNEL HOUSE B&B ££
(**01463-240455 ; www.ardconnel-inverness.co.uk ; 21 Ardconnel St ; ch 35-40 £/pers ;**). Autre adresse coup de cœur. Cette maison victorienne compte 6 chambres confortables avec salle de bains et une salle à manger aux nappes blanches impeccables. Bon petit-déjeuner.

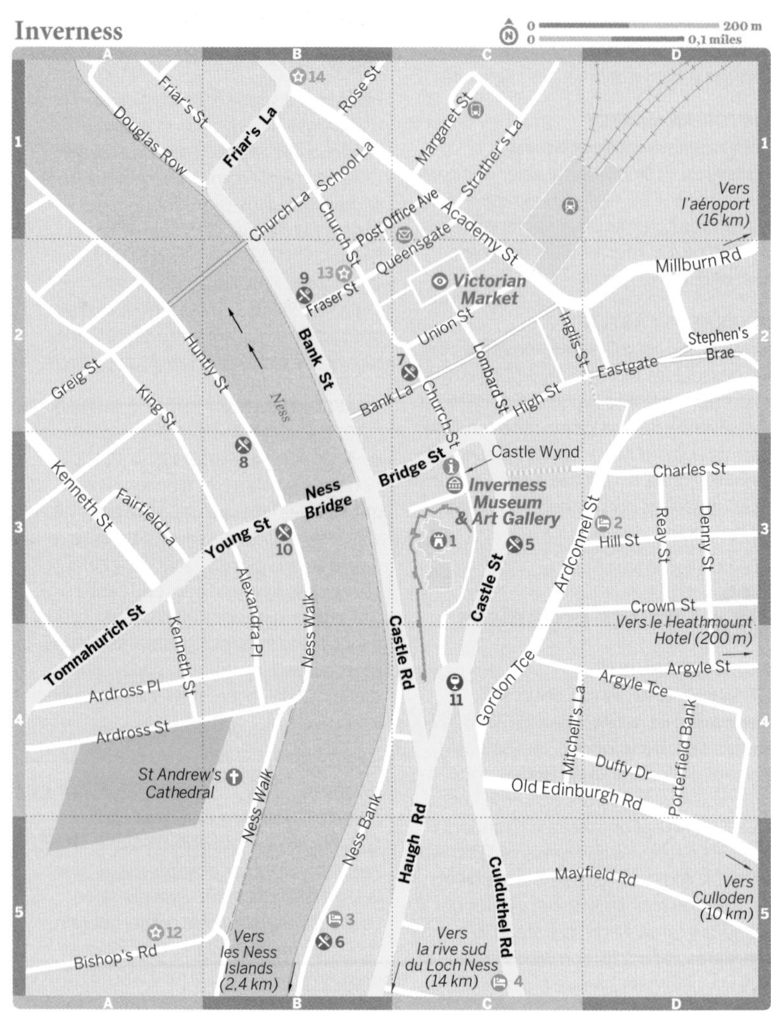

Les enfants de moins de 10 ans ne sont pas acceptés.

ACH ALUINN B&B ££

(☎01463-230127 ; www.achaluinn.com ; 27 Fairfield Rd ; 25-35 £/pers ; P). Grande maison individuelle victorienne, lumineuse et accueillante, avec toutes les prestations d'une pension – salle de bains privative, TV, lampes de chevet, lits confortables avec deux oreillers chacun et excellent petit-déjeuner. À moins de 10 minutes à pied à l'ouest du centre-ville.

LOCH NESS COUNTRY HOUSE HOTEL Hôtel £££

(☎01463-230512 ; www.lochnesscountryhousehotel.co.uk ; Dunain Park, Loch Ness Rd ; d à partir de 169 £ ; P wifi). Ce somptueux hôtel de campagne offre un décor traditionnel, avec des lits à baldaquin victoriens, des meubles de style georgien et des salles de bains en marbre italien, le tout dans une belle propriété boisée, à 5 minutes à pied du canal Calédonien et de la Ness. L'hôtel est à 1,5 km au sud-ouest d'Inverness sur l'A82 menant à Fort William.

Inverness

Les incontournables

Inverness Museum & Art Gallery........C3
Victorian Market C2

À voir

1 Inverness Castle C3

Où se loger

2 Ardconnel House D3
Crown Hotel Guest House ....(voir 2)
Glenmoriston Town House Hotel (voir 6)
3 MacRae Guest House........B5
4 Rocpool Reserve C5

Où se restaurer

5 Café 1........C3
6 Contrast Brasserie B5
7 Joy of Taste C2
8 Kitchen B3
9 Mustard Seed........B2
10 Rocpool B3

Où prendre un verre

11 Castle Tavern C4

Où sortir

12 Eden Court Theatre........A5
13 Hootananny........B2
14 Ironworks........B1

HEATHMOUNT HOTEL Hôtel de charme ££
(**01463-235877 ; www.heathmounthotel.com ; Kingsmills Rd ; s/d à partir de 75/115 £ ; P**). Petit et sympathique, le Heathmount associe un bar et un restaurant très appréciés à 8 chambres d'hôtel design, toutes différentes, de la chambre familiale colorée aux tons violet et or à la chambre double très chic, avec lit à baldaquin et velours noir. À 5 minutes de marche au sud-est du centre-ville.

MACRAE GUEST HOUSE B&B ££
(**01463-243658 ; joycemacrae@hotmail.com ; 24 Ness Bank ; s/d à partir de 45/64 £ ; P**). Ravissante maison victorienne très fleurie, sur la berge orientale du fleuve, aux chambres élégantes décorées avec goût (dont une accessible en fauteuil roulant). Possibilité de petit-déjeuner végétarien. Réservation minimale de deux nuitées en juillet-août.

GLENMORISTON TOWN HOUSE HOTEL Hôtel de charme £££
(**01463-223777 ; www.glenmoristontownhouse.com ; 20 Ness Bank ; s/d à partir de 120/165 £ ; P**). Luxueux hôtel de charme sur les berges de la Ness ; organise des sorties de golf et de pêche pour ses clients.

CROWN HOTEL GUEST HOUSE B&B ££
(**01463-231135 ; www.inverness-guesthouse.info ; 19 Ardconnel St ; s/d à partir de 36/56 £ ; P @**). Deux des 6 chambres sont familiales et l'endroit propose aussi un salon spacieux équipé de consoles de jeux, DVD et jeux de plateau.

Où se restaurer

CONTRAST BRASSERIE Brasserie ££
(**01463-227889 ; www.glenmoristontownhouse.com/contrast.html ; 22 Ness Bank ; plats 13-20 £**). Mieux vaut réserver tôt dans ce qui est, à nos yeux, la meilleure table d'Inverness. Des serveurs souriants et attentifs y dispensent une cuisine délicieuse dans une salle au design chic. Les noix de Saint-Jacques en bolognaise au chorizo ou la poitrine de porc à la salade de mange-tout et purée à la citronnelle méritent maints éloges. Et à 10 £ le déjeuner de 2 plats ou 15 £ le dîner de 3 plats servi tôt (de 17h à 18h30), le rapport qualité/prix est imbattable.

CAFÉ 1 Bistrot ££
(**01463-226200 ; www.cafe1.net ; 75 Castle St ; plats 10-23 £ ; 12h-21h30 lun-ven, 12h-14h30 et 18h-19h30 sam**). Dans ce bistrot chaleureux et accueillant, les bougies posées sur les tables éclairent un décor de bois clair et de fer forgé. La carte internationale est à base de produits écossais de qualité, du bœuf de l'Angus au bar poêlé accompagné de risotto au crabe fondant et confiture au piment. La formule "Early Bird" (1/2 plats pour 9/12,50 £) est servie de 12h à 18h45 en semaine et de 12h à 14h30 le samedi.

ROCPOOL Restaurant ££
(**01463-717274 ; www.rocpoolrestaurant.com ; 1 Ness Walk ; plats 17-24 £ ; lun-sam**). Bois ciré, cuir bleu marine et nappes blanches impeccables confèrent une ambiance

nautique à ce bistrot tranquille, où la carte aux influences méditerranéennes s'appuie sur des produits écossais de qualité, notamment les fruits de mer. Formule déjeuner de 2 plats pour 14 £.

MUSTARD SEED Bistrot ££
(☎01463-220220 ; www.mustardseedrestaurant.co.uk ; 16 Fraser St ; plats 11-16 £). La carte de ce bistrot lumineux et animé change toutes les semaines mais reste centrée sur des plats écossais et français revisités. Essayez d'obtenir une table sur le balcon, à l'étage : c'est le meilleur endroit où déjeuner en plein air à Inverness car la vue sur la rivière y est splendide. Difficile de rivaliser avec sa formule déjeuner de 2 plats pour 7 £.

JOY OF TASTE Britannique
(☎01463-241459 ; www.thejoyoftaste.co.uk ; 25 Church St ; plats 12-17 £). Voici un nouveau concept : un restaurant que dirige un chef épaulé par 25 volontaires qui s'engagent pour une semaine, juste pour "la passion de créer un magnifique restaurant" (et le plaisir d'en partager les bénéfices). De fait, le résultat est à la hauteur, avec une carte britannique classique – de la soupe aux brocolis et au fromage stilton au *lemon posset* (crème au citron) en passant par le faux-filet de bœuf écossais – et un fan-club grandissant de clients satisfaits.

KITCHEN Écossais moderne ££
(☎01463-259119 ; www.kitchenrestaurant.co.uk ; 15 Huntly St ; plats 11-16 £ ; 📶👪). Ce restaurant à la spectaculaire façade vitrée est géré par la même direction que le Mustard Seed (et affiche une formule déjeuner tout aussi intéressante). Très belle carte et vue magnifique sur la Ness, surtout depuis les tables de l'étage.

Où prendre un verre

CLACHNAHARRY INN Pub
(☎01463-239806 ; www.clachnaharryinn.co.uk ; 17-19 High St). À moins de 2 km au nord-ouest du centre, au bord du canal Calédonien à la sortie de l'A862, un adorable pub aménagé dans un ancien relais de poste (terrasse à l'arrière), qui sert un large choix de bières à la pression et une bonne cuisine de pub.

CASTLE TAVERN Pub
(☎01463-718718 ; www.castletavern.net ; 1-2 View Pl). Tenu par les propriétaires du

L'Old Leanach Cottage, sur le Culloden Battlefield

Clachnaharry Inn. Bon choix de bières à la pression et minuscule terrasse à l'avant, idéale pour prendre une pinte l'après-midi.

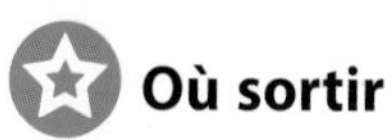

Où sortir

HOOTANANNY Musique live
(☎01463-233651 ; www.hootananny.com ; 67 Church St). Meilleur bar musical de la ville, avec des concerts de musique traditionnelle et/ou de rock tous les soirs. Des groupes du monde entier s'y produisent. Le bar propose un bon choix de bières de la brasserie locale, Black Isle Brewery.

EDEN COURT THEATRE Théâtre
(☎01463-234234 ; www.eden-court.co.uk ; Bishop's Rd). Principal centre culturel des Highlands – théâtre, cinéma d'art et d'essai et centre de conférences –, l'Eden Court gère un programme chargé : théâtre, danse, humour, musique, cinéma et spectacles pour enfants. Bon bar-restaurant.

IRONWORKS Musique live, humour
(☎0871 789 4173 ; www.ironworksvenue.com ; 122 Academy St). Avec des concerts (rock, pop, reprises) et des spectacles comiques deux ou trois fois par semaine, c'est la principale salle pour les têtes d'affiche.

Renseignements

Inverness Tourist Office (☎01463-252401 ; www.visithighlands.com ; Castle Wynd ; 9h-18h lun-sam, 9h30-17h dim juil-août ; 9h-17h lun-sam, 10h-16h dim juin et sept-oct ; 9h-17h lun-sam avr-mai ; @). Bureau de change, service de réservation hôtelière et vente de billets pour des circuits et croisières. Accès Internet (1 £/20 min). Horaires limités de novembre à mars.

Depuis/vers Inverness

Avion

Inverness Airport (INV ; ☎01667-464000 ; www.hial.co.uk). L'aéroport se trouve à Dalcross, à 15 km à l'est de la ville par l'A96 vers Aberdeen. Vols réguliers pour Amsterdam, Dusseldorf, ainsi que Londres, Bristol, Manchester, Belfast, Stornoway, Benbecula, les Orcades et les Shetland et d'autres destinations en Grande-Bretagne.

Bus

En réservant longtemps à l'avance, **Megabus** (☎0871 266 3333 ; www.megabus.com) propose des tarifs à partir de seulement 5,50 £ pour des bus entre Inverness et Glasgow ou Édimbourg, et à partir de 17 £ pour Londres.

Londres 45 £, 13 heures, 1/j ; plus fréquents avec changement à Glasgow. Géré par **National Express** (☎08717 81 81 78 ; www.gobycoach.com).
Aviemore 5,50 £, 1 heure 45, 3/j lun-ven ; via Grantown-on-Spey
Édimbourg 28 £, 3 heures 30 à 4 heures 30, 1/h
Glasgow 28 £, 3 heures 30 à 4 heures 30, 1/h
Fort William 12 £, 2 heures, 5/j
Portree 23 £, 3 heures 30, 4/j

Train

Édimbourg 40 £, 3 heures 30, 8/j
Glasgow 40 £, 3 heures 30, 8/j

Comment circuler

Depuis/vers l'aéroport

Stagecoach Jet (www.stagecoachbus.com). Des bus circulent entre l'aéroport et la gare routière d'Inverness (3,30 £, 20 min, toutes les 30 min). Un taxi coûte environ 15 £.

Bus

Les transports dans Inverness et les environs, dont Nairn, Forres, le Culloden Battlefield, Beauly, Dingwall et Lairg, sont gérés par **Stagecoach** (www.stagecoachbus.com). À Inverness, le billet City Dayrider coûte 3,30 £ et permet de voyager de façon illimitée en ville pendant une journée.

Taxi

Highland Taxis (☎01463-222222)

Vélo

Ticket to Ride (☎01463-419160 ; www.tickettoridehighlands.co.uk ; Bellfield Park ; à partir de 20 £/j). Loue des VTT, des vélos hybrides et des tandems. Livre les vélos aux hôtels et B&B du coin.

Voiture

Focus Vehicle Rental (☎01667-461212 ; www.focusvehiclerental.co.uk ; aéroport d'Inverness). Location à partir de 35 £ par jour.

Environs d'Inverness

Culloden Battlefield

En 1746, la bataille de Culloden fut la dernière bataille rangée sur le sol britannique. Elle vit surtout la défaite du Jeune Prétendant Stuart, Bonnie ("le Beau") Prince Charlie, et la fin du rêve des jacobites : 1 200 guerriers des Highlands y furent massacrés. Le duc de Cumberland, fils du souverain régnant George II et chef de l'armée hanovrienne, y gagna son surnom de "Boucher" pour le traitement impitoyable qu'il réserva aux vaincus écossais. Sonnant le glas du vieux système clanique, la bataille fut suivie par la terrible réforme agraire des Clearances. La morne lande où s'est déroulé l'affrontement reste telle qu'il y a 260 ans.

Culloden est à 9 km à l'est d'Inverness. Le bus 1 relie Queensgate, à Inverness, au Culloden Battlefield (30 min, 1/h).

CULLODEN VISITOR CENTRE Centre d'information

(NTS ; www.nts.org.uk/culloden ; adulte/enfant 10/7,50 £ ; 9h-18h avr-sept, 9h-17h oct, 10h-16h nov-mars). Cet impressionnant centre présente des informations détaillées sur la bataille de Culloden : ses causes, ses conséquences, et le point de vue des deux parties. Un film novateur vous permettra de vous retrouver sur le front, en pleine frénésie. Innombrables installations audio. Le billet donne droit à un Audioguide pour une visite du champ de bataille.

Fort George

Sur un promontoire surplombant le détroit du Moray Firth, en face de Fortrose, se dresse **Fort George** **(HS ; 01667-462777 ; adulte/enfant 6,90/4,10 £ ; 9h30-17h30 avr-sept, 9h30-16h30 oct-mars).**

Ce superbe fort d'artillerie du XVIIIe siècle est l'un des plus beaux édifices du genre en Europe. Bâti en 1748 pour servir de base dans les Highlands à l'armée d'occupation de George II, et achevé en 1769, il coûta la bagatelle d'un milliard de livres actuelles.

Les remparts offrent une belle balade avec vue sur la mer et, vers l'intérieur, sur le Great Glen. Compter au moins 2 heures pour la visite. Le fort se trouve non loin de

À gauche Représentation du monstre du Loch Ness **Ci-dessous** Cawdor Castle
(À GAUCHE) EDUCATION IMAGES/UIG/GETTY IMAGES © (CI-DESSOUS) BILL BACHMANN/GETTY IMAGES ©

l'A96, à environ 18 km au nord-est d'Inverness.

Cawdor

Au XIVe siècle, **Cawdor Castle (01667-404615 ; www.cawdorcastle.com ; adulte/enfant 9,50/6 £ ; 10h-17h30 mai-sept)** était la résidence du *thane* (chef royal de la province) de Cawdor, l'une des prédictions des trois sorcières de *Macbeth*, la célèbre pièce de Shakespeare. Cependant, le poète a pris des libertés avec la réalité, puisque la tour centrale date du XIVe siècle (les ailes furent ajoutées au XVIIe siècle) alors que Macbeth est mort, lui, en 1057. Le château se situe à 7,5 km au sud-ouest de Nairn.

LOCH NESS

Profond et sombre, le Loch Ness s'étire sur 37 km d'Inverness à Fort Augustus. Ses eaux glacées ont été explorées de fond en comble dans l'espoir de trouver Nessie, son insaisissable monstre, et vous devrez probablement vous contenter d'apercevoir sa silhouette en papier mâché dans l'une des nombreuses attractions du coin. La route A82, très fréquentée, longe la rive nord-ouest du loch ; la B862, de l'autre côté, est plus calme et plus pittoresque. Pour en profiter au mieux, faites le tour complet du loch – plus de 110 km tout de même – dans le sens inverse des aiguilles d'une montre.

Drumnadrochit

800 HABITANTS

Avec ses innombrables boutiques de peluches, Drumnadrochit se livre sans vergogne à la "monstromania".

À voir et à faire

LOCH NESS CENTRE & EXHIBITION Exposition
(01456-450573 ; www.lochness.com ; adulte/enfant 6,95/4,95 £ ; 9h-18h juil et août, 9h-17h30 juin, 9h30-17h Pâques-mai

ALAN MAJCHROWICZ/GETTY IMAGES ©

À ne pas manquer Urquhart Castle

Installé sur un emplacement exceptionnel, à 2,5 km de Drumnadrochit, et dominant un panorama époustouflant (par temps clair) Urquhart Castle est un haut lieu de la chasse à Nessie. Le vaste centre des visiteurs (aménagé pour l'essentiel en souterrain) propose un spectacle vidéo, divers objets du Moyen Âge retrouvés sur place, et abrite aussi un restaurant et une immense boutique de souvenirs. Il y a foule en été.

Le château fut à de très nombreuses reprises saccagé puis reconstruit, avant d'être totalement détruit en 1692 pour empêcher les jacobites de l'utiliser. Au nord, la tour de 5 étages est le plus impressionnant des vestiges du site ; du sommet, on découvre une très belle vue sur le loch et au-delà.

INFOS PRATIQUES

HS ; 01456-450551 ; adulte/enfant 7,40/4,50 £ ; 9h30-18h avr-sept, 9h30-17h oct, 9h30-16h30 nov-mars

et sept-oct, 10h-15h30 nov-Pâques). Cette attraction sur le thème de Nessie propose une approche scientifique pour vous permettre d'évaluer vous-même la réalité. Parmi les objets exposés figurent les équipements d'origine utilisés lors de diverses chasses au monstre (bateau sonar, sous-marins miniatures, caméras et outils de sondage des fonds) ainsi que des photographies et des images filmées des "apparitions". On y découvre les canulars et les illusions d'optique tout en apprenant maintes choses sur l'écologie du Loch Ness.

NESSIELAND CASTLE MONSTER CENTRE Exposition

(www.nessieland.co.uk ; adulte/enfant 5,50/4 £ ; 9h-20h juil-août, 10h-17h30 avr-juin, sept-oct, 10h-16h nov-mars). Ce musée plus modeste est en fait une sorte de parc d'attractions miniature s'adressant surtout aux enfants, mais dont le but principal est de vous vendre toutes sortes de souvenirs.

NESSIE HUNTER Excursions en bateau

(01456-450395 ; www.lochness-cruises.com ; adulte/enfant 15/10 £ ; Pâques-oct). Sorties de 1 heure pour traquer le monstre, avec radar et caméras sous-marines. Départ de Drumnadrochit toutes les heures (sauf à 13h) tous les jours de 9h à 18h.

Où se loger et se restaurer

LOCH NESS INN Auberge **££**

(☎01456-450991 ; www.staylochness.co.uk ; Lewiston ; s/d/f 89/102/145 £ ; P ᯤ). Cette auberge remplit tous les critères pour séduire le voyageur fourbu : des chambres confortables (la suite familiale peut accueillir 2 adultes et 2 enfants), un bar chaleureux servant d'authentiques ales des brasseries des Cairngorms et de l'île de Skye, et un restaurant rustique (plats 9-18 £) servant une cuisine roborative comme le *haggis* flambé au whisky et le rumsteck d'agneau écossais rôti. Elle est située dans le paisible hameau de Lewiston, entre Drumnadrochit et Urquhart Castle.

DRUMBUIE FARM B&B **££**

(☎01456-450634 ; www.loch-ness-farm.co.uk ; Drumnadrochit ; à partir de 30 £/pers ; ⏲mars-oct ; P). B&B dans une maison moderne sur une ferme en activité – les champs alentour sont pleins de moutons et de vaches –, avec point de vue sur Urquhart Castle et le Loch Ness. Randonneurs et cyclistes.

FIDDLER'S COFFEE SHOP & RESTAURANT Café, restaurant **££**

(www.fiddledrum.co.uk ; plats 8-17 £ ; ⏲11h-23h ; ᯤ). Le *coffee shop* propose cappuccinos et croissants, tandis que le restaurant sert des plats traditionnels des Highlands, dont du gibier en daube, ainsi qu'un large éventail de bières écossaises en bouteilles. Bar à whiskies avec d'innombrables *single malts*.

Depuis/vers le Loch Ness

Les bus **Scottish Citylink** (www.citylink.co.uk) et **Stagecoach** (www.stagecoachbus.com) reliant Inverness à Fort William longent les berges du Loch Ness (6 à 8/j lun-sam, 5/j dim) ; ceux qui desservent Skye bifurquent à Invermoriston. Il y a des arrêts à Drumnadrochit (6,20 £, 30 min), au parking d'Urquhart Castle (6,60 £, 35 min) et devant le Loch Ness Youth Hostel (8,60 £, 45 min).

Fort Augustus

510 HABITANTS

Au carrefour de quatre anciennes routes militaires, Fort Augustus fut jadis une ville de garnison et le quartier général des travaux de construction routière entrepris par le général George Wade au début du XVIIIe siècle. C'est aujourd'hui un petit village agréable, prisé des touristes en été.

À voir et à faire

CANAL CALÉDONIEN Canal

À Fort Augustus, les bateaux empruntant le canal Calédonien franchissent un dénivelé

Duncansby Stacks (p. 257)

de 13 m grâce à un escalier de cinq écluses successives. Le spectacle est agréable et les rives paysagées du canal, idéales pour un bain de soleil ou un brin de conversation avec d'autres visiteurs. Le **Caledonian Canal Heritage Centre** (01320-366493 ; entrée libre ; 10h-17h avr-oct), à côté de l'écluse la plus basse, retrace l'histoire du canal.

ROYAL SCOT Excursion en bateau (01320-366277 ; www.cruiselochness.com ; adulte/enfant 12,50/8 £ ; tte les heures 10h-16h avr-oct, 1h et 14h uniquement nov-mars). Croisières de 1 heure (adulte/enfant 11/6,50 £) sur le Loch Ness avec le nec plus ultra du sonar, pour tenter une fois encore d'apercevoir Nessie.

Étrange spectacle sur le Loch Ness

Le folklore des Highlands abonde en histoires de créatures étranges vivant dans les lochs et les cours d'eau, tel le *kelpie* (cheval aquatique), qui trompe les voyageurs pour mieux les conduire à une issue fatale. Plus récente, l'allusion à un "monstre" remonte à un article publié dans l'*Inverness Courier* du 2 mai 1933 sous le titre "Strange Spectacle on Loch Ness".

L'article narre l'aventure d'Aldie Mackay et de son époux, témoins de turbulences sur le loch : "La créature s'est ébrouée avant de plonger pendant une bonne minute ; son corps ressemblait à celui d'une baleine, et l'eau écumait et bouillonnait comme dans un chaudron."

L'anecdote fut bientôt reprise par les journaux de Londres, déclenchant toute une série d'"apparitions" cette année-là, dont la rencontre faite sur la terre ferme le 22 juillet 1933 par des touristes londoniens, M. et Mme Spicer, rapportée cette fois encore par l'*Inverness Courier* :

> "C'était horrible, tout à fait effrayant. À moins de 500 m de nous ondulait une sorte de long cou, suivi d'un énorme corps massif. L'ensemble devait mesurer entre 7 et 9 m, d'une couleur gris foncé type éléphant. Il a traversé la route par à-coups, mais nous ne pouvions pas voir ses membres. J'ai eu beau courir vers lui, il avait disparu dans le loch avant que j'arrive sur place. Dans l'eau, rien ne bougeait. Je suis un homme sensé, mais je suis prêt à jurer sous serment que nous avons vu la bête du Loch Ness. Je suis sûr que cette créature est un animal préhistorique."

La tentation était trop forte pour les journaux londoniens. En décembre 1933, le *Daily Mail* envoie sur place Marmaduke Wetherall, cinéaste et chasseur de gros gibier, chargé de traquer la bête. Il trouve très rapidement des empreintes de pas "reptiliennes" sur les bords du loch, qui se révéleront avoir été fabriquées grâce à un pied d'hippopotame naturalisé. Puis, en avril 1934, paraît la célèbre photo d'un "monstre au long cou", prise par le colonel Kenneth Wilson. La presse se déchaîne. La suite de l'histoire, tout le monde la connaît.

Mais voilà qu'en 1994, le beau-fils de Wetherall, Christian Spurling, âgé de 90 ans, révèle que le fameux cliché de Nessie est le résultat d'un canular monté par son beau-père avec l'aide de Wilson. Il y en a bien, aujourd'hui, pour affirmer que la révélation de Spurling est elle-même un canular. Et, ironie de l'histoire, le chercheur à l'origine de la révélation de la supercherie continue de croire mordicus en l'existence du monstre.

Canular ou pas, l'histoire la plus rocambolesque reste sans doute celle de cette mini-industrie touristique, apparue il y a soixante-quinze ans sur les bords du Loch Ness, autour d'un monstre fantasmagorique.

Où se loger et se restaurer

LOVAT Hôtel **£££**

(01456-459250 ; www.thelovat.com ; Main Rd ; d à partir de 121 £ ; P). Une rénovation de charme a transformé cet ancien hôtel pour chasseurs en une retraite luxueuse mais soucieuse de l'environnement, à l'écart de l'agitation des abords du canal. Les chambres y sont spacieuses et meublées avec goût, et le salon offre une cheminée, de confortables fauteuils et un piano.

On y trouve aussi une brasserie conviviale et un restaurant réputé (dîner de 5 plats : 45 £) proposant une cuisine de haute volée.

LORIEN HOUSE B&B **££**

(01320-366736 ; www.lorien-house.co.uk ; Station Rd ; s/d 40/70 £). B&B qui sort du lot, avec saumon fumé au petit-déjeuner et salon plein de guides (marche, vélo, escalade).

LOCK INN Pub **££**

(Canal Side ; plats 9-14 £ ; service 12h-20h). Petit pub superbe sur le canal, offrant un large éventail de whiskies pur malt et une alléchante cuisine de bar (12h-20h) avec, au menu, saumon des Orcades, gibier des Highlands et formules poissons et fruits de mer du jour. La spécialité maison est le haddock à la bière, servi avec des frites.

Vaut le détour
John O'Groats

Considéré à tort comme le point le plus septentrional de la Grande-Bretagne (ce titre revient en réalité à Dunnet Head), John O'Groats tient lieu de terme au parcours ardu de 1 400 km qui part de Land's End en Cornouaille et qu'empruntent de nombreux cyclistes et marcheurs, souvent pour lever des fonds destinés à des œuvres caritatives. C'est ici que l'on embarque dans le ferry pour les Orcades. L'emplacement spectaculaire du village console de la déception de découvrir que cette destination célèbre n'est en fait qu'un parking cerné de boutiques de souvenirs.

À 3 km à l'est, **Duncansby Head** présente plus d'intérêt, avec son petit phare et ses falaises hautes de 60 m où nichent des fulmars. À 15 minutes à pied à travers un enclos à moutons se déploie une vue sur la mer flanquée des **Duncansby Stacks**, des formations rocheuses spectaculaires.

Renseignements

Vous trouverez un DAB et un bureau de change (à la poste) à côté du canal.

Fort Augustus Tourist Office (01320-366367 ; 9h-18h lun-sam, 9h-17h dim Pâques-oct). Sur le parking central.

Depuis/vers Fort Augustus

Les bus Scottish Citylink (p. 255) et Stagecoach (p. 255) allant d'Inverness à Fort William font halte à Fort Augustus (10,20 £, 1 heure, 6 à 8/j lun-sam, 5/j dim).

LES CAIRNGORMS

Vaste plateau sillonné par les vallées profondes du Lairig Ghru et du Loch Avon, le **Cairngorms National Park** (www.cairngorms.co.uk) compte cinq des six sommets les plus hauts du Royaume-Uni, et son altitude moyenne dépasse les 1 000 m. Avec leur climat subarctique, ces montagnes sauvages mêlant granit et bruyère sont couvertes d'une végétation clairsemée de type toundra et habitées par des oiseaux de haute montagne, tels que bruants des neiges, lagopèdes et pluviers guignards.

Plus bas, ce relief peu hospitalier laisse la place à de magnifiques gorges couvertes de pinèdes qui hébergent une faune rare : martres, chats sauvages, écureuils roux, balbuzards, grands tétras ou becs-croisés.

La région se prête parfaitement à la randonnée de moyenne montagne, mais les moins courageux y trouveront aussi leur compte en empruntant le Cairngorm

JOHN PETER PHOTOGRAPHY/ALAMY ©

À ne pas manquer **Cairngorm Mountain Railway**

Attraction-vedette d'Aviemore, ce funiculaire vous conduira au plateau du Cairn Gorm (1 085 m) en seulement 8 minutes. Départ du parking de Coire Cas (celui du domaine skiable), à l'extrémité de Ski Rd. Au sommet, il y a une exposition, l'inévitable boutique, ainsi qu'un restaurant. Malheureusement, pour des raisons de sécurité et de protection de l'environnement, il est interdit de sortir de la gare haute en été, sauf si vous réservez une promenade guidée de 1 heure 30 jusqu'au sommet du Cairn Gorm (adulte/enfant 15,95/10,50 £, 2/jour de mai à octobre). Consultez le site internet pour plus d'informations.

INFOS PRATIQUES

01479-861261 ; www.cairngormmountain.org ; adulte/enfant aller-retour 9,95/6,50 £ ; 10h20-16h mai-nov, 9h-16h30 déc-avr

Mountain Railway jusqu'au plateau du Cairn Gorm.

Aviemore

2 400 HABITANTS

Aviemore est la porte d'entrée dans les Cairngorms et le centre névralgique de la région pour les transports, l'hébergement, les restaurants et les achats. C'est loin d'être la plus jolie cité d'Écosse (les sites d'intérêt sont hors de la ville) mais, quand le temps rend la montagne inaccessible, randonneurs, cyclistes et alpinistes (et skieurs en hiver) s'y retrouvent pour flâner dans les magasins ou raconter leurs exploits dans les bars. Avec les touristes et les habitants, cette foule bigarrée fait d'Aviemore une petite ville vivante.

À voir

STRATHSPEY STEAM RAILWAY Train d'époque
(**01479-810725 ; www.strathspeyrailway.co.uk ; Station Sq ; aller-retour adulte/enfant 11,50/5,75 £**).

Le Strathspey Steam Railway est un train à vapeur qui fonctionne sur le tronçon restauré Aviemore-Broomhill, à 16 km au nord-est, via Boat of Garten. Quatre ou cinq trains quotidiens circulent de juin à septembre ; service restreint en avril, mai, octobre et décembre.

En attendant le prolongement de la ligne jusqu'à Grantown-on-Spey (voir www.railstograntown.org), vous pourrez relier Broomhill à Grantown-on-Spey en bus.

ROTHIEMURCHUS ESTATE Domaine forestier

(www.rothiemurchus.net). Le domaine de Rothiemurchus, qui s'étend de la Spey à Aviemore jusqu'au plateau du Cairn Gorm, est réputé pour détenir la plus vaste parcelle de **forêt calédonienne** encore sur pied en Écosse. Cette forêt de pins écossais, qui recouvrait jadis la majorité du pays, abrite une importante population d'écureuils roux et constitue l'un des derniers habitats du chat sauvage en Écosse.

Le **Visitor Centre** (01479-812345 ; entrée libre ; 9h-17h30) de ce domaine, à 2 km au sud-est d'Aviemore par la B970, vend l'*Explorer Map*, une carte recensant plus de 75 km de **sentiers pédestres et cyclables**, dont un chemin de 6,5 km accessible en fauteuil roulant autour du **Loch an Eilein**, entouré des ruines d'un château et de paisibles pinèdes.

ROTHIEMURCHUS FISHERY Pêche

(01479-810703 ; www.rothiemurchus.net ; Rothiemurchus Estate ; 9h-17h30, 9h-21h juil-août). Taquinez la truite arc-en-ciel dans un loch à l'extrémité sud du village ; les permis (de 10 à 30 £/jour, plus 5 £ pour la location du matériel) s'achètent au Fish Farm Shop d'Inverdruie. Les novices de la pêche à la mouche s'offriront une formule spéciale comprenant le matériel, 1 heure de cours et 1 heure de pêche moyennant 39 £/personne.

Les pêcheurs expérimentés pourront aussi pêcher le saumon et la truite dans la Spey – les permis d'une journée coûtent environ 20 £ ; ils sont délivrés en quantité limitée, aussi pensez à réserver.

CAIRNGORM SLED-DOG CENTRE Chiens de traîneau

(07767-270526 ; www.sled-dogs.co.uk ; Ski Rd). Cette équipe vous emmènera pour une balade en traîneau de 20 minutes sur les sentiers forestiers de la région, tiré par un groupe de huskies (adulte/enfant 50/35 £), ou dans une randonnée de 3 heures avec chiens de traîneau (150 £/pers). Les traîneaux étant dotés de roues, la neige n'est pas indispensable. Ils proposent aussi une visite guidée de 1 heure des chenils (adulte/enfant 8/4 £). Le centre est à moins de 5 km à l'est d'Aviemore, un panneau l'indique sur la route menant au Loch Morlich.

À faire

BOTHY BIKES VTT

(01479-810111 ; www.bothybikes.co.uk ; Dalfaber ; 16/20 £ la demi-journée/journée complète ; 9h-17h30). Situé juste à la sortie d'Aviemore sur la route du domaine skiable, cet établissement loue des VTT et renseigne sur les routes et chemins. Bonne option pour commencer, l'**Old Logging Way** part de Bothy Bikes et conduit à Glenmore, où vous pourrez faire le tour du Loch Morlich avant de revenir. Pour les vététistes expérimentés, l'ensemble des Cairngorms est un formidable terrain d'aventures. Réservation recommandée.

Où se loger

OLD MINISTER'S HOUSE B&B ££

(01479-812181 ; www.theoldministershouse.co.uk ; Rothiemurchus ; s/d 70/110 £ ; P). À seulement 1,2 km au sud-est d'Aviemore, cet ancien presbytère datant de 1906 comporte 4 chambres. L'atmosphère est champêtre et chaleureuse et le cadre, agréable (pinède sur les rives de la Druie).

ARDLOGIE GUEST HOUSE B&B ££

(01479-810747 ; www.ardlogie.co.uk ; Dalfaber Rd ; s/d à partir de 40/60 £, cabane pour 3 nuitées 165 £ ; P). Proche de la gare, ce B&B de 5 chambres a l'atout d'une très belle vue sur la Spey et sur les Cairngorms. Un gîte est aussi proposé dans un *bothy*, une

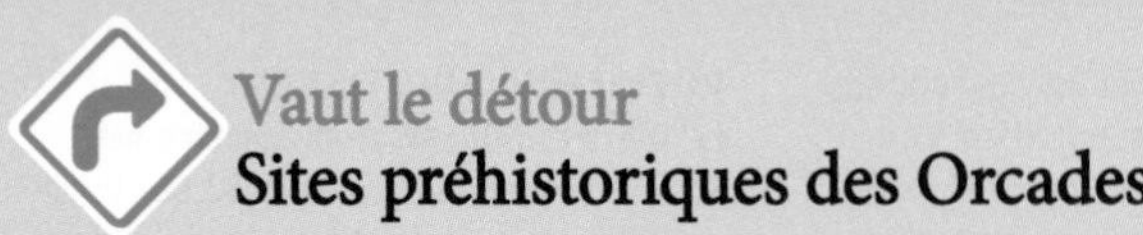

Vaut le détour
Sites préhistoriques des Orcades

La magie des Orcades (Orkney) gagne le voyageur, à peine s'est-il éloigné du continent. Cet archipel, où les Vikings ont laissé leurs traces, est ponctué de ports qui racontent ces vies à la merci des faveurs et des humeurs de la mer. La région est surtout célèbre pour son magnifique ensemble de monuments préhistoriques. **Skara Brae** (HS ; www.historic-scotland.gov.uk ; Bay of Skaill ; billet combiné avec la Skaill House adulte/enfant 6,90/4,10 £ ; 9h30-17h30 avr-sept, 9h30-16h30 oct-mars), l'un des sites préhistoriques les plus évocateurs au monde, donne un excellent aperçu de ce qu'était la vie à l'âge de pierre. Situé dans un cadre idyllique près d'une baie bordée d'une plage de sable, à 13 km au nord de Stromness, Skara Brae, village néolithique parmi les mieux préservés d'Europe du Nord, est encore plus ancien que Stonehenge et que les pyramides de Gizeh.

Autre site extraordinaire, **Maes Howe** (HS ; 01856-761606 ; www.historic-scotland.gov.uk ; adulte/enfant 5,50/3,30 £ ; visite ttes les heures 10h-16h) est un tombeau à chambres funéraires de l'âge de pierre, datant d'il y a quelque 5 000 ans, bâti avec des dalles de grès énormes. En rampant dans le couloir qui mène à la chambre funéraire centrale, on prend conscience du temps qui nous sépare de ses bâtisseurs. Bien que l'on ne sache rien sur qui – ou ce qui – y est enterré, la taille du tombeau laisse penser qu'il revêtait une grande importance.

Face à Maes Howe, de l'autre côté du loch, le **Ring of Brodgaar** (HS ; www.historic-scotland.gov.uk ; entrée libre ; 24h/24) est un cercle de pierres dressées évocateur, érigé vers 2500-2000 av. J.-C. Sur les 60 pierres d'origine, 21 tiennent toujours debout parmi les bruyères, leurs formes étranges malmenées par les assauts du climat.

Plus d'information sur les circuits dans les Orcades p. 262.

cabane en rondins confortable pour deux personnes. L'endroit propose un terrain de boules dans le jardin, et l'accès à la piscine, au spa et au sauna du country club local est gratuit pour les hôtes.

RAVENSCRAIG GUEST HOUSE B&B ££
(01479-810278 ; www.aviemoreonline.com ; Grampian Rd ; ch 35-42 £/pers ; P). Grande villa victorienne fleurie proposant 6 chambres spacieuses avec salle de bains. L'annexe moderne, à l'arrière, en compte 6 autres (dont une accessible en fauteuil roulant). Petit-déjeuner (traditionnel ou végétarien) servi dans un joli salon d'hiver.

CAIRNGORM HOTEL Hôtel ££
(01479-810233 ; www.cairngorm.com ; Grampian Rd ; s/d à partir de 59/98 £ ; P). Plus connu sous le nom de Cairn, cet hôtel établi de longue date est installé dans le bel édifice en granit coiffé d'une tourelle pointue, face à la gare ferroviaire. Endroit chaleureux, atmosphère typiquement écossaise (tapis en tartan et bois de cerf aux murs), concerts le week-end (du coup, c'est parfois bruyant : couche-tôt, passez votre chemin !).

HILTON COYLUMBRIDGE Hôtel ££
(01479-810661 ; www.coylumbridge.hilton.com ; Coylumbridge ; d à partir de 110 £ ; P). Petit Hilton moderne au milieu des pins, à la sortie d'Aviemore. Les enfants sont bienvenus (certaines chambres logent 2 adultes et 2 enfants). Nombreuses aires de jeux, intérieures et extérieures, une crèche et un service de baby-sitting. L'hôtel est situé à 2,5 km à l'est d'Aviemore, sur la route menant au Loch Morlich.

Où se restaurer et prendre un verre

MOUNTAIN CAFE Café £
(www.mountaincafe-aviemore.co.uk ; 111 Grampian Rd ; plats 4-10 £ ; 8h30-17h mar-jeu, 8h30-17h30

ven-lun ;). Le Mountain Cafe sert des produits frais et locaux agrémentés d'une touche d'exotisme néo-zélandais (pays d'origine du propriétaire) : petits-déjeuners sains à base de muesli, de porridge et de fruits frais (servis jusqu'à 11h30), déjeuners roboratifs avec soupe de poisson, hamburgers et salades originales, mais aussi pains, gâteaux et biscuits maison. Les végétaliens et les allergiques aux noix ou au gluten trouveront aussi leur bonheur.

SKI-ING DOO Bistrot ££

(01479-810392 ; 9 Grampian Rd ; plats 7-12 £, steaks 15-17 £ ;). Véritable institution à Aviemore, le Ski-ing Doo (un jeu de mots, demandez au serveur) est une adresse appréciée des familles de skieurs et de randonneurs. Ambiance décontractée et bon choix de solides hamburgers, chilis et steaks juteux, le tout fait maison. Le café-bar Doo Below est ouvert à partir de 12h.

WINKING OWL Pub

(Grampian Rd). Un pub local animé, prisé des randonneurs et des grimpeurs, qui sert un bon choix d'*ales* et de whiskies.

OLD BRIDGE INN Pub

(01479-811137 ; www.oldbridgeinn.co.uk ; 23 Dalfaber Rd ;). L'Old Bridge propose un bar douillet avec feu de bois dans la cheminée en hiver et, à l'arrière, un **restaurant** (www.oldbridgeinn.co.uk ; 23 Dalfaber Rd ; plats 9-18 £ ; déj et dîner, jusqu'à 22h ven-sam) aux allures de chalet où règne une ambiance joyeuse autour d'une cuisine écossaise de qualité.

Renseignements

Vous trouverez des DAB devant le supermarché Tesco, et des bureaux de change à la poste et à l'office du tourisme, tous situés sur Grampian Rd.

Aviemore Tourist Office (01479-810363 ; www.visitaviemore.com ; The Mall, Grampian Rd ; 9h-18h lun-sam, 9h30-17h dim juil-août, 9h-17h lun-sam, 10h-16h dim Pâques-juin et sept-oct). Horaires limités d'octobre à Pâques.

Depuis/vers Aviemore

Bus

Les bus s'arrêtent dans Grampian Rd, en face de la gare ferroviaire ; achetez les billets à l'office du tourisme. Quelques exemples de liaisons :

Le site de Skara Brae, dans les Orcades

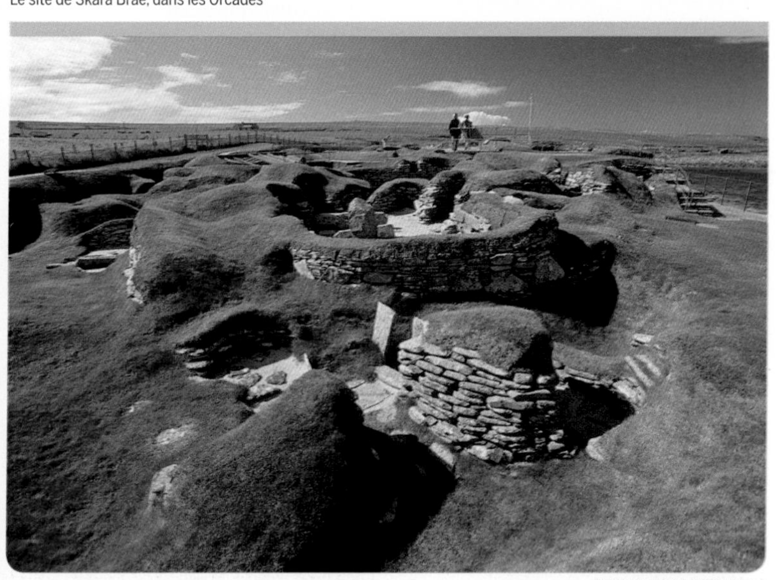

PATRICK DIEUDONNE/GETTY IMAGES ©

Édimbourg 24,40 £, 3 heures 45, 3/j
Glasgow 24,40 £, 3 heures 45, 3/j
Inverness 5,50 £, 1 heure 45, 3/j lun-ven ; via Grantown-on-Spey

Train

La gare ferroviaire se trouve sur Grampian Rd.
Glasgow/Édimbourg 44 £, 3 heures, 6/j
Inverness 11 £, 40 min, 12/j

Comment circuler

Bus

Le bus n°34 circule entre Aviemore et le parking du domaine skiable de Cairngorm (45 min, 1/h) via Coylumbridge et Glenmore. Pour des voyages illimités en bus au départ d'Aviemore et jusqu'à Cairngorm, Carrbridge et Kingussie, achetez (auprès du chauffeur) un billet Strathspey Dayrider/Megarider (1/7 jours, 6,40/16 £).

Escapade dans les Orcades

John O'Groats Ferries (01955-611353 ; www.jogferry.co.uk ; mai-sept). Pour les plus pressés, ce prestataire propose des circuits d'une journée vers les sites principaux (52 £, ferry depuis John O'Groats compris). Excursions possibles au départ d'Inverness.

Wildabout Orkney (01856-877737 ; www.wildaboutorkney.com). Circuits sur le thème de l'histoire des Orcades, de leur écologie, de leur folklore, et sur la vie sauvage. Les excursions d'une journée ont lieu toute l'année (49 £), avec transfert depuis Stromness et Kirkwall.

Orkney Archaeology Tours (01856-721 217 ; www.orkneyarchaeologytours.co.uk). Circuits d'une demi-journée (160 £ jusqu'à 4 pers) et d'une journée (240 £) avec guide archéologue. Plus d'informations sur les sites préhistoriques des Orcades p. 260.

Vélo

Plusieurs prestataires louent des VTT à Aviemore, Rothiemurchus Estate et Glenmore. Une piste cyclable séparée de la route relie Aviemore à Glenmore et au Loch Morlich.

Bothy Bikes (01479-810111 ; www.bothybikes.co.uk ; Ski Rd, 9h-17h30). Comptez 20 £ par jour pour un bon vélo avec suspension avant et freins à disques.

Environs d'Aviemore

Loch Morlich

À 10 km à l'est d'Aviemore, au milieu des 2 000 ha de pins et d'épicéas du **Glenmore Forest Park**, s'étend le Loch Morlich, avec sa belle plage de sable (à son extrémité est).

À voir et à faire

Le **Visitor Centre** présente une petite exposition sur la forêt calédonienne et vend la carte *Glen More Forest Park Map*, qui détaille plusieurs randonnées dans le parc. Le **tour du Loch Morlich** (1 heure) en est une agréable, accessible aux poussettes et aux fauteuils roulants.

CAIRNGORM REINDEER CENTRE Réserve faunique
(www.cairngormreindeer.co.uk ; Glenmore ; adulte/enfant 10/5 £). Le gardien vous emmènera voir et nourrir la seule harde de rennes de Grande-Bretagne ; les animaux, apprivoisés, viendront manger dans votre main. Visites à 11h (visite supplémentaire à 14h30 mai-sept et à 15h30 lun-ven juil-août).

LOCH MORLICH WATERSPORTS CENTRE Sports nautiques
(www.lochmorlich.com ; 9h-17h mai-oct). Ce prestataire très populaire loue canoës (19 £/h), kayaks (7,50 £/h), planches à voile (16,50 £/h), dériveurs (23 £/h) et canots à rames (19 £/h).

Kincraig

Le **Highland Wildlife Park** (01540-651270 ; www.highlandwildlifepark.org ; adulte/enfant 14/10 £ ; 10h-17h avr-oct, 10h-18h juil-août, 10h-16h nov-mars), près de Kincraig, à 10 km au sud-ouest d'Aviemore, comporte un parc-safari à visiter en voiture et des enclos où vivent des espèces locales rares, telles que chats sauvages, grands tétras, martres des pins, pygargues à queue blanche ou écureuils roux, mais aussi des animaux ayant disparu des forêts écossaises, comme les loups, les lynx, les sangliers, les castors et les bisons d'Europe. Les visiteurs sans voiture seront conduits par des employés du parc (au même tarif). Dernière entrée deux heures avant la fermeture.

À Kincraig, la Spey s'élargit pour se jeter dans le Loch Insh, où le **Loch Insh Watersports Centre** (☎01540-651272 ; www.lochinsh.com ; Kincraig ; ⏲8h30-17h30) propose canoë, planche à voile, navigation à voile, pêche et location de vélo. L'endroit fait aussi B&B. La cuisine y est de bonne qualité, surtout après 18h30, quand le café se métamorphose en restaurant chaleureux.

Boat of Garten

Surnommé "village des balbuzards", Boat of Garten n'est pas loin du **RSPB Loch Garten Osprey Centre** (☎01479-831694 ; www.rspb.org.uk/lochgarten ; Tulloch ; adulte/enfant 4 £/2,50 p ; ⏲10h-18h avr-août). De retour d'Afrique au printemps, ces magnifiques rapaces nichent dans un grand pin – on peut les observer depuis un abri tandis qu'ils nourrissent leurs petits. Le centre est à 3 km à l'est du village.

Boat of Garten est à 13 km au nord-est d'Aviemore. Pour y aller, prenez le Strathspey Steam Railway (p. 258).

Vaut le détour
Glen Affric

Le Glen Affric, l'un des plus beaux d'Écosse, s'étend au milieu des collines après Cannich. Dans la **Glen Affric National Nature Reserve** (www.glenaffric.org), s'étendent de somptueux paysages de lochs miroitants et de montagnes déchiquetées couvertes de pins, où vivent martres, chats sauvages, loutres, écureuils roux et aigles royaux.

À 6,5 km au sud-ouest de Cannich, on arrive aux **Dog Falls**, un endroit pittoresque où la rivière Affric se rétrécit pour s'engouffrer dans une étroite gorge rocheuse. Un sentier de randonnée balisé (facile) y conduit depuis le parking des Dog Falls.

La route continue après les Dog Falls jusqu'à un parking et à une aire de pique-nique à l'extrémité est du **Loch Affric**, où débutent diverses promenades, le long de la rivière et sur les rives du loch. Le tour du Loch Affric (16 km, compter 5 heures) emprunte d'agréables sentiers sur les berges et au cœur d'une nature sauvage.

Kingussie et Newtonmore

Sur les bords de la Spey, les ravissantes vieilles villes de Kingussie (kinn-*you*-si) et Newtonmore sont lovées au pied des collines couvertes de bruyère des Monadhliath Mountains. Elles doivent à leur excellent Highland Folk Museum une certaine renommée.

À voir et à faire

GRATUIT HIGHLAND FOLK MUSEUM Écomusée
(☎01540-673551 ; www.highlandfolk.museum ; Kingussie Rd, Newtonmore ; ⏲10h30-17h30 avr-août, 11h-16h30 sept-oct). Cet écomusée conserve des bâtiments historiques et une collection mettant en scène maints aspects de la culture des Highlands. Conçu comme un village agricole, il comporte des chaumières traditionnelles, une scierie, une école, un refuge de berger et un bureau de poste rural. Des comédiens en costumes d'époque font des démonstrations de sculpture du bois, filage de la laine et cuisine sur feu de tourbe. Prévoyez 2 à 3 heures pour profiter de la visite.

RUTHVEN BARRACKS Ruines
(HS ; ⏲24h/24). Les ruines des Ruthven Barracks étaient jadis l'une des quatre

garnisons construites par le gouvernement britannique après la première révolte jacobite de 1715 afin d'assurer à la maison de Hanovre la maîtrise des Highlands. Ironie du sort, les derniers occupants de ces baraquements furent des soldats jacobites, qui attendaient le retour de Bonnie Prince Charlie après la bataille de Culloden.

En apprenant sa défaite et sa fuite, ils incendièrent l'édifice avant de s'enfuir à leur tour dans les *glens* (le bâtiment est toujours dépourvu de toit). Visibles de l'A9 près de Kingussie et surplombant la rivière, les ruines sont éclairées de façon spectaculaire la nuit.

HIGHLANDS DE L'OUEST

Cette région s'étend des mornes marais de Rannoch Moor jusqu'à la côte ouest, au-delà du Glen Coe et de Fort William, en passant par les sommets méridionaux du Great Glen. Les paysages y sont grandioses, avec d'altières montagnes sauvages surplombant des *glens*, ainsi que des lochs et quelques parcelles de forêts exploitées jalonnant d'infinies étendues de landes. Fort William, sur la pointe intérieure du Loch Linnhe, est la seule agglomération de taille honorable.

Depuis 2007, la région, qui se distingue par sa géologie et ses paysages exceptionnels, est promue sous l'appellation de **Lochaber Geopark** (www.lochabergeopark.org.uk).

Glen Coe

Le plus célèbre *glen* d'Écosse est sans conteste le plus majestueux mais aussi, par mauvais temps, le plus lugubre. Les abords orientaux de la vallée sont dominés par la pyramide minérale du **Buachaille Etive Mor** – "le Grand Berger d'Etive" –, qui précède le col de Glencoe avant l'entrée dans la profonde vallée d'altitude. Les trois imposants éperons rocheux, connus sous le nom de **Three Sisters** ("Trois Sœurs"), surplombent le versant sud, tandis que le nord est clos par les falaises escarpées de la chaîne d'Aonach Eagach. La route principale se fraie un chemin au cœur de ces splendeurs rocheuses, longeant gorges encaissées et cascades bouillonnantes, et descend jusqu'aux paysages pastoraux qui bordent le Loch Achtriochtan et le village de Glencoe.

Glencoe passa à la postérité en 1692, quand les MacDonald furent tués par les soldats du clan Campbell, lors du massacre de Glencoe.

Activités

Glencoe Lochan, le petit loch près du village, offre plusieurs courtes marches agréables. Pour vous y rendre, depuis la route secondaire qui va à l'auberge de jeunesse, prenez à gauche juste après le pont sur la Coe. Les trois randonnées (de 40 min à 1 heure) sont détaillées sur le panneau d'affichage du parking. Ce *lochan* artificiel bordé de forêts de type nord-américain fut créé par lord Strathcona en 1895 pour son épouse Isabelle, une Canadienne qui avait le mal du pays.

Plus ardue mais méritant vraiment l'effort par une belle journée, l'ascension de la **Lost Valley** vous fera découvrir un véritable sanctuaire de montagne encore hanté par les fantômes du clan MacDonald (l'aller-retour ne fait que 4 km, mais comptez 3 heures). À Allt na Reigh (sur l'A82, à 10 km à l'est de Glencoe), un sentier accidenté part du parking vers la gauche et vers un petit pont enjambant la rivière. Il remonte la vallée boisée entre le Beinn Fhada et le Gearr Aonach (les deux premières des Trois Sœurs) et traverse ensuite un véritable labyrinthe de gigantesques rochers couverts de mousse, avant de déboucher dans une large vallée où s'étendent 800 m de prairie totalement plats. Pendant les guerres de clans, cette vallée, invisible du bas, servait à cacher le bétail volé : elle s'appelle en gaélique Coire Gabhail, littéralement "clairière de capture".

L'ascension des sommets du Glen Coe est réservée aux alpinistes chevronnés. Vous trouverez tous les détails des randonnées de haute montagne dans le guide du Scottish Mountaineering Club *Central Highlands*, de Peter Hodgkiss.

Vaut le détour
Cromarty

À l'extrémité nord-est de la péninsule de Black Isle, le charmant village de Cromarty compte de nombreuses maisons en grès rouge du XVIIIe siècle, et un joli parc en bordure de mer, idéal pour jouer ou pique-niquer. Une superbe balade, connue sous le nom de **100 Steps**, mène de l'extrémité nord du village au point de vue du promontoire de South Sutor (6 km aller-retour).

Tribunal du XVIIIe siècle, **Cromarty Courthouse** (01381-600418 ; www.cromarty-courthouse.org.uk ; Church St ; entrée libre ; 12h-16h dim-jeu avr-sept) présente l'histoire de la ville par le biais de références contemporaines. L'ensemble est très bien fait, et les enfants aimeront les mannequins parlants.

Juste à côté, le **Hugh Miller's Cottage & Museum** (www.hughmiller.org ; Church St ; adulte/enfant 5,50/4,50 £ ; 12h-17h tlj avr-sept, mar et jeu-ven uniquement oct), cottage au toit de chaume, a vu naître Hugh Miller (1802-1856), maçon et géologue amateur qui devint ensuite un célèbre journaliste et éditeur de presse à Édimbourg. La villa georgienne voisine abrite un musée qui lui est consacré.

Au départ du port de Cromarty, **Ecoventures** (01381-600323 ; www.ecoventures.co.uk ; Cromarty Harbour) propose des croisières de 2 heures 30 (adulte/enfant 24/18 £) sur le Moray Firth pour observer des dauphins et d'autres animaux.

Également au port, **Sutor Creek** (01381-600855 ; www.sutorcreek.co.uk ; 21 Bank St ; plats 7-18 £ ; 11h-21h fin-mai à sept) est un excellent petit café-restaurant servant des pizzas au feu de bois et des fruits de mer – nous vous conseillons les langoustines de Cromarty au beurre d'ail et piment.

Un petit creux ? Choisissez le bon thé et les scones de **The Pantry** (1 Church St ; 10h-17h Pâques-sept) ou les délicieux sandwichs et *pies* de la **Cromarty Bakery** (8 Bank St ; 9h-17h lun-sam).

Est du Glen

GLENCOE MOUNTAIN RESORT Activités de plein air

(www.glencoemountain.com). À quelques kilomètres à l'est du village de Glencoe, sur le flanc sud de l'A82, se trouvent le parking et les premières installations du Glencoe Mountain Resort, première station de sports d'hiver ouverte en Écosse, en 1956. Le **Lodge Café-Bar** est doté d'agréables fauteuils et de vastes baies vitrées.

Le **télésiège** (adulte/enfant 10/5 £ ; 9h30-16h30 jeu-lun) reste ouvert en été. La station du sommet offre une vue spectaculaire sur le Rannoch Moor et permet d'accéder à une piste de VTT pour redescendre. L'hiver, le forfait quotidien coûte 30 £ et la location de l'équipement, 25 £ par jour.

À 3 km à l'ouest de la station de ski, une petite route longe le superbe **Glen Etive**, qui s'étire sur près de 20 km vers le sud-ouest jusqu'au Loch Etive. En été, la rivière Etive offre de nombreux plans d'eau où se baigner et d'agréables coins pour pique-niquer.

KINGS HOUSE HOTEL Hôtel, pub ££

(01855-851259 ; www.kingy.com ; s/d 35/70 £ ; P). Assez isolé, le Kings House Hotel se targue d'être l'une des plus anciennes auberges licenciées d'Écosse et daterait du XVIIe siècle. C'est de longue date le point de ralliement des alpinistes, skieurs et marcheurs. L'ambiance du rustique **Climbers Bar** (plats au bar 8-12 £ ; 11h-23h), situé juste derrière, est plus détendue qu'au salon, et l'on y sert une bonne cuisine de pub et des *real ales*.

L'hôtel se trouve sur l'ancienne route militaire qui relie Stirling à Fort William et servit de garnison aux Hanovre après la bataille de Culloden, d'où son nom de "maison du roi".

Glencoe Village

360 HABITANTS

Le petit village de Glencoe borde la rive sud du Loch Leven, à l'extrémité occidentale de la gorge et à 26 km au sud de Fort William.

À voir et à faire

GLENCOE FOLK MUSEUM Musée
(☎01855-811664 ; www.glencoemuseum.com ; adulte/enfant 3 £/gratuit ; ⏲10h-16h30 lun-sam Pâques-oct). Ce modeste musée, dans un bâtiment au toit de chaume, abrite une collection éclectique d'objets militaires, d'équipements agricoles et d'outils de menuisier, de forgeron et d'ardoisier.

GLENCOE VISITOR CENTRE Centre d'information
(NTS ; ☎01855-811307 ; www.glencoe-nts.org.uk ; adulte/enfant 6/5 £ ; ⏲9h30-17h30 Pâques-oct, 10h-16h jeu-dim nov-Pâques). Ce bâtiment moderne tourné vers l'écotourisme se situe à environ 2,5 km à l'est du village de Glencoe. Le centre présente de manière exhaustive l'histoire culturelle, environnementale et géologique de Glencoe au moyen de présentations interactives et audiovisuelles, retrace l'histoire de l'alpinisme dans le *glen* et relate le massacre de Glencoe dans ses plus sinistres détails.

LOCHABER WATERSPORTS Sport nautiques
(☎01855-811931 ; www.lochaberwatersports.co.uk ; Ballachulish ; ⏲9h30-17h avr-oct). Il est ici possible de louer des kayaks (12 £/heure), des barques (22 £/heure), des bateaux à moteur (30 £/heure) et même un voilier de 10 m avec skippeur (150 £ pour 3 heures, jusqu'à 5 personnes).

Depuis/vers Glencoe

Les bus **Scottish Citylink** (☎0871 266 3333; www.citylink.co.uk) circulent entre Fort William et Glencoe (7,50 £, 30 min, 8/j) et entre Glencoe et Glasgow (20 £, 2 heures 30, 8/j). Les bus s'arrêtent à Glencoe Village, au Glencoe Visitor Centre et au Glencoe Mountain Resort.

Le massacre de Glencoe

Après la Glorieuse Révolution d'Angleterre de 1688 – qui vit le roi catholique Jacques II d'Angleterre (Jacques VII d'Écosse) détrôné au profit du roi protestant Guillaume III –, ceux qui s'étaient ralliés au roi en exil (les jacobites, dont la plupart étaient des Highlanders) se soulevèrent contre le roi Guillaume. Afin de réprimer les loyautés jacobites, Guillaume III proposa d'amnistier les clans des Highlands à condition que tous les chefs lui jurent fidélité avant le 1er janvier 1692.

MacLain, chef vieillissant des MacDonald de Glencoe, arriva avec trois jours de retard pour prêter serment. Sir John Dalrymple, secrétaire d'État à l'Écosse, profita de l'événement pour infliger aux MacDonald un châtiment qui servirait d'exemple aux autres clans des Highlands.

Une troupe de 120 soldats, pour la plupart issus du territoire d'Argyll appartenant au clan Campbell, fut envoyée dans le *glen* sous le fallacieux prétexte de lever l'impôt. La tradition clanique voulant que l'on offrît l'hospitalité à tous les voyageurs de passage, la troupe fut donc logée chez les MacDonald.

Ils cantonnaient là depuis 12 jours lorsque leur parvint l'ordre de tuer tous les membres du clan MacDonald âgés de moins de 70 ans. Les soldats se retournèrent contre leurs hôtes le matin du 13 février à 5h, assassinant Maclain et 37 autres personnes, hommes, femmes et enfants. Certains soldats avaient averti les MacDonald du sort qui les attendait, leur permettant de s'enfuir. Nombre d'entre eux prirent le chemin des collines enneigées, où 40 autres personnes moururent de froid. Aujourd'hui, le village de Glencoe abrite un monument dédié à Maclain.

Le bus n°44 de **Stagecoach** (**www.stagecoachbus.com**) relie le village de Glencoe à Fort William (35 min, 1/h lun-sam, 3/j dim) et à Kinlochleven (25 min).

Fort William

9 910 HABITANTS

Alanguie sur les rives du Loch Linnhe au milieu de superbes montagnes, Fort William occupe l'un des plus beaux sites d'Écosse et serait un petit paradis, n'étaient son record de précipitations et cette route à quatre voies qui s'immisce entre la ville et le loch. Cela n'empêche toutefois pas la ville d'être considérée comme la "capitale des activités de plein air du Royaume-Uni" (www.outdoorcapital.co.uk) et de constituer, du fait d'un accès facile en train et en bus, une bonne base pour explorer les montagnes et les *glens* environnants.

Au nord de Fort William, le site magique du **Glen Nevis** s'enroule autour des versants sud du **Ben Nevis** (1 344 m), point culminant de la Grande-Bretagne et haut lieu de la randonnée (voir p. 272). Le *glen* séduit aussi les metteurs en scène, puisque certaines scènes de *Braveheart*, *Rob Roy* et de la série des *Harry Potter* ont été tournées ici.

Si vous aimez... La beauté des glens

Si c'est à la mélancolie des lochs et aux décors grandioses que votre cœur aspire, prenez le temps de découvrir ces pittoresques *glens*.

- **Glen Etive** À l'extrémité est du Glen Coe, une petite route partant vers le sud traverse ce *glen* à la beauté paisible. En été, la rivière Etive offre de nombreux plans d'eau où se baigner et d'agréables coins pour pique-niquer.

- **Glen Roy** Près de Spean Bridge, à 16 km au nord de Fort William, ce *glen* est connu pour ses étranges **"routes parallèles"**. Ces terrasses saillantes ont été formées par la baisse progressive des eaux d'un lac glaciaire.

- **Glen Feshie** Ce splendide Glen part de Kincraig vers le sud pour s'enfoncer dans les Cairngorms. Couvert de pins d'Écosse, il est bordé de hautes collines tapissées de bruyère. Le chemin de 4x4 qui va jusqu'au sommet du *glen* ravira les vététistes (40 km aller-retour).

- **Glen Lyon** Lointaine vallée à la beauté magique, le Glen Lyon s'étend sur quelque 55 km d'un paysage inoubliable de vieux ponts en pierre à l'équilibre précaire, de forêts de pins calédoniens et de pics parés de bruyère qui s'enfoncent dans les volutes des nuages. On le rejoint grâce à l'A9, puis via Aberfeldy.

WEST HIGHLAND MUSEUM Musée

(**01397-702169 ; www.westhighlandmuseum.org.uk ; Cameron Sq ; 10h-17h lun-sam avr-oct, 10h-16h lun-sam mars et oct-déc, fermé jan et fév**). Petit mais passionnant, ce musée présente toutes sortes d'objets typiques des Highlands. Jetez un coup d'œil au portrait secret de Bonnie Prince Charlie ; il s'agit d'une anamorphose : ce qui semble n'être qu'une tache de couleur devient, quand on la place devant un miroir cylindrique, le portrait assez ressemblant du prince. En fait, après les révoltes jacobites, tout ce qui avait trait à la région fut interdit, y compris les représentations du chef en exil.

BEN NEVIS DISTILLERY Distillerie

(**01397-702476 ; Lochy Bridge ; visite guidée adulte/enfant 4/2 £ ; 9h-17h lun-ven toute l'année, plus 10h-16h sam Pâques-sept et 12h-16h dim juil-août**). En cas de pluie, la visite guidée de la distillerie offre une agréable solution de remplacement aux randonnées dans les collines.

CRANNOG CRUISES En bateau

(**01397-700714 ; adulte/enfant 10/5 £ ; 4/jour**). Croisières de 1 heure 30 sur le Loch Linnhe, avec observation d'une colonie de phoques et visite d'une ferme de saumons.

AL'S TOURS En taxi

(**01397-700700 ; www.alstours.com**). Circuits en taxi avec chauffeur-guide dans la

PATRICK HORTON/GETTY IMAGES ©

À ne pas manquer Jacobite Steam Train

Le *Jacobite*, tiré par une ancienne locomotive à vapeur de type LNER K1 ou LMS Class 5MT, parcourt pendant 2 heures les magnifiques paysages entre Fort William et Mallaig. Le train à vapeur quitte la gare de Fort William le matin et repart de Mallaig dans l'après-midi. Il fait une courte halte à la gare de Glenfinnan et permet de passer 1 heure 30 à Mallaig.

Classé parmi les meilleurs voyages ferroviaires du monde, l'itinéraire emprunte le viaduc historique de Glenfinnan, rendu célèbre par les films *Harry Potter* – la locomotive et tout le matériel roulant ont d'ailleurs été fournis par la société qui gère le train.

INFOS PRATIQUES

☎0844 850 4685 ; www.steamtrain.info ; aller-retour dans la journée adulte/enfant 32/18 £ ; ⌚tlj juil-août, lun-ven mi-mai à juin et sept-oct

région de Lochaber et Glencoe moyennant 80/195 £ (demi-journée/journée).

Où se loger

Pour l'été, réservez longtemps à l'avance, surtout dans les auberges de jeunesse

LIME TREE Hôtel **££**
(**☎01397-701806 ; www.limetreefortwilliam.co.uk ; Achintore Rd ; s/d à partir de 80/110 £ ; P**). Cet ancien presbytère victorien surplombant le Loch Linnhe tient plutôt de la "galerie d'art avec chambres" que de la simple pension, avec ses paysages des Highlands peints par le propriétaire. Les gourmets apprécient le restaurant, et l'espace galerie – au design intelligent – accueille aussi bien des expositions (des œuvres de David Hockney et Andy Goldsworthy y sont apparues) que des concerts de musique traditionnelle.

GRANGE B&B **££**
(**☎01397-705516 ; www.grangefortwilliam.com ; Grange Rd ; ch 58-63 £/pers ; P**). Au cœur d'un jardin privé, cette exceptionnelle villa du XIXe siècle foisonne d'antiquités et offre

cheminées, chaises longues et baignoires victoriennes. Notre chambre préférée : la Turret Room, aménagée dans une tourelle avec banquette donnant sur le Loch Linnhe. À 500 m au sud-ouest du centre.

CROLINNHE B&B £££
(☎01397-703795 ; www.crolinnhe.co.uk ; Grange Rd ; ch 120-127 £ ; ⏲Pâques-oct ; P @). Cette belle demeure du XIXe siècle est entourée de beaux jardins au bord du loch. Petit-déjeuner végétarien à la demande.

CALLUNA Appartements £
(☎01397-700451 ; www.fortwilliamholiday.co.uk ; Heathercroft, Connochie Rd ; dort/lits jum 16/36 £, app de 6 à 8 pers 550 £/sem ; P wifi). Géré par Alan Kimber, guide de montagne réputé, et sa femme Sue, le Calluna propose des appartements tout équipés conçus pour les groupes de randonneurs et d'alpinistes, mais il accepte aussi les voyageurs en solo qui souhaiteraient se joindre à un groupe. Cuisine équipée et excellent séchoir pour l'équipement de randonnée.

ST ANDREW'S GUEST HOUSE B&B ££
(☎01397-703038 ; www.standrewsguesthouse.co.uk ; Fassifern Rd ; ch 24-30 £/pers ; P wifi). Cette pension occupe un beau bâtiment du XIXe siècle, ancien presbytère et manécanterie, et a conservé un cachet d'époque (maçonnerie sculptée, boiseries et vitraux). Elle abrite 6 chambres spacieuses, certaines avec un point de vue incroyable.

GLENLOCHY APARTMENTS Location ££
(☎01397-702909 ; www.glenlochyguesthouse.co.uk ; Nevis Bridge ; app de 2 pers 65 £/nuit, 380-490 £/sem ; P). Pratique pour accéder au Glen Nevis, au Ben Nevis et à l'extrémité de la West Highland Way, le Glenlochy est un vaste établissement proposant 5 appartements modernes. Il est entouré d'un immense jardin au bord de la Nevis, où il fait bon s'installer les soirs d'été.

FORT WILLIAM BACKPACKERS Auberge de jeunesse £
(☎01397-700711 ; www.scotlands-top-hostels.com ; Alma Rd ; dort/lits jum à partir de 18/47 £ ; P @ wifi). À 10 minutes à pied des gares routière et ferroviaire, cette auberge gaie et accueillante est installée dans une majestueuse villa victorienne à flanc de colline, avec vue superbe sur le Loch Linnhe.

NO 6 CABERFEIDH B&B ££
(☎01397-703756 ; www.6caberfeidh.com ; 6 Caberfeidh, Fassifern Rd ; ch 30-40 £/pers ; wifi). Sympathique B&B ; petit-déjeuner végétarien sur demande.

ASHBURN HOUSE B&B ££
(☎01397-706000 ; www.highland5star.co.uk ; Achintore Rd ; ch 45-55 £/pers ; P wifi). Superbe villa victorienne, au sud du centre-ville. Les enfants de moins de 12 ans ne sont pas acceptés.

ALEXANDRA HOTEL Hôtel £££
(☎01397-702241 ; www.strathmorehotels.com ; The Parade ; s/d à partir 110/168 £ ; P wifi). En plein centre-ville, un vaste hôtel traditionnel qui vise une clientèle familiale.

Où se restaurer et prendre un verre

LIME TREE Restaurant £££
(☎01397-701806 ; www.limetreefortwilliam.co.uk ; Achintore Rd ; dîner 2/3 plats 28/30 £ ; ⏲dîner tlj, déj dim). Fort William n'abonde guère en très bonnes tables, mais le restaurant de ce petit hôtel et galerie d'art a placé la capitale britannique des sports de plein air sur la carte des gastronomes. Le chef a obtenu une étoile au Michelin dans son précédent restaurant et élabore des plats délicieux autour de produits frais écossais, comme la selle de gibier de Glenfinnan avec sauce au vin rouge et jus au romarin.

CRANNOG SEAFOOD RESTAURANT Restaurant ££
(☎01397-705589 ; www.crannog.net ; Town Pier ; plats 16-20 £). Perché sur le Town Pier et offrant ainsi une vue panoramique sur le Loch Linnhe depuis les tables près des fenêtres, le Crannog jouit du meilleur emplacement en ville. Dans une ambiance décontractée, il sert des spécialités de poisson frais local : 3 ou 4 plats du jour viennent compléter la carte principale, qui propose aussi du bœuf, de la volaille et des plats végétariens. Déjeuner de 2 plats : 13 £.

GROG & GRUEL Restaurant ££
(www.grogandgruel.co.uk ; 66 High St ; plats 7-13 £ ; plats au bar 12h-21h, restaurant 17h-21h ;). À l'étage du pub Grog & Gruel et de ses *real ales* se trouve un restaurant tex mex animé, où la carte proposant de savoureux enchiladas, burritos, fajitas, hamburgers, steaks et pizzas ravit les foules.

CAFÉ MANGO Asiatique ££
(01397-701367 ; www.thecafemango.co.uk ; 24-26 High St ; plats 9-14 £ ; déj et dîner ;). Un restaurant moderne et lumineux qui sert des plats thaïlandais parfumés et une cuisine indienne relevée.

SUGAR AND SPICE Café £
(01397-705005 ; 147 High St ; plats 7-9 £ ; 10h-17h lun-sam, 18h-21h jeu-sam ;). Cet établissement coloré sert sans doute les meilleurs cafés en ville, à déguster à quelques pas seulement de la ligne d'arrivée officielle de la West Highland Way. En soirée (du jeudi au samedi uniquement), il propose une authentique cuisine thaïlandaise.

BEN NEVIS BAR Pub
(01397-702295 ; 105 High St). On a depuis la salle une belle vue sur le loch, et le bar offre une ambiance détendue et joviale, où alpinistes et touristes peuvent dépenser ce qui leur reste d'énergie en dansant sur de la musique live (jeudi et vendredi soir).

Renseignements

Belford Hospital (01397-702481 ; Belford Rd). En face de la gare ferroviaire.

Poste (0845 722 3344 ; 5 High St)

Fort William Tourit Office (01397-703781 ; www.visithighlands.com ; 15 High St ; 9h-18h lun-sam, 10h-17h dim avr-sept, horaires limités oct-mars ; @)

Depuis/vers Fort William

Les gares routière et ferroviaire sont toutes deux à proximité de l'immense supermarché Morrisons. Depuis le centre, on s'y rend en empruntant le passage souterrain à côté de la boutique Nevisport.

Bus

Les bus **Scottish Citylink** (www.citylink.co.uk) relient Fort William aux grands centres urbains. Le bus n°500 de **Shiel Buses** (www.shielbuses.co.uk) se rend à Mallaig (1 heure 30, 3/j lun-ven uniquement) via Glenfinnan (30 min) et Arisaig (1 heure).

Édimbourg 33 £, 4 heures 30, 1/j direct, 7/j avec changement à Glasgow ; via Glencoe et Crianlarich

Glasgow 22 £, 3 heures, 8/j

Inverness 12 £, 2 heures, 5/j

Oban 9,40 £, 1 heure 30, 3/j

Portree 28,60 £, 3 heures, 4/j

Train

La superbe **West Highland Line** relie Glasgow à Mallaig via Fort William. Le train de nuit *Caledonian Sleeper* relie Fort William à la gare d'Euston, à Londres (103 £ en compartiment 2 couchettes, 13 heures).

Pont de singe, Glen Nevis
CHRISTIAN HANDL/IMAGEBROKER ©

Il n'existe aucun train direct entre Oban et Fort William, il faut changer à Crianlarich : bref, vous irez plus vite en bus.

Édimbourg 44 £, 5 heures ; changement à la gare de Queen St à Glasgow

Glasgow 26,30 £, 3 heures 45, 3/j lun-sam, 2/j dim

Mallaig 11 £, 1 heure 30, 4/j lun-sam, 3/j dim

Voiture

Easydrive Car Hire (**01397-701616 ; www.easydrivescotland.co.uk ; Unit 36a, Ben Nevis Industrial Estate, Ben Nevis Dr**) propose des petites voitures à partir de 31/195 £ la journée/semaine, taxes et kilométrage illimité compris, mais pas la garantie dommages collision (CDW, *Collision Damage Waiver*).

Comment circuler

Bus

Le billet Fort Dayrider (3 £) permet de voyager de façon illimitée pendant une journée à bord des bus Stagecoach dans la région de Fort William. Achetez-le auprès du chauffeur.

Taxi

Il y a une station de taxis à l'angle de High St et de The Parade.

Vélo

Alpine Bikes (**01397-704008 ; www.alpinebikes.com ; 117 High St ; 9h-17h30 lun-sam, 10h-17h30 dim**). Loue des VTT pour 20/12 £ la journée/demi-journée.

Environs de Fort William

Glen Nevis

En une heure environ, il est possible de parcourir à pied les 5 km qui séparent Fort William du splendide Glen Nevis. Le **Glen Nevis Visitor Centre** (**01397-705922 ; www.bennevisweather.co.uk ; 9h-17h avr-oct, horaires réduits en hiver**) se situe à 2,5 km après l'entrée dans le *glen* et fournit des renseignements sur la randonnée, les prévisions météo et des conseils spécifiques sur l'ascension du Ben Nevis.

Du parking situé tout au bout de la route dans le Glen Nevis part une très agréable randonnée (2,5 km) qui traverse la spectaculaire Nevis Gorge jusqu'aux **Steall Meadows**, vallée verdoyante que surplombe une cascade féerique. Vous pouvez rejoindre le bas de la cascade et mettre vos talents de funambule à l'épreuve en traversant la rivière sur le pont à trois câbles – un pour les pieds et un pour chaque main !

Où se loger et se restaurer

BEN NEVIS INN Auberge de jeunesse £
(01397-701227 ; www.ben-nevis-inn.co.uk ; Achintee ; dort 15,50 £ ; 12h-23h tlj avr-oct, jeu-dim uniquement nov-mars ; P). Cet immense pub (bonnes bières et cuisine de bar savoureuse ; plats 9-16 £) propose 24 lits confortables en dortoir au rez-de-chaussée. Au point de départ du chemin vers le Ben Nevis, à Achintee, et à 1,5 km de l'arrivée du West Highland Way. Restauration assurée de 12h à 21h.

ACHINTEE FARM Auberge de jeunesse, B&B £
(**01397-702240 ; www.achinteefarm.com ; Achintee ; B&B s/d 60/78 £, auberge dort/lit jum 17/38 £ ; P**). Située au départ du sentier qui grimpe jusqu'au Ben Nevis, cette jolie ferme propose un excellent B&B ainsi qu'une petite auberge de jeunesse adjacente.

GLEN NEVIS SYHA Auberge de jeunesse £
(**01397-702336 ; www.glennevishostel.co.uk ; dort 21,50 £ ; @**). Grande auberge style colo, à 4,5 km de Fort William, à proximité de l'un des points de départ des sentiers pour l'ascension le Ben Nevis.

Depuis/vers le Glen Nevis

Le bus n°41 fait la liaison entre la gare routière de Fort William, le Glen Nevis et l'auberge de jeunesse Glen Davis SYHA (10 min, 2/j à l'année, 5/j lun-sam juin-sept) et poursuit jusqu'aux Lower Falls, 4,5 km après l'auberge (20 min). Procurez-vous les horaires à jour à l'office du tourisme, car ils sont susceptibles de changer.

L'ascension du Ben Nevis

Point culminant des îles Britanniques, le Ben Nevis (1 344 m) attire nombre d'alpinistes du dimanche qui n'auraient jamais l'idée d'escalader aucune autre montagne : chaque année, près de 100 000 personnes atteignent le sommet. Bien que réalisable par n'importe quel individu en bonne santé par une belle journée d'été, l'ascension du Ben Nevis n'est pas à prendre à la légère. Chaque année apporte son lot de sauvetages de randonneurs imprudents. Ne partez pas sans de bonnes chaussures de randonnée (le chemin est rocailleux et accidenté et peut devenir meuble et enneigé au sommet), des vêtements chauds, un imperméable, une carte et une boussole, et de quoi vous alimenter et vous hydrater correctement. Et consultez les prévisions météo avant de partir (www.bennevisweather.co.uk).

Quelques points à considérer avant de se lancer : le sommet du Ben Nevis est un plateau entouré de falaises abruptes de 700 m de dénivelé où règne un climat subarctique ; il peut y neiger toute l'année ; le sommet est noyé dans les nuages 9 jours sur 10 et, en cas de forte nébulosité, la visibilité peut ne pas dépasser 10 m. Dans de telles conditions, il est vital de bien savoir lire une carte et se servir d'une boussole si vous ne voulez pas faire une chute de 700 m.

L'itinéraire touristique (*tourist track*, le plus facile) portait à l'origine le nom de Pony Track : il fut créé au XIXe siècle pour le passage des poneys chargés d'approvisionner l'observatoire météorologique (aujourd'hui abandonné) en service au sommet de 1883 à 1904.

Cet itinéraire a trois points de départ : Achintee Farm, le pont piétonnier près de la Glen Nevis SYHA (p. 271) ou, si vous êtes motorisé, le parking du Glen Nevis Visitor Centre. Le chemin remonte les contreforts jusqu'au Lochan Meall an t-Suidhe (connu sous le nom de Halfway Lochan, "petit loch à mi-chemin"), puis se met à serpenter en pente raide le long du ruisseau Red Burn jusqu'au sommet. L'altitude la plus élevée est marquée par un repère de triangulation placé en haut d'un immense cairn derrière les ruines de l'observatoire ; le plateau est jalonné de nombreux autres cairns plus petits, de pierres que des visiteurs ont placées de façon à former leur nom mais aussi, malheureusement, de nombreux détritus.

L'aller-retour jusqu'au sommet fait près de 13 km : comptez au moins 4 à 5 heures pour l'ascension et environ 2 heures 30 pour la descente. Une fois en bas, quand vous fêterez votre exploit au pub, rappelez-vous que, lors de la course annuelle Ben Nevis Hill Race, le record a été établi à moins de 1 heure 30, aller *et* retour.

Road to the Isles

C'est le nom des 74 km de l'A830 compris entre Fort William et Mallaig. Cette "route des Îles" mène en effet au port des ferries pour les Small Isles (Petites Îles) et Skye, elle-même point d'accès pour les Hébrides extérieures. Profondément marquée par l'histoire jacobite, la région a connu le début et la fin de la tragique tentative de reconquête du trône britannique par Bonnie Prince Charlie, 1745-1746.

Le dernier tronçon de cette route panoramique, d'Arisaig à Mallaig, étant devenu une route à grande vitesse, optez, si vous avez du temps, pour la route littorale (signalisée Alternative Coastal Route).

Comment circuler

Bus

Le bus n°500 de **Shiel** (**www.shielbuses.co.uk**) se rend à Mallaig (1 heure 30/jour lun-ven) via Glenfinnan (30 min) et Arisaig (1 heure).

Train

Il y a 4 trains par jour (3/j dim) sur la ligne Fort William-Mallaig. Arrêts fréquents, notamment à Corpach, Glenfinnan, Lochailort, Arisaig et Morar.

Glenfinnan

100 HABITANTS

Glenfinnan est cher aux admirateurs de Bonnie Prince Charlie ; un monument y indique le lieu d'où il leva son armée des Highlands. C'est aussi un lieu de pèlerinage pour les amateurs de locomotives à vapeur et les fans de Harry Potter : ici se trouve le célèbre viaduc de chemin de fer qui apparaît dans le film et où passe régulièrement le Jacobite Steam Train (p. 268).

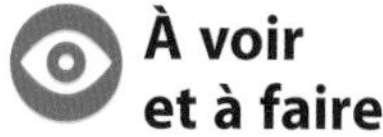

À voir et à faire

GLENFINNAN MONUMENT Monument

Cette grande colonne surmontée d'une statue d'un Highlander en kilt fut érigée en 1815 à l'endroit même où, le 19 août 1745, le Jeune Prétendant rallia les clans highlandais à sa cause, marquant le début d'une épopée qui devait se conclure tragiquement 14 mois plus tard à Culloden. Le cadre, à la pointe nord du Loch Shiel, est d'une beauté envoûtante.

GLENFINNAN VISITOR CENTRE Centre d'information

(NTS ; adulte/enfant 3,50/2,50 £ ; 9h30-17h30 juil-août, 10h-17h Pâques-juin, sept-oct). On retrace ici la révolte jacobite de 1745, qui vit les fidèles du Prince partir au combat de Glenfinnan jusqu'à Derby, au sud, en passant par Édimbourg, puis remonter vers le nord et Culloden, où ils subirent une terrible défaite.

GLENFINNAN STATION MUSEUM Musée

(www.glenfinnanstationmuseum.co.uk ; adulte/enfant 1 £/50 p ; 9h-17h juin à mi-oct). Ce musée est dédié au chemin de fer à vapeur de la West Highland Line. Le célèbre viaduc de Glenfinnan et ses 21 arches, juste à l'est de la gare-musée, fut construit en 1901 et apparaît dans le film *Harry Potter et la chambre des secrets*. Une agréable balade d'un peu plus de 1 km, à l'est de la gare (signalée par un panneau) conduit à un joli point de vue sur le viaduc et le Loch Shiel.

LOCH SHIEL CRUISES Excursions en bateau

(07801 537617 ; www.highlandcruises.co.uk ; avr-sept). Excursions en bateau sur le Loch Shiel. Croisières de 1 heure à 2 heures 30 (10-18 £/pers) tous les jours sauf les samedis et mercredis. Le mercredi, le bateau traverse le loch jusqu'à **Acharacle** (17/25 £ aller/aller-retour). Il s'arrête à Polloch et Dalilea, l'occasion de faire une balade à pied ou à vélo sur le sentier forestier de la rive est. Les bateaux partent d'un embarcadère à côté du Glenfinnan House Hotel.

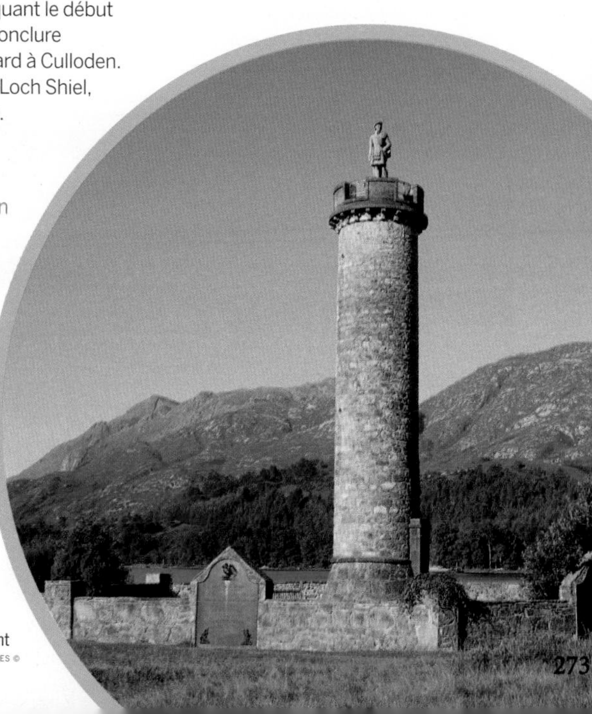

Glenfinnan Monument

PAUL THOMPSON/GETTY IMAGES ©

Arisaig et Morar

Les 8 km de côte entre Arisaig et Morar présentent un paysage déchiqueté d'îlots rocailleux, de criques et de plages argentées sur fond de dunes et de *machair* (prairies fertiles sur les dunes, typiques de la région), offrant de magnifiques couchers de soleil derrière les pics d'Eigg et de Rum. Ce sont les **Silver Sands of Morar** ("sables d'argent de Morar"), haut lieu de villégiature en juillet-août, où les campings font le plein.

Le Loch nan Uamh (nan *ou*-av ; "le loch des Grottes") clapote au sud d'Arisaig. C'est ici que Bonnie Prince Charlie posa pour la première fois le pied sur le continent, le 11 août 1745, sur la plage de galets à l'embouchure du Borrodale. À 3 km à l'est de la baie, sur un promontoire non loin d'un parking, le Prince's Cairn marque l'endroit où le souverain sans trône quitta définitivement l'Écosse, le 19 septembre 1746.

À voir

CAMUSDARACH BEACH Plage

Les fans du film *Local Hero* (1983) viennent encore en pèlerinage à Camusdarach Beach, au sud de Morar, la "plage de Ben" dans le film. Pour y accéder, dirigez-vous vers le parking à 800 m au nord du camping de Camusdarach ; de là, traversez un petit pont de bois, puis 400 m de dunes : vous y êtes. (Le village que l'on voit dans le film est Pennan, dans le nord-est de l'Écosse.)

LAND, SEA & ISLANDS VISITOR CENTRE Centre d'information

(www.arisaigcentre.co.uk ; Arisaig ; ⏲10h-18h lun-ven, 10h-16h dim). Sis dans le village d'Arisaig, ce centre propose une exposition consacrée à l'histoire naturelle et culturelle de la région, ainsi qu'une autre, plus petite mais passionnante, relatant le rôle joué par le village et ses environs comme base d'entraînement des agents secrets du Special Operations Executive (le SOE, précurseur du MI6) lors de la Seconde Guerre mondiale.

Mallaig

800 HABITANTS

Si vous voyagez entre Fort William et l'île de Skye, vous risquez fort de passer la nuit à Mallaig, port de pêche et de ferries très

Camusdarach Beach

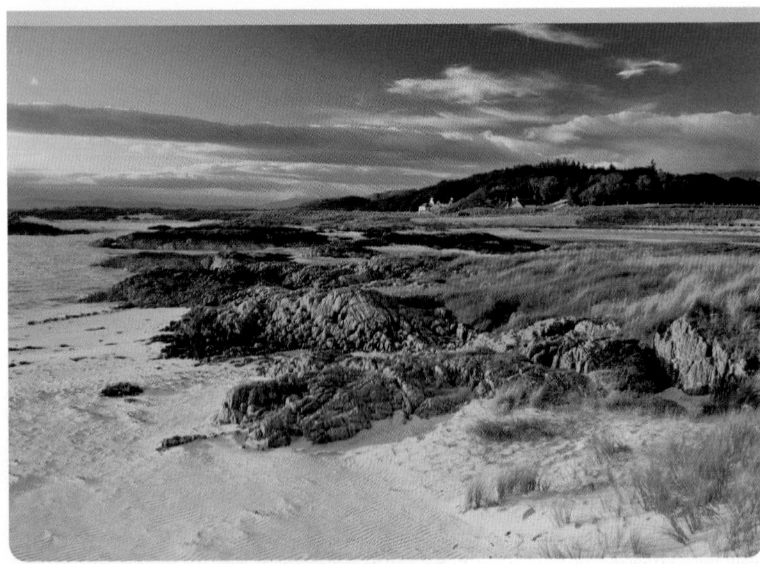

animé, et base idéale pour aller découvrir les Petites Îles et Knoydart.

À voir et à faire

LOCH MORAR Loch

(www.lochmorar.org.uk). À 4 km au sud de Mallaig, dans le village de Morar, une petite route mène au splendide Loch Morar, qui s'étire sur près de 18 km. Avec ses 310 m de fond, il est l'étendue d'eau la plus profonde du Royaume-Uni et posséderait son propre monstre du Loch Morar, appelé ici Morag. Le loch et les collines qui l'entourent sont le repaire des loutres, des chats sauvages, des cerfs et des aigles royaux.

Un sentier de 8 km, signalé par un panneau, suit la rive nord du loch à partir de la fin de route à Bracorina, 5 km environ à l'est du village de Morar, et rejoint Tarbet sur le Loch Nevis. De là, il est possible d'emprunter un **ferry de passagers** **(01687-462320 ; www.knoydart-ferry.co.uk ; aller simple 11 £)** pour revenir à Mallaig (départ à 15h30).

MALLAIG HERITAGE CENTRE Centre du patrimoine

(01687-462085 ; www.mallaigheritage.org.uk ; Station Rd ; adulte/enfant 2 £/gratuit ; 9h30-16h30 lun-ven, 12h-16h sam-dim). Les jours de pluie, on n'a d'autre choix que de visiter ce centre, qui couvre l'archéologie et l'histoire de la région, y compris l'épisode déchirant des Highland Clearances dans la péninsule de Knoydart (voir p. 284).

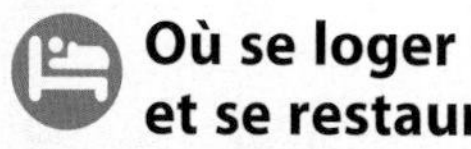

Où se loger et se restaurer

SEAVIEW GUEST HOUSE B&B ££

(01687-462059 ; www.seaviewguesthousemallaig.com ; Main St ; ch 28-35 £/pers ; mars-nov ; P). Ce confortable B&B de 3 chambres bénéficie d'une superbe perspective sur le port, non seulement depuis les chambres de l'étage, mais également depuis la salle de petit-déjeuner. À côté, adorable petit cottage équipé d'une cuisine (www.selfcateringmallaig.com ; une chambre double et une avec lits jumeaux), pour 350-450 £/semaine.

SPRINGBANK GUEST HOUSE B&B £

(01687-462459 ; www.springbank-mallaig.co.uk ; East Bay ; ch 30 £/pers ; P wifi). Cette maison traditionnelle des Highlands de l'Ouest compte 7 chambres accueillantes ; vue superbe sur le port et, au loin, sur les Cuillin Hills de Skye.

FISH MARKET RESTAURANT Fruits de mer ££

(01687-462299 ; Station Rd ; plats 9-21 £ ; déj et dîner). Parmi la demi-douzaine d'établissements annonçant "*seafood restaurant*", ce bistrot pimpant et moderne tout proche du port est notre chouchou : coquilles Saint-Jacques simplement préparées avec du saumon fumé et du chou, langoustines grillées au beurre d'ail, haddock de Mallaig frais et pané, mais aussi la meilleure *Cullen skink* de la côte ouest.

À l'étage, le **salon de thé** **(plats 5-6 £ ; 11h-17h)** sert de délicieux petits pains chauds au rosbif avec une sauce au raifort et des scones avec crème fouettée et confiture.

Renseignements

Vous trouverez à Mallaig un **office du tourisme** **(01687-462170 ; East Bay ; 10h-17h30 lun-ven, 10h15-15h45 sam, 12h-15h30 dim)**, une poste, une banque avec DAB et un **supermarché Co-op** **(8h-22h lun-sam, 9h-21h dim)**.

Depuis/vers Mallaig

Bateau

De Mallaig, des ferries desservent les Petites Îles, l'île de Skye et la péninsule de Knoydart.

Bus

Le bus n°500 de **Shiel Buses** (www.shielbuses.co.uk) circule entre Fort William et Mallaig (1 heure 30, 3/j lun-ven, 1/j sam) via Glenfinnan (30 min) et Arisaig (1 heure).

Train

La West Highland Line relie Fort William à Mallaig (11 £, 1 heure 30) 4 fois par jour (3/j dim).

Écosse

En savoir plus

L'Edinburgh Military Tattoo (p. 101)

L'Écosse aujourd'hui

> *Le SNP s'est engagé à porter la question de l'indépendance dans un référendum à l'automne 2014.*

Appartenance religieuse
(% de la population)

43	28	16	6,8	6,2
Église d'Écosse	Sans religion	Catholiques romains	Autres chrétiens	Autres religions

Population au km²

≈ 30 habitants

ÉCOSSE FRANCE ANGLETERRE

Great Hall, château d'Édimbourg (p. 68)

Politique

Bien que rattachée à la Grande-Bretagne depuis 1707, l'Écosse a conservé, au cours des trois derniers siècles, une identité propre. Le retour, en 1999, d'un Parlement écossais à Édimbourg a marqué une confiance et une fierté accrue dans la réussite de la région.

La première décennie de dévolution s'est traduite par une divergence significative de la ligne écossaise par rapport à celle de Westminster. L'Écosse a ainsi fait l'objet de mesures spécifiques, comme la gratuité des soins à long terme pour les personnes âgées, la suppression des droits d'inscription universitaires et l'augmentation du salaire des enseignants.

Le Scottish National Party (SNP), qui était à la tête d'un gouvernement minoritaire depuis 2007, a surpris le pays en gagnant haut la main les élections parlementaires de 2011, remportant 69 des 129 sièges. La question de l'indépendance de l'Écosse a refait alors les gros titres.

L'élection, à Londres, d'un gouvernement de coalition alliant conservateurs et libéraux

SIMON BRADFIELD/GETTY IMAGES ©

Durant la première moitié du XXe siècle, les Highlands furent l'une des premières régions au monde à développer l'énergie hydroélectrique à grande échelle, et cette dernière décennie, les éoliennes y ont poussé comme des champignons. Les énergies renouvelables ont couvert 27% de la consommation énergétique d'Écosse en 2009 et 35% en 2011 ; l'objectif du gouvernement est d'atteindre les 100% dès 2020.

L'avenir de l'énergie écossaise réside moins sur terre que dans la mer : l'Écosse a accès à 25% de l'énergie marémotrice et à 10% de l'énergie houlomotrice disponible en Europe. La région est à la pointe de la recherche dans les domaines de l'énergie marine – houle, marées et éolien offshore ; en 2012, les eaux qui baignent les Orcades et le Pentland Firth ont été classées parc d'énergies marines.

démocrates en 2010 n'a fait qu'accentuer les antagonismes entre l'Écosse et le pouvoir central – une seule des 59 circonscriptions écossaises a élu un député conservateur, tandis que le parti travailliste, vaincu à l'échelon national, a remporté davantage de voix.

Le SNP s'est engagé à porter la question de l'indépendance dans un référendum à l'automne 2014. Les sondages montrent qu'au moins deux tiers des Écossais se satisfont du statu quo. Mais, au regard de l'économie actuelle du Royaume-Uni, il est difficile de prévoir ce qui va se passer.

Énergies renouvelables

L'un des principaux axes du programme du SNP pour une Écosse indépendante est la politique énergétique. Le chef du parti, Alex Salmond, a annoncé qu'il voulait voir son pays devenir l'"Arabie saoudite de l'énergie renouvelable" et atteindre l'autosuffisance énergétique, ainsi qu'un exportateur net d'électricité "propre", dès 2020.

Une ligne sous tensions

En 2010, le gouvernement écossais a donné le feu vert à l'installation d'une ligne à haute tension aérienne de près de 220 km allant de Beauly (près d'Inverness) à Denny, dans le Stirlingshire, pour transporter l'électricité éolienne et marine produite dans le Nord jusqu'au cœur du réseau national. Cette ligne nécessitera 600 pylônes géants et traversera certaines zones plus splendides des Highlands, notamment Strathglass, Fort Augustus et Bridge of Tummel.

D'un côté, ses partisans font remarquer que ce projet impose aussi le retrait de presque 100 km de pylônes à basse tension du Cairngorms National Park ; de l'autre, ses détracteurs affirment que déployer un câble au fond de la mer, certes plus cher, serait une meilleure option. Le débat laisse entrevoir des tensions plus importantes, qui existent dans les Highlands comme dans les îles : veut-on voir les ressources de la région se développer ou veut-on la préserver intacte ?

Histoire

Parlement écossais (p. 75 ; architecte : Enric Miralles)

DAVID CLAPP/GETTY IMAGE

Depuis le déclin du pouvoir viking, l'histoire de l'Écosse a été liée, souvent de manière violente, à celle de l'Angleterre. Combats et raids frontaliers étaient fréquents jusqu'à ce que la monarchie partagée, puis l'union politique, rapprochent les ennemis. Au XVIIIe siècle, l'Écosse fut le berceau de philosophes, de scientifiques et d'écrivains qui lui valurent une renommée internationale. Au XIXe siècle, son dynamisme en matière d'ingénierie et d'industrie en fit la pierre angulaire de l'Empire britannique. Son aspiration à l'indépendance revit le jour avec la restauration d'un Parlement écossais à la fin du XXe siècle.

Saint Colomba et le christianisme

Après le départ des Romains de Grande-Bretagne, deux peuples indigènes au moins se partageaient le nord des îles Britanniques : les Pictes, au nord et à l'est, et les Britons, au sud-ouest. Les Scots arrivèrent probablement en Argyll vers l'an 500, venus d'Irlande du Nord, et y établirent un royaume appelé Dalriada.

Début du VIe siècle

Une tribu celte, les Scots, venue du nord de l'Irlande, fonde le royaume de Dalriada.

Au VIe siècle, saint Colomba, le plus fameux missionnaire d'Écosse, arriva dans le pays. Selon la légende, Colomba était un érudit et un prêtre soldat ayant fui l'Irlande en 563, qui établit un monastère sur Iona. On lui attribua après sa mort des actions miraculeuses, comme celle d'avoir vaincu le monstre connu aujourd'hui comme celui du Loch Ness.

Le royaume des Scots

Les Pictes et les Scots se rapprochèrent sous la menace d'une invasion viking et à la suite d'échanges politiques et spirituels dus à leur appartenance commune au christianisme. Kenneth MacAlpin, premier roi de l'Écosse unifiée, accéda au pouvoir en s'appuyant sur les liens du sang et la diplomatie. Il établit sa capitale à Scone, en territoire picte, et y fit venir la pierre du Destin (voir encadré p. 51), qui servait pour le couronnement des rois écossais.

Près de deux siècles plus tard, un descendant de MacAlpin, Malcolm II (1005-1018), vainquit les Angles de Northumbrie, menés par le roi Canute. Cette victoire fit passer Édimbourg et le Lothian sous le contrôle écossais et étendit le territoire de l'Écosse jusqu'à la Tweed.

Avec son épouse saxonne, Marguerite, Malcolm III Canmore (1058-1093) – dont le père, Duncan, avait été assassiné par Macbeth (comme décrit dans la pièce éponyme de Shakespeare) – fonda une dynastie de dirigeants écossais talentueux. Ils introduisirent de nouveaux systèmes de gouvernement anglo-normands et certaines fondations religieuses.

Robert Bruce et William Wallace

L'an 1286 vit un conflit de succession pour le trône d'Écosse entre Robert Bruce, lord d'Annandale, et John Balliol, lord de Galloway. Le roi Édouard Ier d'Angleterre, plus grand seigneur féodal de Grande-Bretagne, fut appelé comme arbitre. Il choisit Balliol, pensant qu'il serait plus facile à manipuler.

Cherchant à resserrer son emprise sur l'Écosse, Édouard, surnommé le "marteau des Écossais", traita le roi en vassal et non en égal. Humilié, Balliol se retourna contre lui et fit alliance avec la France en 1295 (l'Auld Alliance ou Vieille Alliance, qui se prolongea pendant plusieurs siècles), déclenchant les "guerres d'indépendance".

La réponse fut sans appel. En 1296, Édouard envahit l'Écosse. Balliol fut enfermé dans la tour de Londres, et, coup final porté à l'orgueil écossais, Édouard s'empara de la pierre du Destin à Scone et la rapporta à Londres.

Des bandes de rebelles commencèrent à attaquer les occupants anglais ; l'une de ces bandes, dirigée par William Wallace, vainquit l'armée anglaise à la bataille du pont de Stirling, en 1297. Après l'exécution de William Wallace, Robert Bruce, petit-fils du

563
Saint Colomba fonde une abbaye sur l'île d'Iona. Au VIIIe siècle, la plus grande partie de l'Écosse est convertie.

780
Les Vikings, venus de Scandinavie, commencent à piller la côte et les îles écossaises.

1296
Le roi Édouard Ier marche sur l'Écosse avec 30 000 hommes, massacrant la population et s'emparant de châteaux.

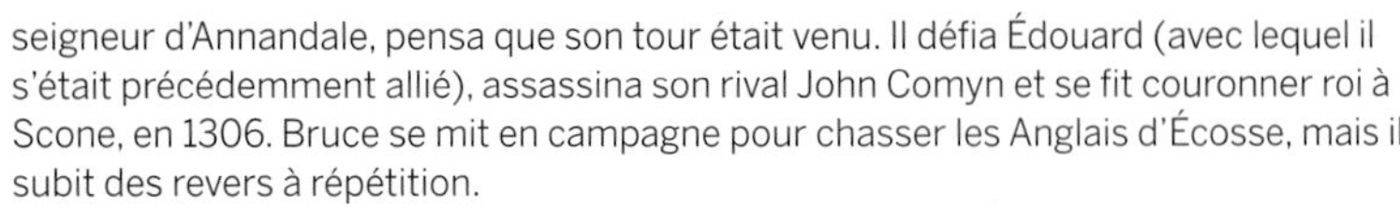

seigneur d'Annandale, pensa que son tour était venu. Il défia Édouard (avec lequel il s'était précédemment allié), assassina son rival John Comyn et se fit couronner roi à Scone, en 1306. Bruce se mit en campagne pour chasser les Anglais d'Écosse, mais il subit des revers à répétition.

Selon la légende, alors qu'il était en fuite, Bruce fut encouragé à redoubler d'efforts en voyant la persévérance d'une araignée qui tissait sa toile. Il s'assura finalement une illustre victoire sur les Anglais à Bannockburn en 1314, désormais inscrite dans la légende écossaise.

Marie Stuart

Marie, fille du roi Jacques V, naquit au Linlithgow Palace en 1542 et hérita du trône alors qu'elle était tout juste âgée de 6 jours. Très jeune, elle fut envoyée en France, tandis que l'Écosse était gouvernée par des régents. En 1558, Marie épousa le dauphin François, et devint ainsi reine de France et d'Écosse.

Marie, âgée de 18 ans, rentra en Écosse en 1561 après la mort de son mari. Elle fut accueillie en grande pompe dans sa capitale et tint une audience célèbre au palais de Holyrood en présence de John Knox. Le grand réformateur sermonna la jeune reine, qui accepta de protéger l'Église protestante d'Écosse tout en continuant à assister à la messe en privé.

Elle épousa Henry Stuart, lord Darnley, à la chapelle royale de Holyrood, et, en 1565, donna naissance à un fils au château d'Édimbourg (le futur Jacques VI). Le bonheur conjugal fut de courte durée, les événements se précipitant en un enchaînement fatal : Darnley fut impliqué dans l'assassinat du secrétaire italien de Marie, Rizzio (que l'on disait son amant), avant d'être lui-même assassiné, probablement par le nouvel amant de Marie, son futur troisième époux, le comte de Bothwell.

La déclaration d'Arbroath

Pendant les "guerres d'indépendance", les nobles écossais écrivirent au pape Jean XXII pour lui demander son soutien. Rédigée par l'abbé d'Arbroath en 1320, cette déclaration est le premier document cherchant à placer des limites au pouvoir royal.

Après avoir fulminé contre la tyrannie d'Édouard Ier d'Angleterre, la déclaration poursuit en ces termes demeurés célèbres : "Aussi longtemps que cent parmi nous seront vivants, nous ne consentirons jamais, en aucune manière, à nous soumettre au gouvernement des Anglais, car ce n'est ni la gloire, ni les richesses, ni les honneurs pour lesquels nous nous battons, mais la liberté seulement, que nul homme, digne de ce nom, n'accepte de perdre, sinon avec sa vie."

1298-1305
Édouard Ier bat les Écossais à Falkirk ; William Wallace renonce au titre de "gardien du royaume d'Écosse" et meurt suite à une trahison.

STATUE DE WILLIAM WALLACE

EPICS/GETTY IMAGES ©

1314
Robert Bruce remporte une célèbre victoire sur les Anglais à la bataille de Bannockburn.

C'en était trop pour les Écossais. Les ennemis de Marie Stuart vainquirent ses troupes, la contraignant à abdiquer en 1567. Incarcérée à Castle Leven, elle parvint à s'évader et à s'enfuir en Angleterre, où Élisabeth Ire la retint prisonnière pendant dix-neuf ans. Elle fut finalement exécutée en 1587.

Union des Couronnes

Le fils de Marie Stuart, le petit Jacques VI (1567-1625), avait entretemps été couronné à Stirling, et le gouvernement, confié à des régents successifs. La reine Élisabeth Ire d'Angleterre mourut sans descendance, et les Anglais, voulant à tout prix un monarque mâle, reportèrent bientôt leur attention vers le Nord. En 1603, Jacques VI d'Écosse devint alors Jacques Ier d'Angleterre et installa sa Cour à Londres. Mais le projet d'unir politiquement les deux pays échoua, les Stuart se désintéressant désormais de l'Écosse. Quand Charles Ier (règne 1625-1649) succéda à Jacques, il attendit 1633 avant de prendre la peine de se déplacer jusqu'à Édimbourg pour y être officiellement couronné roi d'Écosse.

Les meilleurs… Sites historiques

1 Bannockburn (p. 170)

2 Greyfriars (p. 76)

3 Glenfinnan (p. 273)

4 Culloden (p. 252)

5 Parlement (p. 75)

Les Covenanters et la guerre civile

Une guerre civile déchira l'Écosse et l'Angleterre tout au long du XVIIe siècle. Les tentatives de Charles Ier pour imposer l'épiscopalisme (le gouvernement des évêques) et une liturgie anglaise à l'Église presbytérienne écossaise déclenchèrent des émeutes populaires à Édimbourg. Les presbytériens croyaient en un lien personnel avec Dieu, pouvant se passer de la médiation des prêtres, papes et rois. Le 28 février 1638, des centaines de personnes rassemblées au Greyfriars Kirkyard signèrent le National Covenant, proclamant leurs droits et leurs croyances. Dès lors, l'Écosse se trouva divisée entre les Covenanters et les défenseurs du roi.

Remonté sur le trône en 1660, Charles II revint sur sa parole, rétablit l'épiscopalisme et priva les ministres presbytériens intransigeants de leurs églises. Le frère et successeur de Charles, le catholique Jacques VII d'Écosse (Jacques II d'Angleterre, règne 1685-1689), fit du culte covenantaire un délit passible de la peine capitale.

Jacques VII s'était converti au catholicisme, mais tant que sa fille Marie, de confession presbytérienne, demeurait l'héritière du trône, les conflits religieux restèrent en sourdine. La situation explosa lorsqu'en 1688 la seconde épouse du monarque donna naissance à un héritier mâle catholique. Le Parlement fit alors appel à Guillaume d'Orange, époux de Marie, qui débarqua des Pays-Bas et contraignit Jacques VII à l'exil.

1328
Le traité de Northampton accorde l'indépendance à l'Écosse avec Robert Ier Bruce pour roi.

1560
Le Parlement écossais crée une Église protestante indépendante de Rome et de la monarchie.

1567
Marie Stuart, reine d'Écosse, est contrainte d'abdiquer et est emprisonnée ; elle est exécutée en 1587.

Les meilleurs... Musées d'histoire

1 National Museum of Scotland (p. 79)

2 Museum of the Isles (p. 211)

3 Skye Museum of Island Life (p. 218)

4 War & Peace Museum (p. 219)

5 Highland Folk Museum (p. 263)

L'union avec l'Angleterre

La guerre civile avait ruiné l'économie. Le sentiment anti-anglais était au plus fort : le roi Guillaume était en guerre contre la France, qu'une grande partie des Écossais soutenait, désapprouvant de fait les prélèvements d'impôts et de soldats sur l'Écosse. La situation empira après l'échec d'une tentative d'implantation au Panamá : le plan Darien, destiné à établir une colonie écossaise aux Amériques, se solda, en Écosse, par une faillite généralisée.

L'échec du plan Darien convainquit les riches marchands et actionnaires écossais que la seule voie d'accès aux marchés lucratifs des colonies, alors en plein développement, passait par l'union avec l'Angleterre. Le Parlement anglais accepta, par peur de voir la France tirer parti des sympathies jacobites pour ce pays.

Bonnie Prince Charlie

Les rébellions jacobites du XVIIIe siècle cherchèrent à restaurer un Stuart catholique sur le trône britannique. Jacques Édouard Stuart, surnommé le Vieux Prétendant, était le fils de Jacques VII d'Écosse. Le fils du Vieux Prétendant, Charles Édouard Stuart, plus connu sous les noms de Bonnie Prince Charlie ou de Jeune Prétendant, débarqua en Écosse en 1745 pour mener le soulèvement final. Élevé en France, il avait peu d'expérience militaire, ne parlait pas le gaélique et comprenait mal l'anglais. Malgré cela, rallié par une armée de Highlanders à Glenfinnan, il marcha vers le sud et s'empara d'Édimbourg en septembre 1745. En Angleterre, il s'avança jusqu'à Derby, mais une armée hanovrienne conduite par le duc de Cumberland le pourchassa jusque dans les Highlands, où les rêves jacobites furent définitivement anéantis lors de la bataille de Culloden, en 1746.

Les Highland Clearances

Suite aux rébellions jacobites, le costume highlander, le port des armes et la cornemuse furent interdits. Les Highlands furent placées sous contrôle militaire. Les membres des clans ne pouvant plus être enrôlés comme soldats par les chefs, et n'étant que peu rentables en tant que métayers, furent évincés de leurs fermes et des vallées fertiles pour étendre la surface des pâturages. Quelques-uns furent engagés pour s'occuper de ces troupeaux, mais la plupart durent s'exiler dans les villes, ou furent contraints de se réinstaller sur les maigres terres côtières, où ils exploitèrent des *crofts* (petites fermes). Des hommes qui n'avaient jamais vu la mer furent obligés de se reconvertir

1603
Jacques VI d'Écosse hérite du trône d'Angleterre. Il devient Jacques Ier de Grande-Bretagne.

1707
L'Acte d'union inscrit l'union de l'Angleterre et de l'Écosse sous un même Parlement, un même drapeau, un même souverain.

1745-1746
Suite à la rébellion jacobite, Bonnie Prince Charlie envahit l'Écosse avant d'être vaincu durant la bataille de Culloden.

dans la pêche au hareng. Des milliers émigrèrent vers les colonies d'Amérique du Nord, d'Australie et de Nouvelle-Zélande à la fin du XVIIIe et au XIXe siècle.

Le pétrole de la mer du Nord et la dévolution

La découverte de pétrole dans la mer du Nord en 1970 alimenta les rêves d'autarcie économique et vit progresser le sentiment nationaliste en Écosse. En 1979, la création d'une Assemblée écossaise élue au suffrage direct fut soumise à référendum, et 52% des votants se déclarèrent favorables à la dévolution des pouvoirs, mais le Premier ministre travailliste de l'époque décida de compter les non-votants comme des "non", ramenant ainsi le vote "oui" à 33%, et la proposition fut rejetée.

De 1979 à 1997, l'Écosse fut dirigée de Londres par un gouvernement conservateur, pour lequel la majorité des Écossais n'avait pas voté. Les sentiments séparatistes, jamais éteints, se réveillèrent. À la suite de la victoire écrasante du parti travailliste aux élections de 1997, un autre référendum fut organisé : les résultats donnèrent une majorité massive et sans ambiguïté en faveur de la création d'un Parlement écossais.

Les premières élections parlementaires eurent lieu le 6 mai 1999, et le nouveau Parlement se réunit pour la première fois le 12 mai à Édimbourg.

National Museum of Scotland (p. 79 ; architecte : Gareth Hoskins)

Fin XVIIIe-XIXe siècle
La vie culturelle et intellectuelle fleurit ; durant la révolution industrielle, l'Écosse excelle dans la construction navale.

1941-1945
Clydebank est ravagée par les bombes allemandes en 1941 ; en 1945, les ouvriers sont embauchés dans l'industrie lourde.

1999-2004
Le Parlement écossais se réunit en 1999. Un nouveau bâtiment est inauguré par Élisabeth II en octobre 2004.

Voyager en famille

La campagne des Scottish Borders

JAMES ROSS/GETTY IMAGES

L'Écosse est une destination rêvée pour des vacances en famille. On y trouve largement de quoi occuper les plus jeunes : réserves naturelles, activités de plein air et musées d'excellente qualité proposant des expositions interactives. Beaucoup de villes touristiques et de parcs nationaux conçoivent des événements et des activités pour les enfants, et même les musées locaux font généralement l'effort de prévoir pour eux des feuilles d'activité ou des panneaux spéciaux. Les offices du tourisme sont une excellente source d'informations sur les attractions destinées à votre progéniture.

Hébergement

Les enfants sont généralement bien accueillis partout en Écosse, mais l'hébergement peut parfois tourner au casse-tête. Tous les hôtels et les *guesthouses* (notamment les adresses "de charme") ne verront pas nécessairement d'un très bon œil l'arrivée de tout-petits, renseignez-vous donc sur les conditions avant de réserver. Les tarifs annoncés sont souvent des tarifs par personne, non par chambre ; cherchez des B&B proposant des *family rooms* (chambres familiales pouvant généralement accueillir 2 adultes et 1 ou 2 enfants) pour bénéficier de prix intéressants.

Les adresses acceptant les plus jeunes permettent souvent aux enfants en bas âge de dormir gratuitement dans la chambre des parents et fournissent des équipements utiles, dont des petits lits.

Restauration

De nombreux restaurants (en particulier les plus grands) disposent de chaises hautes et de menus enfants corrects. Il n'est pas rare, en revanche, de recevoir un accueil assez froid dans les lieux plus chics lorsqu'on s'y présente avec des petits.

La plupart des pubs réservent un accueil chaleureux aux familles, et certains possèdent de beaux espaces extérieurs où les enfants peuvent courir et se dépenser pendant que vous déjeunez et prenez tranquillement un verre. Sachez toutefois que dans beaucoup d'entre eux, y compris ceux qui servent des repas, la loi interdit la présence d'enfants de moins de 14 ans. Même ceux qui accueillent les familles (c'est-à-dire ceux qui possèdent une licence spéciale) ne peuvent accepter les moins de 14 ans qu'entre 11h et 20h, et seulement s'ils sont accompagnés d'un adulte.

Les meilleures… Activités pour les enfants

1 Nessie Hunter (p. 254)

2 Jacobite Steam Train (p. 268)

3 Cairngorm Sled-Dog Centre (p. 259)

4 Aquaxplore (p. 213)

5 Sea Life Surveys (p. 225)

Allaitement et change

Il est parfois encore un peu mal vu d'allaiter en public au Royaume-Uni, mais si cela est fait discrètement, cela ne pose en général pas de problème. En 2005, le Parlement écossais a fait passer une loi qui garantit aux femmes la liberté d'allaiter en public : si quelqu'un cherchait à vous en empêcher, n'hésitez pas à lui citer la loi !

Pour changer les couches durant vos déplacements, la plupart des grands musées, galeries et centres des visiteurs disposent d'équipements adaptés pour les bébés. Les équipements disponibles sont parfois spartiates dans les stations-service et les toilettes publiques en centre-ville.

Plus de conseils sur www.babygoes2.com et www.travelforkids.com (en anglais).

En pratique

- **Équipements pour le change** Disponibles dans la plupart des centres commerciaux, les grands musées et les principaux sites touristiques.
- **Lits** Généralement fournis dans les bons hôtels, rares dans les B&B.
- **Santé** Mêmes standards que dans la plupart des pays occidentaux ; pas de vaccins particuliers à prévoir.
- **Chaises hautes** Fréquentes dans les restaurants de chaîne et les fast-foods, à demander ailleurs.
- **Menus enfants** Même chose que pour la rubrique ci-dessus.
- **Couches** Vendues dans tous les supermarchés.
- **Poussettes** Généralement acceptées dans la plupart des transports en commun.
- **Transports** Tarifs réduits pour les enfants et les familles (généralement 2 adultes et 2 enfants) un peu partout.

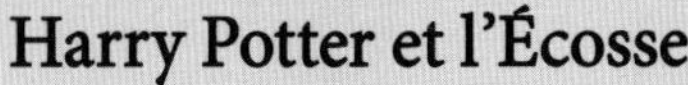

Harry Potter et l'Écosse

Si vos enfants sont fans de la saga *Harry Potter*, impressionnez-les en les emmenant dans des lieux où furent tournées de nombreuses scènes des films. En voici quelques-uns :

- **Jacobite Steam Train** La locomotive à vapeur du *Poudlard Express*.
- **Glen Nevis** Décor de la partie de *quidditch* dans *L'École des sorciers*.
- **Viaduc de Glenfinnan** Ce viaduc de chemin de fer apparaît dans la scène de la voiture volante dans *La Chambre des secrets*.
- **Glen Coe** La cabane de Hagrid dans *Le Prisonnier d'Azkaban* fut construite juste à côté du village de Glencoe.

Plus d'informations sur www.scotlandthemovie.com.

Activités

La météo joue beaucoup sur la réussite des vacances en famille. En Écosse, attendez-vous à quelques jours de pluie. Emportez vêtements imperméables et parapluies et prévoyez toujours un plan B afin de pouvoir vous replier dans un lieu abrité le cas échéant. Les Écossais y sont habitués, et même les sites en extérieur, comme les parcs nationaux, disposent de centres pour les visiteurs et d'expositions en intérieur pour occuper les plus jeunes si la pluie se met à tomber.

Vous pouvez demander aux offices du tourisme locaux s'il existe des brochures destinées aux familles, afin d'y puiser des idées. Le magazine *The List* (www.list.co.uk), disponible en kiosque et en librairie, propose une rubrique consacrée aux activités et événements pour les enfants à Glasgow et Édimbourg et dans les environs. Sur Internet, le site www.dayoutwiththekids.co.uk donne de bonnes idées.

Consultez aussi le guide *Voyager avec ses enfants*, de Lonely Planet.

Culture des Highlands

Tir à la corde lors du Braemar Gathering (p. 191)

TIM GRAHAM/CORBIS ©

La culture spécifique des Highlands – qu'il s'agisse de la cornemuse, des danses traditionnelles, du kilt ou des épreuves des Highland Games – plonge ses racines dans le système de clans propre à l'Écosse, écrasé sans pitié à la suite de la rébellion jacobite de 1745. La cornemuse et le kilt ont longtemps été interdits. Ce n'est qu'au XIXe siècle que ces traditions ont commencé à connaître un regain d'intérêt.

Les Highland Games

L'origine des Highland Games en Écosse se perd dans la nuit des temps. On suppose que les épreuves de force entre membres des clans étaient organisées à l'issue de rassemblements militaires. Ces compétitions impromptues furent formalisées au début du XIXe siècle, quand la haute société britannique se prit d'un engouement romantique pour la culture des Highlands.

La liste traditionnelle des épreuves n'a guère changé depuis et comprend des démonstrations de force telles que le lancer de tronc, de marteau ou de pierre, assorties de concours de cornemuse et de danse. De nombreux jeux présentent aussi des épreuves d'athlétisme, comme la course ou le saut.

Les meilleurs… Highland Games

1 Braemar Gathering (p. 191)

2 Argyllshire Gathering (www.obangames.com)

3 Isle of Skye Highland Games (www.skye-highland-games.co.uk)

4 Mull Highland Games (www.scotlandsislands.com)

5 St Andrews Highland Games (www.albagames.co.uk)

La cornemuse

Traditionnellement, les soldats des Highlands partaient au combat au son aigu des cornemuses : la cornemuse des Highlands d'Écosse est d'ailleurs un instrument unique puisqu'il est le seul à avoir jamais été classé dans la catégorie des armes de guerre. En 1747, au lendemain de la révolte jacobite de 1745, elle fut interdite, sous peine de mort, par les autorités britanniques, dans le cadre d'un plan visant à éradiquer la culture des Highlands. Elle fit sa réapparition à la fin du XVIIIe siècle, lorsque les régiments des Highlands furent incorporés à l'armée britannique.

Le kilt

À l'origine, la tenue dans les Highlands n'était pas le kilt mais le plaid – une longue pièce de tartan enroulée autour du corps et passée par-dessus l'épaule. Le port de ce vêtement fut interdit après les rébellions jacobites, avant de renaître au début du XIXe siècle, sous patronage royal. Lors d'une visite en Écosse en 1822, George IV et les membres de la Cour britannique arboraient le kilt.

Toujours au XIXe siècle, sir Walter Scott – romancier, poète et patriote convaincu – contribua grandement à raviver l'intérêt pour la culture des Highlands. Bon nombre des anciens *setts* (motifs des tartans) ayant entre-temps été perdus, certains des tartans actuels sont en réalité des créations victoriennes. Le kilt moderne n'apparut qu'au XVIIIe siècle, inventé, dit-on, par un Anglais, Thomas Rawlinson.

Les kilts n'ont pas de poches, les Écossais qui les portent placent donc leur argent dans un *sporran*, une bourse en cuir suspendue sur le devant du kilt par une chaîne entourant la taille.

Écrivains et artistes

L'ancienne demeure de sir Walter Scott, Abbotsford (p. 107)

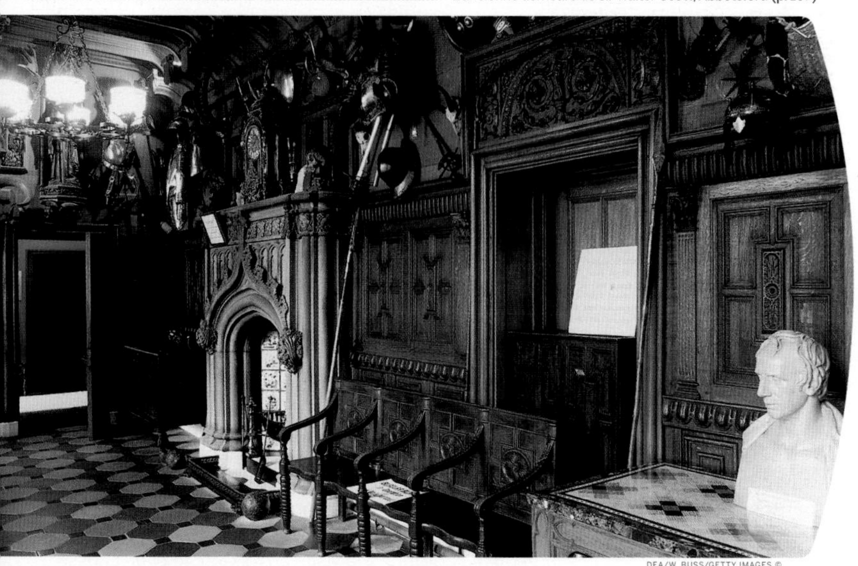

En matière de littérature, l'Écosse est riche de nombreux trésors. Le grand poète Robert Burns est connu et admiré partout, et ses œuvres sont traduites dans des dizaines de langues. Sir Walter Scott et Robert Louis Stevenson sont presque tout aussi lus, tout comme les romanciers contemporains, tels Ian Rankin et Iain Banks. Le Writers' Museum d'Édimbourg célèbre les travaux de Burns, de Scott et de Stevenson. Moins connus, les artistes écossais ont néanmoins su se faire une place dans le monde de l'art au Royaume-Uni.

ÉCRIVAINS

Robert Burns

Auteur du célèbre *Auld Lang Syne*, Robert Burns (1759-1796) est le plus grand poète écossais et un véritable héros populaire, dont l'anniversaire (le 25 janvier) donne lieu tous les ans à la Burns Night, célébrée dans le monde entier.

Burns naît en 1759 à Alloway dans une famille de paysans pauvres. Il montre dès l'école des dons littéraires et une passion pour la chanson populaire et écrira plus tard chansons et satires. Mais à sa difficile condition de paysan s'ajoute bientôt la menace d'un procès intenté par le père de sa fiancée, Jean Armour, et l'écrivain décide d'émigrer en Jamaïque. Il renonce alors à sa part de la ferme familiale et publie des poèmes pour réunir l'argent nécessaire au voyage.

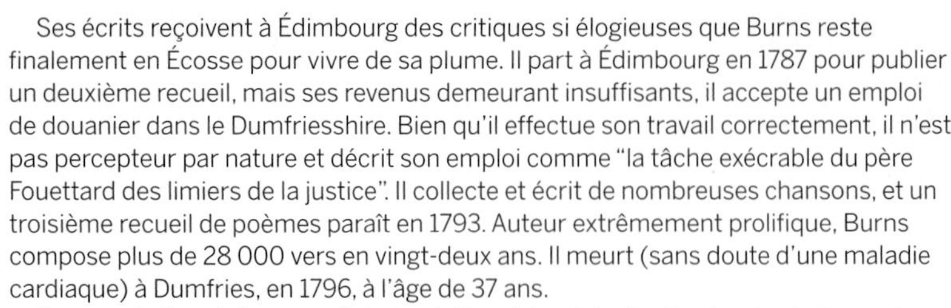

Ses écrits reçoivent à Édimbourg des critiques si élogieuses que Burns reste finalement en Écosse pour vivre de sa plume. Il part à Édimbourg en 1787 pour publier un deuxième recueil, mais ses revenus demeurant insuffisants, il accepte un emploi de douanier dans le Dumfriesshire. Bien qu'il effectue son travail correctement, il n'est pas percepteur par nature et décrit son emploi comme "la tâche exécrable du père Fouettard des limiers de la justice". Il collecte et écrit de nombreuses chansons, et un troisième recueil de poèmes paraît en 1793. Auteur extrêmement prolifique, Burns compose plus de 28 000 vers en vingt-deux ans. Il meurt (sans doute d'une maladie cardiaque) à Dumfries, en 1796, à l'âge de 37 ans.

Burns a écrit en *lallans*, un dialecte de l'anglais originaire des Lowlands écossais, peu compréhensible par les *Sassenach* (Anglais, ou étrangers), ce qui explique sans doute en partie sa popularité. C'était par ailleurs un homme proche des plus humbles, enclin à railler l'hypocrisie des classes supérieures et de l'Église.

Nombre des lieux mentionnés dans le conte en vers *Tam o'Shanter* peuvent être visités. Le fermier Tam, rentrant à cheval après une soirée de beuverie dans un pub d'Ayr, aperçoit des sorcières en train de danser dans le cimetière d'Alloway. Il interpelle l'une des plus jolies, mais est pris en chasse par toutes ces femmes et ne trouve refuge que sur la rive opposée de la Doon. Il parvient de justesse à traverser le Brig o'Doon, mais la queue de sa jument est arrachée par les sorcières.

Sir Walter Scott

En 1787, lors d'une réunion chez un professeur d'Édimbourg, Burns fut présenté à un garçon de 16 ans : c'était le jeune Walter Scott (1771-1832), appelé à devenir le plus grand et le plus prolifique des romanciers écossais. Fils d'un avocat d'Édimbourg, Walter Scott vécut à diverses adresses de New Town avant de s'installer dans sa maison de campagne d'Abbotsford.

Ses premiers écrits sont des ballades, comme *La Dame du lac*, et c'est anonymement qu'il publie ses premiers romans historiques – il est en outre l'inventeur du genre. Walter Scott a relancé, presque à lui seul, l'intérêt pour l'histoire et les légendes écossaises et a largement contribué à la visite du roi George IV en Écosse, en 1822. Criblé de dettes à la fin de sa vie, il écrivit frénétiquement (au détriment de sa santé) afin de se renflouer, mais il doit sa postérité à ses récits classiques, tels que *Waverley*, *L'Antiquaire*, *La Fiancée de Lammermoor* et *Ivanhoé*.

Robert Louis Stevenson

Robert Louis Stevenson (1850-1894) est l'autre grand romancier écossais. Né au 8 Howard Place à Édimbourg dans une famille d'ingénieurs spécialistes des phares, Stevenson, bien que tenté par la carrière littéraire, étudia le droit à l'université d'Édimbourg. Ce voyageur, infatigable malgré une santé fragile, finit par s'installer aux Samoa en 1889, où il reçut des habitants le surnom de *Tusitala*, le conteur d'histoires. Stevenson est réputé et apprécié dans le monde entier pour des œuvres comme *Enlevé !*, *Catriona*, *L'Île au trésor*, *Le Maître de Ballantrae* et surtout *Dr Jekyll et Mr Hyde*.

Sir Arthur Conan Doyle

Sir Arthur Conan Doyle (1859-1930), créateur de Sherlock Holmes, naquit à Édimbourg et y étudia la médecine. Il s'inspira, pour ce personnage, de l'un de ses professeurs, le chirurgien Joseph Bell, qui avait mis ses talents en matière de médecine légale et sa logique déductive au service de plusieurs affaires de meurtres à Édimbourg. Une exposition étonnante lui est consacrée au Surgeons' Hall, à Édimbourg.

Iain Banks

Salué pour son imagination, Iain Banks (né en 1954) a fait son entrée sur la scène littéraire écossaise avec un premier roman éblouissant, *Le Seigneur des guêpes* (1984), exploration macabre du monde intérieur d'un adolescent perturbé. Bien que violent et dérangeant, l'humour noir de Banks, combiné à des dialogues acérés, rend sa lecture irrésistible. Quant à *Un homme de glace* (1993), c'est un thriller satirique terrible et hilarant sur la cupidité et la corruption des années Thatcher. Il est plus connu en France pour ses ouvrages de science-fiction.

Ian Rankin

Les romans policiers de Ian Rankin ont pour héros l'inspecteur John Rebus, homme taciturne porté sur la bouteille, et traitent de sinistres affaires en explorant les zones d'ombre de la capitale. Ses dialogues acerbes, son sens du détail et l'épaisseur de ses personnages lui attirent un nombre croissant de lecteurs à l'étranger. Ses livres ont été traduits dans 22 langues.

Les meilleurs… Musées d'art

1 Scottish National Gallery (p. 78)

2 Royal Scottish Academy (p. 80)

3 Scottish National Gallery of Modern Art (p. 65)

4 Gallery of Modern Art, Glasgow (p. 125)

5 Kelvingrove Art Gallery & Museum (p. 132)

6 Burrell Collection (p. 136)

ARTISTES

Les coloristes écossais

Au début du XXe siècle, les peintres écossais les plus reconnus à l'étranger appartiennent au groupe des "coloristes écossais" (Scottish Colourists) – S. J. Peploe (1871-1935), Francis Cadell (1883-1937), Leslie Hunter (1877-1931) et J. D. Fergusson (1874-1961) –, dont les œuvres étonnantes empruntent au postimpressionnisme et au fauvisme français. Peploe et Cadell, actifs dans les années 1920 et 1930, passaient souvent l'été à travailler sur l'île d'Iona, et leurs paysages ornent plus d'une carte postale.

L'école d'Édimbourg

Dans les années 1930, l'école dite d'Édimbourg regroupe des paysagistes modernistes, parmi lesquels William Gillies (1898-1978), sir William MacTaggart (1903-1981) et Anne Redpath (1895-1965). Après la Seconde Guerre mondiale, des artistes comme Alan Davie (né en 1920) et sir Eduardo Paolozzi (1924-2005) se forgent une réputation internationale dans le monde de l'expressionnisme abstrait et du pop art.

Les artistes contemporains

Parmi les artistes écossais contemporains, Peter Howson et Jack Vettriano sont deux des plus connus. Howson (né en 1958) fut très médiatisé en 1993 : alors qu'il était en Bosnie comme artiste de guerre officiel, il réalisa plusieurs tableaux dérangeants et controversés. *Croatian and Muslim,* qui dépeint crûment une scène de viol, déclencha une polémique sur ce qui était acceptable ou non dans une exposition publique d'art.

Jack Vettriano (né en 1954) est l'un des artistes écossais les mieux vendus. Ce peintre autodidacte produit des œuvres caractérisées par leur réalisme et leur voyeurisme, parfois sinistres et souvent empreintes d'une forte charge érotique, que l'on a comparées à celles de l'Américain Edward Hopper ou de Walter Sickert.

Saveurs d'Écosse

Le *haggis*, plat national écossais

FOODFOLIO/THE FOOD PASSIONATES/CORB

La cuisine traditionnelle écossaise se compose pour l'essentiel de plats copieux et roboratifs. Souvent riche en calories, elle permet d'affronter le rude climat hivernal lorsque l'on passe la journée dehors, dans les champs ou à la pêche. Le soir, on apprécie les douceurs. Les boissons traditionnelles – whisky et bière – connaissent un renouveau depuis quelques années. Les single malts *sont commercialisés comme de grands vins, et des microbrasseries voient le jour dans tout le pays.*

Whisky

"C'est l'amour qui fait tourner le monde ? Non ! Le whisky le fait tourner deux fois plus vite."

Whisky à gogo, sir Compton Mackenzie (1883-1972).

Le whisky est le produit le plus connu et le plus exporté. On le distille en Écosse au moins depuis le XVe siècle.

Les whiskies de malt sont distillés à partir d'orge maltée, c'est-à-dire de l'orge ayant trempé dans de l'eau et germé pendant une dizaine de jours, jusqu'à ce que l'amidon prenne un goût sucré et devienne du malt après séchage. Le whisky de grain, quant à lui, est distillé à partir d'autres céréales, le plus souvent du blé, du maïs ou de l'orge non maltés.

Un *single malt* est un whisky obtenu uniquement à partir d'orge maltée et fabriqué dans une seule distillerie. Le *pure malt* peut être élaboré à partir d'un mélange de *single malts* issus de plusieurs distilleries. Le *blend* résulte du mélange de plusieurs whiskies de grain (environ 60%) et de whiskies de malt (environ 40%), issus de distilleries diverses.

Un *single malt*, à l'instar d'un bon vin, a un goût de terroir. Cela a à voir avec l'eau, l'orge, le fumage à la tourbe, les fûts de chêne dans lequel il vieillit et, pour certaines distilleries installées sur la côte, avec la senteur salée de l'air marin. Le Lagavulin devrait vous évoquer la tourbe, l'iode, les algues. Avec le Glenfiddich, ce sont le malt, la poire, l'acétone, les agrumes qui viennent à l'esprit. Il en va du whisky comme du vin : aucun cru fabriqué au même endroit et dans les mêmes conditions n'est parfaitement identique au précédent.

Un *single malt* se déguste sec, ou mieux encore avec un peu d'eau. Pour en apprécier pleinement la saveur et tous les arômes, il faut diluer une mesure de whisky de malt avec un à deux tiers d'eau (l'eau de source en bouteille fait parfaitement l'affaire). Y ajouter de la glace ou de l'eau du robinet est une hérésie. Ce serait un peu comme ajouter de la limonade à un verre de chablis...

Les meilleurs... Single malts

1 Bowmore (Islay)

2 Macallan (Speyside)

3 Highland Park (Orkney)

4 Bruichladdich (Islay)

5 Springbank (Campbeltown)

6 Talisker (Skye)

Haggis

En découvrant le contenu de la fameuse panse de brebis farcie, les étrangers sont plutôt sceptiques : abats de mouton (foie, cœur, poumons) hachés menu, mélangés à de la farine d'avoine et à des oignons. On fait tenir le tout dans un estomac de brebis, pour le faire mijoter pendant des heures, avant de le percer. Et c'est excellent !

Le *haggis* se mange avec des *champit tatties* (purée de pommes de terre) et des *bashed neeps* (purée de navets), accompagnés de beurre et de poivre noir.

Il existe une occasion particulière de consommer le *haggis* : la Burns Night, le 25 janvier, une fête traditionnelle en mémoire du poète Robert Burns. À cette occasion, les Écossais du monde entier se réunissent pour rendre hommage à leurs racines et à leur identité écossaises. Un joueur de cornemuse annonce d'abord l'arrivée du *haggis*, et l'on récite le poème de Burns *Address to a haggis* en l'honneur du "*Great chieftain o' the puddin'-race*". On le perce ensuite avec une dague afin de découvrir son contenu encore fumant.

Certains seront sûrement ravis d'apprendre que l'on sert une version végétarienne du *haggis* dans certains restaurants.

Saumon fumé

Le saumon fumé d'Écosse est très réputé, mais d'autres poissons (ainsi que des viandes et des fromages) fumés feront les délices des gourmets. Le fumage, méthode traditionnelle de conservation des aliments, connaît un renouveau, et l'on parle désormais plus de saveurs que de conservation.

La procédure s'effectue en deux étapes. La première est le salage. On recouvre le poisson d'un mélange de sel et de mélasse ou on le fait mariner dans de la saumure. Ensuite vient le fumage, qui peut être un fumage à froid (c'est-à-dire à moins de 34°C) et donnera dans ce cas un poisson cru, ou le fumage à chaud (à plus de 60°C), qui permet de cuire le poisson. Le saumon fumé classique, les kippers (harengs fumés) et le *Finnan haddie* (haddock) sont fumés à froid ; le *bradan rost* (saumon fumé rôti en gaélique) et les *Arbroath smokies* sont fumés à chaud.

Ales écossaises

La popularité croissante des *real ales* (bières de brassage traditionnel) a favorisé l'apparition de brasseurs spécialisés et de microbrasseries sur tout le territoire écossais. Ces professionnels revendiquent un usage exclusif d'ingrédients naturels. Beaucoup remettent au goût du jour d'anciennes recettes, telles les ales aux algues ou à la bruyère. Voici quelques bonnes adresses :

Cairngorm Brewery Créatrice de la Trade Winds, souvent primée.

Islay Ales La Saligo Ale, rafraîchissante, aux notes d'agrumes.

Orkney Brewery Réputée pour sa puissante Dark Island, chocolatée, et sa Skull Splitter, assez forte.

Williams Bros Bières anciennes à base de fleurs de bruyère, d'algues, de pin d'Écosse et de baies de sureau.

L'*Arbroath smokie* est un haddock. Éviscérés, étêtés puis nettoyés, les poissons sont salés et mis à sécher une nuit entière. Attachés par paires, ils sont ensuite exposés à un feu de copeaux de chêne ou de hêtre pendant 45 à 90 minutes. Les *Finnan haddies* (de Findon, dans l'Aberdeenshire) sont du haddock coupé par le milieu comme les kippers et fumé à froid.

Les kippers sont originaires du Northumberland, au nord de l'Angleterre, et sont apparus au milieu du XIXe siècle. Les Écossais se sont toutefois rapidement approprié la technique de fumage du hareng. Aujourd'hui, Loch Fyne et Mallaig sont renommés pour leurs kippers.

Avoine

L'un des éléments les plus caractéristiques de la cuisine traditionnelle écossaise est l'usage important des flocons d'avoine. Cette céréale (*Avena sativa*) pousse bien sous le climat froid et humide de l'Écosse, où elle est cultivée depuis au moins deux mille ans. Jusqu'au XIXe siècle, la bouillie d'avoine était la principale source de calories pour les populations rurales écossaises. Le fermier dans son champ, le conducteur de bestiaux en route pour le marché, le soldat en campagne, tous portaient avec eux un sac rempli d'avoine préparée qu'il suffisait de mélanger avec de l'eau et de cuire sur une plaque ou sur des pierres chaudes autour du feu.

Longtemps méprisée et considérée comme la "nourriture du pauvre", cette céréale connaît un regain de popularité, grâce à de récentes recherches ayant prouvé son grand intérêt nutritionnel (riche en fer, calcium et vitamine B) et sur la santé (riche en fibres solubles, qui favorisent la réduction du cholestérol).

Le plat écossais à base d'avoine le plus connu est le porridge, qui consiste simplement en des flocons d'avoine bouillis avec de l'eau. Savoir s'il faut le consommer avec du sel ou du sucre a fait couler beaucoup d'encre ; la réponse est simple : comme vous l'aimez ! Quand il était enfant, dans les années 1850, Robert Louis Stevenson le dégustait avec du *golden syrup*, un sirop de sucre ambré.

Les *oatcakes* sont une autre spécialité que vous aurez sans doute l'occasion de croiser si vous visitez Édimbourg, où ces petits biscuits plats accompagnent souvent le fromage à la fin du repas.

Le *mealie pudding* est une sorte de boudin blanc, dont la farce est un mélange de flocons d'avoine et d'oignon, et que l'on fait bouillir pendant une heure environ. Il suffit d'ajouter du sang au mélange pour obtenir un *black pudding* (sorte de boudin noir).

Le *skirlie* est un mélange d'oignons émincés et d'avoine, revenu dans de la matière grasse et assaisonné de sel et de poivre ; il est généralement servi en accompagnement.

Truites et harengs peuvent être roulés dans de la farine d'avoine avant d'être frits, et on peut ajouter de l'avoine pour épaissir une soupe ou un ragoût. On l'utilise aussi dans les desserts : grillée, elle donne ainsi son goût indispensable au *cranachan*, délicieux mélange de crème fouettée, de whisky et de framboises.

La nature écossaise

Balbuzards (p. 298)

L'Écosse est le meilleur endroit du Royaume-Uni pour observer la faune sauvage, du majestueux aigle de mer à l'emblématique cerf élaphe, dont le brame se répercute en écho à travers les collines en automne, lors de la période du rut. Les innombrables îles, battues par les vagues furieuses de l'Atlantique Nord, sont le refuge d'espèces dont la chasse a provoqué l'extinction plus au sud. Baleines et dauphins patrouillent les mers, et les archipels isolés du nord-est constituent le sanctuaire où viennent se reproduire d'immenses colonies d'oiseaux marins.

La terre

Le territoire écossais se divise en trois parties. Au sud, les Southern Uplands, aux collines arrondies entourées de plaines côtières fertiles, s'étendent de Girvan, dans l'Ayrshire, à Dunbar, dans l'East Lothian.

Les Central Lowlands s'étirent de Glasgow et Ayr, à l'ouest, à Édimbourg et Dundee, à l'est. Cette zone abrite les bassins houillers et pétroliers qui ont alimenté la révolution industrielle écossaise. Elle ne représente qu'un cinquième de la superficie totale, mais concentre la plupart de l'activité industrielle du pays, ses deux métropoles et 80% de sa population.

Autre démarcation naturelle, la faille des Highlands traverse l'Écosse de Helensburgh, à l'ouest, à Stonehaven, sur la côte est.

Enfin, quatre archipels principaux – les Shetland, les Orcades, les Hébrides extérieures et les Hébrides intérieures – regroupent quelque 800 îles.

Les meilleurs… Rencontres sauvages

1 Balbuzards, Loch Garten (p. 263)

2 Pygargues à queue blanche, île de Skye (p. 213)

3 Baleines de Minke, île de Mull (p. 225)

4 Grands dauphins, Moray Firth (p. 265)

5 Rennes, Aviemore (p. 262)

L'eau

Il pleut beaucoup en Écosse – plus de 4,5 m par an dans certains coins des Highlands –, et l'eau douce couvre environ 3% du territoire. Cette dernière se présente essentiellement sous la forme de nombreux lochs, rivières et *burns* (ruisseaux) mais aussi, pour un tiers, de zones humides comme les tourbières, qui composent une grande partie du paysage des Highlands.

Mammifères

Le cerf élaphe, plus gros mammifère terrestre de Grande-Bretagne, y est présent en nombre, de même que le chevreuil, plus commun. Lors d'un séjour dans les Highlands, vous tomberez sur eux à coup sûr.

Les loutres sont réparties sur tout le territoire, le long des côtes et des cours d'eau riches en truites et en saumons. Le meilleur endroit pour les observer est le Nord-Ouest, en particulier l'île de Skye.

L'Écosse abrite 75% de la population britannique d'écureuils roux, pratiquement évincé dans le reste du pays par l'écureuil gris originaire d'Amérique du Nord.

Les eaux qui baignent le nord et l'ouest de l'Écosse sont riches en mammifères marins. Dauphins et marsouins sont rejoints en été par les baleines de Minke. On aperçoit parfois des épaulards, et les phoques sont très répandus.

Oiseaux

L'Écosse abrite une incroyable diversité d'oiseaux, dont le pygargue à queue blanche, plus grand rapace du Royaume-Uni. Réintroduits sur le littoral occidental après leur quasi-extinction, ils planent de nouveau dans le ciel au-dessus des îles de Skye et de Mull.

Le majestueux balbuzard pêcheur, disparu pendant presque tout le XXe siècle, niche désormais en Écosse de mi-mars à septembre après avoir migré depuis l'Ouest africain. Environ 200 couples peuvent être observés un peu partout dans le pays. D'autres rapaces, comme l'aigle royal, la buse, le faucon pèlerin et le busard Saint-Martin sont désormais protégés.

Parcs nationaux

L'Écosse possède deux parcs nationaux, le **Loch Lomond & the Trossachs National Park** (p. 145 et p. 173) et le Cairngorms National Park (p. 238-239 et p. 257). Elle compte aussi un large éventail de zones protégées. Il existe 47 **réserves naturelles nationales** (www.nnr-scotland.org.uk) et plusieurs parcs maritimes aux statuts divers.

L'odyssée du saumon

Il est fascinant de voir les saumons remonter les flots tumultueux des cascades, tels des éclairs argentés. Leur vie commence au début du printemps par l'éclosion des œufs, sur le gravier qui tapisse le fond d'un ruisseau, dans un *glen* isolé. Le fretin y passe quelques années, jusqu'à atteindre une taille suffisante pour descendre vers la pleine mer. Après quelques années dans l'Atlantique Nord, ils remontent le courant, retrouvant infailliblement le lieu où ils ont vu le jour pour s'y reproduire.

Golf

L'Old Course (p. 180), à St Andrews

NEIL SETCHFIELD/GETTY IMAGES ©

L'Écosse est la patrie du golf. On y trouve plus de 550 parcours, soit le ratio par habitant le plus important au monde. Ce sport est ici très populaire et beaucoup plus égalitaire que dans d'autres pays, grâce à l'existence de nombreux terrains communaux très abordables. Il accueille aussi de nombreux parcours de championnats du monde, notamment Muirfield (dans l'East Lothian), Turnberry et Troon (dans l'Ayrshire), Carnoustie (dans l'Angus) et l'Old Course de St Andrews (dans le Fife).

Origines du jeu

Le plus ancien document attestant d'une partie de golf remonte à 1456 et fait référence au Bruntsfield Links, à Édimbourg. Le jeu lui-même est bien plus ancien, remontant pour certains à l'époque romaine, pour d'autres à la Chine médiévale, d'autres encore affirmant qu'il fut inventé en Écosse au XIIe siècle. Selon certaines sources, il aurait été introduit ici en provenance des Pays-Bas.

Quelles que soient ses origines, c'est incontestablement en Écosse qu'il fut systématisé et reçut ses premières règles officielles, au XVIIIe siècle. C'est aussi ici que l'on trouve le plus ancien parcours, le club le plus vénérable et l'institution de référence pour ce sport (hormis pour les États-Unis et le Mexique, où règne la Professional Golfers' Association) : le Royal and Ancient Golf Club of St Andrews.

Les meilleurs… Parcours de golf

1 Ailsa Course, Turnberry

2 Kingsbarns Golf Links, Fife

3 Kings Golf Course, Gleneagles

4 Carnoustie Golf Links, Angus

5 St Andrews Old Course, Fife

Leith Links

Bien que St Andrews affirme disposer du plus ancien parcours de golf au monde, c'est au Leith Links, en 1744, que furent formulées les premières règles officielles du jeu, par l'Honorable Company of Edinburgh Golfers. Ces 13 règles posèrent les fondements du jeu moderne. À l'époque, la partie se jouait sur 5 trous, distants chacun d'environ 400 yards (366 m). La règle n°9 donne un aperçu de ce sport au XVIIIe siècle : "Si la balle est stoppée par toute personne, cheval, chien ou autre obstacle, cette balle doit être jouée là où elle se trouve." Le document original se trouve à la National Library of Scotland, et l'Honorable Company est désormais le célèbre Muirfield Golf Club.

St Andrews

St Andrews accueille à la fois le quartier général des instances dirigeantes de ce sport, le Royal and Ancient, et le plus ancien et plus célèbre parcours au monde, l'Old Course. La première trace écrite attestant d'une partie de golf sur les links de St Andrews remonte à 1552, mais la disposition actuelle du parcours remonte aux années 1860, quand Old Tom Morris participa à sa conception. L'un de ses éléments caractéristiques est la présence de greens doubles : 7 de ses greens possèdent 2 trous chacun. Le 17e trou, le "Road Hole", est sans doute le plus connu au monde : entre autres obstacles, il compte un hôtel, un muret en pierre et une route goudronnée (tous en jeu).

Jouer au golf en Écosse

VisitScotland publie chaque année l'*Official Guide to Golf in Scotland,* une brochure gratuite où figure la liste détaillée des différents parcours, leurs particularités, leur prix, les clubs correspondants, ainsi que des possibilités d'hébergement. Certaines régions proposent un Golf Pass (http://golf.visitscotland.com), dont le prix varie de 40 à 120 £ pour 5 jours (du lundi au vendredi), permettant d'accéder à plusieurs parcours. La plupart des clubs, du plus obscur club local au plus célèbre club international, sont ouverts aux visiteurs – plus de détails sur www.scotlands-golf-courses.com.

Carnet pratique

La Muick, dans le Cairngorms National Park (p. 257)

Infos utiles

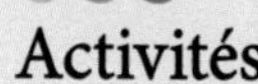

Activités

L'Écosse convient aussi bien aux amateurs de balades tranquilles qu'aux accros à l'adrénaline. Randonnée, golf (p. 299), pêche et cyclotourisme arrivent en tête, mais cette liste est loin d'être exhaustive.

La plupart des activités sont encadrées par des clubs, qui guident les visiteurs et leur accordent parfois des réductions. **Visit Scotland (www.visitscotland.com/fr/faire-et-voir/activites/)** informe à ce sujet et comporte des pages utiles sur la marche, la pêche, le golf, le ski, le vélo et les sports d'aventure. Sa brochure, *Active in Scotland*, est disponible dans les offices du tourisme.

Alimentation

Les restaurants mentionnés dans ce guide comportent un indicateur de prix reposant sur le coût moyen des plats de résistance servis le soir :

£	moins de 9 £
££	9-18 £
£££	18 £ et plus

Les plats servis au déjeuner sont souvent moins chers qu'au dîner. De nombreux établissements proposent des formules spéciales en début de soirée (souvent de 17h à 19h).

Argent

La monnaie est la livre sterling ou *pound* (£), qui se décompose en 100 pence (p). Une livre, en argot, se dit "*a quid*".

Trois banques écossaises émettent leurs propres billets, ce qui implique une certaine diversité dans l'aspect des coupures. Ces billets ont également cours en Angleterre, mais il est parfois difficile de les changer au Royaume-Uni, encore plus à l'étranger.

CARTES BANCAIRES

Les cartes Visa et MasterCard sont très largement acceptées, même si certains endroits vous feront payer une petite commission pour la transaction. Les cartes Amex et Diners Club ne sont pas toujours utilisables dans les petits établissements. La plupart des petits B&B ne sont pas équipés pour les règlements par carte.

CHANGE

Soyez prudent avec les bureaux de change. Ils vous tentent avec des taux intéressants, mais prélèvent souvent des commissions et des frais d'un montant exorbitant. Au Royaume-Uni, les bureaux de poste constituent l'endroit le plus avantageux pour changer des devises, mais seuls ceux des grandes villes assurent ce service. On peut également effectuer l'opération dans les principaux offices du tourisme.

DISTRIBUTEURS DE BILLETS (DAB)

Les distributeurs automatiques de billets (appelé *cashpoints* en Écosse) sont très répandus, et vous en trouverez au moins un dans toutes les petites villes. La plupart des distributeurs des banques acceptent les cartes Visa, MasterCard, Amex, Cirrus, Plus et Maestro.

Certains retraits sont sujets au paiement d'une petite commission, mais la plupart sont gratuits. Si vous n'êtes pas du Royaume-Uni, votre banque risque de vous facturer une commission pour chaque retrait d'espèces. Mieux vaut en connaître le montant, car il sera peut-être plus avantageux de retirer moins souvent de plus grosses sommes.

Dans les coins reculés, s'il n'y a pas de DAB, il est souvent possible, dans un hôtel, une boutique ou un supermarché, de demander un *cash back* : vous faites un paiement par carte bancaire plus élevé que votre note et vous récupérez le surplus en espèces.

POURBOIRE

Un pourboire de 10% est attendu sur la note dans les restaurants, sauf quand le service est compris. Comptez plutôt autour de 15% dans les endroits très chics.

Le service, même inclus, est à l'appréciation du client : rien ne vous oblige à le payer si vous estimez la prestation médiocre.

Pas de pourboire dans les pubs : si le service a été remarquable lors d'une soirée, vous pouvez cependant dire *"Have one for yourself"* ("Gardez quelque chose pour vous").

Pour le taxi, prévoyez 10% de la course ou arrondissez la note.

Assurance

Un contrat d'assurance vous couvre non seulement pour les dépenses médicales, les vols et les pertes, mais aussi pour vos effets personnels, l'annulation ou le retard dans vos déplacements, etc.

Lisez avec la plus grande attention les clauses en petits caractères : c'est là que se cachent les restrictions. Certains "sports à risques", comme la plongée, la moto ou même le trekking ne sont bien souvent pas couverts.

Nombre d'assurances voyage sont comprises dans la cotisation des cartes bancaires – vérifiez votre contrat.

Détails pratiques

- Les deux grands quotidiens écossais sont *The Scotsman*, d'Édimbourg et *The Herald*, de Glasgow, vieux de plus de 225 ans.
- Côté tabloïds, on trouve *The Daily Record*, *The Scottish Sun* ou *The Sunday Post*, un brin nostalgique.
- Avec BBC Radio Scotland (AM : 810kHz ; FM : 92.4-94.7MHz), écoutez le point de vue écossais.
- BBC1 Scotland, BBC2 Scotland et les chaînes régionales d'ITV (STV et Border) proposent des programmes régionaux ; les chaînes commerciales Channel Four et Channel Five gardent leur contenu.
- L'Écosse utilise le système métrique, à l'exception des distances routières (1 mile = 1,6 km) et de la bière (1 pinte = 570 ml).
- Il est interdit de fumer dans tous les espaces publics couverts d'un toit et au minimum à moitié clos de murs (pubs, restaurants, hôtels et Abribus).

Cartes de réduction

L'adhésion à **Historic Scotland** (HS) et au **National Trust for Scotland** (NTS) présente un intérêt si vous séjournez en Écosse un certain temps. Ces organisations à but non lucratif se consacrent à la préservation du patrimoine et s'occupent de centaines de sites. L'inscription peut se faire dans tous les lieux concernés.

HISTORIC SCOTLAND Patrimoine
(HS ; ☎ 0131-668 8999 ; www.historic-scotland.gov.uk). HS s'occupe de centaines de sites historiques. L'adhésion annuelle (adulte/famille 46,50/86,50 £) donne accès libre à tous les sites HS (demi-tarif en Angleterre et au pays de Galles). La formule de courte durée Explorer permet 3/7 jours de visite sur une période de 5/14 jours pour 28/37 £.

NATIONAL TRUST FOR SCOTLAND Patrimoine
(NTS ; ☎ 0844-493 2100 ; www.nts.org.uk). Le NTS se charge de centaines de sites d'importance historique, architecturale ou environnementale. L'adhésion annuelle (adulte/famille 49/84 £) donne accès libre à tous les sites NTS en Écosse et du National Trust ailleurs au Royaume-Uni.

Douanes

Les voyageurs arrivant au Royaume-Uni en provenance d'autres pays de l'Union européenne (UE) ne payent ni taxes ni droit sur les biens à usage personnel et peuvent rapporter autant d'alcool et de tabac dédouané qu'ils le souhaitent. Vous risquez toutefois de vous voir poser quelques questions si vous dépassez les quantités suivantes : 800 cigarettes, 400 cigarillos, 200 cigares, 1 kg de tabac à rouler, 10 l de spiritueux, 20 l de vin muté (porto ou sherry, par exemple), 90 l de vin et 110 l de bière. Les moins de 17 ans ne sont pas autorisés à importer de l'alcool.

Les voyageurs de pays extérieurs à l'UE peuvent importer hors taxes :

- 200 cigarettes *ou* 100 cigarillos *ou* 50 cigares *ou* 250 g de tabac
- 16 l de bière
- 4 l de vin de table non pétillant
- 1 l de spiritueux *ou* 2 l de vin muté ou pétillant
- 390 £ d'autres marchandises, dont cadeaux et souvenirs.

Au-delà de ces quantités, les produits doivent être déclarés en douane à l'arrivée.

Pour en savoir plus, consultez le site Web des **HM Customs and Excise** (www.hmrc.gov.uk/customs).

Électricité

Emportez un adaptateur.

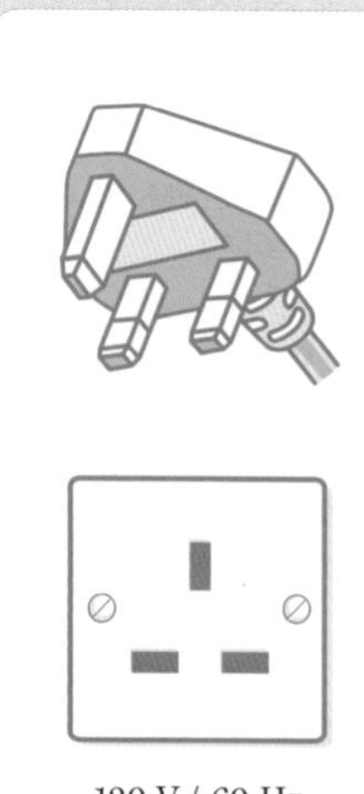

120 V / 60 Hz

Formalités et visas

- Les citoyens des pays de l'EEE (Espace économique européen) et de la Suisse n'ont pas besoin de visa pour entrer ou travailler en Grande-Bretagne. La carte d'identité suffit.
- Les Canadiens peuvent effectuer un séjour de moins de 6 mois sans visa mais ne sont pas autorisés à travailler.
- Pour les autres nationalités, consultez www.ukba.homeoffice.gov.uk.

Handicapés

L'adaptation de l'Écosse aux voyageurs handicapés est assez contrastée. Si la plupart des bâtiments récents (grands hôtels et sites touristiques modernes) sont accessibles aux fauteuils roulants, les B&B et les pensions restent à la traîne. Les voyageurs à mobilité réduite devront donc s'attendre à dépenser davantage que les autres. La situation ne cesse cependant de s'améliorer.

Il en va de même pour les transports. Les bus les plus récents sont parfois équipés de marches qui s'abaissent, de même que les trains, mais il est prudent de se renseigner avant de partir. Les sites touristiques réservent parfois des places de stationnement proches de l'entrée.

Nombre de billetteries, de banques, etc., sont équipées de boucles auditives pour les malentendants, signalées par un pictogramme représentant une grande oreille.

Quelques sites, comme la cathédrale de Glasgow, disposent de guides en braille ou de jardins odorants pour les malvoyants.

VisitScotland publie un guide, *Accessible Scotland*, pour les voyageurs en fauteuil roulant, et beaucoup d'offices du tourisme distribuent des dépliants détaillant les conditions d'accessibilité dans leur région. Les guides d'hébergement régionaux tiennent également compte de ce critère.

De même, beaucoup de sentiers nature ont été aménagés pour les fauteuils roulants.

Hébergement

L'Écosse est en mesure de satisfaire tous les désirs des visiteurs en matière d'hébergement.

Les petits budgets ont le choix entre les campings, les auberges de jeunesse et les B&B bon marché. Au-dessus se rangent pléthore de B&B et pensions confortables (25-40 £/pers), ainsi que des hôtels de catégorie moyenne présents presque partout. Dans la gamme supérieure (à partir de 65 £/pers), les établissements aménagés dans des demeures ou manoirs anciens constituent l'option la plus séduisante ; de même, en ville, les hôtels chics conçus par des architectes d'intérieur.

Si vous voyagez en solo, attendez-vous à payer un supplément dans les hôtels et B&B, soit fréquemment plus de 75% du prix d'une double.

La plupart des B&B, pensions et hôtels (et même quelques auberges de jeunesse) incluent le petit-déjeuner dans leur tarif.

Les prix augmentent pendant la saison touristique (juin-sept), avec un pic en juillet-août. Le reste de l'année, en particulier en hiver, les pensions et hôtels proposent souvent des offres spéciales.

Si vous prévoyez de séjourner à Édimbourg pendant les festivals d'août ou pour Hogmanay (Nouvel An), il est recommandé de réserver longtemps à l'avance (un an si possible), compte tenu de l'affluence.

Les offices du tourisme disposent d'un service de réservation (4 £) qui peut se révéler utile en été. Ils se limitent toutefois aux adresses en constante diminution répertoriées par **VisitScotland** (☎ 0845 859

Climat

Édimbourg

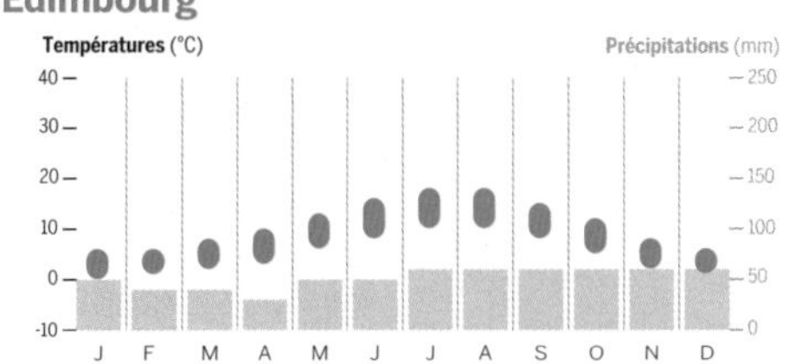

Inverness

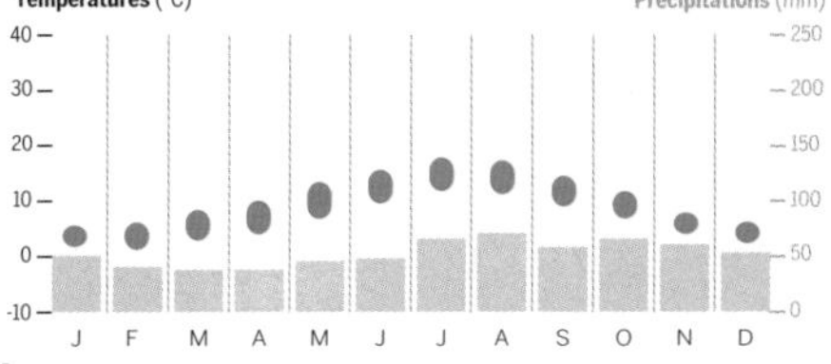

Oban

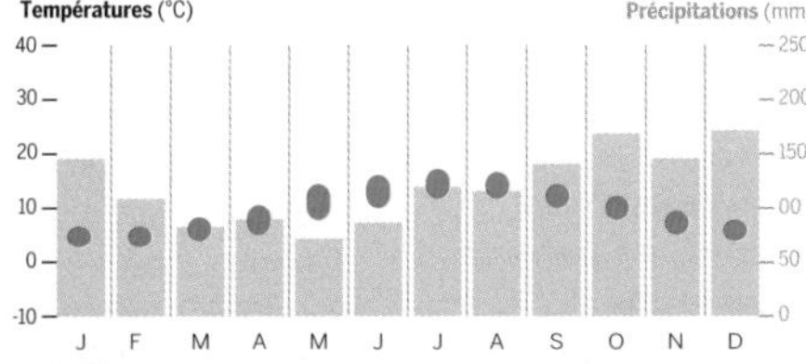

1006 ; www.visitscotland.com/fr/hebergement/). Sachez que quantité d'hébergements très corrects ne figurent pas dans leurs listings, essentiellement à cause du montant élevé des frais d'inscription. Aussi les établissements enregistrés ont-ils tendance à être un peu plus onéreux que les autres. Ne tenez pas trop compte de la classification hôtelière sous forme d'étoiles, car elle repose en Écosse sur des critères plutôt drastiques.

B&B ET GUESTHOUSES

La formule Bed and Breakfast est une institution écossaise. Dans le bas de la gamme, vous aurez une chambre chez un particulier, avec la salle de bains commune et un *fry-up* (jus de fruit, café ou thé, céréales et plat cuit composé de bacon, œufs, saucisse, haricots blancs à la sauce tomate et toast) au petit-déjeuner. Les B&B de catégorie moyenne offrent des chambres avec salle de bains individuelle, la TV dans chaque chambre et un petit-déjeuner plus varié (et plus diététique). Dans presque tous, vous trouverez un petit plateau dans votre chambre vous permettant de préparer du thé ou du café. Les B&B peuvent être installés dans des maisons en ville, dans des pubs ou dans des fermes.

Les *guesthouses* (pensions), qui sont de grandes maisons privées reconverties, constituent un prolongement du concept de B&B. Elles sont en général plus grandes et offrent un cadre moins personnel que les B&B.

FOURCHETTE DE PRIX

Sauf mention contraire et à l'exception des auberges de jeunesse et des campings, les tarifs mentionnés dans ce guide incluent toujours le petit-déjeuner. Les adresses comportent des indicateurs de prix reposant sur l'hébergement le moins cher pour 2 personnes en haute saison :

£	moins de 50 £
££	50-130 £
£££	130 £ et plus

Hôtels

Certains hôtels écossais sont de pures merveilles : manoirs rustiques dans des sites fabuleux, ou vrais châteaux avec créneaux, escaliers majestueux et l'inévitable collection de trophées de cerfs. Ils sont dotés de toutes les commodités attendues, telles que salle de gym, sauna, piscine et service première classe. Si votre budget est serré, accordez-vous au moins une nuit dans l'un des hôtels typiques des Highlands, assortis d'un pub et d'un restaurant, où converge la vie sociale villageoise.

En ville, de mornes enseignes de chaînes dominent la catégorie moyenne. Glasgow et Édimbourg recèlent toutefois quelques options plus originales.

Les hôtels adoptent de plus en plus une tarification inspirée des compagnies aériennes, d'où l'intérêt de réserver tôt pour bénéficier des prix les plus bas. Sur le site www.moneysavingexpert.com, une rubrique permet de dénicher des chambres bon marché.

Essayez aussi ces sites :

- www.hotels.com
- www.booking.com
- www.lastminute.com
- www.laterooms.com

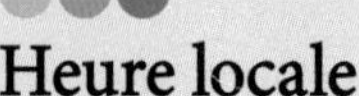

Heure locale

L'Écosse vit à l'heure du méridien de Greenwich (GMT), mais avance ses pendules de 1 heure de fin mars à fin octobre. Quand il est 12h à Paris, il est 11h en Écosse. Le système horaire sur 24 heures est utilisé dans les horaires des transports.

Heures d'ouverture

Dans les Highlands et les îles, l'ouverture le dimanche reste limitée, et les transports publics circulent au compte-gouttes, voire pas du tout, ce jour-là.

Les horaires d'ouverture suivent les normes suivantes :

Banques 9h30-16h ou 17h lun-ven ; certaines ouvrent aussi de 9h30 à 13h le samedi.

Boutiques 9h-17h30 (18h en ville) lun-sam, et souvent 11h-17h dim.

Clubs 21h ou 22h-1h, 2h ou plus tard. Souvent ouvert uniquement jeu-sam.

Postes 9h-18h lun-ven, 9h-12h30 sam (9h-17h pour les bureaux principaux).

Pubs et bars 11h-23h lun-jeu, 11h-1h ven-sam, 12h30-23h dim ; déjeuner tlj 12h-14h30, dîner tlj 18h-21h.

Restaurants 12h-14h30 déj, 18h-21h ou 22h dîner ; dans les petites villes et les villages, le *chippy* (*fish and chips*) est souvent le seul endroit où l'on peut acheter de la nourriture préparée après 20h.

Homosexualité

Si beaucoup d'Écossais sont plutôt tolérants envers l'homosexualité, les manifestations publiques de tendresse ne sont pas recommandées en dehors des lieux gays reconnus et pourraient susciter des réactions hostiles.

À Édimbourg et à Glasgow, il existe une communauté gay, petite mais florissante. Des informations sur la vie locale et les événements spécifiques sont publiées dans le magazine mensuel *ScotsGay* et sur son site (www.scotsgay.co.uk).

Internet (accès)

Pour ceux qui voyagent avec leur ordinateur portable, quantité d'endroits (cafés, B&B, espaces publics...) disposent d'une connexion Wi-Fi.

Nous indiquons par le pictogramme [Wi-Fi] les hébergements, bars et restaurants qui en sont équipés. Bien que l'usage du Wi-Fi soit généralement gratuit, certaines adresses font payer, en particulier les hôtels haut de gamme.

Si vous n'avez pas de portable, les meilleurs endroits pour surfer sur la Toile sont les bibliothèques publiques – la plupart ont toujours 2 ordinateurs réservés à Internet (usage gratuit mais avec un temps limité).

Dans les grandes villes, vous trouverez des cybercafés pratiquant des tarifs entre 2 et 3 £ l'heure.

Bon nombre d'offices du tourisme d'importance sont équipés d'un accès à Internet.

Jours fériés

Les jours fériés observés dans le reste du Royaume-Uni ne s'appliquent, en Écosse, qu'aux banques et à quelques services commerciaux.

Les villes écossaises disposent de 4 jours fériés spécifiques qu'elles fixent chacune à leur guise et dont les dates varient d'une année sur l'autre. La plupart célèbrent le St Andrew's Day (30 novembre), fête du saint patron de l'Écosse.

Jours fériés nationaux :

Nouvel An 1er et 2 janvier

Vendredi saint Mars ou avril

Noël 25 décembre

Boxing Day 26 décembre

Offices du tourisme

L'office du tourisme écossais est **VisitScotland** (☎ 0845 2255 121 ; www.visitscotland.

com/fr/). Vous pouvez demander que l'on vous envoie des brochures.

La plupart des grandes villes ont des offices du tourisme qui ouvrent du lundi au vendredi, de 9h ou 10h à 17h, et le week-end en été. Dans les localités de moindre importance, notamment dans les Highlands, les offices du tourisme ne sont ouverts que de Pâques à septembre.

Pour envoyer un e-mail à un office du tourisme, tapez le nom de la ville suivi de @ visitscotland.com.

Problèmes juridiques

La police a le droit de détenir toute personne soupçonnée d'avoir commis un délit puni d'emprisonnement (y compris les délits pour trafic ou usage de drogue) pendant 6 heures au maximum.

Si vous avez besoin d'une assistance juridique, prenez contact avec le **Scottish Legal Aid Board** (☎ 0845-122 8686 ; www.slab.org.uk ; 44 Drumsheugh Gardens, Édimbourg).

Santé

- La carte européenne d'assurance maladie, nominative et individuelle, assure l'aide médicale d'urgence (mais pas le rapatriement sanitaire) aux citoyens de l'Union européenne. Vous devez en faire la demande auprès de votre caisse d'assurance maladie. Comptez un délai de 2 semaines pour la réception.
- Vérifiez que les "sports à risques", comme la plongée, la moto ou même la randonnée ne sont pas exclus de votre contrat, ou encore que le rapatriement médical d'urgence, en ambulance ou en avion, est couvert.
- Pensez à vous munir d'une lettre datée et signée de votre médecin traitant décrivant vos éventuels traitements, avec les noms génériques des médicaments.
- Aucune vaccination n'est requise pour voyager en Écosse.
- Dans les Highlands et les îles, les principales nuisances sont créées par les *midges* (voir p. 205 et p. 243).

Téléphone

Les célèbres cabines rouges sont une espèce aujourd'hui en voie de disparition, qui ne survit plus que dans les zones protégées. Vous rencontrerez 2 types de téléphones publics : l'un fonctionne avec des pièces (mais ne rend pas la monnaie), l'autre avec des cartes bancaires et des cartes téléphoniques prépayées. Certains appareils fonctionnent à pièces et à cartes. On trouve partout des cartes téléphoniques.

Pour l'international, le plus économique est de recourir aux appels via Internet (type Skype) ou à se procurer chez un marchand de journaux une carte prépayée ; des tableaux indiquent les pays couverts et les tarifs à la minute.

TÉLÉPHONES MOBILES

Les numéros des téléphones portables commencent généralement par ☎07. Le Royaume-Uni utilise le réseau GSM 900/1800, couvrant le reste de l'Europe, mais non compatible avec le GSM 1900 nord-américain. Les nouvelles générations de mobiles peuvent toutefois fonctionner sur les deux réseaux ; renseignez-vous auprès de votre opérateur.

INDICATIFS TÉLÉPHONIQUES ET NUMÉROS UTILES

Téléphoner en Écosse depuis l'étranger Composez le code d'accès international (☎00 depuis la France, la Belgique et la Suisse, ☎01 depuis le Canada), puis le ☎44 (indicatif du Royaume-Uni) et l'indicatif régional (sans le 0 du début), suivi du numéro du correspondant.

Téléphoner à l'étranger depuis l'Écosse Composez le ☎00, puis l'indicatif du pays (☎33 pour la France, ☎32 pour la Belgique, ☎41 pour la Suisse et ☎1 pour le Canada), celui de la région (sans le 0 du début) et le numéro du correspondant.

Téléphoner à l'étranger en PCV Composez le ☎155 pour obtenir l'opérateur. La communication revient cher.

Indicatifs régionaux en Écosse Ils commencent par 0 ; Édimbourg ☎0131, Wick ☎01955, etc.

Renseignements téléphoniques Plusieurs numéros, dont le ☎118500.

Mobiles Les numéros commencent habituellement par ☎07.

Appels gratuits Les numéros débutant par ☎0800/0845 sont gratuits/facturés au tarif local.

Transports

Depuis/vers l'Écosse

VOIE AÉRIENNE

AÉROPORTS ÉCOSSAIS

L'Écosse compte quatre aéroports internationaux : Aberdeen, Édimbourg, Glasgow et Glasgow-Prestwick. Quelques vols internationaux de courte distance atterrissent à Inverness.

DEPUIS/VERS LA FRANCE

Air France propose au moins un vol direct quotidien pour Aberdeen, Glasgow et Édimbourg au départ de Paris CDG. Les prix les plus intéressants oscillent autour de 280 € aller-retour, mais il existe des promotions ponctuelles.

Avec une escale à Londres, CityJet dessert une ou deux fois par semaine Édimbourg et Dundee au départ de Paris, Nantes, Brest, Toulon, Avignon, Deauville et Brive. Comptez entre 300 et 420 € l'aller-retour. FlyBe relie aussi Paris à Édimbourg et à Aberdeen.

Quelques compagnies low cost proposent des vols directs. Les tarifs sont très variables ; nous indiquons quelques prix bas proposés lors de nos recherches. Ryanair dessert Glasgow-Prestwick depuis Paris-Beauvais (4/sem ; 66 €) et Carcassonne (2/sem ; 70 €), et Édimbourg depuis Paris-Beauvais (3-4/sem ; 80 €) et, en saison, depuis Bordeaux (2/sem ; 80 €), Marseille-Provence (2/sem ; 80 €), Béziers (2/sem ; 90 €) et Poitiers (2/sem, juil-août ; 150 €). EasyJet dessert Édimbourg depuis Paris (presque tous les jours ; 130 €), Lyon (2/sem ; 100 €) et Grenoble (2/sem, l'hiver seulement ; 70 €) ; et Glasgow depuis Paris (presque tous les jours ; 106 €). Jet2Com assure des vols (130 €) pour Édimbourg l'été depuis Toulouse (2/sem) et La Rochelle (1/sem) et l'hiver depuis Chambéry (1/sem).

DEPUIS/VERS LA BELGIQUE

Depuis Bruxelles, des vols directs pour Édimbourg sont proposés tous les jours par Brussels Airlines (à partir de 99 €) et 4 fois par semaine depuis Charleroi par Ryanair (à partir de 100 €). D'autres compagnies peuvent relier l'Écosse avec escale.

DEPUIS/VERS LA SUISSE

Les vols pour l'Écosse assurés par Swiss font escale à Francfort, Bruxelles ou Londres.

Pour un vol direct, EasyJet relie Genève à Édimbourg (tlj ; à partir de 125 FS) ou à Glasgow (hiver et printemps ; 110 FS) et Bâle à Édimbourg (4-5/sem ; 125 FS). Helvetic Airways propose aussi des vols Zurich-Inverness de mai à septembre.

DEPUIS/VERS LE CANADA

De Montréal et de Toronto, les vols d'Air Canada pour Édimbourg (à partir de 1 300 $CA) et Glasgow (à partir de 1 180 $CA) transitent en général par New York ; pour Aberdeen (à partir de 1 270 $CA), via Londres. D'Ottawa ou de Québec, il faudra d'abord faire escale dans une autre ville canadienne. La compagnie Air Transat propose des vols directs entre Toronto et Glasgow à certaines périodes de l'année (à partir de 760 $CA).

VOIE TERRESTRE

BUS

Pour vous rendre en Écosse depuis la France ou la Belgique, il vous faudra d'abord rejoindre Londres par la compagnie **Eurolines** (**France ✆ 0892 899 091, www.eurolines.fr ; Belgique ✆ 02 274 13 50, www.eurolines.be**). De Genève, il vous faudra passer par Paris ; de Bâle et de Zurich, par Bruxelles.

Ensuite, utilisez une compagnie anglaise, dont :

Megabus (**✆ 0871 266 3333 ; www.megabus.com**). L'aller Londres-Glasgow coûte à partir de 5 £, à condition de réserver longtemps à l'avance (jusqu'à 12 semaines).

National Express (**✆ 08717 818178 ; www.nationalexpress.com**). Liaisons régulières avec Glasgow et Édimbourg au départ de Londres et d'autres villes britanniques.

Scottish Citylink (**✆ 0871 266 3333 ; www.citylink.co.uk**). Service régulier de Belfast à Glasgow et Édimbourg via le ferry de Cairnryan.

TRAIN

Se rendre en train en Écosse est plus rapide et plus confortable qu'en bus, mais plus coûteux.

National Rail Enquiry Service (☎ 08457 48 49 50 ; www.nationalrail.co.uk). Horaires et tarifs de tous les trains du Royaume-Uni.

VOITURE ET MOTO

Il est très simple de venir en Écosse avec un véhicule immatriculé dans l'Union européenne : il vous suffit d'être en règle et, bien sûr, d'être assuré ; la carte internationale d'assurance (carte verte) n'est pas obligatoire, mais recommandée. Le trajet Paris-Édimbourg via le tunnel sous la Manche fait 1 025 km (dont 750 km pour la section Calais-Édimbourg). En voiture, il se parcourt en 12 heures environ. Une fois le tunnel passé, prenez la direction de Londres et empruntez le périphérique M25 pour rejoindre l'autoroute M1 ; puis continuez vers le nord et l'Écosse par la M1 et la M6.

Comment circuler

Les transports publics d'Écosse sont plutôt bons, mais aussi plus chers en moyenne que dans les autres pays européens. Les bus sont souvent le moyen de transport le moins cher, mais néanmoins le plus lent. Avec un forfait tarif réduit, le train se révèle assez compétitif et plus rapide.

Traveline (☎ 0871 200 2233 ; www.travelinescotland.com) fournit les horaires pour l'ensemble des transports publics en Écosse, mais ne donne pas les tarifs et n'assure pas de réservation.

AVION

La plupart des lignes intérieures sont conçues pour une clientèle d'affaires ou pour le ravitaillement des îles isolées. L'avion est donc peu rentable sur ces courtes distances, à envisager uniquement si vous restez peu de temps et si voulez visiter les Hébrides, les Orcades ou les Shetland.

BUS

Un vaste réseau de bus couvre la majeure partie de l'Écosse. Toutefois, les liaisons dans les zones reculées répondent surtout aux besoins des habitants (ramassage scolaire, courses en ville...), et leurs horaires ne conviennent pas toujours aux touristes.

FORFAITS DE BUS

En vente au Royaume-Uni, le **Scottish Citylink Explorer Pass** permet un usage illimité des services Scottish Citylink (et de quelques autres) en Écosse pendant 3/5/8 jours sur une durée totale de 5/10/16 jours (39/59/79 £). Il donne aussi droit à des réductions sur plusieurs lignes de bus régionaux et sur les ferries Northlink et CalMac, ainsi que les auberges de jeunesse SYHA.

CIRCUITS ORGANISÉS LOCAUX

De nombreux organismes écossais proposent toutes sortes de circuits. À vous de choisir celui qui convient à vos envies et à votre budget.

HEART OF SCOTLAND TOURS
(☎ 01828-627799 ; www.heartofscotlandtours.co.uk). Circuits en minibus à la journée – centre de l'Écosse et Highlands. Départ d'Édimbourg.

RABBIE'S
(☎ 0131-226 3133 ; www.rabbies.com). Circuits de 1 à 5 jours dans les Highlands à bord de minibus 16 places, en compagnie d'un guide-chauffeur professionnel.

TIMBERBUSH TOURS
(☎ 0131-226 6066 ; www.timberbush-tours.co.uk). Circuits en petits groupes en minibus dans toute l'Écosse, au départ de Glasgow et d'Édimbourg.

Voyages et changements climatiques

Tous les moyens de transport fonctionnant à l'énergie fossile génèrent du CO_2 – la principale cause du changement climatique induit par l'homme. L'industrie du voyage est aujourd'hui dépendante des avions. Si ceux-ci ne consomment pas nécessairement plus de carburant par kilomètre et par personne que la plupart des voitures, ils parcourent en revanche des distances bien plus grandes et relâchent quantité de particules et de gaz à effet de serre dans les couches supérieures de l'atmosphère. De nombreux sites Internet utilisent des "compteurs de carbone" permettant aux voyageurs de compenser le niveau des gaz à effet de serre dont ils sont responsables par une contribution financière à des projets respectueux de l'environnement. Lonely Planet "compense" les émissions de tout son personnel et de ses auteurs.

Routes à une seule voie

De nombreux coins de la campagne écossaise, en particulier dans les Highlands et dans les îles, comportent des routes à voie unique, les *single track roads*, juste assez larges pour la circulation d'un seul véhicule. Des zones de dépassement – *passing places*, indiquées par un losange blanc ou un poteau rayé noir et blanc – sont utilisées pour permettre le passage des voitures venant en sens inverse. Elles servent aussi à doubler : rangez-vous sur le côté pour laisser passer les véhicules plus rapides. Important : il est interdit de se garer sur ces espaces.

FERRIES

Caledonian MacBrayne (CalMac ; ☎ 0800 066 5000 ; www.calmac.co.uk) dessert la côte et les îles occidentales. Il existe plus d'une vingtaine de forfaits **CalMac Island Hopscotch** donnant droit à diverses combinaisons de traversées à prix réduits ; reportez-vous au site Web de la compagnie ou aux brochures horaires complètes (disponibles dans les offices du tourisme). Le billet **Island Rover** valable 8/15 jours permet un accès illimité aux traversées effectuées par les ferries CalMac. Il coûte 55/79 £ pour un passager piéton, plus 259/388 £ pour une voiture ou 130/195 £ pour une moto. Les vélos voyagent gratuitement avec la formule piéton.

TRAIN

Le réseau ferroviaire écossais inclut toutes les villes moyennes et grandes, mais présente d'importantes lacunes dans les Highlands et les Southern Uplands, où il vous faudra recourir au bus ou à la voiture. La West Highland Line, qui relie Glasgow à Fort William et à Mallaig, et la ligne Inverness-Kyle of Lochalsh traversent des paysages d'une grande splendeur.

National Rail Enquiry Service (☎ 08457 48 49 50 ; www.nationalrail.co.uk). Horaires et tarifs de tous les trains du Royaume-Uni.

FORFAITS FERROVIAIRES

ScotRail propose plusieurs forfaits avantageux. Il est possible de les acheter en ligne ou par téléphone, ou dans les gares ferroviaires. Les billets Travelpass et Rover ne sont pas admis sur certaines lignes (banlieue notamment) avant 9h15 en semaine (heures de pointe).

Central Scotland Rover. Couvre les trajets entre Glasgow, Édimbourg, North Berwick, Stirling et Fife moyennant 35 £ pour 3 jours de voyage sur une durée totale de 7 jours.

Freedom of Scotland Travelpass. Accès illimité à tous les trains écossais (avec quelques restrictions), toutes les lignes de ferry CalMac et les itinéraires de bus Scottish Citylink non desservis par le rail. Valable pour 4/8 jours de voyage sur une durée totale de 8/15 jours (129/173 £).

Highland Rover. Voyages illimités de Glasgow à Oban, Fort William et Mallaig, et d'Inverness à Kyle of Lochalsh, Aviemore, Aberdeen et Thurso ; il offre aussi la gratuité à bord des bus reliant Oban/Fort William à Inverness, sur les ferries Oban-Mull et Mallaig-Skye, et sur les bus circulant

Distances routières (km)

	Aberdeen	Dundee	Édimbourg	Fort William	Glasgow	Inverness	Kyle of Lochalsh	Mallaig	Oban	Scrabster	Stranraer
Dundee	113										
Édimbourg	208	100									
Fort William	266	195	235								
Glasgow	233	135	68	167							
Inverness	169	211	250	106	267						
Kyle of Lochalsh	303	285	332	122	291	132					
Mallaig	304	259	290	71	241	171	55				
Oban	290	190	198	72	151	177	193	137			
Scrabster	351	402	449	298	460	192	344	383	370		
Stranraer	375	275	193	296	129	402	426	373	286	602	
Ullapool	241	304	346	145	362	217	142	267	259	201	254

sur les îles de Mull et de Skye. Vous pouvez voyager 4 jours sur une durée totale de 8 (79 £).

TARIFS ET RÉSERVATIONS

Le train est plus cher que le bus, mais souvent plus confortable. Un aller-retour Édimbourg-Inverness en classe standard tourne autour de 62 £, contre 28 £ en bus.

La réservation est recommandée pour les trains interurbains, surtout le vendredi et les jours fériés ; pour les voyages plus courts, vous pouvez vous contenter d'acheter le billet à la gare avant le départ. Sur certains itinéraires, notamment l'express Glasgow-Édimbourg, et lorsqu'il n'y a pas de guichet en gare, vous pouvez acheter votre billet à bord du train.

Les enfants de moins de 5 ans voyagent gratuitement et les 5-15 ans, à moitié prix.

Il existe différents types de billets :

Advance Purchase. Achat à 18h la veille du départ ; moins cher qu'Anytime.

Anytime. Achat à n'importe quel moment pour un voyage n'importe quand, sans restrictions.

Off Peak. Billet assez bon marché avec restrictions d'horaires (pas le droit de prendre un train avant 9h15).

VOITURE ET MOTO

Les routes écossaises sont généralement bonnes, et la conduite y est agréable. Une voiture est toujours gênante en centre-ville.

Les autoroutes (M pour *motorway*) sont à quatre voies sans péage, présentes surtout au centre de l'Écosse. Les grandes routes (A) sont à quatre ou deux voies et sont ralenties par des camions ou des caravanes ; l'A9 entre Perth et Inverness est connue pour sa circulation dense.

La conduite est plus agréable sur les routes secondaires (indiquées B) et les petites routes (pas de lettre particulière). Pour les routes à une voie, lire l'encadré p. 310. Dans les Highlands et sur les îles, attention aux moutons errant sur la route (notamment les agneaux, au printemps).

Pour l'essence, comptez 1,45 £/litre, et 3 p/litre en plus pour le gazole. Les prix augmentent en général à mesure que vous vous éloignez des régions les plus peuplées et sont 10% plus élevés dans les Hébrides extérieures. Dans les régions reculées, les stations sont rares et parfois fermées le dimanche.

CODE DE LA ROUTE

Le *Highway Code*, largement disponible en librairie, détaille le code de la route en vigueur au Royaume-Uni. Les véhicules roulent à gauche. Les ceintures sont obligatoires à l'avant et doivent être bouclées à l'arrière quand elles existent. La vitesse maximale autorisée est de 30 mph (environ 50 km/h) en zone habitée, de 60 mph (environ 95 km/h) sur les routes à deux voies et de 70 mph (environ 112 km/h) sur les quatre-voies ; vous devez céder la priorité à droite pour entrer dans un rond-point (les véhicules engagés sur le rond-point ont la priorité). À moto, le casque est obligatoire.

L'utilisation au volant d'un téléphone mobile ou d'un autre appareil similaire constitue une infraction grave, y compris à un feu rouge et dans les embouteillages, où vous pouvez être appelé à redémarrer à tout moment.

L'alcoolémie maximale autorisée au volant est de 80 mg/100 ml (35 mg par 100 ml d'air expiré) ; ce taux est légèrement supérieur à beaucoup d'autres pays.

Les auteurs de délits routiers (stationnement illicite, excès de vitesse...) encourent des contraventions payables dans un délai de 30 à 60 jours. À Glasgow et à Édimbourg, les contractuels opèrent en nombre et se montrent impitoyables – ne garez jamais votre voiture en centre-ville sans un ticket de stationnement valide, sous peine d'une amende salée.

LOCATION

Les tarifs de location de voiture sont assez intéressants au Royaume-Uni par rapport aux autres pays européens, et vous pourrez parfois dénicher des offres très intéressantes sur Internet, pouvant tomber jusqu'à 12 £/jour pour une location de longue durée. Utilisez des comparateurs comme **Kayak** (www.kayak.com) ou **Kelkoo** (www.kelkoo.com) pour trouver les meilleures offres.

L'âge minimum légal pour conduire est de 17 ans, mais pour louer une voiture, le conducteur doit en général avoir entre 23 et 65 ans (dans le cas contraire, des conditions spécifiques ou des exigences en matière d'assurance peuvent s'appliquer).

En coulisses

Un mot des auteurs

NEIL WILSON

Mille mercis au personnel serviable et enthousiaste des offices de tourisme de tout le pays et aux nombreux voyageurs croisés sur la route, qui m'ont prodigué conseils et recommandations. Merci également à Carol Downie et Peter Yeoman, Fiona Maxwell, Neil Ballantyne, Jason McInally, Ian Logan, Suu Ramsay, David Sexton, Adrian Shine et Eric Baird. Merci enfin à mon coauteur, Andy, et aux éditeurs et cartographes de Lonely Planet pour leur aide et leur patience indéfectibles.

Remerciements

Données des cartes du climat adaptées de Peel MC, Finlayson BL & McMahon TA (2007) "Updated World Map of the Köppen-Geiger Climate Classification", *Hydrology and Earth System Sciences*, 11, 1633-44.

Illustrations p. 70-71, p. 92-93 et p. 166-167 : Javier Zarracina.

Photo de couverture : Eilean Donan Castle, Britain on View / Getty Images. Photo de 4e de couverture : Dugald Stewart Memorial, Calton Hill, Édimbourg, Karl Blackwell / Getty Images.

À propos de l'ouvrage

Cette 1re édition française du guide *L'essentiel de l'Écosse* est la traduction de la 2e édition du guide *Discover Scotland* (en anglais), actualisée et rédigée par Neil Wilson et Andy Symington.

Traduction Florence Delahoche, Adeline Guichard-Lepetit, Dominique Lavigne et Julie Marcot
Direction éditoriale Didier Férat
Adaptation française Laurent Courcoul
Responsable prépresse Jean-Noël Doan
Maquette Christian Deloye
Couverture Adaptée en français par Annabelle Henry
Cartographie Adaptée en français par Caroline Sahanouk
Remerciements à Julie-Pomme Séramour pour sa préparation du manuscrit ; à Dolorès Mora pour sa relecture attentive du texte ; je lève un *wee dram* de whisky tourbé en adressant un *tapadh leat* à Dominique Spaety ! Merci également à Clare Mercer, Tracey Kislingbury et Joe Revill du bureau de Londres, ainsi qu'à Darren O'Connell, Chris Love, Craig Kilburn et Carol Jackson du bureau australien.

VOS RÉACTIONS

Vos commentaires nous sont très précieux et nous permettent d'améliorer constamment nos guides. Notre équipe lit toutes vos lettres avec la plus grande attention. Nous ne pouvons pas répondre individuellement à tous ceux qui nous écrivent, mais vos commentaires sont transmis aux auteurs concernés. Tous les lecteurs qui prennent la peine de nous communiquer des informations sont remerciés dans l'édition suivante, et ceux qui nous fournissent les renseignements les plus utiles se voient offrir un guide.

Pour nous faire part de vos réactions, prendre connaissance de notre catalogue et vous abonner à notre newsletter, consultez notre site Internet : **www.lonelyplanet.fr**.

Nous reprenons parfois des extraits de notre courrier pour les publier dans nos produits, guides ou sites Web. Si vous ne souhaitez pas que vos commentaires soient repris ou que votre nom apparaisse, merci de nous le préciser. Notre politique en matière de confidentialité est disponible sur notre site Internet.

Index

Référence des cartes en **gras**

D

E

F

Référence des cartes en **gras**

G

H

I

J

K

L

M

Référence des cartes en **gras**

N

O

P

Q

R

S

T

U

V

W

Y

Z

Référence des cartes en **gras**

Comment utiliser ce guide

Ces symboles vous aideront à identifier les différentes rubriques :

- À voir
- Activités
- Cours
- Circuits organisés
- Fêtes et festivals
- Où se loger
- Où se restaurer
- Où prendre un verre
- Où sortir
- Achats
- Renseignements/transports

Ces symboles vous donneront des informations essentielles au sein de chaque rubrique :

- Numéro de téléphone
- Horaires d'ouverture
- Parking
- Non-fumeurs
- Climatisation
- Accès Internet
- Wi-Fi
- Piscine
- Végétarien
- Menu en anglais
- Familles bienvenues
- Animaux acceptés
- Bus
- Ferry
- Métro
- Subway
- Tube (Londres)
- Tramway
- Train

La sélection apparaît dans l'ordre de préférence de l'auteur.

Les pictos pour se repérer :

GRATUIT Des sites libre d'accès

Les adresses écoresponsables

Nos auteurs ont sélectionné ces adresses pour leur engagement dans le développement durable – par leur soutien envers des communautés ou des producteurs locaux, leur fonctionnement écologique ou leur investissement dans des projets de protection de l'environnement.

Légende des cartes

À voir

- Plage
- Temple bouddhiste
- Château
- Église/cathédrale
- Temple hindou
- Mosquée
- Synagogue
- Monument
- Musée/galerie
- Ruines
- Vignoble
- Zoo
- Centre d'intérêt

Activités

- Plongée/snorkeling
- Canoë/kayak
- Ski
- Surf
- Piscine/baignade
- Randonnée
- Planche à voile
- Autres activités

Où se loger

- Hébergement
- Camping

Où se restaurer

- Restauration

Où prendre un verre

- Bar
- Café

Où sortir

- Spectacle

Achats

- Magasin

Renseignements

- Poste
- Point d'information

Transports

- Aéroport/aérodrome
- Poste frontière
- Bus
- Téléphérique/funiculaire
- Piste cyclable
- Ferry
- Métro
- Monorail
- Parking
- S-Bahn
- Taxi
- Train/rail
- Tramway
- Tube
- U-Bahn
- Autre moyen de transport

Routes

- Autoroute à péage
- Autoroute
- Nationale
- Départementale
- Cantonale
- Chemin
- Route non goudronnée
- Rue piétonne
- Escalier
- Tunnel
- Passerelle
- Promenade à pied
- Promenade à pied (variante)
- Sentier

Géographie

- Refuge/gîte
- Phare
- Point de vue
- Montagne/volcan
- Oasis
- Parc
- Col
- Aire de pique-nique
- Cascade

Population

- Capitale (pays)
- Capitale (État/province)
- Grande ville
- Petite ville/village

Limites et frontières

- Pays
- Province/État
- Contestée
- Région/banlieue
- Parc maritime
- Falaise/escarpement
- Rempart

Hydrographie

- Rivière
- Rivière intermittente
- Marais/mangrove
- Récif
- Canal
- Eau
- Lac asséché/salé/intermittent
- Glacier

Topographie

- Plage/désert
- Cimetière (chrétien)
- Cimetière (autre religion)
- Parc/forêt
- Terrain de sport
- Site (édifice)
- Site incontournable (édifice)

Les guides Lonely Planet

Une vieille voiture déglinguée, quelques dollars en poche et le goût de l'aventure, c'est tout ce dont Tony et Maureen Wheeler eurent besoin pour réaliser, en 1972, le voyage d'une vie : rallier l'Australie par voie terrestre via l'Europe et l'Asie. De retour après un périple harassant de plusieurs mois, et forts de cette expérience formatrice, ils rédigèrent sur un coin de table leur premier guide, *Across Asia on the Cheap*, qui se vendit à 1 500 exemplaires en l'espace d'une semaine. Ainsi naquit Lonely Planet, qui possède aujourd'hui des bureaux à Melbourne, Londres et Oakland, et emploie plus de 600 personnes. Nous partageons l'opinion de Tony, pour qui un bon guide doit à la fois informer, éduquer et distraire.

Nos auteurs

NEIL WILSON

Auteur coordinateur ; Édimbourg, Stirling et l'Écosse du Nord-Est, Skye, Oban, Mull et Iona, Inverness et les Highlands Neil est né en Écosse, où il a toujours vécu, en dehors de quelques années passées à l'étranger. Sa passion des activités de plein air l'a conduit aux quatre coins de la région pour pratiquer la randonnée, le vélo et la voile. Lors de son dernier voyage d'enquête, Neil a fait du VTT sur le Laggan Wolftrax, du canoë sur le Loch Lomond, l'ascension de l'Eaval sur l'île de North Uist et du Carnan Eoin sur l'île de Colonsay, et a bu trop de bières BrewDog. Auteur à plein temps depuis 1988, Neil a écrit une soixantaine de guides publiés chez différents éditeurs, notamment le guide *Édimbourg* (sa ville natale) de Lonely Planet. Neil a également rédigé la rubrique Loch Lomond du chapitre *Glasgow et le Loch Lomond*.

Pour en savoir plus sur Neil : lonelyplanet.com/members/neilwilson

ANDY SYMINGTON

Glasgow et le Loch Lomond, Stirling et l'Écosse du Nord-Est, Skye, Oban, Mull et Iona, Inverness et les Highlands
Les racines écossaises d'Andy se manifestent à travers son goût pour le *single malt*, le roux discutable de sa barbe et son amour des grands espaces sauvages. Après avoir trimé enfant sur l'autoroute M1, il a enfin pu s'aventurer sur des routes plus surprenantes autour des estuaires d'Écosse à bord d'une Mini Métro en piteux état. Il a même vendu du whisky à Leith, le port d'Édimbourg, et en a alors profité pour sillonner la région à la recherche du breuvage parfait. Bien qu'habitant désormais l'Espagne, il revient régulièrement en Écosse. Andy a également écrit les chapitres *Carnet pratique*, *Histoire*, *La nature écossaise* et *Golf*.

Pour en savoir plus sur Andy : lonelyplanet.com/members/andy_symington

L'essentiel de l'Écosse
1re édition
Traduit et adapté de l'ouvrage *Discover Scotland*, 2nd edition, April 2013

Dépôt légal Juin 2013
ISBN 978-2-81613-345-5
Imprimé par IME (Imprimerie Moderne de l'Est), Baume-les-Dames, France

En Voyage Éditions | un département